Des Minnesangs Frühling

Unter Benutzung der Ausgaben
von KARL LACHMANN und MORIZ HAUPT,
FRIEDRICH VOGT und CARL VON KRAUS

bearbeitet von

HUGO MOSER und HELMUT TERVOOREN

I

Texte

36., neugestaltete und erweiterte Auflage
Mit 1 Faksimile

S. HIRZEL VERLAG STUTTGART
1977

CIP-Kurztitelaufnahme der Deutschen Bibliothek

Des Minnesangs Frühling / unter Benutzung d.
Ausg. von Karl Lachmann ... bearb. von Hugo
Moser u. Helmut Tervooren. – Stuttgart : Hirzel.

NE: Moser, Hugo [Bearb.]

1. Texte. – 36., neugestaltete u. erw. Aufl. – 1977.

ISBN 3-7776-0314-7

Satz und Druck: Konrad Triltsch, Graphischer Betrieb, Würzburg

Vorwort

Das Ergebnis einer fast zehnjährigen Arbeit, eine Neugestaltung der Sammlung mittelhochdeutscher Lyrik ‚Des Minnesangs Frühling‘, kann nun vorgelegt werden — endlich, werden nicht nur die Fachgenossen, die von unserer Arbeit wußten, sagen, endlich sagen auch wir.

Der Kenner, der nun die altvertraute Sammlung in die Hand nimmt, wird sie in vielem umgestaltet finden, manches wird ihn freuen, manches befremden. Wir haben in den „Bemerkungen zu dieser Ausgabe" (vgl. Bd. 2, S. 7) dargelegt, weshalb wir glaubten, oft grundsätzlich andere Wege gehen zu müssen als unsere Vorgänger — im übrigen in großer Hochachtung vor ihrer Leistung. Wir wissen: Es werden Einwände kommen — schon deshalb, weil keine Edition älterer Dichtung alle Konzeptionen, die für eine Ausgabe möglich sind, verwirklichen, alle Desiderate — auch die berechtigten — erfüllen kann. Aber es werden auch Einwände gegen grundsätzliche Positionen unserer Edition sein. Wir hoffen, daß die Kritik unsere Entscheidungen und die in den „Bemerkungen" dafür gegebenen Begründungen zunächst emotionslos prüfen und erst dann darüber urteilen wird.

Eine solch umfangreiche Arbeit wie die vorliegende entsteht heute nicht mehr in einsamer Gelehrtenstube; man braucht Mitarbeit, Diskussion, Kritik. So haben zu dieser Ausgabe viele beigetragen, die hier dankbar genannt seien.

Textvorschläge, die dann von den Herausgebern geprüft wurden, haben nach den Grundsätzen dieser Edition erstellt Bonner ehemalige und heutige Mitarbeiter: Peter RENNINGS für Reinmar den Alten, Kurt MAI für Rudolf von Fenis und einen Teil von Heinrich von Veldeke, Karl-Friedrich KEMPER für den anderen Teil Veldekes, für Kaiser Heinrich und Heinrich von Rugge, dazu Prof. Eberhard NELLMANN für die Lieder Wolframs von Eschenbach. Texte vorbereitet haben Peter BÖRNER und Dr. G. OBJARTEL zu Morungen und Dr. Wolfgang MARQUIS zu Reinmar. Für technische Hilfe danken wir den Damen Ingrid HILLEN, Ria KURSCHEIDT, Brigitte SCHLENCZEK-NEUBERT und der Sekretärin des Bonner Germanistischen Seminars Bernhardine SINTHERN sowie den Herren Dieter FELBECK, Jürgen GEBHARD, Wilhelm KERSTING, Wolfgang LABUHN, Eckart RÜTHER und Axel SCHULZE.

Daß wir dem Band Melodien mitgeben konnten, deren Übertragung und Einrichtung unseren Prinzipien der Textkritik nahekommen, danken wir Prof. Dr. Helmut LOMNITZER, Marburg. Frau Gisela KORNRUMPF, München, und Herr Norbert H. OTT, München, hatten die Freundlichkeit, die Bibliographie zu den Handschriften durchzusehen. Für ihre Ergänzungsvorschläge danken wir. Unser Dank gilt auch den von uns beanspruchten Bibliotheken, die uns großzügig mit Literatur und Handschriftenkopien versorgten. Es hat seinen Grund, wenn wir hier nur eine mit Namen nennen, die Präsenzbibliothek des Germanistischen Seminars der Universität Bonn und den Kustos des Seminars, Joachim KRAUSE, nicht zuletzt wegen der von ihm geübten Geduld.

Zu verschiedenen Gelegenheiten durften wir uns des Rates der Herren Dr. Manfred KAEMPFERT, Prof. Eberhard NELLMANN und Prof. Karl STACKMANN erfreuen. Sie und viele Kollegen, Freunde und Studenten, die wir nicht alle nennen können, haben mit ihrer Bereitschaft zum Gespräch zum Gelingen der Ausgabe beigetragen. Ihnen allen sei gedankt.

Das Buch sei gewidmet verdienten Editoren und Deutern mittelhochdeutscher Lyrik: zwei Lebenden, Friedrich MAURER und zugleich Hennig BRINKMANN, und einem Toten, Theodor FRINGS, auch wenn ihre Editionsprinzipien in vielem nicht mit den in dieser Ausgabe angewandten übereinstimmen.

Bonn, im Frühjahr 1975 [1)]

Hugo MOSER — Helmut TERVOOREN

[1)] Die s y s t e m a t i s c h e Aufarbeitung der Forschungsliteratur reicht aus technischen Gründen jedoch nur bis Ende 1973.

Inhaltsverzeichnis

Hinweise zur Benutzung der Ausgabe [1])

1. Die Töne der einzelnen Dichter sind mit römischen Ziffern durchgezählt. Im Anschluß an die römische Tonziffer folgt als Überschrift der Beginn der ersten Stropfe des betreffenden Tones.

2. Die Strophen innerhalb eines Tones sind mit arabischen Ziffern durchgezählt. Zwischen der Tonziffer und dem Text der ersten Strophe ist die Strophenfolge in den einzelnen Handschriften aufgeführt, falls sich Differenzen zwischen der für die Ausgabe gewählten Folge und der handschriftlichen Überlieferung ergeben. In den Angaben rechts neben der ersten Zeile einer Strophe erscheint zunächst die Lachmannsche Zählung dieser Strophe, dann (rechts neben dem Bindestrich) die kursiv gesetzte Sigle der Leithandschrift, gefolgt von den recte gesetzten Siglen der übrigen Handschriften, in denen die Strophe überliefert ist.

Innerhalb der Strophe beginnen miteinander reimende Zeilen stets auf gleicher Höhe. Den Beginn des Abgesangs kennzeichnet eine Majuskel. Akzente dienen als Lesehilfen. Ein Sternchen * vor einer Zeile deutet an, daß der Vers innerhalb des vorgegebenen metrischen Rahmens auf verschiedene Weise realisiert werden kann.

Einzelregelungen zur Texteinrichtung:

Spatien innerhalb des Verses werden nur bei deutlichen metrischen Zäsuren gesetzt. Binnenreime werden durch Sperrdruck der Reimsilbe(n) hervorgehoben.

Ersetzte Wörter und ersetzte oder hinzugefügte Buchstaben sind kursiv gedruckt.

Gegen die Leiths. hinzugefügte Wörter stehen kursiv in spitzen Klammern ⟨⟩.

Vermutete Lücken in der Überlieferung stehen ebenfalls in spitzen Klammern ⟨......⟩.

Auf weggelassene Wörter oder Verse ist durch zwei leere eckige Klammern hingewiesen [].

Sind Buchstaben weggelassen, ist der Buchstabe vorher und nachher kursiv gesetzt (bei Zeilenwechsel entfällt die nachgestellte Kursive).

Umstellungen sind durch das Zeichen ſ vor dem ersten und ɭ nach dem letzten umgestellten Wort gekennzeichnet.

Vermutlich verderbte Stellen sind durch eine Crux (†) zu Beginn und am Ende der Stelle gekennzeichnet.

---

[1]) Eine ausführliche Begründung der editorischen Prinzipien und der daraus resultierenden Texteinrichtung enthalten die „Bemerkungen zu den Texten dieser Ausgabe", vgl. Bd. 2, S. 7.

Wich eine Strophe in der Überlieferung in mehreren Punkten (z. B. Hebungszahl, Reimstellung, Kadenztyp u. a.) vom Tonschema ab, obwohl ihre Zugehörigkeit zum Ton wahrscheinlich ist, wurde oft darauf verzichtet, die Strophe durch Eingriffe dem geforderten Schema anzupassen. Statt dessen ist die Tonvariante durch ein Sternchen * vor der Strophenzahl gekennzeichnet.

Lassen sich nicht alle Strophen des gleichen Tons einem Lied zuweisen, so wird die Eigenständigkeit der Strophe(n) durch zwei Sternchen über der (oder den) betreffenden Strophe(n) markiert. Bei frühen Dichtern (bis einschließlich Dietmar von Eist) sind liedhafte Einheiten, welche die Einzelstrophe übergreifen, enger zusammengerückt.

Zeigt die Überlieferung eines Tons in den verschiedenen Hss. größere Divergenzen in wichtigen Punkten (Wortlaut, Sinn, Metrik, Strophenzahl und -folge u. a.), so werden die handschriftlichen Überlieferungen als Fassungsvarianten nacheinander aufgeführt. Sie erhalten die gleiche Tonnummer, werden aber durch den Zusatz von a, b, c unterschieden.

3. Zu den Apparaten

a) Der Handschriften-Apparat

Die Lesarten sind in der Graphie der jeweiligen Hs. gegeben, Kürzel nicht aufgelöst. Alles, was überliefert ist, steht im Apparat kursiv, alles übrige recte. Nach der Lesart steht die Sigle der Hs. Wo nur eine einzige vorliegt, wird keine Sigle gesetzt. Überliefern mehrere Hss. gleiche Lesarten, wird die Angabe zusammengefaßt. Dies gilt auch, wenn die Lesarten sich in der Graphie unterscheiden. In diesem Fall steht im Apparat nur die Graphie der erstgenannten Hs. (z. B. *arebait* B, *arebeit* C erscheint im Apparat als *arebait* BC). Zur besseren Orientierung des Benutzers wird das erste Wort eines Verses durch Majuskel gekennzeichnet. Zur eindeutigen Lokalisierung wird bisweilen auch das Stichwort des Textes im Apparat wiederholt, das dann durch eine eckige Klammer von der Lesart getrennt ist (z. B. *eine*] *diu* C).

Lesarten der Hss., die an der betreffenden Stelle den Vorzug vor dem Text der gewählten Leiths. verdienen könnten, sind durch das Zeichen ¶ vor der Variantenangabe hervorgehoben (vgl. Bd. 2, S. 18).

b) Der kommentierende „zweite" Apparat

Die Einrichtung ist die gleiche wie im Hss.-Apparat. Darüber hinaus ist folgendes zu beachten: Bei Divergenzen zu KRAUS steht dessen Sigle K immer als erste, hat er einen Vorschlag übernommen, so folgt nach der Sigle K in runden Klammern die Angabe derer, die ihn zuerst machten, in zeitlicher Ordnung. Spätere Zustimmungen sind nach der Klammer vermerkt, z. B. *minne ich* K (HV)Br. Zitieren wir einen Gewährsmann für unsere Entscheidung, wird der Text in der Regel nicht noch einmal aufgeführt, sondern nur der Name bzw. eine Sigle genannt und nach einem Lemmazeichen der abweichende Text von KRAUS bzw. von anderen, z. B. V Br] *son gebar* K(L).

Verzeichnis der benutzten Handschriften

Die Hss. sind in alphabetischer, nicht in chronologischer Folge angeordnet. Die verwendeten Siglen sind die üblichen und gehen fast durchweg auf LACHMANN zurück. Die Literatur zu den Hss. ist im 2. Bd., S. 39 zusammengestellt.

A, die sog. „Kleine (oder alte) Heidelberger Liederhandschrift". Universitätsbibliothek Heidelberg cod. pal. germ. 357. Pergament, 45 Bll. 18,5 × 13,5 cm. Wahrscheinlich die älteste der drei großen Hss. Sie „datiert aus dem 13. Jahrhundert, etwa um 1275. Ihre Sprache weist ins Elsaß, evtl. nach Straßburg. Man geht wohl nicht fehl, in ihr eine Sammlung aus dem Stadtpatriziat zu sehen" (BLANK, [vgl. Lit. z. Hss. Bd. 2, S. 39] S. 14). Sie enthält 34 namentlich genannte Dichter. „Zu den Vorzügen (von A) gehört, daß sie kaum je bewußt geändert hat, so daß sie für manche Dichter … oft den besten Text liefert" (so wohl mit Recht v. KRAUS).

a, Bezeichnung LACHMANNS für die von einer 2. Hand auf bl. 40—43 geschriebenen Strophen der Hs. A.

B, die „Weingartner (Stuttgarter) Liederhandschrift". Württembergische Landesbibliothek Stuttgart, HB XIII poetae germanici 1. Pergament, 156 Bll. 15 × 11,5 cm; 25 teils ganzseitig, teils halbseitige Miniaturen. Kaum vor 1306 in Konstanz geschrieben. Sie enthält Lieder von 25 namentlich genannten Dichtern. (Dazu kommen Gedichte von einigen ungenannten bzw. unbekannten Dichtern, ein Marienlobpreis und eine Minnelehre.)

b, Bezeichnung LACHMANNS für eine 2. Gruppe von Reinmar-Liedern, die auf S. 86—103 der Hs. B ohne zeitgenössische Überschrift unmittelbar hinter Morungen folgt.

C, die „Große Heidelberger bzw. Manessische Liederhandschrift" (früher „Pariser Liederhandschrift"). Universitätsbibliothek Heidelberg cod. pal. germ. 848. Pergament, 426 Bll. 35,5 × 25 cm. 138 ganzseitige Miniaturen. Wohl Anfang des 14. Jhs. in Zürich geschrieben, möglicherweise im Auftrag des staufisch-habsburgischen Herrscherhauses (JAMMERS). Sie enthält Gedichte (Lieder und Leiche) von 140 namentlich genannten Dichtern. Bei dieser Hs. muß mit gezielten Eingriffen von Schreibern oder Redaktoren gerechnet werden.

C^a, das „Troßsche Fragment". Staatsbibliothek Berlin, Ms. germ. 4°. 519. Pergament 27 × 20 cm. Die 2 Doppelbll. gehörten nach Ausweis des Kustoden auf bl. 4^v zur 21. Lage einer größeren Hs. Sie sind nach allgemeiner Ansicht eine unmittelbare Kopie der Manessischen Hs., geschrieben im 15. Jh. und enthalten ohne Namensnennung 43 Strr. Heinrichs von Morungen (sowie Gedichte des Schenken von Limburg samt seinem ‚Bild'). Seit 1945 sind sie verschollen.

E, die „Würzburger Liederhandschrift", heute Universitätsbibliothek München 2° Cod. ms. 731 (= Cim. 4). Pergament, 285 Bll. 34,5 × 26,5 cm. Geschrieben ca. 1345—1354 in Würzburg. Diese Sammlung, die den 2. Teil des „Hausbuches" Michaels de Leone darstellt, bringt auf bl. 168vb—191va Minnelieder *des meisters von der vogelweide hern walthers* (bl. 168vb—180vb) und *hern Reymars* (bl. 181ra—191va). Im ganzen 376 Strr. Unter dem Namen Walthers findet sich ein Lied Mor (bl. 169vb = Mor XXIII, 4—7), unter dem Reinmars ein weiteres von Mor (bl. 190vb—191ra = Mor XXXII). LACHMANN bezeichnete die ‚Walther'- und ‚Reinmar'-Strr. 342—376 mit e.

F, die „Weimarer Liederhandschrift". Weimar, Zentralbibliothek der deutschen Klassik quart. 564. Papier, 142 Bll. 15 × 18,6 cm, 2. Hälfte des 15. Jh. aus der Gegend um Nürnberg. Sie enthält ohne Überschrift und Namen hauptsächlich Strr. von Walther (Zusammenstellung bei H. KUHN (Hg.), Walther von der Vogelweide. 1965, XXIV), daneben Rubin 11—13 (= KLD 47, XIV) und aus MF auf bl. 106^{rv} und 107^{r} Hau XVII b, auf bl. 106^{r} Fen VIII. 1—2.

G, Münchener Parzival-Hs., Bayerische Staatsbibliothek München cgm. 19. Pergament 75 Bll. 30 × 21 cm. Illustriert. Entstanden im „zweiten Viertel oder Drittel des 13. Jahrhunderts. ... über den Ort der Entstehung läßt sich nichts Sicheres aussagen. Die Annahme Straßburg muß weiterhin Hypothese bleiben" (DRESSLER [vgl. Lit. z. Hss. Bd. 2, S. 51] S. 25). Dort auf bl. 75^{v} von der 7. Hand die Lieder I und II Wolframs von Eschenbach. bl. 75 ist ursprünglich Einzelbl. u. nachträglich eingeklebt.

G^{x} (in der MF-Ausgabe von KRAUS G; zur Abhebung von der vorhergehenden Parzival-Hs. G mit Exponent versehen), Bayerische Staatsbibliothek München Cgm. 5249/74. Doppelblatt, Pergament 11 × 15 cm, aus der Mitte des 14. Jahrh., bairisch. Enthält 21 Strophen und Strophenteile ohne Namen, neben Liedern Walthers Rei XXXIII, 1—3 mit der bisher unbekannten Zusatzstrophe und Rei XXXV, 2—5).

h, Universitätsbibliothek Heidelberg cod. pal. germ. 349, Pergament 20 Bll. 15 × 23,3 cm. 13. Jh. Sie enthält neben Freidanks Bescheidenheit u. a. auf bl. 17^{v}—19^{v} Strophen, von denen einige in A den Namen ‚der junge Spervogel', in C den Namen ‚Spervogel' tragen. Näheres vgl. Anm. zu Spervogel.

i, die Parzival-Hs. von Claus Wisse und Philipp Colin der Fürstl. Fürstenbergischen Hofbibliothek Donaueschingen cod. perg. N° 97. Pergament, 320 Bll. in Großfolio (39 × 27 cm). Geschrieben zwischen 1331—1336 in Straßburg. Sie enthält auf bl. 115^{v} sieben lyrische Strophen und eine achte auf bl. 320. Neben Walther, Neifen, Walther von Mezze auch Reinmar (= Rei XII, 3).

i^2 (= k in KLD), eine Abschrift aus i in den Bibliotheca Casanatensis 1409 in Rom (im App. nicht berücksichtigt).

J, die Jenaer Liederhandschrift. Universitätsbibliothek Jena. Pergament 133 Bll., 56 × 41 cm (!). Wohl um die Mitte des 14. Jh. in einer nd. Schreibstube entstanden. Sie enthält 28 Dichter und den Wartburgkrieg, darunter als 9. Dichter auf bl. 29^v—30^r Spervogel. Ihren besonderen Wert erhält die Hs. durch die Singweisen, die fast jedem Ton beigegeben sind (insgesamt 91 Melodien).

M, die Handschrift der „Carmina Burana". Bayerische Staatsbibliothek München clm 4660. Pergament 112 Bll. 25 × 17 cm. 8 farbige Miniaturen, teilweise neumiert. „Sie wurde um 1230 im südlichen Grenzgebiet des bairischen Sprachgebiets angelegt" (BISCHOFF [vgl. Lit. z. Hss. Bd. 2, S. 55] S. 17). Reichhaltigste Quelle mittellateinischer weltlicher Lyrik. Sie enthält aber auch ohne Namensnennung mhd. Strophen, u. a. auf bl. 67^v Namenlos VI, bl. 60^v/61^r Namenlos VII, bl. 60^r Namenlos IX. 1, bl. 69^v Namenlos IX. 2, bl. 81^v Die I. 1, bl. 61^r Mor XXVIII. 1, bl. 60^v Rei XXVII. 1, bl. 67^r Rei XXXVI a. 3/b. 1, bl. $59^{r/v}$ Rei LIX. 1.

m, die „Möserschen Bruchstücke". Preußische Staatsbibliothek Ms. germ. 4° 795, jetzt in: Staatsbibliothek Preußischer Kulturbesitz Berlin, 6 Blätter Quartformat. Bruchstücke einer niederdeutschen Liederhandschrift aus dem 14. Jh. oder 15. Jh., ostfälisch. Sie enthält aus MF: Auf bl. 3^v unter dem Namen *Walt^s* Rei LI a. 2; LI b. 3; XVII. 4; LVII. 2, 3, 5; XV. 4—5 (Zuweisung an Wa unsicher); auf bl. $3^{r/v}$ unter dem Namen *nyphen* Rei XXVIII. 1, 2, 4—6. Ebenfalls unter Walthers Namen finden sich dort auf bl. 3^v die Strr. Ha XVIII. 2, 3, 4.

N, eine ehemals Benediktbeurener Handschrift, jetzt Bayerische Staatsbibliothek München clm 4570. Pergament 245 Bll. Kleinfolio. Niederschrift nach Schreibereintrag auf bl. 239^r am 20. 3. 1108 beendet. Hauptinhalt: Canon decretorum pontificum des Bischofs Burkhard von Worms. Auf bl. 239^v—240^v in einem Nachtrag, der aber wohl noch ins 12. Jh. gehört, der Leich Heinrichs von Rugge.

n, niederrheinische Liederhandschrift der Leipziger Ratsbibliothek Rep. II fol. 70^a, jetzt in der Universitätsbibliothek Leipzig. Pergament 102 Bll., Kleinfolio, Ende des 14. Jahrh. Sie enthält ohne Verfasserzuweisung auf bl. 91ra—93rb und auf bl. 94va—96ra vorwiegend Spruchstrr., vereinzelt auch Liedstrr., dazwischen eine 9-strophige Minnerede. Aus MF auf bl. 95vb—96ra Rei H Anm. S. 314 [= Rei LXVIII. 2].

p, Sammelhandschrift der Burgerbibliothek Bern cod. 260. Pergament, 286 Bll. 28,5 × 20 cm. Mitte des 14. Jhs. wahrscheinlich in Straßburg angefertigt. Sie enthält vor allem lat. Werke (u. a. Chronik des Mathias von Neuenburg), aber auf bll. 234/35 auch 36 mhd. Strophen großenteils anonym, so von Marner, Winterstetten, Neifen, Pseudo-Neidhart, Hadloub, Konrad von Würzburg, Lutold von Seven, Walther. Aus MF sind folgende Strophen: Auf bl. 234^r Mor XXXV, auf bl. 235^r Mor XVIII. 1, 3, 4, auf bl. 235^v Rei XXIX. 1, 3, 4 und Hau XVII. 1.

r, die Handschrift des Schwabenspiegels der juristischen Bibliothek Zürich, jetzt: Zentralbibliothek Zürich Z XI 302. Pergament, 106 Bll. 30,4 × 20,8 cm. Geschrieben 13./14. Jh. Sie enthält auf bl. 106^r unter der Überschrift *Der von zweter* die Strr. Rei H Anm. S. 314 [= Rei LXVIII. 1, 2].

s, die „Haager Liederhandschrift". Königliche Bibliothek im Haag, früher 721, jetzt: 128 E 2. Pergament 67 Bll. in Kleinfolio. Entstanden um 1400. Sie enthält etwa 115 „Lyrica" (Lied- u. Spruchstrophen, Minnereden) u. a. von Walther, Reinmar, Frauenlob. Darunter aus MF auf bl. 20^v Rei XXIX. 4 und auf bl. 14^v unter der Überschrift *He^{s}n Walt^s zanch* Ha XII. 5.

T, die ehemals Tegernseer Handschrift 1008—1411, jetzt: Bayerische Staatsbibliothek München clm. 19411. Pergamenths. des 12. Jh. Sie enthält in einem lat. Liebesbrief einer Frau auf bl. 114^v Namenlos VIII.

t, Bayerische Staatsbibliothek München clm 4612. Pergament 104 Bll. 13. Jahrhundert. Sie enthält neben Ovid, Cicero und anderen lateinischen Schriftstellern auf bl. 46^v die Str. 6 Spervogels.

U (in Walther-Ausgaben U^x!) die Wolfenbüttler Bruchstücke. Landesbibliothek Wolfenbüttel Signatur 404.9.16 Novi, jetzt: Archiv des ev.-luth. Landeskirchenamt Wolfenbüttel 1. 2 Doppelbll., Pergament, 14 × 9,5 cm, aus dem Ende des 13. Jh. Sie enthält größtenteils Walthersche Gedichte, am Anfang aber eine Strophe, die in e unter Reinmar steht (Rei H Anm. S. 314 = Rei LXVII. 5).

x, die Handschrift der Berliner Staatsbibliothek, Ms. germ. 2^0 922, jetzt in der Staatsbibliothek Preußischer Kulturbesitz. Papier 134 Bll. 27,5 × 20,5 cm. Entstanden zwischen 1410—1430 im rheinischen Raum. Sie enthält neben Minnereden u. a. 86 Lieder, 12 mit Melodien, darunter auf bl. 56$^{r/v}$ Rei XXXVI b. 1—5.

Weitere Überlieferungsträger:

Ms. C 58 der Zentralbibliothek Zürich, ein Sammelband des 12. Jh. Pergament. 185 Bll. 29,2 × 19,4 cm, der auf bl. 73^v Namenlos I—III enthält.

Cod 160 [Univ. 132] der Österreichischen Nationalbibliothek Wien, ein Sammelband des 12. Jh. Pergament 24,5 × 18 cm, der auf bl. 100^v von anderer Hand (spätes 12. Jh.) Namenlos IV überliefert.

Cgm 5249/42 a, ein Einzelblatt (ca. 14,3 × 20,3 cm) einer lat. Hs. des frühen 13. Jhs. aus der Bayerischen Staatsbibliothek. Auf einer ursprünglich frei gebliebenen Seite ist am Oberrand die Str. Namenlos V von einer Hand des 13. Jhs. aufgezeichnet. Die Strophe ist durchgehend neumiert.

Die Dichter

I. Namenlose Lieder

1. Weisheits- und Zeitlyrik

I

Swer an dem maentage dar gât,
dá ér den vuoz lât,
  deme ist alle die wochun
  dést úngemacher.

Ms. C58 Zentralbibl. Zürich, bl. 73ᵛ

1 *maentac* Montag. 2 wo er den Fuß stehen läßt (≈ nichts tut?).

II

Tíef vúrt truobe
und schône wíphúore
  sweme dár wírt ze gâch,
  den gerúit iz sâ.

Ms. C58 Zentralbibl. Zürich, bl. 73ᵛ

2 Hurerei mit Weibern. 3 *mir wirt gâch* ich strebe nach. 4 wird es bald bereuen.

III

Der zi chílchùn gât
und âne rûè dâ stât,
  der wirt zeme iungistime tage
  âne wâfin resclagin.
5 *swer dâ wirt virteilt,
  dér hét imir leit.

V Anm. 299, K Anm. 357 — Ms. C58 Zentralbibl. Zürich, bl. 73ᵛ

1 zur Kirche. 2 *rûe = riuwe* Reue. 5 *virteilen* verurteilen, verdammen.

I, 1 *Sver*. 2 *din fvz*. 3 *iz. wocun*. 4 *dezst*.
II, 1 *Tif furt trvbe*. 2 *wiphurre*.
III, 1 *chilcun*. 4 *rescagin*.

I, 1 *dar* tilgt MSD I, 195. 3 *ist al die* MSD I, 195. 4 *deste* MSD I, 195.
III, 1 *zi dere ch.* MSD I, 196. 5 *virteilet* MSD I, 196. 6 *hât imir leide* MSD I, 196.

IV

Al diu welt mit grimme stêt.
der dar undir muozic gêt,
    der ⟨gin⟩ge wol verwerden,
sîn êre muoz ersterben.

cod. 160 der österr. Nationalbibl.,
bl. 100ᵛ

3 *verwerden*   verderben, zugrunde gehen.

V

Ubermuot diu alte
diu rîtet mit gewalte,
    untrewe leitet ir den vanen.
    girischeit diu scehet dane
5   ze scaden den armen weisen.
    diu lant diu stânt wol allîche en vreise.

K Anm. 365 — cgm 5249/42 a

2 *mit gewalte*   mit einer Heerschar. 6 *allîche*   gänzlich. *vreise*   Angst, Furcht, Schrekken.

2. Liebeslyrik

VI

Swaz hie gât úmbè,
daz sint alle mégedè,
    díe wéllent ân mán
allen disen sumer gân.

V Anm. 259, K Anm. 317 —
M bl. 67ᵛ

VII

Grüenet der walt allenthalben.
wâ ist mîn geselle alse lange?
    der ist geriten hinnen.
    owî! wer sol mich minnen?

M bl. 60ᵛ/61ʳ

IV, 1 *Al* kaum lesbar. *grinme.* 3 ⟨*gin*⟩ *ge*] Vor-*ge* Raum für etwa drei Buchstaben eingeschwärzt. *uerwerden: n* aus *m* korrigiert.
VI, 2 *alle* über *e* Zeichen, das als *z* gelesen werden könnte. 4 *allen n* nachgetragen.
VII, 1 *Grûnet.* 2 *alsenlange,* vielleicht auch *alsenlango* (vgl. C.B. I, 2, 254).

IV, 3 ⟨*gin*⟩ *ge* Menhardt (vgl. Lit. z. Hss. Bd. 2, S. 63)] *mag* MSD I, 196, Piper Germ. 26, 403 Anm. u. ö.
VI Str. unvollständig Bu 157. — 2 C.B. I, 2 Nr. 167 a, Br] *allez* K(V). 3 C.B. I, 2 Nr. 167 a, Br] *âne* K(V).

VIII

Dû bist mîn, ich bin dîn.   *3, 1 — T bl. 114ᵛ*
des solt dû gewis sîn.
  dû bist beslozzen
  in mînem herzen,
5 verlorn ist daz sluzzelîn:
dû muost ouch immêr darinne sîn.

IX   Waere diu werlt alle mîn

1 'Waere diu werlt alle mîn   *3, 7 — M bl. 60ᵣ*
  von deme mere unze an den Rîn,
    des wolt ich mich darben,
      daz chunich von Engellant
5   laege an mînem arme.'

2 Tougen minne diu ist guot,   *3, 12 — M bl. 69ᵛ*
  sî chan geben hôhen muot.
    der sol man sich vlîzen.
      swer mit triwen der nit pfliget,
5   deme sol man daz wîzen.

1, 3 *darben* sich entäußern.
2, 1 *tougen* heimlich. 5 *wîzen* verweisen.

VIII, 1 *bist* aus *pist* korrigiert.
IX. 1, 2 *ûnze* (*e* von k¹). 4 *chunich* von k¹ gestrichen und *diu chûnegin* (!!) darübergeschrieben. 5 *minem arme* von k⁵ gebessert in *minen armen*.

2, 5 *wizen* korrig. zu *verwizen* von k¹.

VIII Drei Langzeilen Maurer Deutschunterricht 11, H. 2, 9. — 6 V] *Dû muost immer drinne sîn* K(L).
IX. 1, 1 *Waer* K(L). Bulst Hist. Vjs. 28, 517, Schumann Hist. Vjs. 29, 299] *alliu* K(LV). 2 Bulst ebd., Schumann ebd.] *dem m. unz* K(LV). 4 Bulst ebd., Schumann ebd., Ittenbach 182—84] *diu künegîn* K(LV).
2 Inhaltl. Fortsetzung von **1** Palgen Beitr. 46, 306; dem 13. Jh. angehörig und deshalb aus MF zu entfernen, Schumann GRM. 14, 436, Ittenbach 89 f. — 5 *dem* K(LV). C.B. II, 1, 77*, Ittenbach 89] *verwîzen* K(LV).

X

'Mich dunket niht sô guotes　　noch sô lobesam

sô diu liehte rôse　　und diu minne mîns man.

　　*diu kleinen vogellîn

　　　　diu singent in dem walde,　dêst menegem herzen liep.

5　　　mir enkome mîn holder geselle,　ine hân der sumerwunne niet.'

3, 17 — *Niune 38 A,*
Alram von Gresten 14 C

2 *man* Geliebter. 5 Wenn nicht ... kommt.

XI

'Diu linde ist an dem ende　nu jârlanc líeht únde blôz.

mich vêhet mîn geselle.　nu engílte ich, des ich nie genôz.

　　sô vil ist unstaeter wîbe,　die benement ime den sin.

　　got wizze wol die wârheit,　daz ime diu hóldèste bin.

5　　Si enkunnen niewan triegen　vil menegen kíndèschen man.

　　owê mir sîner jugende!　diu muoz mir al ze sórgèn ergân.'

4, 1 — *Walter*
von Mezze 13 A

1 *an dem ende* an ihren Zweigen. *jârlanc* zu dieser Zeit des Jahres. 2 *vêhen* feindlich behandeln. *engelten* c. g. büßen für. 5 Sie können nichts als ... *kindesch* jung.

XII

'Mir hât ein ritter', sprach ein wîp,

'gedienet nâch dem willen mîn.

ê sich verwándèlt diu zît,

　　sô muoz ime doch gelônet sîn.

5　　Mich dunket winter unde snê

　　schoene bluomen unde klê,

　　　　swenne ich in umbevangen hân.

　　　　und waerz al der welte leit,

　　　　sô muoz sîn wille an mir ergân.'

6, 5 — *Niune 46 A*

X, 2 *m. mīnesam* C. 4 *Diu* fehlt C. *manigē* C. 5 *in* C. *winne* A.

XI, 3 *benenment.*

XII, 3 *verwandel.* 6 *Schone.*

X, 2 *mînes* K(HV). 3 HV, de Boor 1490] *vogellîne* K. 5 *Mirn* K(HV). *in* K(HV).

XI Meinloh zugehörig Kahlo Münchener Museum für Philol. d. MA. und Renaissance 4, 96 f, Br, Schröder GRM. 35, 70, dagegen K, MFU 42 u. Jungbluth Neophil. 38, 111 Anm. — 3 Strr. mit 5-hebigem 2. Abvers L, ein Lied mit 4-hebigen Abvv. u. 5-hebigem Schlußvers K (Scherer, Dt. Studien II, 71, V). — 3 *Sô* tilgt K(LV). *im* K. 4 *i'm* K, *i'me* V.

XII, 3 *verwandelôt* K(HV). 4 *im* K(HV). 8 *waerez* K(HV).

XIII

Dir enbíutet, edel rîter guot,
ein vrowe, der dîn scheiden tuot
   alse herzeclîchen wê.
   nu lis den brief, er seit dir mêr,
5   Wáz dír enbiutet,
      diu dich ze herzen triutet.

K Anm. 324, V Anm. 265 —
Walter von Mezze 9 A

1 u. 5 *enbieten* durch jem. etwas ausrichten lassen. 6 *triuten* lieben.

XIV   Der walt in grüener varwe stât

1 Der walt in grüener varwe stât.
     wol der wunneclîchen zît!
  mîner sorgen wirdet rât.
    saelic sî daz beste wîp,
5   Diu mich troestet sunder spot.
    ich bin vrô. dêst ir gebot.

6, 14 — *Walter von
Mezze 10 A*

2 Ein winken und ein umbesehen
    wart mir, dô ich si nâhest sach.
  dâ moht anders niht geschehen,
    wan daz si minneclîche sprach:
5   'Vriunt, du wis vil hôchgemuot.'
    wie sanfte daz mînem herzen tuot!

6, 20 — *W. v. M. 11 A*

3 'Ich wil weinen von dir *hân*',
    sprach daz aller beste wîp,
  'schiere soltu mich enpfân
    unde trôsten mînen lîp.'
5   Swie du wilt, sô wil ich sîn,
    lache, liebez vrowelîn.

6, 26 — *W. v. M. 12 A*

1, 3 *rât* Hilfe, Befreiung. 5 *sunder spot* im Ernst, wirklich.
2, 2 *nâhest* zuletzt, jüngst.
3, 1 Ich werde . . . 3 *schiere* sogleich, bald.

XIV. **2**, 2 *nahes.*
3, 1 *gan.*

XIII, 4 *mê* K(Ba V).
XIV. **2**, 6 *mîm* K(HV).
3. 1 *hân* K(HV). 3—4 Worte des Dichters V.

II. Der von Kürenberg

I

1 'Vil lieben vriunt ⟨*verkiesen*⟩, daz ist schedelîch;   7, 1 — *1* C
swer sînen vriunt behaltet, daz ist lobelîch.
    die site wil ich minnen.
       bite in, daz er mir holt sî, als er hie bevor was,
5   und man in, waz wir redeten, dô ich in ze jungest sach.'

2 Wes manst dû mich leides, mîn vil liebe ⟨*liep*⟩?   7, 10 — *2* C
unser zweier scheiden müeze ich geleben niet.
    verliuse ich dîne minne,
       sô lâze ich diu liute ⟨*harte*⟩ wol entstân,
5   daz mîn vröide ist der minnist und alle ánder verman.

1, 1 *verkiesen* fahren lassen. 3 *site* Handlungsweise. 5 *manen* erinnern.
2, 4 *harte* sehr. *entstân* merken. 5 *der minnist* (formelhaft) die geringste (vgl.
Schröbler, Syntax § 323/24, 1 b) ... und daß ich jede andere verschmähe (vgl. Anm.).

II

1 'Léit máchet sorge, vil líebe wünne.   7, 19 — *3* C
    eines hübschen ritters gewan ich künde:
       daz mir den benomen hânt die merker und ir nît,
des mohte mir mîn herze níe vró werden sît.'

I. 1, 1 *lieber.*
2, 5 *andere man.*
II. 1, 1 *lieb wüne.*

I Folge 2, 1 K, Schneider 69; Folge 1, 2 LV, Ittenbach 35, Neumann 15, Jungbluth
Neophil. 37, 238. — 1, 2 Frauenstrr. K(L), Schneider 69, Neumann 15; Wechsel V,
Ittenbach 35, Br, Kroes Neophil. 36, 89 f, Jungbluth ebd. — 1, 1 *Vil lieben vr.
verkiesen* K (Schröder ZfdA. 32, 138). 4 *hie* vor K(LV). 5 *jungeste* K(BaV).
2, 1 *manest* K(LV). *liebe l.* V] *liebez liep* K(L). 4 *harte* erg. K(LV). 5 V, Ipsen 324 f,
Kroes Neophil. 36, 89 f] *Daz fröide ist mir dez* (lies *der*!) *minnist* K (Bühring, Das
Kürenberg-Lb. I, Progr. Arnstadt 1900, 14). *umb alle andere man* K (Wackernagel,
in Hoffmanns Fundgruben 1830, 264). *dir der minnist Und aller anderre man*
Jungbluth ebd.
II. 1, 1 *sorge, vil* Wackernagel, in Hoffmanns Fundgruben 1830, 264, Bu 85; ohne
Interpunktion K(LV). *liebe* K(LV). 4 *nie mêre frô* K.

2 'Ich stuont mir nehtint spâte   an einer zinne,   8, 1 — 4 C
dô hôrt ich einen rîter   vil wol singen
in Kürenberges wîse   al ûz der menigîn.
er muoz mir diu lant rûmen,   alder ich geniete mich sîn.'

3 Jô stuont ich nehtint spâte   vor dînem bette,   8, 9 — 5 C
dô getorste ich dich, vrouwe,   niwet wecken.
'des gehazze got den dînen lîp!
jô enwas ich niht ein eber wilde',   sô sprach daz wîp.

4 'Swenne ich stân aleine   in mînem hemede,   8, 17 — 6 C
únde ích gedenke an dich,   ritter edele,
sô erblüet sich mîn varwe,   als der rôse an dem dórne tuot,
und gewinnet daz herze   vil manigen trûrìgen muot'.

5 'Ez hât mir an dem herzen   vil dicke wê getân,   8, 25 — 7 C
daz mich des geluste,   des ich niht mohte hân
noch niemer mac gewinnen.   daz ist schedelîch.
jône mein ich golt noch silber: ez ist den líutèn gelîch.'

6 'Ich zôch mir einen valken   mêre danne ein jâr.   8, 33 — 8 C
dô ich in gezamete,   als ich in wolte hân,
und ich im sîn gevidere   mit golde wol bewant,   9, 1
er huop sich ûf vil hôhe   und vlouc in ándèriu lant.

7 Sît sach ich den valken   schône vliegen,   9, 5 — 9 C
er vuorte an sînem vuoze   sîdîne riemen,
und was im sîn gevidere   alrôt guldîn.
got sende sî zesamene,   die gelíeb wéllen gerne sîn!'

4, 2 V*ñ.* 3 *erblût.*

---

2 mit 10 zu einem Wechsel verbunden Ipsen 324, Ittenbach 37 f. — 1 Ba] *zinnen*
K(LV). 2 *ritter* K(LV). 4 *rûmen diu lant* K. *ald* K(LV).

3 Gilt allgemein als unecht, echt neuerdings Schröder GRM. 35, 70. — 3 V] zäsurierte
Langzeile K(L). *gehazze iemer* K (Wackernagel ebd. 267), Lücke vor *des gehazze*
L. 4 V] *wilde bere* K. V] Lücke nach *daz* K(Ba).

4, 2 V] *Und ich an d. g.* K (Wackernagel ebd. 265). 3 LV, Kroes Neophil. 36, 88,
Stammler ZfdPh. 73, 128, Jungbluth[1] 194, Grimminger 68] *rôse in touwe* K (Schrö-
der ZfdA. 61, 180). 4 *mangen* K.

5 Starke Zweifel an Echtheit Norman London Medieval Studies I, 1937—39, 338 f.

7, 4 *die gerne geliep wellen sîn* K(V), *die geliep geren sîn* Joseph, Frühzeit d. dt. Ms.
I, 1896, 46, Wapnewski Euph. 53, 18, Anm.

8 'Ez gât mir vonme herzen,   daz ich geweine: 9, 13 — *10 C*
ich und mîn geselle   müezen uns scheiden.
— daz machent lügenaere.   got der gebe in leit!
der uns zwei versuonde,   vil wol des waere ich gemeit.'

9 Wíp víl schoene,   nû var dû sam mir.   9, 21 — *11 C*
líeb únde leide   daz teile ich sant dir.
die wîle unz ich daz leben hân,   sô bist du mir vil liep.
wan minnestu einen boesen,   des engán ích dir niet.

10 Nu brinc mir her vil balde   mîn ros, mîn îsengewant,   9, 29 — *12 C*
wan ich muoz einer vrouwen   rûmen diu lant,
diu wil mich des betwingen,   daz ich ir holt sî.
si muoz der mîner minne   iemer dárbènde sîn.

11 *Der tunkel sterne   der birget sich,   10, 1 — *13 C*
als tuo dû, vrouwe schoene,   sô du sehest mich,
sô lâ du dîniu ougen gên   an einen andern man.
sôn weiz doch lützel ieman,   wiez under uns zwein ist getân.

12 Aller wîbe wunne   diu gêt noch megetîn.   10, 9 — *14 C*
als ich an sî gesende   den lieben boten mîn,
jô wurbe ichz gerne selbe,   waer ez ir schade niet.
in weiz, wiez ir gevalle: mír wárt nie wîp als liep.

13 Wíp unde vederspil   diu werdent lîhte zam.   10, 17 — *15 C*
swer sî ze rehte lucket,   sô suochent sî den man.
als warb ein schoene ritter   umbe eine vrouwen guot.
als ich dar an gedenke,   sô stêt wol hôhè mîn muot.

8, 2 *mǔssen.* 3 *lugenere.*
9, 2 *leit.*
11, 2 *schone.*
13, 1 *die.* 3 *eine sch.*

9 Unecht Neumann 17. — 1 *vile* K(L). 2 *leide* K(LV). 4 *minnest* K(L).
10, 1 *îsengwant* K(L).
11, 1 Schwarz WW. 3, 129 ff] *tunkele* K (Wackernagel, V). *sam der* K (≈ Pfeiffer Germ. 12, 225). 4 *iemen* K (Wackernagel ebd. 266). *undr* K(HV).
12, 4 *alsô* K(LV). *wiech* LV, *wiez* Joseph ebd. 16 f, Schröder ZfdA. 61, 180, K.
13 Unecht Neumann 17. — 3 *ein sch.* K(LV).

1, 2 *hübsch* Nf. zu *hövesch*. **4** *sît* seitdem.
2, 1 *nehtint* gestern abend. **3** *menigin* ≈ ritterliche Gesellschaft in der Burg. **4** . . . oder er muß mein werden.
3, 2 *getorste* prät. von *turren* wagen. *niwet* nicht.
4, 3 *dorn* Dornzweig, Dornbusch.
5, 4 . . . es sieht den Menschen ähnlich, d. h. es ist der geliebte Mann.
6, 4 *und vlouc in anderiu lant* entflog.
7, 2 *riemen* Geschüh des Falken (Ausdrücke der Falknersprache).
9, 4 etwa: denn wenn du einen Mann mit unritterlicher Gesinnung liebst, erlaube ich es dir nicht.
10, 3 *betwingen* c. g. zu etwas zwingen.
11, 1 Stern der Morgendämmerung (?).
12, 1 ist noch ein Mädchen.
13, 1 *vederspil* zur Beize abgerichteter Vogel. **2** *swer* wenn einer.

III. Meinloh von Sevelingen

I

1 Dô ich dich loben hôrte,   dô het ich dich gerne erkant.   11, 1 — *1 BC*
   durch dîne tugende manige   vuor ich ie welende, unz ích dich vant.
   daz ich dich nû gesehen hân,   daz enwirret dir niet.
   er ist vil wol getiuret,   den dû wilt, vrowe, haben liep.
5   Du bist der besten eine,   des muoz man dir von schulden jehen.
      sô wol den dînen ougen!
   diu kunnen, swen si wellen,   an vil güetelîchen sehen.

2 Dir enbiutet sînen dienst,   dem dû bist, vrowe, als der lîp.   11, 14 — *3 BC*
   er heizet dir sagen zewâre,   du habest ime alliu anderiu wîp
   benomen ûz sînem muote,   daz er gedanke niene hât.
   nu tuo ez durch dîne tugende   und enbiut mir eteslîchen rât.
5   Du hâst im vil nâch bekêret   beidiu sín únde leben.
      er hât dur dînen willen
   eine ganze vröide   gar umbe ein trûren gegeben.

I. **1,** 2 *wallende* C. 3 *niht* BC. 4 *dē dv frowe wilt haben in pfliht* C. 7 *Die* BC. *sv́* B.
wellen] *wen* C. *vil tŏgēliche an sehen* C.

2, 2 *zware* C. *im ellú andrú* C. 3 *niena* B. 4 *tûs* C. *enbúte* C. 5 *ime* C. 7 *gar* fehlt C.

I. **1,** 2 Kolb, Begriff der Minne 1958, 78, Lea Beitr. 90 (H) 319, Schirmer 54] *sende* K,
wallnde P 418, *die wîle unz* Jungbluth Neophil. 38, 108. 3 *niet* K(LV). 7 *güetlîchen*
K(V).

2, 1 *dienest* K(LV). 2 *heizt* K(LV). 2b nach C K(LV). 3 ¶ *er ir gedanke* P 418, Br,
Schirmer 57 f. 4 *tuoz* K(LV). *mir*] *im* K(LV). 5 *im nâch* K(LV).

3 Swer werden wîben dienen sol,   der sol semelîchen varn.   12, 1 — 4 *BC*
 ob er sich wol ze rehte   gegen in kúnnè bewarn,
  sô muoz er under wîlen   senelîche swaere tragen
  verholne in dem herzen;   er sol ez nieman sagen.
5   Swer biderben dienet wîben,   die gebent alsus getânen solt.
   ich waene, unkiuschez herze
   wirt mit ganzen triuwen   werden wîben niemer holt.

4 Ez mac niht heizen minne,   der lange wirbet umbe ein wîp. 12, 14 — 6 *BC*
 diu liute werdent sîn inne   und wirt zervǘerèt dur nît.
  unstaetiu vriuntschaft   *machet wankeln muot.
  wan sol ze liebe gâhen: daz ist vür die merkaere guot.
5   Daz es iemen werde inne,   ê ir wille sî ergân,
   sô sol man si triegen.
   dâ ist gnúogen ane gelungen,   die daz selbe hânt getân.

5 Ich lebe stolzlîche,   in der wélt ist niemanne baz.   12, 27 — 7 *BC*
 ich trûre mit gedanken,   niemen kan erwenden daz,
  ez tuo ein edeliu vrowe,   diu mir ist alse der lîp.
  ich gesach mit mînen ougen   nie baz gebârèn ein wîp.
5   Des ist si guot ze lobenne,   an ir ist anders wandels niht.
   den tac den wil ich êren
   iemer durch ir willen,   sô sî mîn ouge ane siht.

6 Ich bin holt einer vrowen,   ich weiz vil wol umbe waz.   13, 1 — 9 *CB*
 sît ich ír begunde dienen,   si geviel mir ie baz und ie baz.
  ie lieber und ie lieber   sô ist si zallen zîten mir,
  ie schoener und ie schoener,   vil wol gevállèt si mir.
5   Si ist sáelic zallen êren,   der besten tugende pfligt ir lîp.
   sturbe ich nâch ir minne
   und wurde ich danne lebende,   sô wurbe ich aber umbe daz wîp.

3, 1 *seliclichen* C. 2 *sich*] *si* C. 5 ¶ *wibē dienet* C.
4, 6 *sǔ* B. 7 *genǔgē an* C.
5, 1 *stolzeklche* C. *wˢlte* C. 3 *als* C. 4 *engesach* C. 7 *an* C.
6, 3 *E lieber* C. 3 *und* 5 *ze allen* B. 5 *pfliget* B. 7 *vmbe ir lip* B.

3, 1 *dienet* Maurer 43, Br. Ittenbach 91, Lea Beitr. (H) 90, 370, Schirmer 59] *heim-*
  lîchen K, *sûmlîchen* Jungbluth ebd. 109. 4 *niemanne* K(V). 5 Ittenbach 91 f, vgl.
  auch Ipsen 331 u. Schirmer 57 f] *biderber* K(LV).
4, 2 *werdents* K(LV). 3 ¶ *wankelen* K(LV). 4 *deist* K(LV).
5, 3 *als* K(LV).
6, 5 *Sist* K(LV). 7 *umb* K(LV).

7 'Sô wê den merkaeren!   die habent mîn übele gedâht,   13, 14 — *10 BC*
   si habent mich âne schulde   in eine grôze rede brâht.
   si waenent mir in leiden,   sô sî sô rûnent under in.
   nu wizzen alle gelîche,   daz ich sîn vríundè bin
5   Âne nâhe bî gelegen,   des hân ich weiz got niht getân.
   staechen si ûz ir ougen!
   mir râtent mîne sinne   an deheinen andern man'.

8 'Mir erwélten mîniu ougen   einen kíndèschen man.   13, 27 — *11 BC*
   daz nîdent ander vrowen;   ich hân in anders niht getân,
   wan ob ich hân gedienet,   daz ich diu líebèste bin.
   dar an wil ich kêren   *mîn herze und al den sin.
5   Swelhiu sînen willen   *hie bevor hât getân,
      verlôs si in von schulden,
      der wil ich nû niht wîzen,   sihe ich si unvroelîchen stân'.

9 Ich sach boten des sumeres,   daz wâren bluomen alsô rôt.   14, 1 — *12 C*
   weistu, schoene vrowe,   waz dir ein ríttèr enbôt?
   verholne sînen dienest;   im wart líebèrs nie niet.
   im trûrèt sîn herze,   sît er nu jungest von dir schiet.
5   Nu hoehe im sîn gemüete   gegen dirre sumerzît.
      vrố wírt er niemer,
      ê er an dînem arme   sô rehte güetlîche gelît.

1, 1 *erkennen* kennen lernen. 3 *werren* kümmern. 5 *von schulden* zu Recht.
2, 3 ... daß er an nichts mehr denken kann (als an dich).
3, 1 ... soll sich ebenso, d. h. auch *werde* (d. h. vornehm) verhalten (V). 5 *biderben* ist
   auf *wîben* zu beziehen.
4, 1 *der* wenn einer. 2 *zervüeren* trennen, zerstören. 4 *wan* Nf. zu *man. gâhen*
   eilen.
5, 5 *des* darum. 7 *sô* wenn.
7, 3 *leiden* verhaßt machen. *sô* wenn. *under in* unter sich. 6 Würden sie (d. i. die
   Gesellschaft) ihnen doch die Augen ausstechen! (vgl. Anm.).
8, 1 *kindesch* jung. 7 *wîzen* c. dp. jem. einen Vorwurf machen.
9, 3 *verholne* heimlich. 5 wie es dieser Sommerzeit angemessen ist.

7, 1 *úbel* C. 2 und 3 *Sử* B. 4 *algeliche* C. ¶ *frúndinne* C. 6 *Stechent* BC. 7 *raten* B.
8, 1 *kindenschen* C. 3 *liebste* C. 7 *wîssen* BC.
9, 1 *svmers*.

7, 4 *algelîche* K(LV). *friundinne* K(LV). 6 *Staechens* K(LV). Interpunktion Bu 58]
   ougen, K(LV).
8, 4 *allen den sin* K(LV). 7 *sihe ichs* K(LV).
9, 1 *sumeres* K(LV). 6 *enwirt* K(LV).

II

1 †Drîe tugende sint in dem lande, swer der eine kan begân,† 14, 14 — 5 BC
   der sol stille swîgen und sol die mérkàere lân
     reden, swaz in gevalle. sô ist er guot vrowen trût,
       sô mac er vil triuten, sweder er wil, stille und überlût.
5   Der dâ wol helen kan, der hât der tugende alremeist.
       er ist unnütze lebende, der allez gesagen wil, daz er weiz.

2 'Ich hân vernomen ein maere, mîn muot sol aber hôhe stân: 14, 26 — 8 BC
   wan er ist komen ze lande, von dem mîn trûren sol zergân.
     mîns hérzen leide sî ein úrlòup gegeben.
       mich heizent sîne tugende, daz ich vil staeter minne pflege.
5   Ich gelege mir in wol nâhe, den selben kíndèschen man.
       sô wól mich sînes komens: wie wol er vrowen dienen kan.'

1, 4 vgl. Anm.
2, 2 *wan* denn.

III

Vil schoene unde biderbe, dar zuo edel unde guot, 15, 1 — 2 BC
  sô weiz ich eine vrowen, der zimet wol allez, daz si getuot.
    ich rede ez umbe daz niht, daz mir got die saelde habe gegeben,
      daz ich ie mit ir geredete oder nâhe bî sî gelegen;
5   Wan daz mîniu ougen sâhen die rehten wârheit.
      si ist edel und ist schoene, in rehter mázè gemeit.
        ich gesach nie eine vrowen, diu ir lîp schôner künde hân.
          durch daz wil ich mich vlîzen,
            swaz sî gebiutet, daz daz allez sî getân.

6 *gemeit* froh.

II. 1, 4 *vil wol* C. 5 *heln* C. *aller meis* C. 6 *der*] *sw^s* C.
2, 2 *mîn* fehlt C. 3 *gewegen* C. 4 *vil*]*sol* C. *pflegen* C. 5 *kindenschen* C.
III, 2 *tût* C. 3 *dc ich der selde habe gepflegē* C. 4 *geredde oder ir n. si bi* C. 7—9
fehlen C.

II. 1 Unecht Jungbluth Neophil. 38, 116 f. — 1 P 419, V, Ittenbach 94—97, Br, Schir-
mer 67 f] *Die megede in dem lande, swer der eíné gewan* L, *Die lügener in dem
lande, swer der eine wil bestân* K, *Die tugende in dem lande, swer der eine kan-
begân* Neumann 18. 4 *vil wol* K(LV). *swier wil* K(LV). 6 *sagen* K(LV).

2 Jungbluth ebd. 118 vermutet Lücke vor letztem Abvers u. stellt Str. zu Ton I;
Bostock MLR. 50, 508 f verbindet sie mit 1. — 3 *Mines* K(LV). 6 *komenes* K(LV).

III. Unecht Jungbluth Neophil. 38, 117; vv. 3—4 unecht Schirmer 55 f. — 2 *zimt* K.
tuot K(LV). 4 *Deich* K(LV). 5 *rehten* streicht K. Zäsur nach *sâhen* L, de Boor
ZfdPh. 58, 10.

IV. Der Burggraf von Regensburg

I Ich bin mit rehter staete

1 'Ich bin mit rehter staete   einem gúoten rîter undertân.   16, 1 — Seven 17 A, 1 C
   wie sanfte daz mînem herzen tuot,   swenne ich in umbevangen hân!
   der sich mit manegen tugenden guot
   gemachet al der welte liep,   der mac wol hôhe tragen den muot.'

2 'Sine múgen alle mir benemen,   den ich mir lange hân erwelt   16, 8 —
   ze rehter staete in mînem muot,   der mich vil meneges liebes went.   Seven 18 A, 2 C
   und laegen sî vor leide tôt,
   ich wil ime iemer wesen holt.   si sint betwungen âne nôt.'

2, 2 *wenen* c. gs. an etwas gewöhnen, erfahren lassen. 4 *betwungen sîn* in Kummer
und Not sein.

II Ich lac den winter eine

1 Ich lac den winter eine.   wol trôste mich ein wîp,   16, 15 — 1 A, 3 C
   vore si mír mit vröiden [] kunde   die bluomen und die sumerzît.
   *daz nîden merkaere.   dêst mîn herze wunt.
   ez enhéile mir ein vrowe mit ir minne,   éz enwirt niemêr gesunt.

I. 1, 2 daz]es C. 3 mangen C.
2, 2 mv̊te AC. meneges]langes C. 4 im C.
II. 1, 2 Vv̊re si mir mit vr. wolde kvnden AC. 3 des min C.

I. 1, 1 Ba] staetekeit K(LV). eim K(LV). 2 daz] ez K(LV). 3 mangen K.
2, 2 mînen muot K(LV). manges K(V). 3 Jungbluth GRM. 34, 348 vertauscht diesen
Vers mit 4 b. 4 im K(LV).
II Einzelstrr. Kienast [1] 67. — 1, 2 Diu mir fröide wolde kunden vür bl. und vür s.
K, Für daz mir fr. kunten die bl. u. d. s. L(V), Vür si mir fr. gunden die bl. u. d. s.
Br. ¶ Sît uns mit fr. kômen die bl. u. d. s. Jungbluth GRM. 34, 347. 3 nîdent
K(LV). des ist K(L). 4 Ezn heile K(LV). ezn (ez en LV) wirdet n. mê g. K(LV).

2   'Nu heizent sî mich mîden   einen rítter: ich enmac.   16, 23 — 4 C, 2 A
    swenne ich dar an gedenke,   daz ich sô gǘetlíchen lac,   17, 1
    verholne an sînem arme,   des tuot mir senede wê.
    vón im ist ein als unsenftez scheiden,   des mác sich mîn hérze wol entstên.'

1, 1 *trôsten* Zuversicht schenken. 2 *vore* vorher. 4 wenn nicht . . .
2, 3 *verholne* heimlich. 4 *entstên* merken.

2, 1 *ine mac* A. 2 *Swen* A. *gǔtlichen* A. 3 *Verholn* A. *sinē* C. *des*]*daz* A. *sene* A.
   4 *ime* A. *alse* A. *vnsanftes* A.

2, 1 *ine* K(LV). 2 *Swenn* K(LV). L] *guotlíchen* K(V). 4 LV] *daz mac mîn* h.
   K(P 409).

V. Der Burggraf von Rietenburg

I Nu endarf mir nieman wîzen

1   'Nu endárf mir nieman wîzen,   18, 1 — *1* BC
         ob ich in iemer gerne saehe.
     ⟨*dés wil ich mich vlîzen.*⟩
         waz darúmbe, ob ich des von zorne jaehe,
5   Daz mir sî iemen alse liep?
         ich lâze in durch ir nîden niet;
             si verlíesent alle ir arebeit,
             er kan mir niemer werden leit.'

2   Mir gestúont mîn gemüete   18, 9 — 2 C
         nie so hô*hè* von schulde,
     sît ich in rehter güete
         hân alsô wol gedienet ir hulde.
5   Ich vürhte niht ir aller drô,
         sît si wil, daz ich sî vrô.
             wan diu guote ist vröiden rîch,
             des wil ich iemer vröwen mich.

1, 1 *wîzen* vorwerfen, verweisen. 4 *jehen* c. gs. etwas sagen.
2, 2 *von schulde* mit Recht. 7 *wan* denn. 8 *des* darum.

I. **1, 1** *mir* fehlt C. 3 fehlt B. 5 *sî*] ist B. *Dc mir iemē si lieber iht* C. 6 *niht* C. 7 *Sú* B.
arbeit C.
2, 2 *ho* (am Rand der Spalte!).

I. **1—2** Kein Wechsel, Einzelstrr. LH, Ittenbach 137. — **1, 3** *mich harte vl.* K. 4 *Waz
drumbe, ob si von z. jaehen* K, *Waz drumbe, ob ich von z. jaehe* V. 5 V] *Daz im
sî* K. 7 *fliesent* K(LV).
2, 1 *Mír gestúont* K(HV). 2 *hôhe* K(HV). 3 *Sît ich von ir r. güete* K(V). 4 *gedient*
K(HV).

II Diu nahtegal ist gesweiget

Diu nahtegal ist gesweiget,   18, 17 — 2 *B*, 3 *C*
und ir hôher sanc geneiget,
  die ich wól hôrte singen.
    doch tuot mir sanfte guot gedinge,
5   Den ich von einer vrowen hân.
      ich wil ir niemer abe gegân
        und biut ir staeten dienest mîn.
          als ir ist liep, alse wil ich iemer mêre sîn.

4 *gedinge* Hoffnung.

III Ich hôrte wîlent sagen

Ich hôrte wîlent sagen ein maere,   18, 25 — 3 *B*, 4 *C*
  daz ist mîn alre bester trôst,
wie minne ein sáelìkeit waere
und an*der* hêrscha*f*t nie erkôs.
5   Des moht ich werden sorgen lôs,   19, 1
ob sî erbarmen wil mîne swaere.
got weiz wol, daz ich ê verbaere
    iemer alliu wîp
      ê ir vil minneclîchen lîp.
10   den willen hân ich lange zît.

4 und eine andere Form der Herrschaft (als die der *saelikeit* nämlich) nie für sich
erwählte. 7 *verbern* aufgeben, meiden.

II, 4 *gedingē* BC. 7 *bùte* C. 8 *Als ir ist l.* fehlt C. *als* C.

III, 4 fehlt C. *anherschat* B. 5 *môhte* C. *erlost* C. 6 *min* C. 8 *iemer m^se* C. 10 fehlt C.

II, 3 V] *ê wol* K(L). 4 *gedinge* K(LV). 8 Brinkmann 504] LVK folgen C.

III, 3 f *ein saelic arbeit w.* / *und unversuochten nie erkôs* K. ¶ *ein saelic frouwe w.* /
und an hêrschaft nie verkôs Schröder ZfdA. 69, 123 f. 4 *Unde harnschar* H. *Und
des andern schaden* V. 6 *mîn* K(LV). 8 K(LV) nach C.

IV   Sît sich hât verwandelt diu zît

Sît sich hât verwandelt diu zît,   19, 7 — *4 B,* 5 C
   des vil manic herze ist vrô.
taet ich selbe niht alsô,
sô wurde ervaeret mir der lîp,
5   Der betwungen stât.
   noch ist mîn rât,
     daz ich niuwe mînen sanc.
     ez ist leider alze lanc,
       daz die bluomen rôt
10   begunden lîden nôt.

4 *ervaeren* in Trauer versetzen.

V   Sît si wil versuochen mich

Sît si ∫wil versuochen mich⌉,   19, 17 — *5 B,* 6 C
   daz nim ich vür allez guot.
sô wirde ich góldè gelîch,
   daz man dâ brüevet in der gluot
5   Und versúochèt ez baz.
   bezzer wirt ez umbe daz,
     lûter, schoener unde klâr.
     swaz ich singe, daz ist wâr:
       glúotès ez iemer mê,
10   ez wurde bezzer vil dan ê.

1 *versuochen* auf die Probe stellen.

IV, 3—4 *So wurde ervêret ich dur nit. dêt ich niht selbe also* C. 5 *Der*] *min lip* C.
V, 1 *mich v. wil* B. 9 *Glûtes iem*ˢ *me* C. 10 *danne e* C.

IV, 1 *verwandelt hât* K(LV). 3 nach 4 K(LV). 6 *Nóch* K(V).

V, 2 LV] *allez für* K (Schröder briefl. in K, MFU 48). 9 *Gluote si ez* K(V).

VI Sît sî wil, daz ich von ir scheide

Sît sî wil, daz ich von ir scheide
   – dem si dicke tuot gelîch –
ir schoene und ir güete beide
   die lâze sî, sô kêre ich mich.
5   Swar ich danne landes var,
     ir lop der hôhste got bewar.
      mîn herze erkôs mir dise nôt.
      senfter waere mir der tôt,
       danne daz ich ir diene vil,
10   und si des niht wizzen wil.

19, 27 — 7 C

2 oft handelt sie so.

VI, 1 u. 9 *deich* K(HV). 6 *lîp* K(HV).

VI. Spervogel

1. AC-Überlieferung

1 Swer in vremeden landen vil der tugende hât, 20, 1 — *1 AC*
   der solde niemer komen hein, daz waere mîn rât,
     erne héte dâ den selben muot.
     ez enwárt nie mannes lop sô guot
5   sô daz von sînem hûse vert,   dâ man in wol erkennet.
     waz hilfet, daz man traegen esel   mit snellem marke rennet?

2 Wan sol die jungen hunde lâzen zuo dem bern 20, 9 — *2 AC, 12 J*
   und den rôten habech zem reiger, welle ers gern,
     †und elliu ros zurstun slahen,†
     mit linden wazzern hende twahen,
5   mit rehten triuwen minnen got,   und al die welt wol êren,
     und neme ze wîsem manne rât   und volge ouch sîner lêre.

3 Swer suochet rât und volget des, der habe danc, 20, 17 — *3 AC*
   alse mîn geselle Spérvògel sanc.
     und sold *er* leben tûsent jâr,
     sîn êre stîgent, daz ist wâr.
5   ist danne, daz er triuwen pfliget   und den niht wil entwenken,
     sô er ín der erde ervûlet ist,   sô muoz man sîn gedenken.

1, 1 *vrômdē* C. 3 *Ern* C.

2 J s. S. 46 — 1 *hvndē* C. 2 *ivngē habch* C. *zeim* A. 5 *rehtem trvwen* A, *Mit rehtē
hˢzen* C.

3, 2 *Als* C. 3 *sol der* AC. 4 *stiget* C. 6 *erdē infulit* C. *muoz* fehlt C.

AC-Überlieferung. vv. 1—2 endgereimte Kürenbergerzeilen, 3—4 binnengereimte
Langzeilen Maurer 44 (vgl. auch de Boor ZfdPh. 58, 27 ff), anders Mohr Deutsch-
unterricht 5, H. 2, 70 f. — 1, 1 *fremden* K. *waer* K(LV). 3 *Ern* K(LV).

2, 2 *Und rôten h. z. r. werfen, tar* ... (≈ J) K (Sievers, Rhyth.-melod. Studien 1912,
99 f). 3 ¶ *Und altiu (eltiu* L) *ros zer stuote sl.* (≈ J) K(LV). 5 *Mit rehtem herzen*
K(LV).

4 Ez zimt wol helden, daz si vrô nâch leide sîn.   20, 25 — 4 *AC*
   kein ungelücke wart nie sô grôz, dâ waere bî
     ein heil. des suln wir uns versehen.
     uns mac wol vrome nâch schaden geschehen.
5   wir haben verlorn ein veigez guot.   vil stolzen helde, enruochet! 21, 1
     dar umbe suln wir niht verzagen.   ez wirt noch baz versuochet.

5 Waz vromt dem rosse, daz ez bî dem vuoter stât,   21, 5 — 5 *AC*, 10 J
   und einem wolve, daz er bî den schâfen gât,
     der in diu beide tiure tuot?
     sô ist ez jenem alsô guot,
5   der veile vindet, swaz er wil,   und des niht mac vergelten.
     ein lieht in vremedez mannes hant   ⟨*daz vröit den blinden selten.*⟩

6 Swer einen vriunt wil suochen, dâ er sîn niht enhât,   21, 13 — 6 *CAJ*,
   und vert ze wáldè spürn, sô der snê zergât,   t bl. 46ᵛ
     und koufet ungeschouwet vil,
     und haltet gerne verlorniu spil,
5   und dienet einem boesen man,   dâ ez ân lôn belîbet,
     dem wirt wol afterriuwe kunt,   ob erz die lenge trîbet.

7 Swer lange dienet, dâ man díenst níht verstât,   21, 21 — 7 *AC*
   und einen ungetriuwen miteslüzzel hât,
     und einen valschen nâchgebûr,
     dem wirt sîn spîse harte sûr.
5   obe er sich wil alsô betragen,   daz er árman niht verdirbet,
     daz muoz von gotes helfe komen,   wan er mit triuwen wirbet.

4, 1 *dc fro* C. 2 *vngelucke* A. ¶ *en were* C. 4 *vrum* C. 5 *stolze* C. 6 *suln*] *son* C.
5 J s. S. 45 — 1 *vrumt* C. *dc bi* C. 3. V̄n *dˢ in* C. *beidů* C. 4 *ienim* A, *einē* C.
6 *vremdes* C. 6 b fehlt A.
6 J und t s. S. 44 — 1 fehlt A. 2 *spvrn* A. 4 *altet* A. 5 *ane lon* A.
7, 1 *dienstes* C. 2 *vngetruwen mitteslvzel (mit slůzel* C) AC. 5 *Ob* C. 6 *truwen* A.

4, 2 *enwaere* K(LV). 4 *frum* K(LV).
5, 2 *Und ouch dem w.* (= J) K(LV). 4 LV] *einem* K (Meier Beitr. 15, 315). 6 L,
Mendels Neophil. 37, 52 f; Ludwig Beitr. 85 (T), 304] *sehendes (sendes* J) K(V).
6, 2 *spüren* K(LV). 4 *vlorniu* K(LV). 5 *âne* K(LV).
7, 1 *dienstes* K(LV), *dienest* Ba. 5 *dêr* K(LV). 6 *wan*] *daz* und Vertauschung 5 b und
6 b Sievers Beitr. 44, 430 f. *riuwen* L.

8 Diu saelde dringet vür die kunst, daz ellen gât   21, 29 — *8* AC
vil dicke nâch dem rîchen zagen in swacher wât.
   erst tump, swer guot vor êren spart.
   zuht diu well*et* grâwen bart.
5   triuwe machent werden man   und wîse schoene vrâge.
     liebe meistert wol den kouf,   sô scheidet schade die mâge.

9 Wan sol einen biderben man wol drîzic jâr   22, 1 — *9* AC
dar ûf behalten – daz ich i*u* sage, daz ist wâr –,
   obe man dem hêrren widersage,
   daz er ime holdez herze trage.
5   swem daz guot ze herzen gât,   der gewínnet niemer êre.
     jô enrede ich ez niht dur mînen vromen,   wan daz ich ez alle lêre.

10 Sô wé dir, armuot! dû benimest dem man   22, 9 — *10* AC, 9 J
beide wi*t*ze und ouch den sin, daz er niht kan.
   die vriunt getuont sîn lîhten rât,
   swenne er des guotes niht enhât.
5   si kêrent ime den rugge zuo   und grüezent in wol trâge.
     die wîle daz er mit vollen lebet,   sô hât er [ ] holde mâge.

11 Sô wol dir, wirt, wie wol dû doch dem hûse zimst!   22, 17 — *11* CA
an dem worte niemer mê dû abe genimst.
   swie kleine man gebresten hât,
   wol doch der wirt imme hûse stât.
5   der wirt der kan des hûses reht   wol mezzen nâch der snüere.
     waz solde ein wîselôsez her,   daz âne meister vüere?

8, 3 *Er ist* C. 4 *wellent* AC. 5 *machet* C. *schone* AC.
9, 2 be^hladē C. *vch* A. 3 *Ob* C. *dē* C. 4 *im* C. 6 *ichs* C. *vrumē* C. *ich ez*] *ich sies* C.
10 J s. S. 45 — 1 *benimst* C. 2 *Beidú* C. *wise* A. *niht wissen* k. C. 3 *frúnde* C. 5 *im* C.
ruggē C. *grôzent* A. 6 *lebit* A, *lebt* C. *er volle holde m.* A.
11, 2 *mer* A. *genimest* A. 4 *inme* A.

8, 4 *Zühte wellent* K(LV). 5 L, Ludwig Beitr. 85 (T) 298, vgl. auch Stackmann, Der
Spruchdichter Heinrich von Mügeln 1958, 85 Anm. 74] *wîsen* K(BaV).
9, 2 *deich* K(LV). 3 *Ob* K(LV). 4 *im* K(LV). 5 *gwinnet* K(LV). 6 a, b *ichz* K(LV).
10, 1 *armüete* K(LV). *benimst* K. 2 (und 6) *daz er*] *dêr* K(LV). *enkan* (= J) K(LV).
   5 *im* K. *wol*] *vil* (= J) K(LV). 6 *lebt* K.
11, 2 *deme* K. 4 *imme*] ¶ *dem* K(V), em L.

12 Wan sol den mantel kêren, als daz weter gât.   *22, 25 — 47 C*
      ein vrömder man der habe sîn dinc, als ez danne stât.
         sîns leides sî er niht ze dol,
         sîn liep er schône haben sol.
   5   ez ist hiute mîn, morne dîn: sô teilet man die huoben.
        vil dicke er selbe drinne lît, der dem ándern grebt die gruoben.

13 Swer mir nû verwîzet, daz ich niht enhân,   *22, 33 — 48 C*
      gelebe ich iemer, daz ich wol berâten gân,
        der muoz ouch mir der boeser sîn.
        ich hôrte sagen, daz der Rîn
   5   hie vor in engen vürten vlôz. des muoz ich lônes bîten.   *23, 1*
        nu ist er worden alsô grôz, daz in nieman mac gerîten.

14 Mich wundert dicke, daz ein wol gerâten man   *23, 5 — 49 C, 3 J*
      under sînen vríundèn niht werben kan,
        si sîn im âne schulde gehaz
        und gunden einem vrömden baz
   5   der êren, sô er solde pflegen bí in in den landen.
        sô sî des vriundes nien enhant, si trüegen in ûf den handen.

15 Daz ich ungelücke hân, daz tuot mir wê.   *23, 13 — 50 C, 8 J*
      des muos ich ungetrunken gân von einem sê,
        dar ûz ein schoener brunne vlôz,
        der was michel unde grôz.
   5   dar kam vil der vremden diet, die wurden hôh gesetzet.
        ich bôt dar dicke mînen napf, der wart mir nie genetzet.

12, 3 *Sis l.* 6 *dē and*ˢ*n.*
14 J s. S. 44 — 2 *erben kan* C.
15 J s. S. 45 — 3 *schoner* C.

12, 2 *frumer m.* K(LV). *dâ stât* K(LV). 3 *Sîns* K(LV). 5 *Êst* K(LV).
14, 2 *erwerben* HV, *êre niht erwerben kan* K. 3 *Sin* (≈ J) K(HV). 5 *Der êren die er solte hân mit den besten i. d. l.* (≈ J) K(HV). 6 *Stirbet er, si sehent den tac* (≈ J) K(HV).
15 Unecht ohne Begründung K, s. Neumann 21. — 3 *küeler* (= J) K(HV). 4 *Des kraft was* (= J) K(HV). 5 *Da buozte manger* (*maneger* HV) *sînen durst und wart dâ wol ergetzet* (≈ J) K(HV). 6 *Swie dicke ich mînen n. dar bôt, ern* (≈ J) K(HV).

16 Swer den wolf ze hirten nimt, der vât sîn schaden.   23, 21 — *51* C, 4 J
   ein wîser man der sol sîn schif niht überladen.
      daz ich iu sage, daz ist wâr:
      swer sînem wîbe ∫ dur daz jâr
5   volget ⌐ und er ir richiu klei*t*   über rêhte mâze koufet,
      dâ mac ein hôchvart von geschehen,   daz sîm ein stiefkint toufet.

17 Treit ein rein wîp niht guoter kleider an,   24, 1 — *53* C, 5 J
   sô kleidet doch ir tugent, als ich mich kan entstân,
      daz sî vil wol geblüemet gât,
      alsam der liehte sunne hât
5   an einem tage sînen schîn   lûter unde reine.
      swie vil ein valsche kleider treit,   doch sint ir êre kleine.

18 Wir loben alle disen halm, wand er uns truoc.   23, 29 — *52* C
   vernet was ein schoener sumer und korns genuoc.
      des was elliu diu werlt ouch vrô.
      wer gesach ie schoener strô?
5   ez vüllèt dem rîchen man   die schiure und ouch die kiste.
      swanne ez gedienet, dar ez sol,   sô wirt éz aber dan ze miste.

1, 6 *marke* Streitroß. *rennen* antreiben (zu einem Wettlauf).
2, 2 *rôter h.* junger Habicht. 4 *twahen* waschen.
3, 5 *entwenken* untreu werden. 6 *sô er* wenn er.
4, 3 *sich versehen* seine Zuversicht setzen auf. 5 *veige* vergänglich. *ruochen* sich
kümmern.
5, 3 *der* wenn einer. 3 *tiure tuon* vorenthalten. 5 *veile* käuflich. *vergelten* be-
zahlen.
6, 2 *spürn* Fährten (des Wildes) suchen. 5 *boese* geizig. 6 der wird es sicher später
bereuen.

---

16 J s. S. 44 — 4 *w. volget dur dc iar* C. 5 *Vñ er ir r. kleider* C.
17 J s. S. 44 — 3 *geblûmet* C.
18, 1 *haln.* 2 und 4 *schon*s.

16, 1 *w. ze hûse ladet der nimt* (= J) K(HV). 2 *Ein schifman mac ein krankez schif
schier* (= J) K(HV). 5 ¶ *Koufet guoter kleider vil, im selben niht enkoufet* (≈ J)
K(HV).
17, 1 *reine* K(HV). 2 H Ba] *Si zieret doch ir t.* K(V). *als ich michs kan verstân* (≈ J)
K(V). 3—5 H Ba, letzterer aber v. 5 *vil lûter*] *Daz si vil schône stât gebluot / alsô
diu liehte sunne tuot / diu gegen dem morgen schînet fruo sô lûter und sô r.* K.
V ≈ J.
18 vor 17 K(HV). — 1 *halm* K(HV). 3 *al diu w.* K(HV). 5 *füllet gar dem* K(HV).
6 Meier Beitr. 15, 321] *gediente* K(HV). *dan* fehlt K(HV).

7, 2 und mit einem ungetreuen Menschen einen gemeinsamen Schlüssel besitzt. 5 f. Wenn
   der arme Mann sich unter solchen Bedingungen erhalten muß, dann muß Gott schon
   zu Hilfe kommen, damit er nicht zugrunde geht, denn Gott allein ist treu.
8, 1 f Das Glück drängt sich vor das Können, die Tapferkeit geht sehr oft in arm-
   seligem Gewand hinter dem reichen Schwächling. 4 *weln, wellen* wählen. 6 *liebe*
   hier: Freundlichkeit. *mâc* Verwandter.
9, 2 *behalten* im Hause behalten. 3 f damit er, wenn man dem Herrn die Fehde
   ansagt, ihm günstig gesonnen ist. 6 *wan* nur.
10, 2 *kunnen* drückt geistiges Wissen und Verstehen aus. 3 *lîhten rât tuon* c. gp. jem.
   gut missen können.
11 Die Strophe spielt mit den Wörtern *wirt, hûs, man* (vgl. Jellinek Beitr. 38, 566 f). —
   3 Wie makellos auch das Wort 'Mann' ist. 6 *wîselôs* führerlos.
12, 1 Nicht: sein Fähnchen nach dem Wind hängen, sondern: sich nach den Verhält-
   nissen einrichten. 2 *danne* im jeweiligen Augenblick. 5 *huobe* 'Hufe' (Flächen-
   maß).
13, 1 *verwîzen* vorwerfen. 2 *iemer* jemals. *wol berâten* mit Vorrat versehen, ver-
   mögend. 5 *des* darum.
14, 1 *wol gerâten* etwa: vortrefflich. 3 ohne daß sie ihm ohne Grund feindlich gesinnt
   sind. 5 *sô* hier: die. 6 *sô* wenn.
15, 3 *brunne* Quell. 5 *diet* Leute.
16, 6 *stiefkint* hier: uneheliches Kind.
17, 2 *sich entstân* verstehen, merken. 3 *blüemen* schmücken. 5 *lûter unde reine*
   bezieht sich auf *wîp, tac* und *schîn.*
18, 1 *tragen* Ertrag bringen. 2 *vernet* im vorigen Jahr.

2. J-Überlieferung

1 Swâ ein vriunt dem andern vriunde bî gestât   24, 9 — *1 J*
     mit ganzen trûwen gar ân alle missetât,
       dâ ist des vriundes helfe guot.
       dem er sie willichlîche tuot,
5   ˙daz sie gelîche ei*m* andern helen,   dem mêret sich daz kunne.
       swâ vriunde einander waege sint,   daz ist ein michel wunne.

2 Swér sínen guoten vriunt behalten wil,   24, 17 — *2 J*
     den sol er vur den liuten strâfen nicht zuo vil.
       er neme in besunder hin dan
       unde sage ịm, waz er habe getân.
5   dâ ne hôrt ez der vrémde nicht.   und er zórne in dâ vil sêre
       unde hálte in vur den liuten wol.   des hât er immer êre.

J-Überlieferung. 1 (mit Melodie), 5 *einander.*

J-Überlieferung. 1, 5 ¶ *Daz si gehellent under in* K(HV).
2, 1 *Swer den sînen* K(Ba V). 3 *neme besunder in* K(HV). 4 *Und* K(HV). 5 *Da
enhoeret ez* K(HV). *niht. er zürne* K(HV). 6 *Und* K(HV).

3 Mich nimpt wunder, daz ein reine biderbe man   23, 5 — *3 J*, 49 C
    umme sîner vriunde hulde nicht werben kan,
       sie ne trágen im âne schulde haz
       unde gúnden einem vremeden baz
    5   der êre, die er solte hân   mit den bésten in den landen.
       stirbet er, sie sênt den tac,   si truogen in of den handen.

4 Swer den wolb zuo hûse ladet, der nimpt sîn schaden.   23, 21 — *4 J*, 51 C
    ein schifman mac ein krankez schif schiere überladen.
       daz ich iu sage, daz ist wâr:
       swer sîme wîbe durch daz jâr
    5   koufet guoter kleider vil   unde im sélben nicht enkoufet,
       deme dárb des nicht grôz wunder nemen,   ob man ím ein stiepkint
                                                                  [toufet.

5 Treit ein reine wîp nicht guoter kleider an,   24, 1 — *5 J*, 53 C
    sô zieret wol ir tugent, als ích es mich kán vurstân,
       daz sie vil schône bluoet stât,
       alsô die liechte sunne of gât,
    5   die kegen den morgen schînet vruo   sô lûter unde sô reine.
       swie vil ein valsche kleider treit,   sô ist dóch ir lop vil kleine.

6 Swer spuret hin zuo walde, swen der snê zurgât,   21, 13 — *6 JAC*,
    unde vríunde suochet, dâ her nicht enhât,   t bl. 46ᵛ
       unde kóufet unbesêndez vil,
       und heldet gar vurlorne spil,
    5   unde díenet einem bôsen man,   des er âne lôn belîbet.
       im wirt wol afterruwe kunt,   ob er iz die lenge trîbet.

---

3 C s. S. 41 — 6 *sen* J.
4 C s. S. 42 — 6 *stipkynt* J.
5 C s. S. 42 — 2 *also* J.
6 AC s. S. 39 — 1 *Swer ze holz get spv̊ren* t. *swen*] *so* t. *tzv̊gat* J, *zergat* t. 2 *Vn̄*
sv̊chet sinen gv̊ten vr. do er cheinen h. t. 3 *Vn̄ chavfet vngesehens v.* t. *vmbesendes*
J. 4 *Vnde haltet* t. 5 *Vnd* t. *eynen* J. *boesem* t. *daz an l. belaibet* t. 6 *Dem* t. *ob*
erz t.

7 Ein edele kunne stîget of bî einem man,   24, 25 — 7 J
  der dem vil wol gehelfen unde râten kan.
    sô sîget ein hôez kunne nider
    unde ríchtet sich nimmêr of wider,
5   swenne síe vurliesent under in,   der in dâ solte râten.
    er was in ie mit trûwen bî   unde súonte, waz sie tâten.

8 Daz ich ungeluckich bin, daz tuot mir wê.   23, 13 — 8 J, 50 C
  des muost ich ungetrunken gên von eime sê,
    dâ ûz ein kuole brunne vlôz,
    des kraft was michel unde grôz.
5   dâ buozete maniger sînen dorst   unde wárt dâ wol *ergetzet*.
    swie dicke ich mînen napf dâ bôt,   er newárt mir nie genetzet.

9 Sô wê dir, aremuote! dû benimst de*m* man   22, 9 — 9 J, 10 AC
  sinne unde witze, daz er nicht nekan.
    sîne vríunt die tuont des guoten rât,
    swenne er des guotes nicht nehât.
5   sie kêrent im den rucke zuo   unde grúozent in vil trâge.
    swen der helt mit vullen vert,   sô hât er holde mâge.

10 Waz hilfet deme rosse, daz ez bî dem vuoter stât,   21, 5 — 10 J, 5 AC
  unde ouch dem wolbe, daz er bî den schâfen gât,
    unde mán ez in béiden tiure tuot?
    sô hât ez einer alsô guot,
5   der véilè vint, des er gert,   unde des niht mac vurgelten.
    ein liecht in sêndes mannes hant   daz vreuwet den blinden selten.

---

8 C s. S. 41 — 5 *gegezzet* J.
9 AC s. S. 40 — 1 *den* J. 3 *tûn* J. 5 *keren* J. *grûzen* J.
10 AC s. S. 39.

7, 4 *rihtet sich ûf* n. K(HV). 5 *Sô si* K(HV). 6 *und* K(HV). *swaz* K(HV).
8, 5 *ergetzet* K(HV).

11   Swer guote witze hát, dér ist wol geborn,   24, 33 — *11 J*
      swaz man éinem bôsen vurseit, daz ist gar vurlorn.
         man tuot *im* ie den besten rât,
         swie selten er daz vur guot untvât!
5   er newólle alle sîne sinnẹ   an ganze tugende kêren,
            sô mochte man einen wilden beren   noch sanfter harfen lêren.

12   Ummaere hunde sol man schupfen zuo dem beren,   20, 9 — *12 J*, 2 AC
      unde róten habich werfen *zem* reiger, tar ers geren,
         altez ros zuo der stuote slân,
         mit lindem wazzer hende twân,
5   von herzen sol man minnen got,   die werlt ein teil um êre,
            wîsen mán den sol man willich haben   und volgen sîner lêre.

13   Der guote gruoz der vreut den gast, swen er în gât,   25, 5 — *13 J*
      vil wol dem wirte daz in sîme hûse stât,
         daz er mit zuchten wese vrô
         unde bíetez sîme gaste sô,
5   daz *in* der wille dunke guot,   dén er kegen im kêret.
            mit líchter kost er dienet lop,   swer vremden man wol êret.

1, 5 *gelíche* gleichermaßen. *helen, heln* c. dp. vor jem. geheim halten. 6 *waege* ge-
wogen.
7, 1 *kunne* Geschlecht, Familie. 3 *sîgen* sinken. 6 *süenen* ausgleichen.
8, 1 *ungeluckich* kein Glück habend (vor allem nd. und md.).
9, 3 *guoten rât tuon* c. gp. entbehren können.
11, 3 man gibt ihm stets den besten Rat.
12, 1 *unmaere* wertlos. 3 ... zur Herde (im freien Gelände) treiben. 4 *twân* wa-
schen. 6 *willich haben* sich geneigt halten.
13, 6 *líhte* gering. *kost* Aufwand.

11, 2 *eynen* ... *daz ist leider g., leider* aber wohl gestrichen. 3 *im*] *sin.* 6 *mȯchte.*
12 AC s. S. 38 — 2 *tzȯ dem r.* J. 4 *linden* J.
13, 5 *Daz ym.*

11, 1 de Boor ZfdPh. 58, 28, Anhold Neophil. 27, 44 f] *vil wol* K(HV). 2 *dem boesen
vür geseit, deist* K(HV). 3 *im* K(HV). 4 H] *Wie* K(V). 5 *Ern welle allen sînen sin*
K(HV). 6 *ein w. bern* K(V).
13, 5 *in* K(HV). *engegen* K(H).

VII. Herger

I

25, 13 — *Spervogel 12* AC

1 Ich sage i*u*, lieben süne mîn,
  i*u* enwáhset kórn nóch der wîn,
  ich enkán i*u* niht gezeigen
  diu lêhen noch diu eigen.
5   Nu genâde i*u* got, der guote,
    und gebe i*u* saelde unde heil.
  vil wol gelanc von Tenemarke Fruoten.

25, 20 — *Sper 13* AC

2 Mich riuwet *Frúot* über mer
  und von Hûsen Walther,
  Héinrích von Gebechenstein,
  und von Stoufen was ir noch ein.
5   Got gnâde Wernharte,
    der ûf Steinsberc saz
  und niht vor den êren versparte.

25, 27 — *Sper 14* CA

3 Wér sól ûf Steinsberc
  würken Wernhartes werc?
  hei, wie er gap unde lêch!
  des er dem biderben man verzêch,
5   Des enmóht er niht gewinnen.
    daz was der wille: kom diu state,
  si schieden sich ze jungest mit minnen.

I. 1, 1 *vch* so immer in dieser Str. A. *sune* A.
2, 1 *vurt* A, *vuruot* C. 5 *genade* C. 6 *steinberc* A, *steinsberch* C.
3, 1 *steinberc* A, *steinb*ˢ*g* C. 2 *Wurchen* A. 3 *wie er*] *wer* A. 3 *leich* A. 4 *dē biderbē*
C, *dem biderbem* A. *verzec* A. 5 *en mohte* A. 7 *scheiden* A.

I Zwei binnengereimte Langzeilen, eine kurze und eine lange Zeile Maurer 42. 6—7
Langzeile Ba. — 1, 7 Ba] *Fruote* K(LV).
2, 1 ¶ *Fruot von über m.* K(LV). 4 LVBa, aber mit Tilgung von *und*] *Und von
Stoufen noch ein* K (Sievers in Saran, Dt. Verslehre 1907, 258). 6 *Steinesberc* K(V).
3, 1 *Steinesberc* K(V). 7 *jungist* K(V).

4 Dô der guote Wernhart   25, 33 — *Sper 15 AC*
   an dise welt geborn wart,
   dô begónde er teilen al sîn guot.   26, 1
   dô gewán er Rüedegêrs muot,
5   Der saz ze Bechelaere
      und pflac der marke menegen tac.
   der wart von sîner vrumecheit sô maere.

5 Steinsberc die tugende hât,   26, 6 — *Sper 16 AC*
   daz ez sich nieman erben lât
   wan ein, der ouch êren pfligt.
   dem strîte hât ez an gesigt.
5   Nû hât ez einen erben:
      der werden Oetingaere stam
      der wil im sînen namen niht verderben.

1, 3 *gezeigen* durch Augenschein in den Besitz einweisen (Sch 20).
2, 1 ... der jenseits des Meeres wohnte (verkürzter Rel.-Satz). 4 und unter den Gönnern (= *ir*) war noch ein Heinrich, nämlich von Staufen. 7 und an nichts sparte, um sein Ansehen zu heben.
3, 4 *verziehen* wegnehmen, vorenthalten. 6 *state* günstiger Zeitpunkt. 7 *mit minnen* formelhaft: *in caritate*, in herzlichem Einvernehmen.
4, 7 *vrumecheit* Tüchtigkeit. *maere* berühmt, bekannt.
5, 4 In diesem *strîte* (vgl. den in v. 1—3 dargestellten Tatbestand) ist es Sieger geblieben. 6 *stam* Sproß, Abkomme.

II

1 Wan seit ze hove maere,   26, 13 — *Sper 17 AC*
   wie gescheiden waere
     Kerlinc unde Gebehart.
   sie liegent, sem mir mîn bart.
5   Zwêne brúoder die gezürnent
      und underziunent den hof,
      si lânt iedoch die stigelen unverdürnet.

4, 4 *rûdegeres* C. 6 *mägen* C. 7 *frúmekeit* C.
5, 1 *Steinberc* AC. 3 *phligit* A. 6 *ôtinger* C. 7 *im*] *in* C.
II. **1, 3** *gebewart* A. 5 *gebrôd[s]* C. *gezvrnent* A. 7 *vnv[s]dvrnet* A.

4, 4 *Rüedegéres* K(LV). 5 LV] *Bechelaeren* K. 6 *mangen* K.
5, 1 *Steinesberc* K(V). 3 *einen* K(LV).
II. **1, 2** LV] *waeren* K. 5 *Zwên bruoder* K(LV).

2   Mich müet daz alter sêre,
     wan ez Hérgérè
       alle sîne kraft benam.
     ez sol der gransprunge man
5   Bedenken sich enzîte,
       swenne er ze hove werde leit,
     daz er ze gwissen herbergen rîte.

26, 20 — *Sper 18* AC

3   Wie sich der rîche betraget!
     sô dem nôthaften waget
       dur daz lant der stegereif.
     daz ich ze bûwe niht engreif,
5   Dô mir begonde entspringen
       von alrêst mín bárt,
     des muoz ich nû mit arbeiten ringen.

26, 27 — *Sper 19* AC

4   Weistu, wie der igel sprach?
     'vil guot ist [] eigen gemach.'
       zimber ein hûs, Kerlinc.
     dar inne schaffe dîniu dinc.
5   Die hêrren sint erarget.
       swer dâ heime niht enhât,
     wie maneger guoter dinge der darbet.

26, 33 — *Sper 20* AC

27, 1

5   Swíe dáz wéter tuo,
     dér gást sol wesen vruo.
       der wirt hât truckenen vuoz
     vil dicke, sô der gast muoz
5   Die herberge rûmen.
       swer in dem alter welle wesen
     wirt, der sol sich in der jugent niht sûmen.

27, 6 — *Sper 21* CA

2, 1 *mv̊t* A. 2 *Wans* C. 5 *enzit* A. 6 *Swen* C. 7 *gewissen* C.
3, 1 *Swie* AC. 3 *stegreif* C. 6 *alterst* C.
4, 2 *Vil gv̊t ist gv̊t ist* A.
5, 2 *vro* A. 3 *truchenē* C, *inkenē* A. 7 *niht*] *sich* A.

3, 1 *Wie* K(LV). 6 *alrêrste* K(LV).
4, 7 *manger* K.
5, 1 : 2 Schröder ZfdA. 33, 101] *tüeje : früeje* K(LV). 6—7 LV Ba] *Swer alter welle wesen wirt, / der sol sich i. d. jugende n. s.* K (Roethe ZfdA. 48, 146).

1, 4 ...bei meinem Barte. 7 *stigele* Übersteig. *unverdürnet* nicht durch Dornen-
hecken versperrt.
2, 4 *gransprunge* dem das Barthaar keimt.
3, 1 Wie gut der Reiche doch lebt. 2 *wagen* wackeln. 3 *stegereif* Steigbügel. 4 ze
bûwe grîfen ein Haus bauen, Ackerbau betreiben.
4, 5 *erargen* schlecht, geizig werden.

III

1 Ez was ein wolf grâwe   27, 13 — *Sper* 22 AC
   und ein man alwaere.
     die liute wolten slâfen,
     er lie den wolf zen schâfen.
5   Do begíenc er in der stîge,
      daz man in des morgens hienc
    und iemer mêre sîn künne ane schrîet.

2 Ein wolf und ein witzic man   27, 20 — *Sper* 23 AC
   sazten schâchzabel an,
     si wurden spilnde umbe guot.
     der wolf begonde sînen muot
5   Nâch sînem vater wenden.
      dô kom ein wider dar gegân,
    dô gap er beidiu roch umbe einen venden.

3 Ein wolf sîne sünde vlôch,   27, 27 — *Sper* 24 CA
   in ein klôster er sich zôch,
     er wolde geistlîchen leben.
     dô hiez man in der schâfe pflegen.
5   Sît wart er unstaete.
      dô beiz er schâf unde swîn.
    er jach, daz ez des pfaffen rüde taete.

III. 1, 1 *grave* C. 2 *alwere* AC. 6 *mā mā* C. 7 *iems me* C. *kvnne* A.
2, 2 *Satzen* A, *Sasten* C. 7 *beide* C. *vmb* C.
3, 1 *svnde* A. 3 *geislichen* A. 7 *rvden* A.

III. 1, 2 L] *alwâre* K(V). 7 *iemer mê* K(LV).

'Ez mac der man sô vil vertragen',　　　　　　　　27, 34 — *Sper 25 A*C
hôrt ich Kerlingen sagen,
 'daz man in deste wírs hát'.　　　　　　　　　　28, 1
  sô wirt sîn sus vil guot rât,
5　　　Ist er widersaeze.
    zwêne húnde striten umbe ein bein,
    dô truoc ez hin ze jungest der raeze.

Zwêne húnde striten umbe ein bein　　　　　　　28, 6 — *Sper 26 A*C
 dô stunt der boeser unde grein.
  waz half i*n* al sîn grînen?
  er muostez bein vermîden.
5　　　Dér ánder truoc ez
    von dem tische hin ze der tür.
    er stuont zuo sîner angesiht und gnuoc ez.

, 2 *alwaere* einfältig, albern. 5 *stîg(e)* Verschlag, Stall, Pferch. 7 und daß man
seine Art für immer anklagt (mit 'Geschrei').
, 7 *roch* Turm, *vende* Bauer (im Schachspiel).
, 5 *unstaete* hier: unzuverlässig. 7 *des pfaffen rüde* der Jagdhund des vornehmen
Pfaffen, (zu dem die Mönche von vornherein kein gutes Verhältnis hatten, vgl.
K, MFU 70).
, 3 *wirs haben* schlechter behandeln. 4 Es wird ihm aber geholfen... 5 *widersaeze*
widersetzlich. 7 *raeze* bissig, wild.
, 2 *boese* hier: schwach. 3 *grînen* knurren. 7 *(g)nuoc* nagte.

IV

Er ist gewaltic unde starc　　　　　　　　　　28, 13 — *Sper 34 C,*
 der ze wíhen naht gebórn wárt.　　　　　　　der junge Sper 15 A
  daz ist der heilige Krist,
  jâ lobt in allez, daz dir ist,
5　　　Niwan der tievel eine.
    dur sînen grôzen übermuot
    sô wart im diu helle ze teile.

, 3 *dest* C. 6 *vmb* C. Nach 6: *Do stûnt d*ˢ *bo*ᵉ*ser vñ grein* C.
, 1 *Swene* A. *vmb* C. 3 *ine* A. 6 *tvr* A. 7 *zu* A, *ze* C. *gesiht* C. 7 *genv̊g* C.
V. 1, 2 *zewinnaht* A. 4 *lohte* A. 5 *Niewan* A. 7 *ime* A.

LV Schluß der Rede nach v. 7; Scherer, Dt. Studien I, 50, Anm. und K nach v. 3.
6 *Zwên* K(LV).
, 1 *Zwên* K(LV). 5 *ander der truogez* K(LV). 6 *zer t.* K. 7 *gnuogez* K(LV).
V. 1, 4 *dazdir* K(LV).

2 In der helle ist michel unrât.   28, 20 — *Sper 35 C*,
d. j. Sper 16 A
     swer dâ heimüete hât,
        diu sunne schînet nie sô lieht,
        der mâne hilfet in nieht
5   Noch der liehte sterne.
           jâ müet in allez, daz er siht.
           jâ waer er dâ ze himel alsô gerne!

3 In himelrîch ein hûs stât,   28, 27 — *Sper 36 C*,
d. j. Sper 17 A
     ein guldîn wec dar in gât,
        die siule die sint marmelîn,
        die zieret unser tréhtín
5   Mit edelem gesteine.
           dá kúmpt níeman in,
           ern sî vor allen sünden alsô reine.

4 Swer gerne zuo der kirchen gât   28, 34 — *d. j. Sper 18 A,*
Sper 37 C
     unde âne nít stât,
        der mac wol vroelîchen leben.   29, 1
        dem wirt ze jungest gegeben
5   der engel gemeine.
           wol in, daz er íe wárt!
           ze himel ist daz leben alsô reine.

5 Ich hân gedienet lange   29, 6 — *Sper 38 C*,
d. j. Sper 19 A
        leider einem manne,
        der in der helle umbe gât.
        der brüevet mîne missetât.
5   Sîn lôn der ist boese.
           hilf mir, heiliger geist,
           daz ich mích von sîner vancnisse erloese.

2, 2 *heimv̊te* A. 4 *niet* A. 5 *der l. sterne* fehlt A. 7 *Ja were da* A.
3, 3 *sv̊le* A. *mermelin* A. 4 *unser*] *vñ* A. 6 *Da enkumpt* A. 7 *Ern ensi* A. *svnden* A.
4, 1 *kilchen* A. 2 *da stat* C. 3 *vrolichen* A. 6 *im dc er ie wart* (mit Umstellungszei
chen) *geborn* C.
5, 1 *gedienen* A. 2 *Leids also lange einem* A. 4 *brvwet* A. 5 *lone* C. *bose* A. 6 *mich* A
7 *vancnisch er lose* A.

3, 6 *Dâ enkumpt* K(LV).
4, 2 *Und â. n. dâ (inne* L) *stât* K(LV).
5, 7 *Deich* K(LV).

, 4 *dir=dar.* 5 *niwan* nur.
, 2 *dar in* da hinein. 4 *truhtîn, trehtîn* Herr (= Gott).
, 2 *âne nît* ohne Haß gegen seine Nächsten (Sch 27).
, 4 *brüeven* bewirken, anstiften (vgl. aber K, MFU 71).

V

Mich hungerte harte.
ich steic in einen garten.
  dâ was obez innen,
  des moht ich niht gewinnen.
5   Daz kom von unheile.
     dicke wégt ích den ast.
  mir wart des óbezès nie niht ze teile.

29, 13 — Sper 39 C,
d. j. Sper 20 A

2 Swâ ein gúot bóum stất
und zweier hande obez hât,
  beide süez unde sûr,
  sô sprichet ein sîn nâchgebûr:
5   'Wir suln daz obez teilen.
     wirt ir einez drunder vûl,
  ez bringet uns daz ander ze leide.'

29, 20 — Sper 40 C,
d. j. Sper 21 A

3 Swel man ein gúot wíp hất
unde zeiner ander gât,
  der bezeichent daz swîn.
  wie möht ez iemer erger sîn?
5   Ez lât den lûtern brunnen
     und leit sich in den trüeben pfuol.
  den site hât vil manic man gewunnen.

29, 27 — Sper 41 C,
d. j. Sper 22 A

V. 1, 2 *einen*] *en* A. 3 *obez*] *oben* A. 4 *mohte* A. 6 *wegite* A. 7 *obez ez nie* A.
2, 2 *zweir* A. 3 *Beidv́* A. 6 *wirt*] *wir* A. 7 *Ez*] *Er* A.
3, 1 *hât* fehlt A. 2 *Vn* C. 4 *mohte ez iemˢ sin* A. 6 *trvben phvl* A.

V. 1, 6 *weget* K(LV).
2, 3 *Beidiu süeze* K(LV, aber *süez*).
3, 2 LV] *Und zeiner anderer g.* K(Ba).

4 Ein man sol haben êre
  und sol iedoch der sêle
    under wîlen wesen guot,
    daz in dehein sîn übermuot
  5   Verleite niht ze verre,
      Swenne er urloubes ger,
    daz ez im an dem wege niht enwerre.

29, 34 — *Sper 42 C*,
d. j. Sper 23 A

30, 1

5 Kórn sâte ein bûman,
  dô enwolte ez niht ûf gân.
    ime erzornte daz.
    ein ander jâr er sich vermaz,
  5   Daz erz ein egerde lieze.
      er solde ez ime güetlîche geben,
    der dem andern umbe sîn dienest iht gehieze.

30, 6 — *d. j. Sper 24 A*,
Sper 43 C

1, 6 *wegen* schütteln.
3, 3 *bezeichenen* mit einem Zeichen, Bild ausdrücken.
4, 6 *urloubes gern* Abschied von der Welt nehmen, sterben (vgl. K, MFU 72, Anm.)
  7 *werren* schaden, hindern.
5, 4 *sich vermezzen* sich anheischig machen, erkühnen. 5 daß er es (= das Feld) a
  Brache liegen ließ. 7 *geheizen* versprechen.

VI

1 Crist sich ze marterenne gap,
  er lie sich legen in ein grap.
    daz tet er dur die goteheit.
    dâ mite lôste er die cristenheit
  5   Von der heizen [ ] helle.
      er getuot ez niemer mêr.
    dar an gedenke, swér sô der welle.

30, 13 — *d. j. Sper 25 A*,
Sper 44 C

4, 6 *Swen* A. 7 *im*] *in* A.
5, 1 *set* C. 3 *Im* C. 5 *ein*] *en* C. *liez* A. 6 *im* C. *gůtliche* A, *gůtlich* C. 7 *vmb* C. *sine*
  AC. *dienst* C.
VI. 1, 3 *goteheit* C. 4 *mit* C. 5 *heizen* doppelt A.

5, 2 *Do enwolde̦* K(V). 3 *erzornete* K(LV). 5 *ein*] *en* K(LV). 6 *im* K. 7 *umb sî*
  K(LV).
VI. 1, 7 *sôder* K(LV).

2 An dem ôsterlîchen tage
    dô stuont sich Crist von dem grabe.
    künic aller keiser,
    vater aller weisen
5   sîne hántgetât erlôste.
    in die helle schein ein lieht:
    sô kom er sînen kinden ze trôste.

30, 20 — Sper 45 C,
d. j. Sper 26 A

3 Wúrzè des waldes
    und érzè des goldes
    und elliu abgründe
    diu sint dir, hêrre, künde,
5   Diu stênt in dîner hende.
    allez himelschlîchez her
    daz enmôhte dich niht volloben an ein ende.

30, 27 — Sper 46 C,
d. j. Sper 27 A

          *   *

  Güsse schadent dem brunnen,
  sam tuot dem rîfen diu sunne,
    sam tuot dem stoube der regen.
    armuot hoenet den degen.
5   Sô schadet ouch dem jungen man,   wil er ze vil gehalten.
    triuwe unde wîser rât   daz zieret wol den alten.

30, 33 — Sper 32 C,
d. j. Sper 6 A

1, 3 vermöge seiner göttlichen Kraft (Sch 29). 7 *swer sô* wer immer. *der=dar* dort-
hin.
3, 2 *erze* das im Berg ruhende, gewinnbare Metall. 4 *künde* bekannt.

2, 1 *osterlichem* A. 2 *vz dem* A. 5 *er loste* (!) A. 7 *Do* A. *zetrosten* A.
3, 2 *criz* A. 3 *apgrvnde* A. 4 *kvnde* A. 5 *stvnt* A. 6 *himeleschez* A. 7 *Daz en mohte
d. n. volle l.* A.
Zusatzstr. 1 *Gvsse* AC. *schadet* A. *den* A. 2 u. 3 *Same* A. *rife* A.

2, 2 *úz dem* K(LV). 5 *Sîn* K(LV). 7 *Dô* K(LV).
3, 2 *erze* L] ¶ *grieze* K (Ahlgrimm ZfdPh. 23, 225 f, V). 4 LV] *in künde* K (Schrö-
der ZfdA. 33, 102). 6 K(LV) nach A. 7 *enmöht* K.
Zusatzstr. 1 *schadet* K(HV). 2 *rîfen sunne* K(HV).

VIII. Dietmar von Eist

I Waz ist vür daz trûren guot

1 'Waz ist vür daz trûren guot,   daz wîp nâch lieben manne hât? 32, 1 — 1 BC,
M bl. 81ᵛ
gerne daz mîn herze erkande,   wan ez sô betwungen stât.'
  alsô redete ein vrowe schoene.   'vil wol ichs an ein ende koeme,
                    wan diu huote.
  selten sîn vergezzen wirt   in mînem muote.'

2 'Genuoge jehent, daz grôziu staete   sî der besten vrowen trôst.'   32, 5 — 2 BC
'des enmac ich niht gelouben,   sît mîn herze ist unerlôst.'
  alsô redeten zwei geliebe,   dô si von ein ander schieden. owê minne,
  der dîn âne möhte sîn,   daz waeren sinne.

3 Sô al diu wélt rúowe hât,   sô mac ich eine entslâfen niet.   32, 9 — 3 BC
  daz kumet von einer vrowen schoene,   der ich gerne waere liep.
  an der al mîn vröide stât.   wie sol des iemer werden rât?
                    joch waene ich sterben.
  wes lie si got mir armen man   ze kâle werden?

1, 2 *wan* weil. 3 *wan . . .* wenn die H. nicht wäre.
2, 4 *der* wenn einer. *daz waeren sinne* das wäre klug.
3, 4 *kâl* Qual.

I. 1,1 *trûren*] *senen* M. *liebem* C. 2 *Wie gˢne* M. *wan daz iz so bedwngen* M. 3 *redte*
C, *reit* M. *schone* M, *geneme* C. *ichz* B. *keme* C. *an ein ende ih des wol chôme* M.
wan] *enwer* C.
2, 1 *grosse* C. 3 *Also z. g. sprachen* C. *mˢsten gahen* C.
3, 1 *der mˢs ich eine wesen fri* C. 2 *kumt* C. *wˢe bi* C. 3 *frôide beliben mˢs vor allē*
wˢdē wibē vf der erden C.

I Strophenfolge 3, 1, 2 Kienast ¹ 68. — 1, 3 *rette* K. 3 b lesen LVK nach M.
2, 3—4 Letzter Satz in Anführungsstrichen K(LV).
3, 2 *kumt* K.

II Seneder vriundinne bote

1 Seneder vriundinne bote,   nu sage dem schoenen wîbe,   *32, 13 — 4 BC*
daz mir âne mâze tuot wê,   daz ich sî sô lange mîde.
   lieber hette ich ir minne
   danne al der vogellîne singen.
5   nû muoz ich von ir gescheiden sîn,
   trûric ist mir al daz herze mîn.

2 'Nu sage dem ritter edele,   daz er sich wol behüete,   *32, 21 — 5 BC*
und bite in, schône wesen gemeit   und lâzen allez ungemüete.   *33, 1*
   ich muoz ofte engelten sîn.
   vil dicke erkumet daz herze mîn.
5   án séhendes leides hân ich vil,
   daz ich ime selbe gerne klagen wil.'

3 Ez getet nie wîp sô wol   an deheiner slahte dinge,   *33, 7 — 6 BC*
daz al die welt diuhte guot.   des bin ich wol worden inne.
   swer sîn liep dar umbe lât,
   daz kumet von swaches herzen rât.
5   dem wil ich den sumer und allez guot
   widertéilen durch sínen únstàeten muot.

2, 2 *gemeit* froh, vergnügt. 3 *engelten sîn* leiden um seinetwillen. 4 *erkomen* er-
schrecken. 5 Leid, das man mir ansieht.
3, 6 *widerteilen* absprechen.

III Ahî, nu kumt uns diu zît

1 Ahî, nu kumt uns diu zît,   der kleinen vogellîne sanc.   *33, 15 — 7 CB*
   ez grüenet wol diu linde breit,   zergangen ist der winter lanc.
   nu siht man bluomen wol getân,   an der héide üebent sî ir schîn.
   des wirt vil manic herze vrô,   des selben troestet sich daz mîn.

II. **1, 1** *Senender* C. *nv s. ir was ich lide* C. 2 ¶ *tuot* nach *mir* C. 3 *het ich ir m. ge-*
lingen C. 5 *schaiden* B.
2, 3 *sin engelten* C. 4 *Dc er kvmt dē hˢzen min so selten* C. 6 *im* C.
3, 1 *sinne* C. 2 *die welt* fehlt C. *duhte* C. 3 *lat dar vmbe* C. 4 *kvmt* C. *rât*] *tvmbe* C.
III. **1, 1** *Hei* B. *kvmet* B. *vogellinē* B. 2 *grȯnet* BC. 3 *sv́* B. 4 *daz mîn*] *das hˢze min* B.

II. **1, 2** *tuot* nach *mir* K(LV). *deich* K(Ba). 3 *hete i'ir* K. 4 *Dan al der vogele* K(LV).
5 *gescheiden* K(LV).
2, 2 *allez* tilgt K(Ba). 4 *erkumt* K. 5 *Ane* K(LV). 6 *im* K(LV).
3 L] Frauenstr. VK. — 1 *keiner* K(LV). 2 *wol* tilgt K. 4 *kumt* K. 6 *Verteilen* K.
III Zur Anordnung der Strr. u. zur liedhaften Einheit vgl. Anm. — **1, 1** *kumet* K(LV).

2 Ich bin dir lange holt gewesen,   vrowe biderbe unde guot.   33, 23 — 8 *BC*,
      vil wol ich daz bestat*et* hân!   du hâst getiuret mînen muot.   Heinrich von Velt-
      swaz ich dîn bezzer worden sî,   ze heile müez ez mir ergân.   kilchen 8 A
      machest dû daz ende guot,   sô hâst du ez allez wol getân.

                                      *   *

3 Man sol die biderben und die guoten   ze allen zîten haben liep.   33, 31 — 9 *BC*
      swer sich gerüemet alze vil,   der kan der besten mâze niet.
      joch sol ez niemer hövescher man   gemachen allen wîben guot.
      er ist sîn selbes meister niht,   swer sîn alze vil getuot.   34, 1

                                      *   *

4 Ûf der linden obene   dâ sanc ein kleinez vogellîn.   34, 3 — 10 CB,
      vor dem walde wart ez lût.   dô huop sich aber daz herze mîn   Veltkilchen 10 A
      an eine stat, dâ ez ê dâ was.   ich sach dâ rôsebluomen stân,
      die manent mich der gedanke vil,   die ich hin zeiner vrouwen hân.

5 'Ez dunket mich wol tûsent jâr,   daz ich an liebes arme lac.   34, 11 —
      sunder âne mîne schulde   vremedet er mich menegen tac.   Veltkilchen
      sît ich bluomen niht ensach   noch enhôrtè der vogel sanc,   9 A, 11 BC
      sît was mir mîn vröide kurz   und ouch der jâmer alzelanc.'

2, 2 *bestaten*   hier etwa: einrichten. 3 *dîn*   durch dich.
3, 2 . . . der versteht es nicht, das richtige Maß zu halten. 4 *sîn*   davon.
4, 4 *manen*   erinnern.
5, 1 *liep*   Geliebter.

2, 1 *biderb* A. 2 *Wie w.* A. *bestat* BC, *bestatten* A. *mînen*] *mir den* AC. 3 *mv̊s* C,
mv̊z er A. 4 *Machestv* A. *hastvs* C, *hast dvz* A.
3, 1 *zallen* C. *liep*] *wˢt* C. 2 *niht* B, *der hat d. b. m. niht gegert* C. 3 *Jo* C. *hoveschˢ* B.
4, 2 *lvte* B. 3 *sach die rosen blv̊mē* B. 4 *ze ainˢ* B. — Fassung A: *Oben an dˢ lingeden
zwige. / Da sanc ein clein vogellin. / Vor dem walde do hv̊p sich daz gemv̊te min /
An eine stat dc e. da waz. / Da sach ich vil der blv̊men stan / Sit stv̊nt aller mine
gedanc. / An einer vrowen wol getan.*
5, 1 *dvnkent* B. 2 *alle min* B. *frômdet* C. *alle tag* B. 3 *noch horte clainˢ vogellinen
(vogel C) s.* BC. 4 *mir*] *al* BC.

2, 2 *Wie w.* K(LV). *bestatet* K(LV). *mir den* K(LV). 4 *Machestu* K(LV). *duz* K(LV).
3 Unecht K, Kienast¹ 69. — 1 *zallen* K(LV). 2 *niet* K(LV).
4, 3 *da'z ê* K(LV). *die rôsebl.* K(LV).
5, 2 *fremdet* K. *mangen* K. 3 *noch hôrte kleiner vogele s.* K(V).

Dietmar zugeschriebene Lieder.

Die folgenden Strophen sind in mindestens einer Hs., durchweg in C, unter Dietmars Namen überliefert.

IV   Ez stuont ein vrouwe alleine

Ez stuont ein vrouwe alleine   *37, 4 — 12 C*
und warte über heide
unde warte ir liebes,
sô gesách si valken vliegen.
5   'sô wol dir, valke, daz du bist!
du vliugest, swar dir liep ist,
du erkíusest dir in dem walde
einen bóum, der dir gevalle.
alsô hân ouch ich getân:
10   ich erkôs mir selbe einen man,
den erwélten mîniu ougen.
daz nîdent schoene vrouwen.
owê, wan lânt si mir mîn liep?
joch engérte ich ir dekeines trûtes niet!'

2 *warten* ausschauen. 6 *swar* wohin auch immer. 13 *wan* warum nicht. 14 *trût* Geliebter.

IV, 3 V*ñ*. 12 *schone*.

IV Stolliger Bau K (MFU 82, dort weitere Lit.), skeptisch Wapnewski 11 f. Vier Strr. mit binnengereimten Langzeilen Maurer 40. — 3 *ire liebe* K(Ba). 11 *erwélten* K. 14 *Jô 'ngerte* K (Sievers, Rhythmisch-melodische Studien 1912, 98 f). ¶ *deheiner* L, *dekeiner* K (Wackernagel 400, V).

V Sô wol dir, sumerwunne!

'Sô wol dir, sumerwunne!   37, 18 — *13 C*
daz *v*ogelsanc ist gesw*u*nde*n*,
alse ist der linden ir loup.
jârlanc trüebent mir ouch
5   mîniu wól sténden ougen.
mîn trût, du solt dich gelouben
ándèrre wîbe.
wan, helt, die solt du mîden.
dô du mich êrst saehe,
10   dô dûhte ich dich ze wâre
sô rehte minneclîch getân.
des man ich dich, lieber man.'

4 *jârlanc* zu dieser Zeit des Jahres. 5 *wol sténden ougen* klare, helle Augen. 6 *ge-louben* c. g. verzichten auf. 12 *manen* erinnern.

VI Gedanke die sint ledic vrî

1   Gedanke die sint ledic vrî —   34, 19 — *12 B*, 14 C
daz in der welte nieman kan erwenden,
dâ ist ouch dicke senen bî —,
die ich vón dem herzen ofte unsanfte sende.
5   Ein rehtiu liebe mich betwanc,
daz ich ir gap daz herze mîn.
des werdent mir diu jâ*r* sô lanc,
sol ich von der gescheiden sîn.
des wáen ich mîn lében niht lange stê.
10   ich verdirbe in kurzen tagen,   mir tuot ein scheiden alsô wê.

V, 2 *gevogelsang ist gesvnde.* 4 *trûbent.*
VI. 1, 4 *Die mv̂s ich vō* ... *sendē* C. *Die* korr. aus ¶ *das* B. 7 *iare* B. 9 *Des wene min*
l. *iht* C.

V vv. 1—3 u. 6—8 Stollen, 4—5, 9 ff Abgesang Kienast [1] 69. Drei Strr. mit binnen-gereimten Langzeilen Maurer 40, vgl. jetzt auch Wapnewski 16—18. — 2 *vogelsanc
ist geswunden* K(LV). 9 L] *sâhe* K (Wackernagel 401, V).
VI. 1, 2 *Dazs* K(LV). 4 *Diech* K(LV). 9 ¶ *waen mîn* K(LV).

2 Ich siufte, und hilfet leider niht, 34, 30 — *13 B*, 15 C
   umbe ein wîp, bî der ich gerne waere.
  sô sî mîn ouge niht ensiht,
   daz sint dem herze mîn vil leidiu maere.
5   Ir tugende die sint valsches vrî,
    des hoere ich ir die besten jehen.
  nu sehent, wie mînem herzen sî: 35, 1
    ich getar ir leider niht gesehen.
     wie senelîche sî mich lie!
10   si hât daz herze mir benomen,   daz geschach mir ê von wîben nie.

3 Ich hân der vrowen vil verlân, 35, 5 — *14 B*, 16 C
   daz ich niht hérzèliep vinden kunde.
  swaz ich vröiden ie gewan,
   daz ist wider dise liebe ein kranke stunde.
5   Die ich ze liebe mir erkôs,
    sol ich der sô verteilet sîn?
  seht, des belîbe ich vröidelôs,
    und wirt an mînen ougen schîn.
     in al der welte ein schoene wîp
10   ⟨. . . . .⟩ vil gar ir eigen ist mîn lîp.

1, 7 *des* darum.
3, 2 *daz* hier: weil. 4 *kranke stunde* verlorene Zeit. 6 *verteilen* berauben.

VII   Der winter waere mir ein zît

1 Der winter waere mir ein zît 35, 16 — *Veltkilchen 5 A*,
   sô rehte wunneclîchen guot, 15 B, 17 C
  wurde ich sô saelic, daz ein wîp
   getrôste mînen seneden muot.
5   Sô wol mich danne langer naht,
    gelaege ich alse ich willen hân!
  si hât mich in ein trûren brâht,
    des ich mich niht gemâzen kan.

2, 4 *herzē vil* C. 7 *minē* B. 10 a fehlt C.
3, 1 *frôiden* C. 4 *krankú* C.
VII. 1, 2 *wnnecliche* BC. 3 *Wer* BC. *dc ir strit* C. 4 *Getrôste* B. *senden* BC. *muot*] *lip*
  B. 5 O *wol* C. 6 *als ich* BC.

2, 4 *herzen* K(LV). 10 V] *daz mir geschach von wîbe ê nie* L. *wîbe* K.
3, 1 *vrowen*] *fröiden* P 468. 2 V] *Dâ* K(L). *herzeliebe* K(LV). 4 *Deist* K(LV). *stunde*
  Romain Beitr. 37, 382] ¶ *wunne* K(LV).
VII Zur Verfasserschaft vgl. Anm. — 1, 2 *wunneclîche* K(LV). 4 *senden* K.

2 'Wie tuot der besten einer sô,   35, 24 — *Veltkilchen 6 A,*
   daz er mîn senen mac vertragen?   16 B, 18 C
   ez waere wol, und wurd ich vrô,
   sich enkúnde nieman baz gehaben.
5   Wê, daz mir leit von dem geschiht,
   der an mîn herze ist nâhe komen!
   waz hilfet zorn, swenne er mich siht,
   den hât er schiere mir benomen.'

3 'Swer mêret die gewizzen mîn,   35, 32 — *Veltkilchen 7 A*
   dem wil ich dienen, obe ich kan;
   und wil doch mannen vremede sîn,
   wand ich ein senede herze hân.
5   Ez waere mir ein grôziu nôt,   36, 1
   wurde er mir âne mâze liep.
   sô taete sanfter mir der tôt,
   liez er mich des geniezen niet.'

1, 8 *gemâzen* c. g. sich enthalten von.
2, 3 *und* hier: konj. zur Einleitung eines Bedingungssatzes.
3, 1 *gewizzen* höfische Vollkommenheit, Bildung (vgl. MFU 88), höfische Haltung
(Lea Beitr. 89 (H), 259).

VIII   Diu welt noch ir alten site

1 'Diu welt noch ir alten site   36, 5 — *Rei 24 B,* 19 C
   an mir begât mit nîden.
   si vert mir wunderlîche mite.
   si wellent, daz ich mîde
5   Den besten vriunt, den ieman hât.
   wie sol des iemer werden rât?
   sol ich ime lange vrömede sîn,
   ich weiz wol, daz tuot ime wê.   daz ist diu meiste sorge mîn.'

2, 3 *wer* B. *wrde* B, *wurde* C. 4 *kvnde* B, *Ich kvnde wol sin ane klagē* C. 5 *Ob mir
nv l. von ime (im* C) *g.* BC. 6 *kom* A. *Der mir ist nahe an m. h. k.* BC. 7 *swenne*]
als BC.
3, 8 *niht.*
VIII. 1, 1 *nach* B. 2 *nide* C. 7 *frômde* C. 7—8 *ime]ir* C.

2, 4 *kunde* K(V).
3 Späterer Nachtrag eines Nachdichters Brinkmann, Entstehungsgeschichte des dt.
Minnesangs 1926, 125. — 4 *sende* K. 8 *niet* K(LV).
VIII Außer von V u. Rathke, Dietmar von Aist 1932, 53 f allgemein Die abgespro-
chen. Rei zugehörig Lehfeld Beitr. 2, 372, 387 Anm., Bu 186 f, Plenio 90 u. Anm.
u. a.; Pseudoreinmar: K, RU I, 65 f. — 1, 1 *werelt* K (Romain Beitr. 37, 384).
2 *nîde* K(HV). 7 *im* K(HV). *vremde* K.

2 Nieman vindet mich dar an

36, 14 — 20 C, Rei 25 B

    unstaete mînes muotes,

    in sî der eine, der ir gan

    vil êren unde guotes.

5   Si kan mir niemer werden leit,

      des biute ich mîne sicherheit.

        alsô trûric wart ich nie,

        swenne ich die wolgetânen sach,   mîn senendez ungemach zergie.

2, 3 in (‹ich en›) ≈ *daß ich nicht. 6 sicherheit* Gelübde, dem Sieger untertan zu sein, *dienst* zu leisten.

IX   Sô wol mich liebes

Sô wol mich liebes, des ich hân

36, 23 — Rei 27 B, 23 C

    umbevángen. hôhe stât mîn muot,

wan al diu welt noch nie gewan

    ein schoene wîp sô rehte guot.

5   Man sol sie loben deste baz.

      der uns alle werden hiez,   wie lützel der an ir vergaz!

        tugende hât si michels mê,   danne ich gesagen kunne.

        si ist leides ende und liebes trôst   und aller vröiden ein wunne.

1 des Attraktion an *liebes.*

X   Vrouwe, mînes lîbes vrouwe

Vrouwe, mînes lîbes vrouwe,

36, 34 — 24 C

    an dir stêt aller mîn gedanc;

dar zuo ich dich vil gerne schouwe.

    du gewunne nie unstaeten wanc.

5   Dár zuo waere ich dir vil gerne bî.

37, 1

      nû nim mich in dîn genâde,

    sô belîbe ich aller sorgen vrî.

2, 3 *In*] *Ich* B. *8 senedes* B.

IX, 3 *Ich wēne nie dů w�soc²lt gewan* C. *7 het* BC. *8 liebest* B. *frôide* C.

2, 8 *sendez* K.

IX Außer von V u. Rathke, Dietmar von Aist 1932, 55 ff, die Die für den Verfasser halten, allgemein einem Pseudoreinmar zugesprochen. — *7 hât* K(HV). *8 Sist... liebes t.* K(HV). *fröide* K(HV).

X. 5 u. 7 He § 787] nach K 4 v, er liest in 5 *waer* u. tilgt *vil.* 6 *dîne* K(HV). 6—7 Langzeile mit Zäsur nach *genâde* K(V).

XI Sich hât verwandelt diu zît

1 Sich hât verwándèlt diu zît,   daz verstén ich bî der vogel singen: 37, 30 —
   geswigen sint die nahtegal,   si hânt gelân ir süezez klingen.   25 C
      unde valwet oben der walt.
         ienoch stêt daz herze mîn in ir gewalt,   38, 1
5   der ich den sumer gedienet hân.
         diu ist mîn vröide und al mîn liep,   ich wil irs niemer abe gegân.

2 'Ich muoz von rehten schulden hôch   tragen daz herze   38, 5 — 26 C
                                  und alle die sinne,
   sît mich der aller beste man   verholn in sîme herzen minne.
      er tuot mir grôzer sorgen rât.
      wie selten mich diu sicherheit gerûwen hât.
5   ich wil im iemer staete sîn.
         er kan wol grôzer arbeit   gelônen nach dem willen mîn.'

3 Ich bin ein bote her gesant,   vrouwe, ûf mange dîne güete.   38, 14 — 27 C
   ein ritter, der dich hât erwelt   ûz al der werlte in sîn gemüete,
      er hiez dir klagen sîn ungemach,
      daz er ein senendez herze treit, sît er dich sach.
5   im tuot sîn langez beiten wê,
         nu reden wirz an ein ende enzît,   ê im sîn vröide gar zergê.

XI. 1, 3 Vñ.

XI Strophenanordnung wie K (freie Variationen über das Thema "Liebe", MFU 91).
Z w e i Lieder: 1, 4, 2 Wechsel, 3 eigenständiges Botenlied Rathke, Dietmar von
Aist 1932, 58 f, Br; weitere Vorschläge vgl. MFU 91. — 1, 1 Romain, Beitr. 37,
389] verwandelôt K(LV). verstân K. vogele ringen K. daz verstên ich an den dingen
L, des bin ich wol worden innen V. 2 singen K(LV). 3 Und ... obenân K(LV),
óbenè Becker 79.
2, 1 al die s. K(LV). 2 verholne K. 6 arebeit K(LV).
3, 4 sendez K.

4 Der got der al die welt geschaffen hât,   der gebe der lieben   38, 23 — 28 C
            noch die sinne,
 daz si mich mit armen umbevâhe   und mich von rehtem herzen minne.
  mich dunkent ander vrouwen guot,
  ich gewinne von ir dekeiner niemer hôhen muot,
 5 sin welle genâde enzît begân,
   diu sich dâ sündèt an mir,   und ich ir vil gedienet hân.

1, 6 . . . ich will ihr niemals etwas versagen.
2, 2 *verholn* heimlich. 3 *rât* Hilfe. 4 Wie wenig hat es mich doch verdrossen, daß ich
 mich in seine Botmäßigkeit begeben habe.
3, 5 *beiten* warten. 6 *enzît* bald.
4, 5 . . . wenn sie nicht . . .

XII Nu ist ez an ein ende komen

1 Nu ist ez an ein ende komen, dar nâch ie mîn hérze ranc,   38, 32 — 29 C
 daz mich ein edeliu vrowe hât genomen in ir getwanc.
  der bin ich worden undertân,
  als daz schif dem stíurmán,
 5 swanne der wâc sîn ûnde álsô gar gelâzen hât.   39, 1
   sô hôh ôwî!
  si benimet mir mange wilde tât.

2 'Jâ hoere ich vil der tugende sagen von eime ritter guot;   39, 4 — 30 C
 der ist mir âne mâze komen in mînen staeten muot.
  daz sîn ze keiner zît mîn lîp
  mac vergezzen', redte ein wîp,
 5 'nu muoz ich al der welte haben dur sînen willen rât.
   sô hôh ôwî!
  wol ime, wie [] er daz gedienet hât!'

XII. 1, 7 *benemēt.*
2, 7 *wie schone er* . . .

---

4 Neuer Ton Romain Beitr. 37, 391 f. — 1 ¶ *Der al die w.* K(LV), *Got der* Romain
 ebd. 2 ¶ *umbevâ* K(LV). 4 *gwinne* K(LV). *keiner* K(LV). 6 *ane* K(LV).
XII Grimminger 21 f] Strophenfolge 3, 2, 1 K (Streicher ZfdPh. 24, 179), dagegen
 Neumann 24 f; Zäsur jeweils nach der 4. Hebung in vv. 1, 2, 5 K. — 1, 1 ¶ *ie*
 nach *herze* K(LV). 5 *alsô*] *sô* K. 7 LV] *benimt* K.
2, 3 ¶ *Daz ich sîn ze keiner zît* K(LV). 7 *Wie schône er daz* K(LV).

3 Wie möhte mir mîn herze werden iemer rehte vruot,   39, 11 — *31 C*
daz mir ein edeliu vrouwe alsô vil ze leide tuot!
   der ich vil gedienet hân,
   als ir wille was getân.
5   nû wil sî gedenken niht der mangen sorgen mîn.
   sô hôh ôwî,
   sol ich ir lange vrömde sîn.

1, 2 *getwanc* Gewalt, Herrschaft. **5** *wâc* Woge, Meer. *ünde* Welle. *lâzen* los-
lassen.
2, 5 *rât haben* entbehren. **7** *gedienen* durch Dienst erwerben.
3, 1 *vruot* froh, gesund. **2** *daz* expliziert v. 1, hier etwa: da. **4** *als* Nf. zu *allez*
immer.

XIII   Slâfest du, vriedel ziere?

1 'Slâfest du, vriedel ziere?   39, 18 — *32 C*
   wan wecket uns leider schiere;
      ein vogellîn sô wol getân
      daz ist der linden an daz zwî gegân.'

2 'Ich was vil sanfte entslâfen,   39, 22 — *33 C*
   nu rüefestû, kint, wâfen.
      liep âne léit mác niht sîn.
      swaz dû gebiutest, daz leiste ich, ſ vriundîn mîn. l'

3 Diu vrouwe begunde weinen: 39, 26 — *34 C*
   'du rîtest hínnen und lâst mich ein*e*.
      wenne wílt du wider her zuo mir?
      owê, du vüerest mîne vröide sant dir!'

1, 2 *wan* Nf. zu *man*. **3, 2** *eine* allein.

XIII. **2** 33] ohne Str.-Nr. C! — **1** *Ich* ohne Initiale. **4** *min frúndin*.
3 34] 33 C — **2** *einē*.

3, 2 *sô* K. **5** *niht gedenken* K.
XIII Allgemein Die abgesprochen, selbst Rathke, Dietmar von Aist 1932, 69 zweifelt
   Binnengereimte Langzeilen Maurer 41. — **1, 1** *slâfst* K(Ba). **2** *Man* K(V). *weck*
   K (Wackernagel 401). *Ich waen ez taget uns schiere* Jungbluth, Festschr. Pretze
   1963, 122.
2, 2 *rüefstu* K. **3** *gesîn* K (Wackernagel 402, LV). **4** *gebiutst* K (Wackernagel 402)
   Umstellung seit Wackernagel 402.
3, 2 He § 642] *rîtst* K (Wackernagel 402). ¶ *hinnen* tilgt K (Wackernagel 402, V)
   eine K (Wackernagel 402, V). **4** *füerst (füerest* V) *mîn fr. sament dir.* K (Wacker
   nagel 402, V).

XIV Urloup hât des sumers brehen

Urloup hât des sumers brehen,
  der wol was ze ruome,
swaz mir leides ist geschehen,
  sît ich des êrsten bluomen
5   Under éiner grüenen linden vlaht.
    der winter und sîn langiu naht
      diu ergetzent uns der besten zît,
      swâ man bî liebe lange lît.

'Wir hân die winterlangen naht
  mit vröiden wol enpfangen,
ich und ein ritter wol geslaht.
  sîn wille der ist ergangen.
5   Als wirz nu beide hân gedâht,
    sô hât erz an ein ende brâht
      mit maniger vröide und liebes vil.
      er ist, als in mîn herze wil.'

'Ich solde zürnen, hulfe ez iet,
  daz dû als lange waere.'
'dô ich áller naehest von dir schiet,
  sît hât ich grôze swaere.
5   Betwungen was daz herze mîn,
    nu wil ez aber mit vröiden sîn.
      habe ich dich gerne niht gesehen,
      sô müeze leide mir geschehen.'

39, 30 — *35 C*

40, 1

40, 3 — *36 C*

40, 11 — *37 C*

1, 1 *brehen* Glanz. 4 *des êrsten* zuerst. 7 *ergetzen* entschädigen für. *zît* hier:
Jahreszeit. 8 *liep* Geliebte.
2, 3 *geslaht* wohlgeartet.
3, 2 *lange sîn* lange ausbleiben. 3 *aller naehest* vor kurzem.

XIV. 1 35] 34 C — 2 *zerûmen.* 4 *den.* 7 *die.*
2 36] 35 C.
3 37] 36 C.

XIV Ein Lied aus der Walther-Schule K (MFU 100). Folge 1, 3, 2 K; Folge wie oben
LV. 3, 2 Frauenstrr. LVK. — 1, 2 *ruome* K(LV). 4 *des*] *zem* K, LV nach C. 5 *Undr*
K(LV). *brach* L (Anm.). 7 *Di ergetzen* K.
2, 4 *derst* K(LV). *uns* K(LV). 7 *manger* K.

XV Wart âne wandel ie kein wîp

1 Wart âne wandel ie kein wîp,   40, 19 — *38 C*
   daz ist si gar, der ich den lîp
     hân gegeben für eigen.
       si roubet mich der sinne mîn,
5   si ist schoene alsam der sunnen schîn.
      jâ bin ich niht ein heiden.
        Si sol genâde an mir begân,
        und sol gedenken, daz ich ir was ie vil undertân.

2 Waz bedorfte des ein wîp,   40, 27 — *39 C*
   daz ich sô gar dur sî den lîp
     verlôs und al mîn sinne?
       si ist sô vaste niht behuot
5   – *ie*doch sô dunket sî mich guot –
      des bringe ich sî wol inne:
        Ez waere an mîner vrowen ein slac,
        si sol gedenken, ob si toerschen ie bî mir gelac.

3 'Waz wîzet mir der beste man?   40, 35 — *40 C*
   ich habe ime leides niht getân,
     er vröut sich âne schulde.   41, 1
       daz er in hât von mir geseit,
5   daz ist mir hiute und iemer leit,
      er verlíuset mîne hulde.
        Mir wirret niht sîn boeser kîp.
        waz half, daz er toerschen bî mir lac? jô enwart ich nie sîn wîp!'

1, 1 *kein* irgendein.
2, 8 *toersch* töricht (= *bî ligen* ohne Vollzug d. Beischlafs (?), vgl. 3, 8).
3, 1 *wîzen* jemandem einen Vorwurf machen. 7 *werren* bekümmern. *kîp* verleum
derisches Gerücht.

XV. 1 38] 37 C.
2 39] 38 C — 5 E *doch.*
3 40] 39 C — 8 *ion enwart.*

XV Gilt allgemein als unecht. — 1, 3 *Gegeben hân* K. 5 *Sist* K(LV). 8 In allen Strr
Zäsur nach dem 4. Takt K (He § 657).
2, 3 *al die s.* K(LV). 7 *Ez waere mîner froun (frowen* V) K(V), *an mîner fröide* L.
3, 2 *im* K(LV). 3 *sich*]*si* LV. 4 *in*]*nu* K. 6 *vliuset* K(LV). 8 *daz er*]*dêr* K(LV). L
jonwart K(V).

XVI Ich suohte guoter vriunde rât

Ich suohte guoter vriunde rât,
    der aller beste hât mir noch gerâten niht ze wol.
jâ enweiz ich, war umbe er daz lât:
    mîn herze meine ich, daz vor allen vriunden râten sol.
5   Ez riet den sinnen, daz si mich
      verleiten unde selbe sich
        an ein vil tugentrîchez wîp.
          diu ist mir lieber danne ich ir,
        dar umbe trûret mir der lîp.

H Anm. 249; V Anm. 317;
K, S. 41 — *Lvtolt von Seven*
15 A, 41 C

2 Mir wont vil ungemaches bî,
    mîn aller beste vröide lît ouch an der guoten gar.
swie ungnaedic sî mir sî,
    sô enwíl iedoch daz hérze mîn níender anders danne dar.
5   Ez hât mich gar dur sî verlân
      und wil ir wesen undertân.
        wie hân ich sus an ime erzogen?
        ez tuot der tohter vil gelîch,
        diu liebe muoter hât betrogen.

H Anm. 249; V Anm. 317;
K, S. 41 — *Lvtolt von Seven*
16 A, 42 C

XVI. 1 41] 40 C — 4 *mein* C.

2 42] 41 C — 3 *vngenedig* C. 4 *So wil e doch* C. 7 *im* C. 9 *die liebú* A.

2, 3 *ungenaedic* K(HV). 4 *mîn* tilgt HVK.

IX. Kaiser Heinrich

I Wol hôher danne rîche

4, 17 — 5 CB

1 Wol hôher danne rîche   bin ich alle die zît,
   sô alsô güetlîche   diu guote bî mir lît.
    si hât mich mit ir tugende
     gemachet leides vrî.
5   ich kom ∫⟨ir⟩ nie so verre   sît⌐ ir jugende,
   ir enwaere mîn staetez herze   ie nâhe bî.

4, 26 — 6 CB

2 'Ich hân den lîp gewendet   an einen ritter guot,
   daz ist alsô verendet,   daz ich bin wol gemuot.
    daz nîdent ander vrouwen
     únde habent des haz
5   und sprechent mir ze leide,   daz si in wéllen schouwen.
   mir geviel in al der welte   nie nieman baz.'

1, 1 *Wol hôher danne rîche*   wohl mehr als mächtig.
2, 2 *verenden*   ausgehen.

I. 1, 1 *hôher d. richer* B. 2 *So so gv̂teliche* B. 4 *gamachet* B. 5 *Ich kom sit n. s. v. ir iug.*
C, *Ich kom ir nie sit in iug.* B. 6 *were* B.
2, 5 Reimpunkt nach *daz* B. *wellent in schowent* B. 6 *geviele* B. *alle* B. *nie manne* B.

I. Ton I und II e i n Lied Schenk ZfdPh. 27, 499 f; zur Versanordnung und zu den
Zäsuren vgl. Anm. — 1, 1 Schenk ebd., Jungbluth ³ 73, Wisniewski Festschr. Hora-
cek 1974, 347] ¶ *hoeher dannez r.* K(HVBr), *danne rîcher* Joseph, Die Frühzeit des
deutschen Minnesangs I, 1896, 69. *al die* K(HV). 2 *Sô sô* K(HV). 5 *Ich kom ir nie
sô verre* K(HV). VBa, Sievers Beitr. 52, 462] ¶ *sît der zît ir j.* K, *sît ir* (Lücke) j.
H. 6 *Irn waer (waere* V) K(HV).
2, 5 *sin* K. *daz* streicht V, de Boor Beitr. 77 (T) 373. . . . *leide. daz in got welle sch.*
Jungbluth ³ 71.

II Rîtest dû nu hinnen

1 'Rîtest dû nu hinnen, der aller liebste man, 4, 35 — 7 CB
  den nâch mînen sinnen ie dehein vrowe nie gewan?
    kumest du mir niht schiere, sô verliuse ich mînen lîp;
      den möhte ſ in al der welte
5   got niemer mir ꞁ vergelten', sprach daz minneclîche wîp.

2 Wol dir, geselle guote, daz ich ie bî dir gelac. 5, 7 — 8 BC
  du wonest mir in dem muote die naht und ouch den tac.
    du zierest mîne sinne und bist mir dar zuo holt.
      nu merkent, wie ich daz meine:
5   *als edel gesteine, swâ man daz leit in daz golt.

1, 2 wie ihn — so meine ich — keine F. je gewonnen hat. 5 *vergelten* zurückerstatten.
2, 1 *geselle* Gefährtin, Freundin.

III Ich grüeze mit gesange

1 Ich grüeze mit gesange die süezen, 5, 16 — 1 BC
    die ich vermîden niht wil noch enmac.
  daz ich sie von munde rehte mohte grüezen,
    ach leides, des ist manic tac.
5   Swer nu disiu liet singe vor ir,
      der ich sô gar unsenfteclîch enbir,
    ez sî wîp oder man, der habe si gegrüezet von mir.

II. 1, 1 *alre liebeste* B. 2 *Dv bist in minē sinnen. fv́r alle die ich ie g.* B. *nie,* evtl. aber auch *me* (!) zu lesen C. 3 *niht*] *nit* nachgetragen B. *verlv́s* B. 4 f *Den möhte mir in aldē welten | got n. v.* C, *Den moht mir got in alle der welte | n. v.* B. 5 *minneclîche* fehlt B.
2, 2 *de naht* C. 5 *g. tv́t da mans leit* C.
III. 1, 3 *Do ich* C. 7 Reimpunkt hinter *man* B.

II. 1—2 Einzelstrr. Bu 79, Ipsen 363 — K(BaV)] 9 Kurzvv. H, Schenk ZfdPh. 27, 500, 3 Langvv. mit Zäsur und 3 Kurzvv. Br. — 1, 2 *Den nâch mînen sinnen   dehein frouwe ie g.* Schenk ebd., *Der beste in mînen sinnen   für al diech ie gewan* K; HVBaBr folgen weitgehend B. 3 *vliuse* K (Ba, Sievers Beitr. 52, 462). 4 f Umstellung und Eingriffe wie K(HV).
2 Frauenstr. HVBa; Männerstr. u. damit Wechsel mit 1 K, Frings, Festschr. Panzer 1950, 46, Grimminger 15 ff. — 1 *deich* K. 4 Bu 83, V, Grimminger 15] *merke et* K(H). *wiech* K(HBa). 5 *edelez* K(V), *edele* HBa.
III. Zäsur in v. 7 VBr — 1, 3 *Deich* K(HV). VBr] *si rehte v. munde* K (H, Schenk ZfdPh. 27, 485). 5 *nu* nach *liet* K (Saran² 92). 6 *sô* tilgt K. *unsenfteclîchen* K(H).

2 Mir sint diu rîche und diu lant undertân,   5, 23 — 2 BC
    swenne ich bî der minneclîchen bin;
  unde swenne ich gescheide von dan,
    sô ist mir al mîn gewalt und mîn rîchtuom dâ hin;
  5   Wan senden kumber, den zel ich mir danne ze habe.
    sus kan ich an vröiden stîgen ûf und ouch abe
    und bringe den wehsel, als ich waene, durch ir liebe ze grabe.

3 Sît daz ich si sô gar herzeclîchen minne   5, 30 — 3 CB
    und si âne wenken zallen zîten trage
  beide in herze und ouch in sinne,
    underwîlent mit vil maniger klage,
  5   Waz gît mir dar umbe diu liebe ze lône?
    dâ biutet si mirz sô rehte schône;
    ê ich mich ir verzige, ich verzige mich ê der krône.

4 Er sündet, swer des niht geloubet,   5, 37 — 4 CB
    daz ich möhte geleben manigen lieben tac,
  ob joch niemer krône kaeme ûf mîn houbet;
    des ich mich ân si niht vermezzen mac.   6, 1
  5   Verlur ich si, waz het ich danne?
    dâ tohte ich ze vreuden weder wîben noch manne,
    und waer mîn bester trôst beide ze âhte und ze banne.

2, 3 *und swenne* wenn aber. 5 *wan* nur. 6 hier wird auf das Bild vom Glücksrad
(*rota Fortunae*) angespielt. 7 *wehsel* etwa: das Auf und Ab.
3, 6 *schône bieten* c. dp. zu jd. freundlich sein. 7 *verzîhen* c. gs. auf etwas verzich-
ten.
4, 4 *vermezzen* c. g. sich rühmen, sich anmaßen. 7 *mîn bester trôst* wäre geächtet
und gebannt (vgl. K, MFU 107); 'meine innigste Hoffnung wäre auf Acht und Bann
gerichtet' Jungbluth [3] 79.

2, 1 *rich* C. 4 *aller* C. 5 *zelle* C. 7 *waene*] *wenne* C.
3, 1 *Sît* fehlt B. *so herclichen* B. 2 *zallen zîten* fehlt B. 3 *ouch* fehlt B. 4 *vil maniger*
fehlt B. 5 *libe* C. 6 *rehte* fehlt B. Reimpunkt nach *ir verzige* B.
4, 2 *Ich mohte* B. 3 *Obe* B. 4 *ane* B. 5 *hette* B. 6 *tôgete* B. *weder*] *noch* B. 7 *were* B.
troste B. *baidv̊* B.

2, 3 *s. ab ich* K. 4 *Sost* K(HV). 5 *Wan* tilgt K(H). *zele* K. 6 *ûf stîgen joch abe* K(HV).
7 *Unde* K. *waen* K. *wehsel, waen ich* HV.
3, 1 H] *Sît deich si sô* h. K. *gar* tilgt K (V, Sievers Beitr. 52, 461). 2 *Unde* K. *alzît* K.
3 *Beid in dem herzen* K. 6 *sô wol und sô sch.* K.
4, 1 *sündet sich* K(HV). 2 *Daz* tilgt K(HV). *mangen* K (H, Sievers ebd.). 4 *enmac*
K(HV). 5 *Verlüre* mit Hiatus K (Sievers ebd.). *hette* K(HV). 6 *weder*] *noch* K(HV).
wibe K(HV). 7 *Unde* K. *waere* K(HV). *zâhte* K.

X. Friedrich von Hausen

I Ich muoz von schulden sîn unvrô

B: 1—3, 5, 6; C: 1—4 ‖ 5, 6

1 Ich muoz von schulden sîn unvrô,
   sît sî jach, dô ich bî ir was,
   ich mohte heizen Enêas
    und solte aber des wol sicher sîn,
5 si wurde niemer mîn Tidô.
   wie sprach sie dô?
     aleine vrömidet mich ir lîp,
      si hât iedoch des herzen mich
    beroubet gar vür alliu wîp.

42, 1 — 1 BC

2 Mit gedanken muoz ich die zît
   vertrîben, als ich beste kan,
   und lernen, des ich nie began,
    trûren unde sorgen pflegen.
5 des was vil ungewent mîn lîp.
   durch alliu wîp
     wânde ich niemer sîn bekomen
      in sô réhte kumberlîche nôt,
    als ich von einer hân genomen.

42, 10 — 2 BC

I. 1, 5 *wrdo* B. 7 *frômdet* C. 9 *elliu* C.
2, 6 *ellú* C.

I Ein Lied in der Folge 4, 1, 2, 3, 5, 6 Maurer Neuphil. Mitt. 53, 164 ff, Schröder
   GRM. 42, 330 f; vv. 1—2, 4—5, 8—9 lange Zeilen Maurer ebd.; vv. 4—5, 8—9
   Langzeilen Br. — 1, 4 *ab* K(LV). 6 *dô*] *sô* K(LV). 7 *frömdet* K(LV).
2, 1 Br] *Mit gedanke ich m.* K (Heinzel, vgl. K, MFU 140). *muoz* tilgt LV. 2 *vertríbe*
   L. 8 Br] *in solhe k.* K(LV).

3 Mîn herze muoz ir klûse sîn, 42, 19 — *3 BC*
  al die wîle ich hân den lîp.
    sô müezen iemer alliu wîp
      vil ungedrungen drinne wesen,
5 swie lîhte sî sich getroeste mîn.
  nu werde schîn,
      ob rehte staete iht müge gevromen.
      der wil ich iemer gên ir pflegen,
      diu ist mir von ir güete komen.

*   *

4 Mich müet, daz ich der lieben ʃ *quam* 43, 1 — *4 C*
  sô verre *h*in.ʅ des muoz ich wunt
  belîben. dêst mir ungesunt.
    ouch solte mich wol helfen daz,
5 daz ich ir ie was undertân.
  sît ichs began,
      sô enkúnde ich nie den staeten muot
      gewenden rehte gar von ir,
      wan sî daz beste gerne tuot.

5 Ez waere ein wunneclîchiu zît, 43, 10 — *4 B,* 18 C
  der nû bî vriunden möhte sîn.
  ich waene an mir wol werde schîn,
    daz ich von der gescheiden bin,
5 die ich erkôs vür alliu wîp.
  ir schoener lîp
      der wart ze sorgen mir geborn.
      den ougen mîn muoz dicke schaden,
      daz sî sô rehte habent erkorn.

3, 2 *habe* C. 3 *mv̊ssen* BC. *ellú* C. 7 *mvge* C. 8 *gegen* C.
4, 1 f *lieben bin | so verre komē.* 8 *Bewendē.*
5, 3 *Wan siht an mir wol ane strit* C. 5 *ellú* C.

3, 2 *habe* K(LV). 3 *müezen* K(LV). 5 *troeste* K(LV). 8 *gegen* K(LV).
4, 1 f Jungbluth [1] 197, aber *nu* statt *hin*] *deich von der* ... K, *deich von der lieben dan | so verre kom* (*quam* V) LV, *deich bin so verre dan | der lieben komen* Br. 8 *gewenden* K(LV).

6 Waere sî mir in der mâze liep,

43, 19 — 5 B, 19 C

  sô wurd ez umbe daz scheiden rât.

wan ez mir alsô niht enstât,

  daz ich mich ir getroesten muge.

5 ouch sol si mîn vergezzen niet.

wan dô ich schiet

  von ir und ich si júngest *an* sách,

    ze vröiden muos ich urloup nemen.

  daz mir dâ vor ê nie geschach.

1, 1 *von schulden* mit Recht. 7 *aleine* obgleich.
2, 5 *ungewent* ungewohnt.
3, 1—4 'Zeit meines Lebens muß mein Herz ihre geheime, einsame Aufenthaltsstätte *(klûse)* sein — es wird also niemals ein Gedränge von allen (möglichen anderen) Frauen darin geben' (Schneider 69). 5 *sich getroesten* sich über etwas hinweg trösten.
5, 2 *der* wenn einer.
6, 1 *in der mâze* wenig. 3 *wan* hier: aber (vgl. IX, 1, 8). 7 *jungest* das letzte Mal. 8 *müezen* hier: können.

II An der genâden al mîn vröide stât

1 An der genáden al mîn vröide stât,

43, 28 — 5 C

  dâ enmac mir gewerren weder huote noch kîp.

mich enhilfet dienst noch mînre vriunde rât,

  und daz sî mir ist liep alsam mîn selbes lîp.

5   Mir erwendet ir hulde nieman wan ir melde,

    si tuot mir aleine den kúmber, den ich [ ] trág*e*.

  *warumbe solte ich danne von den merkaeren klagen,

  nû ich ir huote alsô lützel engelde?

6, 1 *Wer si m. vs d. m. niht* C. 2 *wurde es vmb* C. 3 *niht beschiht* C. 4 *Als si mir gelobet hat* C. 5 *niht* B. 6 *vō ir schiet* C. 7 *ane* BC. 8 *mv̂ze* C.
II. 1, 6 *den ich mv̂s tragen*.

6, 1 *Waer* K(LV). 2 *umb* K(LV). 7 *von ir* tilgt K (Ba, vgl. Germania 28, 277). *ane* K, tilgt Br.
II. Aufgesang alternierend L, H; daktylisch P 423, V (vgl. K, MFU 132). — 1, 1 *genâde* K. 2 *weder*] *noch* K(V). ¶ *nît* K(LV). 3 *dienest noch friunde r.* K. 4 LV] *sam* K. 5 ¶ *wan si selbe* K(LV). 6 *aleine swaz kumbers ich trage* K(LV). 7 *Waz sold ich danne von m.* K.

2 Mangen herzen ist von der huote wê,   43, 36 — 6 C
   und jehent, ez sî in ein angeslîchiu nôt.
sô engérte daz mîne aller rîchheit niht mê,
wan müese ez si lîden unz an mînen tôt.
  5   Wér möhte hân grôze vröide âne kumber?   44, 1
nâch solher swaere sô rang ich alle zît:
   dône máht ich leider niht komen in den nît.
des hât gelücke [] getân an mir *wunder.*

3 Einer [] swáere muoz ich leider aenic sîn,   44, 5 — 7 C
   díe doch ervürhtet vil manic saelic man:
unbetwúngen von huote sô ist dáz herze mîn.
   mir ist léit von ir, daz ich den vride ie gewan.
  5   Wande ich die nôt wolde iemer güetlîch lîden,
hét ich von schulden verdient den haz.
   nît umbe ir minne daz taet mir baz,
   danne ich si beide *al*sus muoz mîden.

1, 2 *gewerren* hindern, stören. *kîp* Nachstellung. 5 *melde* Angabe, Verleumdung.
2, 2 *anges(t)lîch* schrecklich. 8 *gelücke* Geschick.
3, 8 *mîden* fernbleiben.

      III   **Diu süezen wort habent mir getân**

1 Diu süezen wort [] habent mir getân,   44, 13 — 8 C
   diu ir die besten algemeine
spréchènt, daz ich nien kan
   gedenken wan an si alterseine.
  5   Ander mîn angest der ist kleine,
wán dén ich von ir hân.
got weiz wol, daz ich nie gewan
   in al der werlte sô liebe enkeine.
des sol si mich geniezen lân.

2, 8 *g. vil getan an mir tvmber.*
3, 1 *Einer grossen swere.* 8 *svs.*
III. **1,** 1 *wort dú.*

2, 1 *herzen von h. ist wê* K. 2 LV] *Unde jént . . . angstlîchiu* K. 3 V] *engert* K(L).
6 *so* tilgt K(LV). 8 *g. getân an mir wunder* K(LV).
3, 1 *grossen* tilgt K, *Der grôzen swaere bin ich leider frî* LV. 2 *manc* K(V). 3 *sô* tilgt
K. 4 L] ¶ *leit daz ich von ir* K. 5 *Wand ich wólde die nôt* K. *güetlîche* K(LV).
6 *verdienet* K(LV). 7 *taete* K(LV). 8 *sus muoz lân belîben* K(LV).
III. **1,** 1 *wort hânt* K(LV). 3 *niene* K(LV). 4 *si aleine* K(LV). 5 *Mîn ander* K(LV).
6 ¶ *Wan der den* K(LV). 8 *werlt* K(LV).

2 Swes got an güete und an getât
  noch ie dekeiner vrowen gunde,
  des gihe ich ime, daz er daz hât
  an ir geworht, als er wol kunde.
5   Waz danne? und arnez under stunden
  mîn herze es dicke hôhe stât.
  noch möhte es allez werden rât,
  wolden sî die grôzen wunde
  erbarmen, die si an mir begât.

44, 22 — 9 C

3 Swaz got an vrowen *hât erhaben*,
  dez enkán mir an ir nieman gemêren,
  wan als ich ir [] mîn angest sage,
  daz kan si leider wol verkêren.
5   Ein herte herze kan siz lêren,
  daz alsô lîhte mac vertragen
  sô grôzez wüefen unde klagen,
  daz ich lîde umb ir hulde mit sêren,
  daz ich niemer mac getragen.

44, 31 — 10 C

1, 4 *wan*   außer. 6 außer der, die...
2, 5 f *herze*   Apokoinu (vgl. Sch 44). *arnen*   entgelten. *es*   davon.
3, 1 *erheben*   mit erhabener Arbeit verzieren. 6 daß sie... (vgl. Schröbler, Syntax
  § 270).

2, 5 *stunde.*
3, 1 *Swes got an fr. aller tagē.* 2 *Des.* 3 *ir mv̊s m. a. sagē.*

2, 3 V] *im* K(L). 5 V] *danne, und arne i'z* K(L). *stunden* K(LV). 8 f LV, aber: *wun-
den* und *dies*] ¶ *die grôzen sunde/geriuwen dies* K.
3, 1 LV] *an fröiden lât betagen* K, *an fröiden alle tage* (*an* = gönnte) Br. 2 *Dazn
kan er mir an ir niet mêren* K; *mir* tilgt LV, *an ir* tilgt Br. 3 nach LVK. 5 V] *hartez*
K (Schröder ZfdA. 69, 302). 6 *Dazs* K(LV). 8 *Deich* K(LV). *m. sêren*] ¶ *sêre* K(V),
sêren L. 9 *Die* K(V).

IV   Gelebt ich noch die lieben zît

1 Gelebt ich noch die lieben zît,   45, 1 — *11 C*
   daz ich daz lant solte beschouwen,
   dar inne al mîn vröide lît
      nu lange an einer schoenen vrouwen,
5 Sô gesáehè mîn lîp
   niemer weder man noch wîp
      getrûren noch gewinnen rouwen.
         mich dûhte nû vil manigez guot,
         da von ie swaere was mîn muot.

2 Ich wânde ir ê vil verre sîn,   45, 10 — *12 C*
   dâ ich nû vil nâhe waere.
   alrêrste hât daz herze mîn
      von der vrömde grôze swaere.
5 Ez tuot wol sîn triuwe schîn.
   waer ich iender umb den Rîn,
      sô vriesche ich lîhte ein ander maere,
         des ich doch leider nie vernam,
         sît daz ich über die berge kam.

3 Ich sage ir nû vil lange zît,   45, 19 — *13 C*
      wie sêre sî mîn herze twinget.
   als ungeloubic ist ir *lîp*,
      daz sî der zwîvel dar *ûf* bringet,
5 Daz si hât alselhen *nît* —
   den ze rehte ein saelic wîp
      niemer réhtè volbringet —,
         daz sî dem ungelônet lât,
         der sî vor al der werlte hât.

IV. 1, 2 : 4 : 7 *beschowē* : *schonē frowen* : *rowen.*
3, 3 *ir nit.* 4 *dar us.* 5 *als selhen kip.*

IV Folge **3, 4, 1, 2** K (vgl. K, MFU 136); ein Lied in der Folge 3, 4, 2, 1 Maurer
   Neuphil. Mitt. 53, 162 ff. — 1, 2 *solt aber schouwen* K(LV). 5 *mînen* K(LV).
   8 *mangez* K. 9 *ie*] *ê* K(LV).
2, 2 : 4 : 7 *wâre* : *swâre* : *mâre* K. 5 *sîne* K(LV).
3, 2 *h. minnet* Jungbluth[1] 198. 3 *lîp* K(LV). 4 *ûf* K(LV). LV] *dringet* K (Schröder
   ZfdA. 69, 302). *dar ûf twinget* Jungbluth[1] 198. 5 *nìt* K(LV). *strît* Jungbluth[1] 198.
   7 *vollebringet* K(LV).

4 Nieman sol mir daz verstân,
  sine möhte mich vor eime jâre
von sorgen wol erloeset hân,
  ob ez der schoenen wille wâre.

5 Ouch half mir sêre ein lieber wân:
swanne sî mîn ougen sân,
  daz was ein vröide vür die swâre,
  alleine wil sis gelouben niet,
daz sî mîn ouge gerne siet.

1, 7 *rouwen* = *riuwen*.
2, 2 dort, wo ich ihr jetzt ganz nahe wäre. 3 *alrêrste*   erst jetzt. 7 *lîhte*   vielleicht.
3, 5 *nît*   Haß.
4, 1 *verstân*   c. dp. jmd. etw. verstellen. 8 *alleine*   obwohl.

V Sî darf mich des zîhen niet

B: 1—4 ∥ 5; C: 1—5

1 Sî darf mich des zîhen niet,
  ich enhête sî von herzen liep.
    des möhte sî die wârheit an mir sehen,
    und wíl si es jéhen.
  5 ich kom sîn dícke in sô grôze nôt,
    daz ich den liuten guoten morgen bôt
      gegen der naht.
    ich was sô verre an sî verdâht,
      daz ich mich underwîlent niht versan,
  10   und swer mich gruozte, daz ich sîn niht vernan.

4, 2 : 4 : 7 *iâre : were : swere*. 4 *schonē*.
V. 1, 1 *niht* BC. 2 *Min hᵉze hete si in pfliht* C. 3 *mohte* C. 4 *sis* C. 7 *engegen* C.
10 *verstan* BC.

4, 1 ¶ *verslân* K(V). 2 : 4 : 7 *jâre : wâre : swâre* K(V). 5 *sêre*] *dicke* K (Schröder
  ZfdA. 69, 302). 8 *glouben* K(LV).
V. 1, 1 *niet* K(LV). 2 *Ichn* K(LV). 3 : 4 LV] *sên : jên* K. 5 *quam* K(V). *solhe nôt* K(LV).
  7 *Engegen* K(LV). 10 *ichs n. vernam (vernan* L) K(LV), *Swer m. gruozte; ich sin n.
  verstan* Br.

2   Mîn herze unsanfte sînen strît   46, 9 — 7 B, 21 C
    lât, den ez nu mange zît
      hát wíder daz alre beste wîp,
      der ie mîn lîp
5   muoz dienen, swar ich iemer var.
      ich bin ir holt; swenne ich vor gote getar,
       sô gedénke ich ir.
      daz gerúoch ouch er vergeben mir:
       *ob ich des sünde süle hân,
10   wie geschúof er sî sô rehte wol getân?

3   Mit grôzen sorgen hât mîn lîp   46, 19 — 8 B, 22 C
    gerungen alle sîne zît.
      ich hête liep, daz mir vil nâhe gie,
      daz verlíe mich nie.
5   *von* wîsheit kêrte ich mînen muot;
      daz was diu minne, diu noch manigem tuot
       die selben klage.
      nu wil ich mich an got gehaben,
       der kan den liuten helfen ûz der nôt.
10   nieman weiz, wie nâhe im ist der tôt.

4   Mîner vrowen was ich undertân,   46, 29 — 9 B, 23 C
    diu âne lôn mînen dienst nan.
      von der sprich ich niht wan allez guot,
      wan daz ir muot
5   wider mích ze unmilte ist gewesen.
      vor aller nôt dô wânde ich sîn genesen,
       dô sich verlie
      mîn herze ûf genâde an sie,
       der ich dâ leider vunden niene hân.
10   nu wil ich dienen dem, der lônen kan.

2, 6 *von* B. 8 *gerûche* C. 9 *svle* C. 10 *Zwú* C.
3, 2 *alles vmbe ein wib.* C. 3 *het ein leben dc mir* C. 5 *Von*] *An* BC. 6 *mengē* C. 8 *Dar vmbe ich niht an g. vˢzage* C. 10 *imᵉ* C.
4, 3 *spriche* C.

2, 3 *Haldet* K, *Behabet* LV, *Hât w. ein daz* Jungbluth [1] 198 Anm. 8 *ruoch(e)* K(LV).
9 *grôze sünde solde* K, *Wan ob ich d. s.* LV. 10 *Br*] *Zwiu schuof* K(LV).
3, 3 *hâte* K. 4—5 ¶ *Dazn liez . . . / an w. kêren mînen m.* K(LV). 6 *mangen* K.
7 Sch 46] *Daz selbe klagen* K(LV). 9 *LV*] *ûzer* K.
4, 1 ¶ *Einer* K(LV). 2 *mîn dienest nam* K(LV). 3 *enspriche* K. 5 *Zunmilte wider m.* K.
6 *dô*] ¶ *sô* K(LV).

Ich kom von minne in kumber grôz,
des ich doch selten ie genôz.

46, 39 — 28 B, 24 C

  swaz schaden ich dâ von gewunnen hân,
   sô veriesche nie man,

47, 1

5   dáz ich ir iht spraeche wan guot,
      noch mîn munt von vrowen niemer getuot.
       doch klage ich daz,
        daz ich sô lange gotes vergaz.
         den wil ich iemer vor in allen haben
10   und in dâ nâch ein holdez herze tragen.

, 4 *und* wofern nur. 8 *verre* sehr.
, 8 *geruochen* vgl. Anm. 10 *wie* warum.
, 7 *klage* Leid, Not. 8 *gehaben* sich halten an.
, 3 f . . . nur Gutes, ausgenommen daß . . .
, 2 *des* bezieht sich auf v. 1.

VI Mîn herze und mîn lîp diu wellent scheiden

B: 1, 2 ‖ 3, 4; C: 1—4

1 Mîn herze und mîn lîp diu wellent scheiden,
    diu mit ein ander wâren nu manige zît.

47, 9 — 10 B, 25 C

  der lîp wil gerne vehten an die heiden,
    sô hât iedoch daz herze erwe*l*t ein wîp
5   Vor al der welt. daz müet mich iemer sît,
    daz siu ein ándèr niht volgent beide.
     mir habent diu ougen vil getân ze leide.
      got eine müese scheiden noch den strît.

5, 4 *gefriesch* C. 9 *Vñ wil es iem^s vor allē dingē klagē* C. 10 *im dar nach* C.
VI. 1, 1 *und* fehlt C. *die* BC. 2 *Die* C. 4 *Ie doch dem h^{s}zen ein wib so nahen lit* C.
erwellet B. 5 *w^{s}lte* C. *mŏt* B. 6 *si* C.

5, 1 *quam* K(V). 4 *friesch* K(LV). 5 *ir spr. iht* K. 6 *tuot* K(LV).
VI Folge **1, 3, 2, 4** K(LV). Lit. zur Strophenfolge Ludwig ZfdA. 93, 126 Anm. und
   Ingebrand 42 f. — 1, 2 Ludwig ebd. 125] *wârn* P 425, *waren manige* Br, *varnt nu*
   mange (manige V) z. K(LV), *vuoren* Kienast² 11 f. 6 *niht*] *niene* K(LV), *nu niht*
   Kienast² 14. 8 Kienast² 15] *müeze* K(LV).

2 Sît ich dich, herze, niht wol mac erwenden, 47, 25 — *11 B*, 26 C
du wellest mich vil trûreclîchen lân,
sô bite ich got, daz er dich geruoche senden
an eine stât, dâ man dich *welle* enpfân.
5 Owê! wie sol ez armen dir ergân?
wie getórstest du eine an solhe nôt ernenden?
wer sol dir dîne sorge helfen enden
mít tríuwen, als ich hân getân.

3 Ich wânde ledic sîn von solicher swaere, 47, 17 — *24 B*, 27 C
dô ich daz kriuze in gotes êre nan.
†ez waere ouch reht, daz ez alsô waere,
wan daz mîn staetekeit mir sîn verban.†
5 Ich solte sîn ze rehte ein lebendic man,
ob ez den tumben willen sîn verbaere.
nu sihe ich wol, daz im ist gar unmaere,
wie ez mir súle án dem ende ergân.

2, 2 ¶ *Dvne* C. 4 *welle*] *wol* B, *wol welle* C. 6 *du* fehlt C. 7 *wendē* C.
3, 1 *solher* C. 2 *eren nam* C. 3 *wer* C. 8 *svle* C.

2, 2 *Dun* K(LV). 3 Kienast ² 18] *ruoche* K(LV). 4 *wol enpfâ* K(LV). 6 Kienast ² 19]
torstet eine K(LV). 8 *Mit solhen tr.* K(LV), *Mit triuwen als ich habe her getân*
Kienast ² 19 f, *Mit staeten tr.* Jungbluth (Hammerich) Euph. 47, 246 Anm.
3, 1 *solher* K(LV). 2 *nam* K. 3 Mit leichten metr. Änderungen Ba, de Boor Beitr
87 (T) 390 f] *deiz herze als ê dâ waere* K, ¶ *deiz h. alsô waere* K, MFU 150, *deiz*
h. als ich dâ waere LV, *deiz h. bi mir w.* Br, *daz ich alsô genaere* Jungbluth Euph
47, 243, *deiz alsô varnde waere* Kienast ² 26, *daz ez alsô staete waere* Ludwig
ZfdA. 93, 60. 4 *sîn staetekeit im sîn* K(LV), Jungbluth ebd., aber *im]mir, Wan daz*
mîn staetez herze mirs v. de Boor ebd. 393. 8 *mir an dem e. süle* K(LV).

Niemen darf mir wenden daz zunstaete,   47, 33 — 28 C, 25 B
  ob ich die hazze, die ich dâ minnet ê.
swie vil ich sî gevlêhte oder gebaete,
  sô tuot si rehte, als sis niht verstê.
5 Mich dunket [], wie ir wort gelîche gê,
rehte als ez der sumer von triere taete.
ich waer ein gouch, ob ich ir tumpheit haete   48, 1
  vür guot. ez engeschiht mir niemer mê.

2, 1 f ... nicht davon abbringen kann, mich, der ich sehr betroffen bin, zu entlassen.
6 *ernenden* Mut fassen.
3, 2 *in* g. *êre* zur Ehre G. 4 *sîn verban* das mißgönnte. 6 *ez = daz herze. verbern*
aufgeben. 7 *unmaere* gleichgültig.
4, 5 *wie* hier: daß. 6 Zur Deutung des *sumer von triere* vgl. Anm.

VII Mîn herze den gelouben hât

Mîn herze den gelouben hât,   48, 3 — 26 B, 29 C
  solt [] iemer man beliben sîn
durch liebe oder durch der minne rât,
  sô waere ich noch alumbe den Rîn;
5 Wan mir daz scheiden nâhe gât,
  daz ich von lieben vriunden mîn
hân getân, swie ez dóch darumbe ergât.
  herre gót, ûf die genâde dîn
    sô wil ich dir bevelhen die,
10   die ich durch dînen willen lie.

4, 1 *ze vnstęte* B. 3 *vil* fehlt B. *gevlehet* B. 4 *reht als ob sis iht* B. 5 *dvnket reht*
(rehte C) *wie* BC. *worte* B. 6 *Reht* B. 7 *węre* B. 8 *Vs gůt* B. *n. mere* B.
VII. 1, 2 *Solt ich ods iems man* BC. 3 *mînen* C. 4 *wer* C. 7 *swies* C.

Zur Verbindung mit 1—3 vgl. Anm. — 2 *diech* K(LV). 3 *geflêhet* K(LV). 4 *als ob*
K(LV). 5 f Bei der Überlieferung bleiben im wesentlichen LVBr, Kienast² 43—60
(vgl. aber auch Lit. in Anm.). 5 *wie mîn w.* K. 6 *Als ez der sumer vor ir ôren taete*
K, *Als ez der soumaere von Triere taete* Jungbluth Euph. 47, 252.
VII. 1, 2 *ich oder* tilgt K(BaV). 3 *od durch der Minnen* K(LV). 6 f V, aber v. 7 *swiez*]
Deich tet (tete L) *von l. vr. mîn. | swiez (swie ez* L) *doch d. mir ergât* K(L).
8 *Got herre* K(LV).

2 Ich gunde es guoten vrowen niet,   48, 13 — 27 *B*, 30 *C*
       daz iemer mê koeme der tac,
       daz sî deheinen hete*n* liep. —
       wan ez waere ir êren slac:
5   Wie kunde der gedienen i*et*? —
       der gotes verte alsô erschrac.
       dar zuo sende ich in disiu liet
       und we*r* sie, als ich beste mac.
           gesaehe sî mîn ouge nie [] mê,
10   mir taete iedoch ir laster wê.

2, 3 ... daß sie einen. **4** *slac*   tödlicher Schlag. **8** *wern*   schützen.

VIII   In mînem troume ich sach

In mînem troume ich sach   48, 23 — 29 *B*, 31 *C*
    ein harte schoene wîp
die naht unz an den ta*ch*:
    do erwáchetè mîn lîp.
5   Dô wart si leider mir benomen,
           daz ich enweiz, wâ si sî,
       von der mir vröide solte komen,
           daz tâten mir diu ougen mîn.
           der wolte ich âne sîn.

2, 1 *niht* B. **3** *hette* B. *Dc si den hetē lieb der vō vns schiet* C. **4** *wer* C. **5** ¶ *Wie kvnd*
in der C. *iet*] *ir* B. **8** *węren sv́* B. *grůsse si* C. **9** *niemˢ me* BC. **10** *ie* fehlt C.
VIII, 2 *schone* B. **3** *tag* B, *tac* C. **8** *die* B.

2, 1 : 5 *niet : iet* K(LV). **2** *iemer mêre quaeme (koeme* L) K(LV). **3—6** Interpunktio
nach Roediger ZfdA. 26, 293 f, vgl. auch Mowatt 150; bei der hs. Folge bleibt auc
L(V); ¶ K (Sprenger, vgl. K, MFU 157 f) reiht vv. 3, 6, 5, 4. **3** *Dazs ir d. heten* K
5 *kunde in d.* K(LV). **8** ¶ *warnes als* K(LV). **9** *Gesaes mîn o. niemer mê* K(V).
VIII Langzeilen außer **5** Br. — **6** *war si sî komen* Jungbluth [1] 200. **7** *solte sîn* Jung
bluth [1] 200. **9** tilgt Jungbluth [1] 200.

IX   Dô ich von der guoten schiet

Dô ich vón der guoten schiet
und ich ir niht ensprach,
als mir waere liep,
des lîde ich ungemach.
5 Daz liez ich durch die [ ] diet,
von der mir nie geschach
deheiner slahte liep.
wan der die helle brach,
der vüege in ungemach.

48, 32 — *30 B*, 32 C

2 'Sie waenent hüeten mîn,
diu sî doch niht bestât,
und tuon ir nîden schîn;
daz wênic sî vervât.
5 Si möhten ê den Rîn
bekêren in den Pfât,
ê ich mich iemer sîn
getrôste, swie ez ergât,
der mir gedienet hât.'

49, 4 — *31 B*, 33 C

1, 2 *ir niht ensprach*   zu ihr nicht sprach. 8 *wan*   aber.
2, 2 f ... mich, die sie doch nicht angreift (d. h. die nichts mit ihnen zu schaffen hat),
und sie sollen nur ihre feindliche Gesinnung zeigen. 4 *vervân*   unpers. c. ap. nützen.
8 *getrôsten*   c. gp. verzichten auf.

IX. 1, 2 ¶ *zir* C. 3 *Als mir dú mîne wid*ˢ*riet* C. 5 *die valschen* d. BC. 6 *nie lieb beschach* C. 7 *ich wúnsche ir anders niet* C. 9 ¶ *ir we uñ ach* C.
2, 2 *die si* B, *die sin* C. 4 *verhat* B. 6 ¶ *gekerē* C. 8 *vˢtrôste swies* C.

IX. 1, 1 Br] *Deich* K(LV). 2 *zir* K(LV). 3 LVBr] *Alsô* K. 5 *valschen* tilgt K(LV). *Durch die valschen diet* (!) Br. 6—7 LV] *mir nît geschach. | ich wünsche ir anders niet*, K (Schröder ZfdA. 69, 301 f), *von der m. n. g. | deheines liebes iet*, Br. 9 *ir* (*in* LV] *wê unt ach* K(LV).
2, 2 Br, Lea Beitr. 89 (H) 258, aber *die* (= rhein. Form für *diu*)] *Die sîn* K(LV). 3 *tuont* K(LV). 6 *Gekêren* K(LV). 8 *swiez* K(LV).

X Mir ist daz herze wunt

1 Mir ist daz herze wunt   49, 13 — 32 B, 34 C
    und siech gewesen nû vil lange,
    — daz ist réht, wan ez ist tump —
    sît ez éine vrowen êrst bekande.
5   Der keiser ist in allen landen,
  *kuste er sî ze einer stunt
    an ir vil rôten munt,
    er jaehe, ez waere im wol ergangen.

2 Sît ich daz herze hân   49, 21 — 33 B, 35 C
    verlâzen an der besten eine,
    des sol ich lôn enpfân
    von der selben, die ich dâ meine.
5   Swie selten ich ez ir bescheine,
  *sô bin ich ez doch der man,
    der ir baz heiles gan
    danne in der welte lebe deheine.

3 Wer mohte mir den muot   49, 29 — 34 B, 36 C
    getroesten wan ein schoene vrouwe,
    diu mînem herzen tuot
    leit, diu nieman kan beschouwen.
5   Dur nôt sô líde ích den rouwen,
  *wan ez sich ze hôhe huop.
    wirt mir diu minne unguot,
    sô sol ir niemer man volle trouwen.

1, 4 *êrst bekande* zum ersten Mal kennenlernte.
2, 4 *meinen* schätzen, lieben. 5 *bescheinen* zeigen.

X. 1, 1 *Mir sint die sinne* C. 2 *gewesen vō vil bandē* C. 3 *Dc ist in rehte kunt* C. 4 *Si sie ein* C. *bekandē* C. 6 *Kuster si zeiner* C. 8 *Er hete sin iemer frome ze siner handen* C.

2, 5 *ichs* C.

3, 1 *mṓhte* C. 2 *wan*] *ane* C. 2 : 4 : 5 : 8 *vrowe (frowē* C) : *beschowen* : *rṓwen trṓwen* BC. 6 *lût* C.

X. 1, 3 *Deis* K(LV). 4 *Sîtz* K(LV). 6 *Kust er si zeiner st.* K(LV).

2, 4 *diech* K(LV). 6 *ichz* K(LV). 8 *Dan* K(LV).

3, 2 : 4 : 5 : 8 Reimausgleich wie LVK. 5 *solhen rouwen* K. 6 *Wan sichz* K(LV) 8 *voltrouwen* K(LV).

XI Ich sihe wol, daz got wunder kan

1 Ich sihe wol, daz got wunder kan   49, 37 — 35 B, 37 C
  von schoene wűrkèn ûz wîbe.
  daz ist an ir wol [] schîn getân,   50, 1
  wan er vergaz niht an ir lîbe.
5   Dén kúmber, den ich lîde,
  dén wíl ich gerne hân,
    ze diu daz ich mit ir belîbe,
  und al mîn wille sül ergân.
      min vrowe sehe, waz sî des tuo!
10   dâ stât dehein scheiden zuo.

2 Si gedenke niht, daz ich sî der man,   50, 9 — 36 B, 38 C
  der sî ze kurze wîlen minne.
  ich hân von kinde an sî verlân
  daz herze mîn und al die sinne.
5   Ich wart an ir nie valsches inne,
  sît ich sî sô liep gewan.
    mîn herze ist ir ingesinde
  und wil ouch staete an ir bestân.
      mîn vrowe sehe, waz sî des tuo!
10   dâ stât dehein scheiden zuo.

1, 4 *niht* nichts. 7 *ze diu* dafür.

XI. 1, 2 *Von*] *Ein* C. 3 *wol worden schin g.* B. 5 *den ich mit ir tribe* C. 7 *Ze tⱴ* B.
8 *Vñ an ir min w. mⱴsse ergan* C. 9 *des*] *mir* C.
2, 6 *Sit ich vō erst si l. g.* C. 7 *ir gesinne* C. 9 f *waz* bis *zuo* fehlt C.

XI. 1, 2 *úzer* K(LV). 3 Tilgung wie LVK. 5 *k. den ich des irlîde* K. 6 *ich iemer
gerne* K(Ba).
2,1 *deich* K(LV).

XII Ich lobe got der sîner güete

1 Ich lobe got der sîner güete,   50, 19 — *37 B*, 39 C
  daz er mir ie verlêch die sinne,
  daz ich sie nam in mîn gemüete;
  wan si ist wol wert, daz man si minne.
5 Noch bezzer ist, daz man ir hüete,
  danne iegelîcher sînen willen
    spraeche, daz sî ungerne hôrte,
    und mir die vröide gar zerstôrte.

2 Doch bezzer ist, daz ich si mîde,   50, 27 — *38 B*, 40 C
  danne si âne huote waere,
  und ir deheiner mir ze nîde
  spraeche, des ich [ ] vil gern enbaere.
5 Ich hân si erkorn ûz allen wîben.
    lâze ich niht durch die merkaere,
    vrömede ich si mit den ougen,
    si minnet iedoch mîn herze tougen.

3 Ein lîp was ie unbetwungen   50, 35 — *39 B*, 41 C
  und doch gemuot von allen wîben.
  alrêst hân ich rehte bevunden,
  waz man nâch liebem wîbe lîde.
5 Des muoz ich ze manigen stunden   51, 1
  der besten vrowen eine mîden.
    des ist mîn herze dicke swaere,
    als ez mit vröiden gerne waere.

XII. 1, 6 *ieglicher si brehte inne* C. 7 *Des dc* C.
2, 1 ¶ *Noch* C. 4 *ich doch vil* B. *gerne* C. 5 *erkorn swas ich lide* C. 6 *So lasse ich* C
  7 *Frômde* C.
3, 1 *vngebūden* C. 2 *vō der pliden* C. 3 *erfvnden* C. 4 *Was mā mᵛs . . . lidē* C
  5 *mangen* C.

XII. 1, 7 LV Br] *gerne* K (Jellinek br. an K).
2, 1 *Noch* K(LV). 2 *Dan* K(LV). 4 *des ich gerne* K(V). 5 *Ich hâns erkorn* K(LV)
  6 *niht*] ¶ *iht* K(LV). *Si enlaze ich* n. Br. 8 *minnt iedoch* LV, *minnet doch* K.
3, 1 ¶ *Mîn* K(LV). 2 Jungbluth [1] 199 u. Br] *Und ungemuot* K (Jellinek ZfdA. 55, 372)
  3 *Alrêrste* K. 5 LV] *Daz ich muoz* K. *mangen* K.

51, 5 — *40 B*, 42 C

4 Swíe dícke ich lobe die huote,
  dêswâr ez wart doch nie mîn wille,
  daz ich iemer in dem muote
  werde holt, die sô gar die sinne
5 Gewendet hânt, daz sî der guoten
  enpfrömden wellent staete minne.
    dêswâr, tuon ich in niht mêre,
    ich veréische doch gérne alle ír unêre.

1, 6 ff als daß jeder, wie es ihm beliebt, sagt, was sie ... und was mir ...
2, 6 f Wenn ich auch nichts (an Vorsicht) wegen der *merkaere* unterlasse, wenn ich
  sie (zum Beispiel) ...
3, 2 ... obgleich den Frauen gegenüber im allgemeinen nicht unempfindlich (Jung-
  bluth [1] 199). 3 *bevinden* erfahren. 8 *als* wenn auch.
4, 3 f jetzt und in Zukunft denen gut gesinnt werde, die ... 8 *vereischen* erfahren.

XIII   Sich möhte wîser man verwüeten

51, 13 — *41 B*, 43 C

1 Sich möhte wîser man verwüeten
  von sorgen, der ich manige hân.
  swie ich mich noch dâ von behüete,
  sô hât got wol ze mir getân,
5 Sît er mich niht wolte erlân,
  ich naeme sî in mîn gemüete.
    joch engílte ich alse sêre ir güete
    und ouch der schoene, die si hât.
    lite ich durch got, daz sî ⌠begât
10 an mir⌡, der sêle wurde rât.

4, 2 *Doh wart ich nie an mir selbē inne* C. 3 *Dc ich in iemer* C. 5 *haben* C. *sv́* B.
  dv́ guote C. 6 *Enpfremde mir ir stetē* m. C. 8 *gefreische* C.
XIII. 1, 1 *Mich* B. *Lichte ein vnwiser man v^swůte* C. 2 *menge* C. 3 ¶ *vor* C. 7 *alze* C.
  9 f *das si an mir begat.* | *Der s.* BC.

4, 1 *dicke sô ich* K. 3 *Daz ich in iemer* K(LV). 4 *Wurde* K(LV). Sch 51] *die dar die s.*
  K(LV). 8 *Doch friesche ich gerne al* K(LV).
XIII. 1, 1 *Sich* K(LV). *Sich möhte unwisen* m. Br, nach C: Bekker Seminar 8, 145 f.
  2 *mange* K. *dâ vor* K(LV). 4 ff *getân.* | *... erlân,* | *sô nim ich si* Bekker ebd. 151.
  7 Br] *Jo* K(LV). *alze* K(LV). 9 Umstellung wie K(LV).

2 Mich kunde niemen des erwenden,   51, 23 — *42 B*, 44 C
        ich welle ir wesen undertân.
        den willen bringe ich an mîn ende,
        swie si habe ze mir getân.
   5   Sît ich des boten niht enhân,
        sô wil ich ir diu lieder senden.
        *vert der lîp in ellend*e*,
           mîn hérzè belîbet dâ.
           daz suoche nieman anderswâ,
   10   ez kunde ir niemer komen ze nâ.

1, 1 Selbst ein klügerer Mann könnte in Zorn geraten.
2, 1 *erwenden*   c. g. von etwas abbringen. 7 *ellende*   Ausland, Fremde.

XIV Ich denke underwîlen

1 Ich denke underwîlen,   51, 33 — *45 B*, 47 C
           ob ich ir nâher waere,
           waz ich ir wolte sagen.
        daz kürzet mir die mîlen,
   5   swenne ich mîne swaere   52, 1
              sô mit gedanken klage.
           Mich sehent manige tage
           die liute in der gebaerde,
           als ich niht sorgen habe,
   10   wan ích si alsô vertrage.

2, 2 ¶ *Ine* C. 3 *Vñ wil min lebē also v*s*enden* C. 7 *ellenden* B. *Mŝs sich min lip von ir ellendē* C. 8 *b. doch da* C.
XIV. 1, 2 *nahe* C. 4 *kurzet* C. 5 *ich ir mine* C. 6 *g. mac klagen* C. 7 *ze mengē tagē* C. 8 *gebere* C. 9 *sorge múge tragen* C. 10 *Des mŝs ich verzagen* C.

2, 2 *In* K(LV). 3 nach C: Bekker ebd. 155. 7 *enelende* K(LV). 8 *b. doch aldâ* K(LV).
XIV. Keine Kanzone Bertau, Dt. Lit. i. europ. MA. I, 580. — **1, 5** *ich ir m.* K(LV). 7 *mange* K. 8 *gebaere* K(LV). 10 *ichs alsô* K(LV).

2   Hete ich sô hôher minne   52, 7 — 46 B, 48 C
        mich nie underwunden,
        mîn möhte werden rât.
     ich tet ez âne sinne;
5   des lîde ich ze allen stunden
        nôt, diu mir nâhe gât.
     Mîn staete mir nu hât
        daz herze alsô gebunden,
        daz sî ez niht schéiden lât
10   von ir, als ez nu stât.

*3   Ez ist ein grôze wunder: 52, 17 — 47 B, 49 C
        die ich alre sêrste minne,
        diu was mir ie gevê.
     nu müeze solhen kumber
5   niemer man bevinden,
        der alsô nâhe gê.
     Erkennen wấnde ich in ế,
        nu hân ich in baz bevunden:
        mir was dâ heime wê
10   und hie wol drîstunt mê.

4   Swie klein ez mich vervâhe,   52, 27 — 48 B, 50 C
        sô vröwe ich mich doch sêre,
        daz mir nieman kan
     erwern, ich gedenke ir nâhe,

2, 1 *Het* C. 5 *zallen* C.
3, 1 *Es sint grôssů wnden* C. 2 *aller sereste* C. 4 *Ich wůnsche in kurzē stundē* C.
    5 f *dc n. m. gewine. | kvmb^s der also nahē ge* C.
4, 1 *kleine* K(LV). 3 LV] *mir sîn niemen* K. 4 ¶ *ichn denke* K(LV).

2, 2 LV] *Nie mich* K. 5 *zallen* K(LV). 6 LVBr] *mir tilgt* K. 9 *siz* K(LV).
3, 1 *grôzez* K(LV). 2 *Diech aller sêrest* K(LV). 5 *gewinnen* Br. 7 *ich in*] *i'n* K(LV).
    8 LV, aber *i'n*] *Nu kan i'n baz bevinden* K.
4, 1 *kleine* C. 3 f *niemā erwern kan. | ine gedenke* C.

5   swar ich landes kêre.
      den trôst sol sî mir lân.
      Wil sîz vür guot enpfân,
      ⟨des vrŏwe ich mich íemer mêre,⟩
      wan ich vür alle man
10   ir ie was undertân.

1, 9 *als*   als ob. **10** *vertragen*   geduldig ertragen.
2, 3 mir könnte Hilfe zuteil werden.
3, 3 *gevê*   feindlich gesinnt. **5** *bevinden*   erfahren. **10** *drîstunt*   dreimal.
4, 1 Wie wenig es mir auch nützt.

XV   Wâfenâ, wie hat mich minne gelâzen

B: 3, 4;   C: 1, 2 ‖ 3, 4

1   Wâfenâ, wíe hat mich minne gelâzen!   52, 37 — 15 C
      diu mich betwanc, daz ich lie mîn gemüete
   an solhen wân, der mich wol mac verwâzen,   53, 1
      ez ensî daz ich genieze ir güete,
5   Von der ich bin   alsô dicke âne sin.
      mich dûhte ein gewin,   und wolte diu guote
      wizzen die nôt, diu wont in mînem muote.

2   Wâfenâ, waz hábe ich getân sô ze unêren,   53, 7 — 16 C
      daz mir diu guote ir gruozes niht engunde?
   sus kan si mir wol daz herze verkêren.
      daz ich in der werlte bezzer wîp iender vunde,
5   Seht, dêst mîn wân.   dâ vür sô wil ichz hân,
      und wil dienen ⟨.....⟩   mit triuwen der guoten,
      diu mich dâ bliuwet vil sêre âne ruoten.

4, 8 fehlt B.

4, 8 Br, aber: *ie mere*] *Daz fröut mich iemer mêre* K(LV).
XV Ein Lied in der obigen Folge K(Ba); ein Lied in der Folge 1, 3, 2 Singer Beitr. 44,
     433 f, Br; 1, 2 und 3, 4 je ein Lied L; weitere Lit. dazu K, MFU 124 u. Anm. —
     1, 4 LV] *ich müeze geniezen* K. 7 V] *diu mir w. in mîm m.* K.
2, 1 *Wâfen* K(LV). *zunêren* K(LV). 2 *guote niht gr. engunde* K, *g. ir gruozes erbunde*
     LV. 3 LVBr] *versêren* K. 4 *Deich* K(LV). *werlt* K(LV). 6 *U. w. d. lân* L, *U. w. d.*
     noch dan V, *U. d. nochdan* K, *U. d. so ich kan* Br.

3 Waz mac daz sîn, daz diu welt heizet minne,   53, 15 — *43 B*, 45 C
      und ez mir tuot sô wê ze aller stunde
   und ez mir nimet sô vil mîner sinne?
      ich wânde niht, daz ez iemen enpfunde.
5   Getorste ich ez jehen,   daz ich ez hête gesehen,
         dâ von mir ist geschehen   alsô vil herzesêre,
            sô wolt ich dar an gelouben iemer mêre.

4 Minne, gót müeze mich an dir rechen!   53, 22 — *44 B*, 46 C
      wie vil dû mînem herzen der vröiden wendest!
   und möhte ich dir dîn krumbez ouge ûz gestechen,
      des het ich reht, wan du vil lützel endest
5   An mir sölhe nôt,   sô mir dîn lîp gebôt.
         und waerest du tôt,   sô dûhte ich mich rîche.
            sus muoz ich von dir leben betwungenlîche.

1, 3 *verwâzen*   verderben. 6 *und*   hier: wofern nur.
2, 4 *iender*   hier: nirgendwo.
3, 5 *getorste*   hier: dürfte.
4, 3 wenn ich dir dein mißgünstiges Auge ausstechen könnte.

XVI   Si waenent dem tôde entrunnen sîn

Si waenent dem tôde entrunnen sîn,   53, 31 — *17 C*
   die gote erliegent sîne vart.
dêswar êst der geloube mîn,
   daz sî sich übel hânt bewart.
5   Swer daz kríuze nam und niender vert,
   dem wirt ⟨er⟩ doch ze jungeste schîn,
      swanne im diu porte ist vor verspert,
      die er tuot ûf den liuten sîn.

3, 2 *zaller* C. 3 *nimt* C. 4 ¶ *erfunde* C.
4, 1 *mǔse* B, *mǔsse* C. 2 *frǒide* C.
XVI, 1 *wennēt.* 5 *nā.*

3, 2 *sô* LV] *alsô* K. *zaller* K(LV). 3 LV] *nimt alsô* K. 4 *erfunde* K(LV) 5a : 5b : 6a LV]
   jên : gesên : geschên K. 5 *ichz* K(LV). 6 LV] *Des mir* K. 7 *gelouben dar an* K(LV).
4 Unecht Singer Beitr. 44, 433, Nachtragsstr., vielleicht Gegenstrophe eines Unbekann-
   ten Br. — 1 LV] *gerechen* K. 2 *mîm* K(LV). LV] *erwendest* K.
XVI, 1 Ittenbach 103, Kienast[2] 12] *Si welnt* K(V). *dem tôde*] *im* (= *got*) Jung-
   bluth[1] 197. 5 *Swerz* K(LV). Ittenbach 103, Br] *und wider warp* LV, *und si gespart*
   K, *und n. vaht* Jungbluth[1] 197. 6 Jungbluth[1] 197] *wirt doch got* K(LV). *jungest*
   K(LV). 7 Ittenbach 103] *verspart* K(LV), *Swann er die p. im vor verspert* Br.

XVII a   Wol ir, si ist ein saelic wîp

1 'Wol ir, si ist ein saelic wîp,   54, 1 — *51 C*, p bl. 235ᵛ,
    diu von sender árbeìt nie leit gewan.   F bl. 106ʳ
   des hât ich den mînen lîp
     vil wol behüetet, wan daz mich ein saelic man
5   Mit rehter staete hât ermant, daz ich im guotes gan.
      nu twinget mich der kumber sîn und tuot mir wê,
        und ist daz mîn angest gar:
        sîn nement wol tûsent ougen war,
       wenne er kome, dâ ich in sê.

2 Er ist mir liep und lieber vil,   54, 10 — *52 C*, F bl. 106ᵛ
    dánne ích ím vil lieben manne sage.
   ob er daz niht gelouben wil,
     daz ist mir leit, sô nâhe als ich die liebe trage.
5   Getórste ich genénden, sô wolde ich im enden sîne klage,
      wan daz ich vil ⟨...⟩ sendez wîp
        ervürhten muoz der êren mîn
        und ⟨...⟩ des lebennes sîn,
       der ist mir alsam der lîp.

3 Owê, taet ich des er gert,   54, 19 — *53 C*, F bl. 106ᵛ
    dâ von möht ich gewinnen leit und ungemach.
   lâze aber ich in ungewert,
     daz ist ein lôn, der guotem manne nie geschach.
5   Alrêrst müet mich, daz ich in ald er mich ie gesach.
      und sol ich sîn ⟨...⟩ ze vriunde enbern,
        daz ist mir leit und muoz doch sîn.
        ich wil ⟨...⟩ hüeten mîn,
       ich engetar sîn niht gewern.'

2, 4 ...das geht mir um so mehr ans Herz, als ich ihn sehr liebe. **5** *genenden* Mut
fassen.

XVII a F-Überlieferung s. S. 95 — **1**, 1 *Wol sú ist* p. **2** *Die* p. **3** *Alse habe ich minen l.*
p. **4** *Har vil wol behůtet* p (hier bricht die p-Überlieferung ab).

XVII a und XVII b ein Lied in der Folge XVII a. **1—3**, XVII b. **4—5** K(HV). Das
Lied gilt allgemein als unecht, vgl. Anm. — **1**, 1 *sist* K(HV). **2** *arebeit* K(HV).
8 ¶ *nemen* K(HV). **9** *Swenne* K(HV).
2, 1 *Erst* K(HV). **2** *ich immer i.* (= F) K(HV). **5** *Torst* K(HV).
3, 3 *ab* K(HV). **5** *Alrêrste* K(HV). **6** *sîn (daz ist ein nôt) ze* (≈ F) K(HV). **8** *wil
immer h.* (= F) K(HV). **8** *Ich entars in n.* K(HV).

XVII b

1 'Wol ir, si ist ein saelic wîp,

     jâ diu von seneder árbeìt nie leit gewan.

  des het ich den mînen lîp

     vil wol behúot, wán daz mich ein vil saelic man

5   Mit rehter staete hât ermant, daz ich im guotes gan.

        ouch twinget mich der kumber sîn und tuot mir wê

          und ist mîn angst gar,

           sîn nemen tûsent ougen war,

        wenn er kumpt, dâ ich in sê.

54, 1 — *F bl. 106ʳ*,
51 C, p bl. 235ᵛ

2 Owê, tuo ich, *des* er gert,

     dâ von mac ich gewinnen leit und ungemach.

  lâz aber ich in ungewert,

     daz ist ein lôn, der guoten mannen nie geschach,

5   Mich riuwet êrst nu, daz ich in und er mich ie gesach.

        sol ich sîn – daz ist mîn nôt – ze vriunde enpern

          únde muoz doch sîn,

          und wil iemer hüeten mîn.

        ich entar in niht gewern.

54, 19 — *F bl. 106ᵛ*, 53 C

3 Er ist mir liep und lieber vil,

     danne ich iemer lieben manne mêr gesage.

  ob er mir ez niht gelouben wil,

     daz tuot wê, sô nân als ich *im* liebe trage.

5   Er sol gedenken an die stat mit vreuden alle tage,

        dâ ich in rehter liebe gar in umbevienc,

          unde *er mich* wider.

          dâ lac alle sorge nider,

        unser wille dô volgienc.

54, 10 — *F bl. 106ᵛ*, 52 C

XVII b Cp-Überlieferung s. S. 94 — 1, 2 *die uō senen der a.* 4 *behütt wenn.* 8 *neme.*
9 *das . . . sehe.*

2, 1 *wes.* 7 *vnd.*

3, 2 *Danne*] *Weñ.* 4 *nân*] *nun. in.* 6 *Das.* 7 *Und ich in.*

3, 2 *liebem* K(HV). 4 *nân* Sch 55. 6—7 *Dar inne ich in mit r. l. umbe vienc | und er
mich dicke kuste wider* Sch 54.

4 Ich wil tuon den willen sîn,   54, 28 — *F bl. 106ᵛ*
   und waer ez al den vriunden leit, die ich ie gewan,
sît daz ich hie i*m* holder pin,
   danne in aller welte ie vrouwe einem man.
5   Nu ich daz hérzè mîn von im niht gescheiden kan.
   er hât gesprochen dicke wol, ich solte im sîn
      liep vür alle wîp.
     des ist er mîn leitvertrîp
   und diu hoehste wunne mîn.

5 Solt er des geniezen niht,   54, 37 — *F:* **vv.** 1—4 bl. 106ᵛ,
   d*a*z er in hôher wirde wol bewîsen ma*ch*,   vv. 5—9 bl. 107ʳ
daz man im des pesten giht
   und alle sîne zît i*m* guoter ding*e* jach,
5   Und ouch daz sîn süezer munt des ruomes nie gepfla*ch*,   55, 1
   dá vón betrüebet wurde ein saelic wîp.
     dés íst gewert,
     wes sîn herze von mir begert,
   und solt ez kosten mir den lîp.'

5, 2 *bewîsen*   aufweisen, dartun.

4, 3 *Seint. in.* 4 *Danne*] *Weñ. einē.* 6 *solte.* 9 *die.*
5, 2 *Des. mag.* 4 *in guten dingen j.* 5 *gepflag.*

4, 2 *diech* K(HV). 3 *Sch* 55] *hie* tilgt K(HV). 4 *Danne* K(HV). *al der w.* K(HV).
  5 *Nu*] *Und* K(HV). *v. im gescheiden niht enkan* K(HV). 7 *Immer liep* K(HV).
5, 2 *Daz* K(HV). *mach* K(HV). 4 *im guoter dinge jach* K(HV). 5 *gepflach* V, *geplach*
  K. 6 *b. iender wurde* K(HV). 7—8 *Des ist er von mir g. | alles swes s. h. gert*
  K(HV).

XI. Heinrich von Veldeke

Die Lieder Veldekes werden sowohl in normalisiertem Mhd. als auch in der von Theodor Frings rekonstruierten altlimburgischen Form abgedruckt (vgl. Anm. Bd. II, S. 81 f). Zum Vergleich beider Fassungen werden diese einander synoptisch gegenübergestellt.

I   Ez sint guotiu niuwe maere

1   Ez sint guotiu niuwe maere,   56, 1 — 1 BC
    daz die vogel offenbaere
      singent, dâ man bluomen siht.
    zén zíten in dem jâre
5   stüende wol, daz man vrô waere,
    leider des enbin ich niht:
      Mîn tumbez herze mich verriet,
    daz muoz unsanfte unde swaere
    tragen daz leit, daz mir beschiht.

2   Diu schoenest und diu beste vrowe   56, 10 — 2 BC
    zwischen dem Roten und der Sowe
      gap mir blîdeschaft hie bevorn.
    daz ist mir komen al ze riuwen
5   durch tumpheit, niht von untriuwen,
      daz ich ir hulde hân verlorn,
    Die ich zer besten hete erkorn
    oder in der welte mohte schowen.
    noch sêre vürhte ich ir zorn.

3   Al ze hôhe ⟨...⟩ minne   56, 19 — 3 BC
    brâhten mích úz dem sinne.
      dô ich ir ougen unde munt
    sach wol stén únd ir kinne,
5   dô wart mir daz herze enbinne
      von sô süezer tumpheit wunt,
    Daz mir wîsheit wart unkunt.
    des bin ich wol worden inne
    mit schaden sît ze maniger stunt.

I. 1, 1 *gútú* C. 3 *die bl. siet* C. 4 *Ze den ... iaere* C. 6 *niet* C. 9 *beschiet* C.
2, 1 *schônste* C. 1 : 2 : 4 *frôwe : sôwe : rôwe* C. 3 *blideschafte* B. 5 *Von tvmbheit vñ*
von trôwe C. 7 *ze der* C. *hat* C. 8 *welte ieman schôwe* C. 9 *fúrht* C.
3, 6 *sô fehlt* C.

I u. II als ”Liederwechsel“ Ipsen 392. — 1, 1 : 2 : 5 : 8 *mâre : offenbâre : wâre : swâre*
L. 3 : 6 *siet : niet* L. 4 *Zuo den z.* L, *In den tîden van den jâren* Schröder ZfdA.
67, 127. 8 *Daz ich m.* LVK. *und* L. 9 *Tragen leit* L. *beschiet* Sch 55] *geschiet* L.
2, 2 *dem* tilgt L. *der* tilgt Br. 3 *blîschaft* L. 1 : 2 : 4 : 5 : 8 *frouwe : Souwe : rouwen :*
untrouwen : schouwen L. 7 *hât* L. 8 *Odr* L. *Ofte iman moht ter werelt schouwen*
Br. *mohte schouwen*] *ieman scouwe* VK. 9 *iren* L.
3 Unecht Thomas 167, 198. — 1 Lücke LV, *lôse* Sch 56, *swevende* Schröder ZfdA. 67,
127 f, ¶ *gerẹnde* K. 2 *mich al úz* L. 4 *sô wol* L.

56, 1   Het is gûde nouwe mâre
        dat dî vogelẹ openbâre
        singen dâ men blûmen sît.
        tût den tîden in den jâre
        stûnde't dat men blîde wâre:
        leider des ne bin ich nît.
        mîn dumbe herte mich verrît,
        dat ich mût unsachtẹ endẹ swâre
        dougen leit dat mich geschît.

56, 10   Dî scônestẹ endẹ dî beste vrouwe
            tuschen Roden endẹ der Souwen
            gaf mich blîtscap hî bevoren.
            dat ịs mich komen al te rouwen:
            dorẹ dumpheit, nîwet van untrouwen,
            dat ich herẹ hulde hebbẹ verloren
            dî ịch ter bester haddẹ erkoren
            oftẹ in der werelt îman scouwe.
            noch dan vorchtẹ ich heren toren.

56, 19   Al te hôge gerẹnde minne
            brachte mich al ût den sinne.
            dû ịch herẹ ougen ende munt
            sach sô walẹ stân endẹ herẹ kinne,
            dû wart mich dat herte binnen
            van sô sûter dumpheit wunt,
            dat mich wîsheit wart unkunt.
            des bin ich wale worden inne
            bit scaden sint te manẹger stunt.

4   Daz übel wórt sí verwâten,   57, 1 — 4 *BC*
    daz ich nie kúndè verlâten.
      dô mich betrouc mîn tumber wân,
      der ich was gerende ûz der mâten.
5   ich bat sî in der kartâten,
      daz sî mich müese al umbevân.
        Sô vil het ich niht getân,
      daz sî ein wénìc ûz strâten
      durch mich ze unrehte wolte stân.

1, 7 *verrâten*   irreleiten. 8 vgl. Anm.
2, 2 zwischen Rhone und Sawe. 3 *blîdeschaft*   Freude.
3, 5 *enbinne*   innen.
4, 5 *in der kartâten*   bei Gott (als dem Gefäß der Liebe) F/S 15.   7—9 vgl. Anm.

II a   Ich bin vrô

A: 1—5; BC: 2, 4, 5

1   'Ich bin vrô, sît uns die tage   57, 10 — 13 *A*
      liehtent unde werdent lanc',
    sô sprach ein vrowe al sunder clag*e*
      vrîlîch und ân al getwanc.
5   'Des segg ich mînen glücke danc
      daz ich ein sulhe herze trage,
        daz ich dur heinen boesen tranc
      an mîner blîschaft nie mê verzage.

4, 1 *worte sv́* B. 5 *caritaten* C. 6 *mv́s* C. 8 *weninc* C.
II a. 1, 3 *clag* A. 5 *zec* A. *gluke* A.

4, 1 *worte sîn v.!* L. *dat sî* P 421, Sch 56, *et sî* VK. 2 *ichs* Sch 56. *niene* L. 8 *ûzer* L.
II a Strr. 1 u. 3 unecht Thomas 167, 191, 216; ein Lied wie oben LVK] 1 Einzelstr.,
   2, 4, 5 eigener Ton Br. 3 Auswechselstr. zu 5 mit der Folge 1, 2, 4, 5/3 Ipsen 390 f
   (dagegen K, MFU 161 f). — 1, 6 *sulich* L. 7 ¶ *kranc* LVK, *dranc* (= Bedrängnis)
   Sch 57. 8 *niene* L.

7, 1   Dat quâde wort het sî verwâten
       dat ich nîne kunde lâten,
       dû mich bedrouch mîn dumbe wân.
       der ich was gerendẹ ûter mâten,
       ich bat herẹ in der caritâten
       dat sî mich mûstẹ al umbevân.
       sô vele nẹ haddẹ ich nît gedân
       dat sị ein wênech ûter strâten
       dorẹ mich tẹ unrechte wolde stân.

7, 10 'Ich bin blîde, sint dî dāge
       lîchten ende werden lanc,'
       sprac ein vrouwẹ al sunder clāge
       vrîlîkẹ endẹ âne al gedwanc.
       'des seggẹ ich mînen gẹlucke danc
       dat ich ein sulic herte drāge
       dat ich dore negeinen bôsen cranc
       anẹ mîner blîtscap nînẹ verzāge.

2 Hie hete wîlent zeiner stunde
   vil gedienet och ein man,
  sô d*az* ich nu wol guotes gunde;
   des ich ime nu niene gan,
5 Sît dat hê den muot gewan,
  dat hê nu *eischen* begunde,
   dat ich im baz entseggen kan,
  [ ] danne hê'z an mir gewerben kunde.

57, 18 — 14 A, 5 BC

3 Ez kam von tumbes herzen râte,
   ez sal ze tumpheit och ergân.
  ich warnite in alze spâte,
   daz hê hete missetân.
5 Wie mohte ich dat vür guot entstân,
  dat hê mi*ch* dorpelîche baete,
   dat hê muoste al umbevân?
  ⟨· · · · · · · · · · · · · · · · ·⟩

57, 26 — 15 A

4 Ich wânde, dat hê hovesch waere,
   des was ime ich von herzen holt.
  daz segg ich ûch wol offenbaere:
   des ist hê gar âne schult.
5 Des trage ich mir ein guot gedolt
  – mir ist schade vil unmaere –
   hê *iesch an mir* ze rîchen sol*t*,
  des ich vil wol an ime enbaere.

57, 34 — 16 A, 6 BC

58, 1

---

2 BC s. S. 104 — 3 *daz*] *dahte* A. 6 *eischen*] *schene* A. 7 *entzeken* A. 8 *Danne h.*
danne hez A.
3, 2 *zal* A. 6 *min* A. 8 fehlt A.
4 BC s. u. — 3 *zec* A. 7 *He ich ez an ime ze r. solte* A.

2, 1 *Mî* LVK. 3 VK] *Sô dazt* L. *nu*] *ime* LVK. 7 *Dat hê an mî êschen gunde (begund*
P) L, P 421, *Dat he to eiskenne beg.* Ba, V, *Dat'er eischen mich beg.* F/S 21, K.
8 *Dan hez an* L.
3, 3 *in es alze* L. 6 *mî* L. *bâte* L. 7 *hê mî* L, *ich heme* F/S 3, 24. 8 Lücke LV] *Ik va[n]*
newan op rehter strâte. Sch 58, *Het sal heme noch ergân te quâde.* F/S 3, 24, K.
4 Versfolge 1—3, 7, 4, 8, 5, 6 Br. 2 *ich ime* L. 6 *sîn schade* L. 7 *iesch an mî . . . solt* L.

57, 18   Mich hadde wîlen tẹ einen stunden
wale gedînet ouch ein man,
sô dat ich hemẹ velẹ gûdes unde;
des ich hemẹ nû nîwet an,
sint dat hê den mût gewan
dat'er eischen mich begunde
dat ich hemẹ bat entseggen kan
dan hê't anẹ mich gewerven kunde.

57, 26   Het quam van dumbes herten râde,
het is te dumpheit ouch ergân.
ich warnde hemẹ es al te spâde
dat'er heddẹ anẹ mich misdân.
wî mochtẹ ich dat in gûde verstân
dat hê mich dorperlîke bâde
dat ich hemẹ mûstẹ al umbevân?
het sal hemẹ noch ergân te quâde.

57, 34   Ich wânde dat'er hovesch wâre:
des was ich heme van herten holt.
dat seggẹ ich ûch al openbâre:
des is'er van mich âne scolt.
des dragẹ ich mich ein gût gedolt:
mich is sîn scade velẹ unmâre.
hê îsch mich al te rîken solt:
des ich velẹ walẹ van hemẹ entbâre.

5 Hê iesch an *mich* te lôse minnen,   58, 3 — 17 *A*, 7 BC
  dî ne vant hê an *mir* niht.
  dat quam von sînen kranken sinnen,
  wan ez ime sîn tumpheit riet.
 5 Waz obe ime ein schade dar an geschît?
  des bringe ich in vil wel *inne*,
  dat hê sîn spil ze unreht ersih*t*:
  daz herze brichet, êr hê't gewinne.'

1, 4 *vrîlîch* freimütig, ohne Rückhalt. 7 *heinen* = *neheinen*.
2, 6 *eischen* fordern. 7 *entseggen* vorenthalten. 8 *gewerben an* c. dp. bei jemandem
zum Ziele kommen.
3, 3 *warnen* erinnern. 5 *entstân* verstehen. 6—7 abh. v. *entstân*.

II b Mir hete wîlent ze einen stunden

1 'Mir hete wîlent ze einen stunden   57, 18 — 5 *BC*, 14 *A*
  so wol gedienet ein man,
  daz ich ime wol guotes gunde;
  des ich ime nu niht gan,
 5 Sît daz er den muot gewan,
  daz er an mich eischen begunde,
  des ich ime baz verzîhen kan,
  denne er ez umbe mich gewerben kunde.

2 Ich wânde, daz er hovesch waere,   57, 34 — 6 *BC*, 16 *A*
  darumbe was ich ime holt.
  daz rede ich nu wol offenbaere:
  des ist er von mir unverscholt.
 5 Dés hábe ich guot gedolt:
  sîn schade der ist mir unmaere.
  er iesch alze rîchen solt,
  des ich von ime doch wol enbaere.

5 BC s. u. — 1 *Hei isch an ime theloso minnen* A. 2 *Dine* A. *ime niht* A. 4 *ez]* er A.
4 *niet* A. 6 *wel wunen* A. 7 *ersih* A. 8 *er het* A.
II b. 1 A s. S. 102 — 1 *zeiner stunde* C. 3, 4, 7 *im* C.
2 A s. S. 102. 2 *Dar vmb* C. *im* C. 5 *hab* C. 8 *im* C.

5, 1 *mî tô* l. *minne* L. 2 *mî* L. 2 : 4 : 5 : 7 *niet : riet : geschiet : ersiet* L. 3 *sinne* L.
4 *et* L. 5 *obe im schade dran* L. 6 *bring* L. *wol inne* L. 8 *V] Daz hezt bricht* L,
Dat het brikt Ba, *Dê't breket* K, *Het breket* Br.

58, 3   Hê îsch mich al te lôse minne,
         dî ne vant'er anẹ mich nît.
         dat quam van sînen cranken sinne,
         want et hemẹ sîn dumpheit rît.
         wat of hemẹ scadẹ dâr avẹ geschît?
         des brengẹ ich hemẹ velẹ walẹ in inne
         dat hê sîn spil tẹ unrechtẹ ersît
         dê't breket êre hê't gewinne.

3   Er gert alze ungevüeger minnen,   58, 3 — 7 *BC*, 17 A
     an mir der vant er niet.
       daz wîze er sînen kranken sinnen,
       daz ime sîn tumpheit so geriet,
5   Swaz schaden ime dâ von beschiet.
       des mac er wol werden inne,
       daz er sîn spil niht wol beschiet:
       er brichet ê, danne er ez gewinne.'

1, 1 *ze einen st.* (pl!) in gewissen St. (vgl. Schröbler, Syntax § 293,5) oder auch früher einmal (vgl. Wolfram, Willehalm 9,1).
3, 7 *bescheiden* einrichten, bestimmen. 8 vgl. Anm.

III   Swer mir schade an mîner vrowen

1   Swer mir schade an mîner vrowen,   58, 11 — 8 *BC*
     dém wűnsche ich des rîses,
       dar an die diebe nement ir ende.
     swer mîn *dar an schône mit trouwen,*
5   dem wünsche ich des paradîses
       unde valte ime mîne hende.
       Vrâge iemen, wer si sî,
         der bekenne sî dâ bî:
          ez ist diu wolgetâne.
10   gnâde, vrowe, mir,
            der sunnen gan ich dir,
          sô schîne mir der mâne.

3 A s. S. 104. 1 *gerte* C. *minne* C. 3 *sinen k. sinne* C. 4 *im* C. 5 *im* C. *geschiet* C. 6 *innen* BC. 8 *das ers g.* C.
III. 1, 1 *frőwen* C. 4 *Swer min an miner vrowen schonet* B. 5 *wűnsch* C. 6 *im* C. 7 *Vrag* C. 10 *Genade* C.

III Unecht Thomas 237 ff; zur Zusammengehörigkeit der Strr. vgl. Anm. — 1, 1 *frou-wen* L. 2 Lücke vor *rîses* L, *dorren* bzw. *dorres* erg. Ba, Schröder ZfdA. 33, 102, bzw. F/S 43, KBr. 4 *mit*] *in* L. 5 *wünsch* L. 6 *im* L. 7 *Frâg* L. 8 *kenne* L. 10 *Genâde* L.

58, 11 Wê mich scadẹ anẹ mîner vrouwen,
  demẹ wunschẹ ich des dorres rîses
  dâ dî dîvẹ anẹ nemen ende.
  wê mîn scônẹ anẹ herẹ bit trouwen,
  demẹ wunschẹ ich des paradîses
  ende valdẹ hẹmẹ mîne hende.
  vrâgẹ îman wê sî sî,
  dê kenne sî dâ bî:
  het is dî walẹ gedâne.
  genâde, vrouwe, mich.
  der sunnen an ich dich,
  sô schîne mich der mâne.

2   Swie mîn nôt gevüeger waere,   58, 23 — 9 BC
       sô gewunne ich liep nâch leide
    unde vröide manicvalde,
  wan ich weiz vil liebiu maere:
5   die bluomen springent an der heide,
       die vogel singent in dem walde.
          Dâ wîlent lac der snê,
          dâ stât nu grüener klê,
             er touwet an dem morgen.
10   swer nu wélle, der vröwe sich,
                niemen noet es mich:
          ich bin unledic von sorgen.

1, 2 *des rîses*   Strang aus gedrehten Zweigen.
2, 9 *touwen*   tauig werden. 11 *noeten*   c. g. zwingen.

IV   Tristran muose sunder sînen danc

1   Tristran muose sunder sînen danc   58, 35 — 10 BC, 1 A
       staete sîn der küneginne,
    wan in daz poisûn dar zuo twanc
       mêre danne diu kraft der minne.
5   Des sol mír diu guote sagen danc,
    wizzen, daz ich sölhen tranc
       nie genam und ich sî doch minne
          baz danne er, und mac daz sîn.
             wol getâne,
10   valsches âne,
          lâ mich wesen dîn
          unde wis dû mîn.

2, 5 *entspringent* C.

IV. **1, 1** *Tristrant mv̊ste* A, *Tristan* C. *sînen* fehlt A. 2 *kvneginne* A, *kv̊negin* B. 3 *daz*]
der C, fehlt A. 4 *dan* C. *crafte* B. 5 *diu*] *dir* A. *sagen* fehlt AC. 6 *solkē* C. 6 f *ich
niene gedranc | Alsvlhen pin vñ ich si m.* A. 12 *Vñ dv min* A, *Vñ bis dv min* C.

2, 5 u. 6 *Die* tilgt Schröder ZfdA. 67, 127. 9 *Et t.* V, *Bedouwet* K. 10 *Swer wil* L.
12 *von* tilgt L.

IV Unecht Thomas 238 f; vv. 9—10 ein Vers VK. — **1, 1** *Tristrant muoste* L. ¶ *sînen*
tilgt L. 3 *daz* tilgt L. *dan* L. ¶ *sagen* tilgen LVK. 6 f *daz ich niene gedranc |
alsulhen (wîn* L) *pîment und* LBa, Sch 59, VK. 7 *doch* tilgt L. 8 *dann* L.

58, 23   Wî min nôt gevûger wâre,
sô gewunnę ich lîf nâ leide
ende blîtscap manechfalde,
want ich weit velę lîve mâre:
blûmen springen anę der heiden,
vogelę singen in den walde.
dâ wîlen lach der snê,
dâ steit nû grûne clê,
bedouwet anę den morgen.
wê welę dê vrouwe sich:
nîman nę nôde's mich,
ich bin unledech sorgen.

58, 35   Tristrant mûstę ânę sînen danc
stâde sîn der koninginnen,
want poisûn hemę dâr tû dwanc
mêre dan dî cracht der minnen.
des sal mich dî gûde danc
weten dat ich nînę gedranc
sulic pîment endę ich sî minne
bat dan hê, endę mach dat sîn.
walę gedâne,   valsches âne,
lât mich wesen dîn
ende wis dû mîn.

2 Sît diu sunne ir liehten schîn   59, 11 — 11 *BC*, 2 *A*
       gegen der kelte hât geneiget
       und diu kleinen vogellîn
       ír sánges sint gesweiget,
5   Trûric ist daz herze mîn.
       ich waene, ez wil winter sîn,
         der uns sîne kraft erzeiget
           an den bluomen, die man siht
             in liehter varwe
10   erblîchen garwe;
         dâ von mir beschiht
       leit und anders niht.

1, 3 *poisûn*   Gift, Zaubertrank.

V   In den zîten von dem jâre

B: 1—3; *C*: 2, 1, 3

1 In den zîten von dem jâre,   59, 23 — 12 *B*, 13 *C*
       daz die tage sint lanc
       und daz weter wider klâre,
       [] sô verniuwent offenbâre
5   diu merlîkîn ir sanc;
       diu uns bringent liebiu maere.
         Got mac er sîn wizzen danc,
           swer hât rehte minne
           sunder riuwe and âne twanc.

2, 2 *Gen der kalten* A. 3 *cleine vogellṽ* A. 6 *Wan ez wil nv* w. A. 8 *die*] *den* A.
9 *"varwe lihts"* A. 10 *Erbleichet gar owe* A, *Ir bliken garwe* B. 11 *geschiht* A.
12 *anders*] *liebes* A.
V. 1, 1 *dem* C. *vor d. iere* C. 3 *clere* C. Nach v. 3 *svnds sinen dang* B, fehlt C.
4 *vernṽwet* BC. *offenbere* C. 5 *Die merlichen* B, *Diu merlin* C. 9 *wanc* C.

---

2 Unecht F/S 41, 51 f, K, Thomas 238 f, dagegen Klein ZfdPh. 90, Sonderh. 1971,
90 ff; ein Lied mit III. 1 Thomas 237 f. — 4 *Ires* L. 6 LVK nach A. 9 *In* tilgt L.
10 *Erbleichet* L. 11 *geschiht* L. 12 *anders*] *liebes* LVK.
V Folge nach B Ipsen 391] Folge 1, 3, 2 LVK; vv. 2 u. 5 vierhebig LVK. — 1, 2 *sîen*
L, *werden* Schröder ZfdA. 33, 103, VK. Tilgung nach v. 3 LVK. 4 *verniuwent* L.
5 *merlîkîne iren* L. 6 *mâre* L. 7 *Gote mag ers* L. 9 *wanc* L.

59, 11 Sint dî sunnę hęręn lîchten schîn
       tût den kalden hevęt geneiget
       endę dî cleine vogelîn
       heres sanges sîn gesweiget,
       trûrech is dat herte mîn,
       want et welę nû winter sîn,
       dê uns sîne cracht erzeiget
       anę den blûmen, dî men sît
       lîchter varwę   erblîken garwe;
       dâ van mich geschît
       leit endę lîves nît.

59, 23 In den tîden van den jâre
       dat dî dage werden lanc
       endę dat weder weder clâre,
       sô ernouwen openbâre
       merelâre heren sanc,
       dî uns brengen lîve mâre.
       gode mach her's weten danc
       dê hevet rechte minne
           sunder rouwę endę âne wanc.

2 Die mich darumbe wellen nîden,   60, 4 — 13 *B*, 12 C
    daz mir léides iht beschiht,
    daz mac ich vil sanfte lîden,
    ⌠mîne blîtschàft vermîden
5   und wil darumbe niht⌡
    noch gevolgen den unblîden
      Dâ nâch, daz sî mich gerne siht,
      diu mich dur die rehten minne
      lange pîne dolen liet.

3 Ich wil vrô sîn durch ir êre,   59, 32 — 14 *BC*
    diu mir daz hât getân,
    daz ich von der riuwe kêre,
    diu mich wîlent irte sêre.
5   daz is*t* mích nû sô vergân,
    daz ich bin rîch und grôz hêre,
      Sît ich si muoste al umbevân,   60, 1
      diu mir gap rehte minne
      sunder wích únde wân.

1, 5 *merlîkîn*   Amsel.
2, 6 *noch*   jetzt, von jetzt an. 7 in Erwartung dessen, daß ... 9 *liet = liez.*
3, 5 *daz*   bezieht sich auf Situation in v. 4. 9 *wîch*   Weichen, Wanken.

2, 2 : 5 : 7 *geschiet : niet : siet* C. 4 *Noch mine blideschaft verm.* C. 4 f *Vñ wil darvmbe niht | Mine bl. verm.* B. 6 *Noch* tilgt C. 8 *doln* C.
3, 5 *ist*] *ich* B. 7 *mûste* C. 9 *wig* C.

---

2 Versfolge 1, 2, 6, 3, 5, 4, 7, 8, 9 Thomas 172. — 2 *leides*] ¶ *liebes* LVK. 2 : 5 : 7 *geschiet : niet : siet* L. 3—6 *Und gevolgen den unblîden | daz mac ich vil sanfte lîden | und enwil darumbe niet | mîne blîdeschaft vermîden* L, dagegen Sch 60. 8 *durch rehte minne* L.
3, 1 *wil ... sîn*] *bin* K. 2 Lücke hinter *daz* L, *nu* erg. Schröder ZfdA. 33, 103, *te lieve* erg. Sch 60, *mir (mich* K*) hevet dat* VK. 6 *grôte hêre* (= *vir illustris*) F/S 57, K. 9 *wîch und âne w.* L.

60, 4   Dî mich drumbe willen nîden
           dat mich lîves ît geschît,
           dat mach ich velę sachte lîden
           noch mînę blîtscap nîwet mîden,
           ende nę wille drumbe nît
           nâ gevolgen den unblîden,
           sint dat sî mich gerne sît
           dî mich dorę rechte minne
              lange pîne dougen lît.

59, 32   Ich bin blîde dorę herę êre
           dî mich hevet dat gedân
           dat ich van den rouwen kêre,
           dê mich wîlen irde sêre.
           dat ịs mich nû alsô ergân:
           ich bin rîkę endę grôte hêre,
           sint ich mûstę al umbevân
           dî mich gaf rechte minne
              sunder wîc endę âne wân.

VI   Der blîdeschaft sunder riuwe hât

BC: 1 ‖ 2

1 'Der blîdeschaft sunder riuwe hât   60, 13 — 16 *BC*
   mit éren hie, dér ist rîche.
   daz herze, dâ diu riuwe inne stât,
   daz lebet jâmerlîche.
5   Er ist edel unde vruot,
       swer mit êren
       kan gemêren
       sîne blîtschaft, daz ist guot.'

2 Diu schoene, diu mich singen tuot,   60, 21 — 40 *BC*
   si sol mich sprechen lêren,
   dar abe, daz ich mînen muot
   niht wol kan gekêren.
5 Sî ist edel unde vruot,
       swer mit êren
       kan gemêren
   sîne blîdescha*ft*, daz ist guot.

1, 5 *vruot* klug, verständig.
2, 1 ... die mich zum Singen veranlaßt. 3 und zwar davon, daß ...

VI. 1, 4 *iemerliche* C. 8 *blideschaft* C.
2, 1 *schone* C. 4 *keren* C. 8 *blideschaf* B.

VI VK] Einzelstrr. L; vv. 6—7 ein Vers mit Zäsur VK. — 1 KBr] Männerstr. LV. —
1 *blîtschaft* L. 2 *Mit êren, hê ist rîche* L. 3 *in* L. 5 LVK] *Sî* Sch 60 f.
2, 3 *daz*] *dan* L. 3 f *Dar ave ne kan ich minen mut / noch wille ich hen gek.* Br. 8 *Her*
K. *blîtschaft* L.

⊃, 13   'Dê blîtscap sunder rouwẹ entfeit
        bit êren, hê is rîke.
        dat herte dâ der rouwẹ in steit,
        dat levet jâmerlîke.
        hê is edelẹ ende vrût:
        wê bit êren   kan gemêren
        sîne blîtscap, dat is gût.'

⊃, 21   Dî scône dî mich singen dût,
        sî sal mich spreken lêren
        dâr ave dat ich mînen mût
        nît wale ne kan gekêren.
        sî is edelẹ ende vrût:
        wê bit êren   kan gemêren
        here blîtscap, dat is gût.

VII   In den zîten daz die rôsen

BC: 1 ‖ 2

1 In den zîten, daz die rôsen   60, 29 — 15 *BC*
    erzeigent manic schoene blat,
    sô vluochet man den vröidelôsen,
    die rüegaere sint an maniger stat
   5 Durch daz, wan sî der minne sint gehaz
    und die minne gerne noesen.
    got müez uns von den boesen loesen.

2 Man darf den boesen niht suochen,   65, 5 — 35 *BC*
    in wirt dicke unsanfte wê,
    wan si warten unde luochen,
    alse der springet in dem snê:
   5 Des sint sî vil deste mê gevê,
    des darf doch niemen ruochen,
    wan si suochen   birn ûf den buochen.

1, 6 *noesen*   stören.
2, 3 *luochen*   spähen. 4 vgl. Anm.   5 *gevê*   feindselig. 6 *ruochen*   wünschen.

VII. **1,** 1 *daz*] *da* C. 2 *erzeigetē* C. 3 *flûht* C. 6 *minne ôsen* C. 7 *Von den bôsen. scheia vns got wc schat im das* C.
2, 2 *Im* C. 3 *wartent* BC. *lûgent* C. 4 *Als* C. 5 *sv́* B. *vil dest me* C. 6 *doch*] *noch* C 7 *sv́chēt* C.

VII Einzelstrr. HVBr, ein Lied Frantzen Neophil. 5, 368, K, Thomas 203. — **1,** *rüeger* H. 4 f *Dî sîn wrûgâre dorę dat / wan si* Thomas 213. 5 *Durch daz* tilge HVK. *gehat* H. 6 *minner g. ôsen* L, *den minnerẹn* K. 7 HV, aber *müeze*] ¶ *Va den bôsen   mûte got uns lôsen* K.
2, 1 *niwet fluochen* HVK. 4 *Als* H. Zu den vielen Konjekturen u. Deutungsversuche vgl. Anm. 5 *si vil diu mê* H. 6 *endarf* H. 7 *biren* H.

0, 29   In den tîden dat dî rôsen
        tounen manech scône blat,
        sô vlûket men den blîdelôsen
        dî wrûgerę sîn anę manęger stat,
        want sî der minnen sîn gehat
        endę den minneręn gerne nôsen.
        van den bôsen   mûte got uns lôsen!

5, 5   Men darf den bôsen nîwet vlûken:
        hen wirt dickę unsachte wê,
        want sî warden ende lûken
        alsę dê sprenket in den snê.
        des sîn sî velę dî mêrę gevê.
        doch ne darf es nîman rûken,
        want sî sûken   peren up den bûken.

VIII　　Diu welt ist der lîhtecheite

Diu welt ⟨*ist*⟩ der lîhtecheite　　　　　　　　　　61, 1 — 17 *BC*
　　alze rüemeclîchen balt.
harte kranc ist ir geleite,
　　daz tuot der mínnèn gewalt.
5　Diu lôsheit, die man wîlent schalt,
　　diu ist versüenet über al,
　　die boesen site werdent alt:
　　daz uns lange weren sal.

1 *lîhtecheit*　Leichtfertigkeit. 2 *rüemeclîch*　auf ruhmredige Weise. *balt*　kühn, schnel▌
6 ist ganz und gar in Gnaden aufgenommen (vgl. F/S 89). 8 *sal*　wird.

IX　　Des bin ich wol getroestet iemer mêre

Des bin ich wol getroestet iemer mêre,　　　　　61, 9 — 18 *BC*
　　daz mich die nîdigen nîden.
nît und al boesiu lêre
　　daz müeze in daz herze snîden,
5　　　sô daz si sterben und deste ê.
ich wil leben mit den blîden,
die ir zît vroelîche lîden;
ich wil durch ir nîden
mîne blîdeschaft niht vermîden.

VIII, 1 *ist* C, fehlt B. 4 *minne* C. 6—8 *Dú ist vnuersvmet | Wol gervmet | Sint* ▌
wege manigvalt C.
IX, 1 *wol* fehlt C. 2 *elliv* C. 4 *versniden* C. 5 *sv́* B, *dest* C. 6—9 *Mit den bliden.*
Wil ichs liden. | Swie es mir darvmbe erge. C.

VIII, 1 *Diu werelt ist* H. 2 *rûmeclichen* ('landflüchtig') Sch 63. 4 *Daz der Minne*▌
tuot g. H. 6—8 *Di is unversumet, | ende wege manechvalt | sin here wale gerume*▌
Br. 8 *werren* P 422, Sch 62, dagegen V Anm., K, MFU 169.
IX ¶ HVK kürzen in v. 1 und bekommen so ein stolliges Lied. — 1 *ich getrôst i*◗
(*dî* K) *mêre* HVK. 3 *elliu* H. 4 *müez* H. 5 in eckigen Klammern F/S 90 f, K◗
und]*omb* Sch 64, *nîd* V, V Anm., dagegen Ipsen 382 f, K, MFU 169. ¶ *dest êre* HV◗
des dî êre F/S 90 f, K. 7 *zît*]*nît* Sch 64, V, dagegen Ipsen 382 f, K, MFU 169◗
9 *blîtschaft* H.

1, 1   Dî werelt is der lichtecheide
       al te rûmelîke balt.
       harde cranc is herę geleide,
       dat der minnen dût gewalt.
       dî lôsheit dî men wîlen scalt,
       dî is versûnet over al.
       bôse seden werden alt,
       dat uns lange weren sal.

61, 9   Des bin ich getrôst dî mêre
       dat dî nîdegen mich nîden.
       nît endę alle bôse lêre
       mûte hen dat herte snîden
       [dat sî sterven des dî êre.]
       ich willę leven bit den blîden,
       dî herę tît in blîden lîden.
       ich ne wille dorę herę nîden
       mîne blîtscap nîwet mîden.

X   Dô man der rehten minne pflac

Dô man der rehten minne pflac,   61, 18 — 19 BC
    dô pflac man ouch der êren.
nu mac man naht unde tac
    die boesen site lêren.
5 Swer diz nu siht und jenez dô sach,
    owê, waz der nu klagen mac!
        tugende welnt sich nû verkêren.

XI   Die man sint nu niht vruot

Die man sint nu niht vruot,   61, 25 — 20 BC
    wan sie die vrowen schelten.
ouch sint sî dâ wider guot,
    daz sî in ez niht wol vergelten.
5 Swer daz schiltet, der missetuot,
    dâ er sich bî genern muoz.
        der brüevet selbe melden,
        die gedîhent selden.

7 *brüeven*   erwägen.

X. 1, 5 *iens* C. 7 *went* BC.
XI, 2—4 *sú* B. 5 *der tús* C. 7 *selbe* fehlt C.

X Einzelstr. H, ein Lied mit XI unter Erg. eines 8. Verses K, bei Annahme von
7-zeiligen Strr. BaVBr. — 7 *welnt* H. 7 f *Undoget welę sich mêren | doget sich ver-*
kêren F/S 92, K.
XI Einzelstr. H, ein Lied mit X unter Angleichung d. Strophenbaus BaVKBr. —
1 *ensint nu niwet* HV, *dî sîn nû niwet* F/S 93, K. 2 *Dat sî* F/S 93, K. 2 : 4 *schel-*
den : vergelden H. 4 *Daz sinz* HV, *Dat sî't hen wale* g. K. 5 *schilt* H. 6 *generen*
muot HVK. 7 *Dê brûver* Kroes Neophil. 11, 284 f, *Dî prûven* F/S 95 f, K. 8 in
Klammern V, tilgt Br.

61, 18 Dû men der rechter minnen plach,
dû plach men ouch der êren.
nû mach men beide nacht endẹ dach
dî bôse seden lêren.
wê dit nû sît endẹ dat dû sach,
owê wat dê nû clagen mach!
undoget welẹ sich mêren,
doget sich verkêren.

61, 25 Dî man dî sîn nû nîwet vrût
dat sî dî vrouwen schelden.
ouch sîn sî dâr integen gût
dat sî't hen wale gelden.
sô wê dat schildet, dê misdût
dâ hê sich bî generen mût.
dî prûven selve melden,
dî gedîen selden.

XII   Swer ze der minne ist sô vruot

1   Swer ze der minne ist sô vruot,   61, 33 — 21 *BC*
    daz er der minne dienen kan,
und er durch minne pîne tuot,
  ⟨*wol im, derst ein saelic man!*⟩
5   Von minne kumet uns allez guot,   62, 1
    diu minne machet reinen muot,
      waz solte ich sunder minne dan?

2   Ich minne die schoenen sunder danc,   62, 4 — 22 *BC*
    ich weiz wol, ir minne ist klâr.
obe mîne minne ⟨*ist kranc*⟩.
    sô wirt ouch niemer minne wâr.
5   Ich sage ir mîner minne danc,
    bî ir minne stât mîn sanc,
      er ist tump, ⟨*swers niht geloubet gar*⟩.

XIII   Man seit al vür wâr

1   Man seit al vür wâr   62, 11 — 23 *BC*
    nu manic jâr,
diu wîp hazzen grâwez hâr.
    daz ist mir swâr
5   Und ist ir misseprîs,
    diu lieber habet ir amîs
    tump danne wîs.

XII. **1**, 4 fehlt B. 5 *kumt* C. 7 *sold* C.
2, 1 *schonen* C. 3 *Ob miniu* C, *Obe mine minne mit velsche sin* B. 6 *mine sank* C.
  7 *Erst* C. *tvmp swen minne dvnket krang* B.
XIII. **1**, 2 *Nu* fehlt C. 6 *hat* C.

XII. **1**, 1 *zer* LV. 3 *Und sich durch minne pînen muozt* L Anm. 4 *wol im* tilgt VK.
  minnesalich BaVK.
2, 1 *Ich minne die* (tilgt L) *schône sunder wanc* LV, *Dî scône minne ich âne wanc* K.
  3 *Ob mîner minne minne ist kranc* L, *Of mîne minne iet velske ein kranc* VK, *is*
  valsch ende cranc Br. 7 *swen minne dunket vâr* LV. *gar*] *swâr* BaK.
XIII. vv. 1—2 Langzeile F/S 102, K. — **1**, 6 *hebben* F/S 103, K.

61, 33   Sô wê der minnen is sô vrût
dat hê der minnen dînen kan,
ende hê dore minne pîne dût,
dê is ein vele minnesâlech man.
van minnen komet allet gût,
dî minne maket reinen mût,
wat solde ich âne minne dan?

62, 4   Dî scône minne ich âne wanc,
ich weit wale here minne is clâr.
of mîne minne ît velsche ein cranc,
sô ne wirt ouch nimmer minne wâr.
ich segge here mîner minnen danc,
bî here minnen steit mîn sanc.
hê is dump deme minne dunket swâr.

62, 11   Men seget vorwâr   nû manech jâr,
dî wît dî haten grâwe hâr.
dat is mich swâr
ende is here misprîs
dî lîver hebben heren amîs
dump dan wîs.

2 D*iu* mê noch d*iu* min,   62, 18 — 24 *BC*
   daz ich grâ bin,
   ich hazze an wîben kranken sin,
   daz niuwez zin
5 Nement vür altez golt.
   si jehent, si sîn den jungen holt
   durch ungedolt.

1, 5 *misseprîs* Schande. 6 *amîs* Freund.
2, 1 f etwa: Genau deshalb, weil ich grau bin. 4 erg. *si.*

XIV In dem aberellen

B: 3 ‖ 1, 2; C: 2, 1, 3

1 In dem aberellen   62, 25 — 28 *B*, 26 *C*
   sô die bluomen springen,
     sô loubent die linden
       und gruonent die buochen,
5 ⌠sô h*a*bent i*r* willen
     die vogele und singen, ⌡
       wan si minne vinden,
         aldâ si suochen
           An ir gnôz,
10   wan ir blîdeschaft ist grôz,
           der mich nie verdrôz.
   wan si swîgen al den winter stille.

2, 1 *Deste . . . deste* B, *Dest . . . dest* C. 4 *Das si* C. 6 *Sv́ . . . sv́ sient* B.
XIV. 1, 3 *lŏben* C. 4 *grv̊nen* B, *grv̊nen* C. 5—6 *So singēt die vogele / Vn̄ heben iren*
   willen B, *So haben ir wellen / Da die vogel singen* C. 7 *sv́* B. 8 *si si* C. 9 *Reht an*
   ir genos C. 12 *sv́* B. *Doch si ir singē an den winter stellen* C.

2, 1 L] *Te mê n. te min* V, *Des merę noch min* F/S 103 f, K. 4 *Die* LVK, *Dat si* Br.
XIV Kurzzeilen (jedoch 9—10 als Langzeile L) L, Spanke ZfrPh. 49, 214, lange Zeilen
   Bartsch Germ. 12, 165, He § 703, K, ebenso VBaBr, Thomas 224, aber VBa vv. 11
   u. 12, Br, Thomas vv. 9 u. 12 Kurzzeilen. — 1, 5 Umstellung nach LKBr. 6 BaBr]
   und tilgen L, Sch 66, *Die vogelę ḥerę singen* F/S 105 f, K. 8 *si si* LVK. 10 *blît-*
   schaft L.

62, 19   Des mêrẹ noch min   dat ich grâ bin,
           ich hate anẹ wîven cranken sin,
           dî nouwe tin
           nemen vorẹ alt golt.
           sî gîn sî sîn den jungen holt
           dorẹ ungedolt.

62, 25   In den aprillen   sô dî blûmen springen,
           sô louven dî linden   endẹ grûnen dî bûken,
           sô heven bit willen   dî vogelẹ herẹ singen,
           sint sî minne vinden   al dâ sî sî sûken
           anẹ herẹn genôt,   want herẹ blîtscap is grôt
           der mich nîne verdrôt,   want sî swegen al den winter stille.

2 Dô si an dem rîse   62, 36 — 25 *BC*
        die bluomen gesâhen
        bî den blaten springen,
        dô wâren si rîche   63, 1
   5 ir manicvalten wîse,
        der si wîlent pflâgen.
            si huoben *ir* singen
            lûte und vroelîche,
            Nider und hô.
  10   mîn muot stât alsô,
            daz ich wil wesen vrô.
        reht ist, daz ich mîn gelücke prîse.

3 Mohte ich erwerben   63, 9 — 26 *B*, 27 *C*
        mîner vrowen huld*e*!
            künde ich die gesuochen,
            als ez ir gezaeme!
   5 ich sol verderben
        al von mîner schulde,
            sî enwolte ruochen,
            daz si von mir naeme
            Buoze sunder tôt
  10   ûf gnâde und durch nôt.
            wan ez got nie gebôt,
        daz dehein man gerne solte sterben.

1, 10 *blîdeschaft* Freude. 11 die mir nie lästig war.
2, 7 *heben* anfangen. 12 *gelücke* Schicksal.
3, 7 *ruochen* dafür sorgen. 9 *buoze* Strafe für die Liebe zu der Dame. *sunder tôt*
ohne daß ich (aus Liebe) sterben muß. 10 *ûf gnâde* im Vertrauen auf Gunst.

2, 1, 4, 6 *sô* B. 6 *Der si veriahen* C. 7 *sô hôben vñ svngen* B.
3, 1 *Môht* C. 2 *hvlden* B. 3 *Kônde* C. 7 *Sine wolte* C. 10 *genade* C.

2, 2 *gesâgen* L. 5 *mancvalten* L.
3, 1 *Môht* L. 2 K] *Mit fröiden ir hulde* L. 3 *Künd* L. 7 *Sine w.* L. 9 *sunder*] *âne* L.
    10 *genâde* L.

62, 36   Dû sị anẹ den rîsen   dî blûmen gesâgen
bî den bladen springen,   dû wâren sî rîke
herẹ manẹchfalder wîsen   der sî wîlen plâgen.
sî hûven herẹ singen   lûdẹ ende vrôlîke,
nederẹ endẹ hô.   mîn mût stéit ouch alsô
dat ich wíllẹ wesen vrô.   recht is dat ich mîn geluckẹ prîse.

63, 9   Mochtẹ ich erwerven   mînér vrouwen hulde!
kundẹ ích dî gesûken   alsẹ hérẹ walẹ getâme
ich sal noch verderven   al dorẹ mîne sculde,
sî nẹ wolde gerûken   dat sî van mich nâme
bûtẹ âne dôt   up genâdẹ endẹ dorẹ nôt,
want et gót nînẹ gebôt   dat negein man gerne solde sterven.

XV   Got sende ir ze muote

Gót sende ír ze muote,   63, 20 — 27 B, 28 C
daz si ez meine ze guote,
wan ich vil gerne behuote,
    daz ich ir iht spraeche ze leide
5   und iemer von ir gescheide.
    mich bindent sô vaste die eide,
    minne und triuwe beide.
des vürhte ich sîn als daz kint die ruote.

3 *behuoten*   sich hüten vor. 8 *sîn* (*vürhten* c. g.) = es (das Scheiden).

XVI   Si ist sô guot

1   Si ist sô ⌠guot und ist sô schône⌡,   63, 28 — 29 BC
    die ich nu lange hân gelobet.
    solt ich ze Rôme tragen die krône,
    *ich saste ez ûf ir houbet.
5   Maniger spraeche: sehent, er tobet!
    got gebe, daz sî mir lône!
        wan ich taete, ich weiz wol wie,
        lebt si noch, als ich si lie;
        sô ist si dort, und ich bin hie.

XV, 8 ¶ *si* C.
XVI. 1, 1 *so schone vñ ist so gv̊t* B, g. *vñ ŏch so schône* C. 2 *gelobt* C. 4 *sastes* C.
hopt C. 5 *seht* C. *tŏbet* B, *tobt* C. 9 *bin ich* C.

XV Langzeilen (außer v. 5) Thomas 228; HVK] Thomas 228 stollig mit v. 4 als
Schwellenvers; gemischte Daktylen K, MFU 175 (He § 709, aber nur 1—7), 1—7
daktyl., 8 alternierend Br, Thomas 228. — 7 *unde* H. 8 H, K, MFU 175, aber
sî] *ich dî gûdẹ alsẹ d. k. dût* . . . F/S 113, K, *si also d. k. di rude* Br.
XVI Zum Umfang des Tones vgl. XVII; 1 unecht F/S 114 u. 120, K, Neumann 29,
Thomas 161 f u. 239 f, 2 unecht Thomas 240 u. 248, echt Minis ZfdPh. 90, Son-
derh. 86 ff; 1—6 Langzeilen He § 746. — 1, 1 *und ouch sô* L. 2 *gelobet*, Sch 68.
3 *tragen krône* L. 4 *gesaztes* L. *hobet* L. 5 *seht* L. 7 f Interpunktion nach P 422,
Sch 68, K] *wie.* / . . . *lie*, L, Minis ebd. 89 f. 8 *lie*] *sî* Minis ebd. 89 f. 8 f *lie?* / *odr
ist* . . . *hie?* Bu 60. 9 *Waere si niht dort und ich hie* P 422.

63, 20 Got here sende te mûde
dat sî et meine te gûde,
want ich velẹ gerne behûde
dat ich herẹ ît spreke leide
endẹ immer van herẹ gescheide.
mich binden vaste dî eide,
minnẹ ende trouwe dî beide:
des vórchtẹ ich dî gûdẹ   alsẹ dat kínt dût dî rûde.

63, 28 Sî is sô gût endẹ ouch sô scône,
dî ịch nû lange hebbẹ gelōvet,
soldẹ ich te Rôme dragen crône,
ich gesatte sẹ up herẹ hôvet.
manech sprâke 'sît hê dōvet'.
geve got, dat sî mich lône,
want ich dâdẹ ich weit walẹ wî,
levẹt sî noch alsẹ ich sî lî:
sô is sî dâ endẹ ich bin hî.

2 Si tet mir, dô si mir sîn gunde,   64, 1 — 30 BC
      vil ze liebe und ouch ze guote,
   daz ich noch ze etlîcher stunde
   singe, sô mir sîn wirt ze muote.
5   Sît ich sach, daz sî die huote
   sô betriegen kunde
      sam der hase tuot den wint,
      so gesorget ich [ ] niemer sint
      umbe mînes sunes tohter kint.

1, 5 *tobet* hat den Verstand verloren. 7—9 vgl. Anm.
2, 7 *wint* Windhund. 9 *sunes tohterkint* = ich (Wallner ZfdPh. 64, 161), Urenkel
(Sch 68).

XVII   Gerner het ich mit ir gemeine

   Gerner het ich mit ir gemeine   64, 10 — 31 BC
      tûsent marke, swâ ich wolte,
   unde einen schrîn von golde,
   danne von ir wesen solde
5 verre siech und arme und eine.
      des sol si sîn von mir gewis,
      daz daz diu wârheit an mir is.

2, 1 *dos* C. 3 *zeteslicher* C. 5 *Sid* C. 8 *ich ich* B. 9 *Umb* C.
XVII, 1 *Gern* C. 2 *wolde* C. 4 *Danne*] *Dan ich* C. 5 *siech arm* C. 7 nur e i n *daz* C.

---

2 Einzelstr. Br. — 1 *tete* L. *mirs* L. 3 *zeteslîcher* L. 4 *mirs* L. 8 *gesorge* L. 8 f *ik mik
minner sint / dan umb* Sch 68. 9 *Umb* L. *sunes* L] *anen* L Anm., K. *Umbe mich des
sunes dochterkint* Br.
XVII Unecht Thomas 240 u. 249; von K durch konjizierende Umwandlung von v. 3
in zwei vv., sowie durch Einschub eines v. nach v. 6 als 3. Str. zu XVI (vgl. K,
MFU 178 f), dagegen F/S 120 u. Thomas 249, der vv. 2 u. 3 zusammenfaßt. —
1 *mit* tilgt H. 2 *ich*] *si* Br. 3 Br] *scrîn vol edeler steine / wale geworcht van rôden
golde (Geworht van silver end van golde* K, MFU) K, MFU 179, F/S 118 f. 4 *Danne
ich* H. 5 *arm* H. 6 f Br] *sîn vele gewis / ende vele wale gedenken dis* K.

4, 1 Sî dede mich, dû sî mich's unde,
  velȩ te lîvȩ endȩ ouch te gûde,
  dat ich noch te manȩger stunden
  singȩ alsô mich's wirt te mûde.
  sint ich sach dat sî dî hûde
  alsô walȩ bedrîgen kunde
  alsȩ der hase dût den wint,
  sô nȩ gesorgȩ ich nimmer sint
  umbȩ mînes anen dochterkint.

54, 10 Gernȩ heddȩ ich bit herȩ gemeine
  dûsent marke wâr ich wolde
  endȩ ein scrîn vol edȩler steine,
  walȩ geworcht van rôden golde,
  dan ich van herȩ wesen solde
  verre sîc endȩ arm endȩ eine.
  des sal sî sîn velȩ gewis
  endȩ velȩ walȩ gedenken dis
  dat dat dî wârheit anȩ mich is.

XVIII   Ez tuont diu vogelîn schîn

Ez tuont diu vogelîn schîn,   64, 17 — 32 BC
  daz siu die boume sehent gebluot,
  ir sanc machet mir den muot
sô g u o t , daz ich vrô bin
5 Noch trûric niht kan sîn.
  got êre sî, diu mir daz tuot,
al über den Rîn.
  daz mir der sorgen ⟨ist⟩ gebuot,
    aldâ mîn lîp verre ist in ellende.

6 *got êre sî* eig. Glorifizierung der Heiligen durch Gott. 8 *gebuot* vgl. Anm.

XIX   Ez habent die kalte nähte getân

Ez habent die kalte nähte getân,   64, 26 — 33 BC
  daz diu löuber an der linden
winterlîche vál stân.
der minne hân ich guoten wân
5   und weiz sîn nû ein liebez ende;
daz ist mir zem besten al vergân,
  Dâ ich die minne guot vinde
  und ich mich ir aldâ underwinde.

6 *al vergân* zu Ende gegangen. 8 *underwinden* sich bemächtigen.

XVIII, 1 *vogellú* B. 2 *si* C. *blůmē* C. 9 *verre* fehlt C.
XIX, 1 *kalten* C. *nęht* B. 2 *lőber* B, *lőiber* C. 6 *zeden* B, *zen* C.

XVIII K u. Thomas 172 ziehen vv. 3—5 zu z w e i vv. zusammen (s. u.); Langzeile
He § 745. — 1 *die vogele schîn* H. 3—5 *Herę sanc dê maket mich den mût s*
gût | dat ich bin vrô noch rouwech nîne kan sîn F/S 124, K. 4 bin *vro* (als Binnen
reim zu 7 *Also verre over Rin)* Br. 8 H] *sorgen werde buot* Schröder ZfdA. 33
103, *Dat si der sorgen mich gebut* Br. 9 *lîp verr* (*sik* Sch 69) *in ellende muot* H
Sch 69, *lîf sich verellenden mût* F/S 125, K, *lîf sich enelenden mût* K, MFU 181, *li*
ellenden mut Br.
XIX Zum Umfang des Tones vgl. XXXIII. — 1 *kalten nehte* H. 3 *valwiu* H. 6 *Dei*
mir zem b. sal ergân HVK. 7 *guote* H. *minne*] *mîne* Sch 69. 8 *ich* tilgt H.

4, 17 Het dûn dî vogelẹ wale schîn
dat sî dî boume sîn geblût.
herẹ sanc dê maket mich den mût sô gût
dat ich bin vrô noch rouwech nînẹ kan sîn.
got êre sî dî mich dat dût
alsô verrẹ al over Rîn,
dat mich dî sorgen sîn gebût
al dâ mîn lîf sich verellenden mût.

4, 26 Het hebbẹn dî kalde nechtẹ gedân
dat dî louverẹ anẹ der linde
winterlîke vale stân.
der minnen haddẹ ich gûden wân
endẹ weit es nû ein lîve ende:
dat't mich ten besten sal ergân
dâ ich dî minne gûde vinde
endẹ ich mich herẹ al underwinde.

XX Die noch nie wurden verwunnen

Die noch nie wurden verwunnen   64, 34 — 34 *BC*
   von minnen alse ich nu bin, ˙
die enmugen noch enkunnen
   niht wol gemerken mînen sin.   65, 1
5 Ich hân aldâ minne begunnen,
   dâ mîne minne schînen min,
     danne der mâne schîne bî der sunnen.

1 *verwinnen* gänzlich besiegen. 6 *schînen:* zum intensivierenden pl. von Abstrak**
vgl. Schröbler, Syntax § 253. *min* weniger.

XXI Diu zît ist verklâret wal

Diu zît ist verklâret wal,   65, 13 — 36 *B*, 37 C
   des ist doch diu wélt níht,
wan sî ist trüebe unde val,
   der si réhtè besiht.
5   Die ir volgent, díe jéhent,
     daz sî sich boeset ie lanc sô mê,
   wan sî der minne abe ziehent,
     die ir wîlent dienten ê.

1 *verklâren* (= *verklaeren*) aufhellen. 5 *jehen* zugestehen, einräumen. 7 denn s**
entfernen sich von der Minne.

XXII Swer den vrowen setzet huote

Swer den vrowen setzet huote,   65, 21 — 37 *B*, 36 C
   der tuot dicke, daz übel stêt.
vil manic mán tréit die ruote,
   dâ er sich selben mite slêt.
5   Swer den übeln site gevêt,
     der gêt vil ofte unvrô mit zornigem muote.
   des pfliget niht der wîse vruote.

5 *gevâhen* anfangen. 7 *vruot* klug, verständig.

XX, 2 *als* C. 5 nach v. 7, aber *Alda han ich m. b.* C. 7 *Dan* C.
XXI, 6 *Da* B. *si bôset* C. 7 *sŭ* B. 8 *willē d. ie* C.

XX vv. 1—6 Langzeilen He § 744 u. 785 C. — 1 *wurden nie* H. 2 *alsô* H.
XXI Unecht Thomas 240 u. 243 f; Langzeilen He § 745. — 2 *die werelt* H. 3 *trüe**
H. 4 *ze rehte si* H. 5 *verjênt* H, *ergîn* F/S 134 f, K. 6 *Daz si boese* HVK. 7 *ziehen**
Sch 70] *gênt* H. 8 *med willen dienden ê* Sch 70.
XXII Unecht Thomas 240 u. 244 f; 1—4 Langzeilen He § 785 C. — 2 P 421, V] *da**
übele dicke HK. 3 *der treit* H.

64, 34   Dî noch nîne sîn verwunnen
       van minnen alsô ich nû bin,
       dî ne mogen noch ne kunnen
       nît walẹ gemerken mînen sin.
       ich hebbẹ minnẹ al dâ begunnen
       dâ mîne minne schînet min
       dan der mâne bî der sunnen.

L 65, 5 s. oben VII. 2

65, 13   Dî tît dî is erclâret wāle,
       des nẹ is îdoch dî werelt nît,
       want sî drûvẹ is ende vāle,
       dê te rechte sî besît.
       dî herẹ volgen dî ergîn
       dat sî bôsẹ î lanc sô mêre,
       want sî der minnen ave tîn
       dî herẹ dînden wîlen êre.

65, 21   Sô wê den vrouwen settet hûde,
       dê dût dat ovelẹ dicke steit.
       velẹ manech man dê dregẹt dî rûde
       dâ hê sich selven mede sleit.
       sô wê ten bôsen seden veit,
       dê geit velẹ dickẹ unvrô bit irren mûde.
       des ne pleget nît der wîsẹ endẹ vrûde.

XXIII Alse die vogel vroelichen

Alse die vogel vróelíchen 65, 28 — 38 *BC*
  den sumer singende enpfân,
  und der walt ist loubes rîche
  und die bluomen schône stân,
5 Sô ist der winter gar vergân.
  mîn reht ist, daz ich wîche
  dar mîn herze staeteclîche
  von minnen ie was undertân.

6 *wîchen* gehen.

XXIV Der schoene sumer gêt uns an

Der schoene sumer gêt uns an, 66, 1 — 39 *BC*
  des ist vil manic vogel blîde,
  wan si vröwent sich ze strîte
  die schoenen zît vil wol enpfân.
5 Jârlanc ist rehte, daz der har
  winke dem vil süezen winde.
  ich bin worden gewar
  niuwes loubes an der linde.

3 *ze strîte* im Wettstreit. 5 *jârlanc* in dieser Jahreszeit. *har* scharfer Wind (vgl.
Anm.). 6 *winken* hier: weichen.

XXIII, 1 *frôliche* C. 2 *enpfant* C. 3 *lobes* BC. 4 *stant* C. 7 *Dar* korr. aus *der* C
8 *was wa* C.
XXIV, 1 *schone* C. *úns* B. 3 *sú* B. 4 *schonen* C. 5 *reht* C. *ar* C. 8 *lobes* B. *linde* C.

XXIII Unecht Thomas 240 u. 246 f. — 1 *Als die vogele freweliche* H. 2 Br] *Sín-
gendé den sumer enpfân* HVK. 6 *ich dar w.* H.
XXIV Echt HV, K (MF 1940), Klein ZfdPh. 90, Sonderh. 105 f, unecht F/S 79 ff, K,
Thomas 239 f. — 3 *strîde* H. 5 *reht* H. VK] *ar* HBa, Sch 70 f. 7 Lücke nach
worden H.

5, 28   Alse dî vogele blîdelîke
        singende den somer entfân
        ende der walt is louves rîke
        ende dî blûmen scône stân,
        sô is der winter al vergân.
        recht is dat ich dare wîke
        dâ mîn herte stâdelîke
        van minnen î was underdân.

66, 1   Der scône somer geit uns āne,
        des is vele manech vogel blîde,
        want sî vrouwen sich te strîde
        den scônen tît vele wale te entfâne.
        recht is jârlanc dat der hāre
        wenke den vele sûten winden:
        ich bin worden wale gewāre
        nouwes louves ane der linden.

XXV   Die minne bit ich unde man

Die minne bit ich unde man,　　　　　　　　　　66, 9 — 41 *BC*
　　diu mich hât verwunnen al,
daz ich die schoenen dar zuo span,
daz si mêre mîn geval.
5 Geschiht mir als dem swan,
　　der dâ singet, als er sterben sal,
sô verliuse ich ze vil dar an.

3 *spanen*　reizen, antreiben. 4 *geval*　Glück.

XXVI   Diu minne betwanc Salomône

Diu minne betwanc Salomône,　　　　　　　　66, 16 — 42 *BC*
　　der was der alrewîseste man,
der ie getruoc küniges krône.
　　wie mohte ich mich erwern dan,
5　　Si twunge ouch mich gewalteclîche,
　　sît si sölhen man verwan,
　　der sô wîse was und ouch sô rîche?
den solt sol ich von ir ze lône hân.

6 *verwinnen*　gänzlich besiegen.

XXV, 3 *die schonē da zů* C. 5 *Geschihet* C. 6 *als*] *so* C. *sol* C.
XXVI, 2 *aller wisest* C. 4 *môht* C. *erwerren* C. 5 *Sin betwunge* C. 6 *solken* C. 8 *Den solt han ich von ir zelone* C.

XXV Unecht Thomas 240 u. 252 f; als 2. Str. zu XIX F/S 128 ff, K, MFU 185; 1—6 Langzeilen He § 744, v. 5 vierhebig F/S 128 ff, KBr. — 1 *bite* H. 3 *Dat si di scône* KBr. 5 *Geschihet . . . als deme* H. 6 *dâ* tilgt H. *sal?* Bu 59. 7 *vliuse* H. *Sî verlûset te velę dâr âne* F/S 132, K.
XXVI Unecht Sch 71 f, Thomas 240 u. 254 f; 1—6 Langzeilen He § 744. — 1 P 421] *twanc ê* H. 2 *aller wîste* H. 3 *getrüege küneges* H. 4 *erweren* H. 5 *Sî nę* KBr. 8 HKBr nach C.

66, 9   Dî minne biddẹ ich ende māne,
dî mich hevẹt verwunnen al,
dat sî dî scône dâr tû spāne
dat sî mêre mîn geval.
want geschît mich alsẹ den swānen
dê singet alse'r sterven sal,
sî verlûsẹt te velẹ dâr āne.

66, 16   Dî minne dî dwanc Salomône,
dê was der aller wîste man
dê î gedrûch koninges crône.
wî mochtẹ ich mich erweren dan
sî nẹ dwungẹ ouch mich geweldechlîke,
sint dat sî suliken man verwan
dê was sô wîsẹ endẹ ouch sô rîke?
den solt hebbẹ ich van herẹ te lône.

XXVII   Schoeniu wort mit süezeme sange

Schoeniu wort mit süezeme sange   66, 24 — 43 *BC*
   diu troestent dicke swaeren muot.
diu mac man gerne halten lange,
   wan siu sint alzoges guot.
5   Ich singe mit trüeben muoten
   der schoenen vrowen und der guoten.
     ûf ir trôst ich wîlent sanc,
   si hât mich missetroestet, des ist lanc.

3 *halten* im Gedächtnis behalten. 4 *alzoges* durchaus. 7 *ûf ir trôst* um getröstet zu werden.

XXVIII   Ir stüende baz, daz sî mich trôste

Ir stüende baz, daz sî mich trôste,   66, 32 — 44 *BC*
   danne ich durch sî gelige tôt.
wan sî mich wîlent ê getrôste
   ûz maniger angestlîcher nôt.
5   Als sîz gebiutet, ich bin ir tôte,   67, 1
   wan iedoch sô stirbe ich nôte.

6 *nôte* ungern.

XXVII, 1 *Schonú* C. *sůssem* C. 2 *Die* B. 3 *Die* B, *Div* korr. aus *die* C. 4 *si* C. 5 *trůbem* B. 6 *schonen* C.
XXVIII, 2 *dan* C. 3 ¶ *erlôste* C. 4 *angeslichē* C. 5 *gebút* C. 6 *e doch* C.

XXVII Unecht Thomas 240 u. 255 ff; zum Umfang des Tones vgl. XXVIII. —
1 *süezem* H. 5 *mit vil trüebem muote* H. 6 *Dorę dî scóne endę dî gûde* F/S 146, K.
XXVIII Unecht Thomas 240; als 2. Str. unter Hinzufügung zweier vv. (s. u.) zu XXVII Spanke ZfrPh. 49, 216, K, MFU 187, F/S 148, KBr, ebenso V, aber mit Lücke. — 2 *Dan* H. 3 *getrôste*] *erlôste* HV, F/S 147, KBr. 5 *gebiut* H. K, MFU 188, F/S 150, KBr erg. die ff vv.: *Hebbę ich anę herę noch gûden trôst, / ich sal van allen sorgen sîn erlôst.*

66, 24   Scône wort bit sûten sange
         trôsten dicke swâren mût.
         dî mach men gerne halden lange,
         want sî sîn uns altôs gût.
         ich singe bit velę drûven mûde
         dorę dî scône endę dî gûde.
         up heren trôst ich wîlen sanc:
         sî hevet mich mistrôst, des is te lanc.

66, 32   Herę stûnde bat dat sî mich trôste
         dan ich dorę sî gelâge dôt,
         want sî mich wîlen êrę erlôste
         ût manęger angestlîker nôt.
         alsę sî't gebûtęt, ich bin herę dôde,
         mârę îdoch sô stervę ich nôde.
         hebbę ich anę herę noch gûden trôst,
         ich sal van allen sorgen sîn erlôst.

XXIX   Ich lebet ie mit ungemache

Ich lebet ie mit ungemache   67, 3 — 45 BC
siben jâr, ê ich iht spraeche
   wider ir willen ein wort,
   daz si wól hât gesehen und gehôrt
5   und wil doch, daz ich klage mîne sêre.
     joch ist diu minne, als sî was wîlen êre.

6 *êre* = *ê(r)*   früher.

XXX   Swenne diu zît alsô gestât

1 Swenne diu zît alsô gestât,   67, 9 — 46 BC
    daz uns kóment beidiu bluomen und gras,
  sô mac sîn alles werden rât,
  dâ von mîn herze trûric was.
5   Des vröwent sich diu vogelkîn,
      wurde iemer sumer als ê.
  lât die welt mîn eigen sîn,
     mir taete iedoch der winter wê.

2 'Durch sînen willen, ob er wil,   67, 17 — 47 BC
    tuon ich einez und anders niht.
  des selben mac in dunken vil,
  daz niemen in sô gerne siht.
5   Ich wil behalten mînen lîp.
     ich hân vil wol genomen war,
  daz dicke werdent schoeniu wîp
     von solheme leide missevar.'

2, 8 *missevar*   fahl, bleich.

XXIX, 1 *vngemach* B. 1—4 *Ich lebte e mit vngemache | Als si hat gesehen vn̄ gehort | Siben iar e ich von deheiner sache | Wider ir willen spreche ein wort* C. 6 *Io* C. *wilent* C.

XXX. 1, 2 *v́ns* B. 5 *vrowent* B. *die* B. *vogellin* C. 8 *tet e doch* C.

2, 2 *eins* C. 8 *sólheme* B, *solkem* C.

XXIX Unecht F/S 151, K, Thomas 162 u. 239. — 1 *ê* H. 1 : 2 *ungemache : sprâche* H. 3 *einec* H. 4 *wole hât gehôrt* H. 5 *clage mêre* F/S 153, K.

XXX Echt H, unecht K, Die zugehörig V Anm. — 1, 1 *Swenn* HK. 2 *Daz uns komt bluomen unde gras* HVK. 5 V] *vreweten* H, *vröuten* K.

2, 2 *ein* H, *einz* VK. 8 *solhem* HVK.

7, 3   Ich levedẹ êre tẹ ungemāke
seven jâr êrẹ ich ît språke
wedẹr heren wille einech wort.
dat hevet sî velẹ walẹ gehôrt
ende wele doch dat ich clage mêre:
noch is dî minnẹ alsẹ sî was wîlen êre.

XXXI   Die dâ wellen hoeren mînen sanc

Die dâ wellen hoeren mînen sanc,   67, 25 — 48 *BC*
ich wil, daz si mir sîn wizzen danc
staeteclîche und sunder wanc.
   die ie geminneten oder noch minnen,
5 die sint vrô in manigen sinnen —
   des die tumben niene beginnen,
wan sî diu minne noch nie betwanc —
noch ir herze ruochte enbinden.

5 *sin* Bedeutung. 8 Und ihr Herz wünschte auch nicht, sich zu befreien.

XXXII   Swer wol gedienet und erbeiten kan

Swer wol gedienet und erbeiten kan,   67, 33 — 11 *A*
   dem ergêt ez wol ze guote.
      dâr an gedâht ich menegen tac.
got weiz wól, daz, dô ich ir kúnde alrêst gewan,   68, 1
5   sît diende ich ir mit selhem muote,
         daz ich nie zwívèls gepflac.
   Lônet mirs diu guote,
   wir zwei betriegen unser huote!

XXXI, 1 *wilent hôrent* C. 2 *sú* B. 3 *steteclichen* C. *und* fehlt C. 6 *nien* C. 7 *sú* B
8 *enbinnen* C.
XXXII. 7 *lones.*

XXXI, 1 *Di wilen horden* Br. 3 *Staeteclîchen unde* H. 4 *geminnten* H. 7 *twanc* H
8 *harte ê r. erwinnen* Sch 72, *nę rachte binnen* F/S 143 f, KBr, *enginnen* H, *enbin-
nen* V, Kraus ZfdA. 56, 62.
XXXII Zum Umfang des Tones vgl. XXXIII. — 1 *kan*] *mach* K. 2 *spûde* F/S 65, K
4 *weit wale* (tilgen KBr), *sint ich sî aller êręst gesach* F/S 65 KBr. *daz* tilgt L.
6 *zwîvels nie* L. 7 *Lône* Bu 60, Sch 72.

7, 25   Dî dâ hôren mînen sanc,
        ich willę dat sî mich's weten danc
        stâdelîkę endę âne wanc.
        dî î geminden oftę noch minnen,
        dî sîn blîdę in manęgen sinnen.
        des dî dumbe nînę beginnen,
        want sî dî minne nîne dwanc
        noch herę herte nę rachte binnen.

57, 33   Wê walę gedînen endę erbeiden mach,
        demę ergeit et walę te spûde.
        dâr anę gedachtę ich manęgen dach.
        got weit, sint ich sî aller êręst gesach,
        ich dînde herę bit sulįken mûde
        dat ich twîvels nînę geplach.
        lônet mich's dî gûde,
        wir twē bedrigen unse hûde.

XXXIII Waer ich unvrô dar nâch, alse ez mir stât

Waer ich unvrô dar nâch, alse ez mir stât,   68, 6 — 12 *A*
daz waere unreht unde wunder,
sît al mîn leit nâch liebe ergât.
diu minne ist [], diu mîn herze al umbevâhet.
5   dâ ist nie dehein dorpeit under
wán blíschaft, diu die riuwe slât.
Des bin ich des gesunder,
riuwe ist mir ie langer unkunder.

7 Darum bin ich in dieser Hinsicht gesund.

Pseudo-Veldeke

Die folgenden Lieder stehen bei HV in den Anm., sie gelten allgemein als unecht.

XXXIV Swenne ich bî der vil hôchgemuoten bin

1   Swenne ich bî der vil hôchgemuoten bin,   H S. 258 f, V S. 346,
sô muoz ich wol von schulden vröide hân.   K S. 85 f — 3 *A*, 49
si hât betwungen allen mînen sin:
ich bin ir dienestes iemer undertân.
5   Sô wol mich des, daz ich si ie gesach,
sît si wendet sorge und ungemach.
ir vil minneclîcher lîp
der líebèt vür elliu wîp.

XXXIII, 4 *ist dur dv̇.* 6 *die die.*
XXXIV. 1, 1 *wolgemv̊ten* C. 4 *dienstes* C. 8 *Liebet mir fv́r* C.

XXXIII Zweistrophiger Ton in der Reihenfolge XXXII, XXXIII L Anm., VKB,
dreistrophiger Ton in der Reihenfolge XIX, XXXII, XXXIII Thomas 171. — 1 *a*
L. 2 *waer* L. 4 *Diu mîne* Sch 72 f. Tilgung wie L. *umbevât* L. 5 *niehein* L. 7 *des*
diu L. 8 *lanc* L.
XXXIV Zur Echtheit vgl. Anm. — 1, 1 *Swenn* HK. 4 *dienstes* HVK. 6 *si mir u*
HVK. 8 *Der liebet mir* HVK.

8, 6   Wârẹ ich unblîde sint't mich alsô steit,
dat wârẹ unrecht ende wunder,
want al mîn leit te lîvẹ ergeit.
dî minnẹ is dî mîn hertẹ al umbeveit.
dâ nẹ is negeine dumpheit under,
mârẹ blîtscap dî den rouwe sleit.
des bin ich dî gesunder:
rouwẹ is mich î lanc unkunder.

2 Swer mir ân alle schulde sî gehaz,   H S. 259, V S. 346, K S. 86
    dem müeze wol von schulden leit geschehen.   50 C, 4 A
    ist er mir vîent, sô sage umbe waz,
    ob man im der volge mac gejehen.
5   Der boesen haz ich [ ] gerne dienen wil:
    swâ ich die weiz, dâ ist mîn gar ze vil.
    swer sî mir mit triuwen bî,
    der sî vor allem leide vrî.

1, 8 *lieben* behagen, gefallen.
2, 1 *ân alle schulde* ohne jeden Grund. 4 ob man ihm darin zustimmen kann.

XXXV   Wan sol den vrowen dienen

Wan sol den vrowen dienen unde sprechen,   H S. 259, V S. 346,
    sô man aller beste kan,   K S. 86 — 51 C
mit zorne niemer niht an in gerechen:
    des wirt saelic lîht ein man.
5   Swie gelinge mir dar an,
    jâne sól in niemer lobes an mir gebrechen:
    lasters ich in nienen gan.

XXXVI   Swer den vrouwen an ir êre

Swer den vrouwen an ir êre   V S. 339, K S. 85 — 52 C ¹,
    gerne sprichet âne nôt,   Chuonze v. Rosenheim 2 C ²,
seht, der sündet sich vil sêre   Hug. v. Mulndorf 2 A
und ist ouch der sêle tôt,
5   Wand wir sîn alle
    von den vrowen komen;
    swie wir setzen sî ze schalle,
    maniger wirt von in ze vromen.

7 *ze schalle setzen* berühmt machen.

2, 2 *mǔze* A. 4 *Obe* A. *ime* A. *mac*] *nach* A. 5 *ich iemer* AC. 7 *Swer mir si* A.
trvwen A. 8 *alleme* A.
XXXVI, 3 *svnder* A. 4 *ouch*] *doch* AC². 5 *Wan* A. 6 *den* fehlt C². 7 *sǔ* C².

2, 3 *sag* HVK. 4 K] *Obe m. ime* HV. 5 Tilgung nach HVK. 7 *mir si* HVK.
XXXV, 6 *Jan* HVK. *lobes* VK] *niht* H. 7 *niene* HVK.
XXXVI fehlt noch bei H. — 5 *Wande* VK. 8 *Manger* K.

XXXVII Manigem herzen taet der kalte winter leide

'Manigem herzen taet der kalte winter leide;
daz hât überwunden walt und ouch diu heide
mit ir grüener varwe kleide.
winter, mit dir al mîn trûren hinnen scheide!

H S. 259, V S. 346,
K S. 86 — 53 C

Swenne der meie die vil kalten zît besliuzet
und daz tou die bluomen an der wise begiuzet
und der walt von sange diuzet,
mîn lîp des an ⟨...⟩ vröiden wol geniuzet.

H S. 259, V S. 346,
K S. 86 — 54 C

Mîn liep mac mich gerne zuo der linden bringen,
den ich nâhe mînes herzen brust wil twingen.
er sol tou von bluomen swingen:
ich wil umb ein niuwez krenzel mit im ringen.

H S. 259, V S. 347,
K S. 87 — 55 C

Ich weiz wol, daz er mir niemer des entwenket,
swaz mîn herze vröiden an sînen lîp gedenket,
der mir al mîn trûren krenket,
von uns beiden wirt der bluomen vil verrenket.

H S. 259, V S. 347,
K S. 87 — 56 C

Ich wil in mit blanken armen umbevâhen,
mit mînem rôten munde an sînen balde gâhen,
dem mîn ougen des verjâhen,
daz si nie sô rehte liebes niht gesâhen.'

H S. 260, V S. 347,
K S. 87 — 57 C

4 *diuzen* schallen.
1 *entwenken* c. g. u. d. hier: entziehen.
2 *balde g.* kühn eilen. 3 *verjehen* c. gs. versprechen.

, 2 *tů.*
, 3 *tougen.*

XXVII. 1, 1 *Mangem* K.
, 2 *tou* HVK. 4 K] Annahme der Lücke vor *wol* HV.
, 3 *tou* HVK. 4 *umbe* HVK.
, 2 *fröide* HVK.
, 2 H] *mîm* VK.

XII. Ulrich von Gutenburg

Der Leich

69, 1 — C bl. 73ᶜ—74ᵈ

I   Ze dienest ir, von der ich hân
ein leben mit ringem muote,
als ich nu lange hân getân.
und gan es mir diu guote,

5   Diu mir tuot daz herze mîn
vil menger sorgen laere,
sô wirt an mîme sange schîn
der winter noch dehein swaere.

    Ich wil si vlêhen, unz ich lebe,
10   daz sî mir vröide gunne   69, 10
und sî mir lôn nâch heile gebe.
si ist mîn sumerwunne,

    Si saejet bluomen unde klê
in mînes herzen anger;
15   des muoz ich sîn, swiez mir ergê,
vil rîcher vröiden swanger.

    Ir güete mich vil lützel lât
dekeinen kumber müejen.
der schîn, der von ir ougen gât,
20   der tuot mich schône blüejen,   69, 20

    Alsam der heize sunne tuot
die boume in dem touwe.
sus senftet mir den swaeren muot
von tage ze tage mîn vrouwe.

25   Ir schoener gruoz, ir milter segen,
mit eime senften nîgen,
dáz tuot mir ein meien regen
rehte án daz herze sîgen.

I, 8 Der] Dir. 13 seiget. vñ. 18 mv́gen. 20 blv́gen. 25 schoner. 27 meigen.

I, 8 kein sw. K(LV). 13 saejet K(LV). 18 : 20 müejen : blüejen K(LV). 22 LV] D
bluomen K. 27 einen meien K(LV).

I   Des ist mir sanfter danne baz.   70, 1
      ê mich verbaere, sehent, daz,
      ich trüege ê al der werlte haz.
        Er müejet sich, swer mirs erban,
5   ich sî ir nie sô vrömde man,
      ich erdrínge ir mêre lônes an.
        Sol ich dekeine wîle leben,
      mir wirt von ir vil lîhte geben,
      dar nâch ein keiser möhte streben.
10   Daz sî mir under wîlen tuot,   70, 10
      daz dûhte ein andern man vil guot,
      wan daz doch hôher wil mîn muot,
        Dem ich geziehen nienen mac.
      nu vürhte ich eht der minnen slac.
15   ich erkénne'n nû vil mangen tac.
        Er tuot mir leides dicke vil.
      doch waere ich gerne hin an daz zil,
      dâ sî dâ sol und lônen wil.

III   Nû wol hin – ez muoz eht sîn –
      und stîge ûf, daz herze mîn.   70, 20
      ich waene, ich iht engelte dîn,
      swenne ír ze rehte wirdet schîn,
5   daz ich lîde disen pîn
      von dîner kür und dîner bet,
      und ie mit zühten schône tet
      ân widerwanc,
      sît mich erranc
10   ir minnen swanc
      in ir getwanc.
      nu ist ze lanc   70, 30
      ir habedanc.
      daz tuot mich kranc.

II, 4 *mvͤget*. 15 *Ich erkennē*.
III, 6 *kvr. betę*.

II, 4 *müejet* K(LV). 15 *Ich erkenne'n* K(LV). 17 *gern* K(LV).
III, 2 *stîc* K(LV). 6 : 7 *bete : tete* K(LV).

15   des hân ich mengen ungedanc.
        daz lenget mir die kurzen tage
        und niuwet mir die alten klage,
        von der ich wânde sîn erlôst.
        nu wil ich noch ir genâden trôst
20   Beiten, als ich hân getân.
        ze heile müeze ez mir ergân!
        ich enwil ir niemer abe gestân.   70, 40
        doch troestet mich mîn tumber wân,   71, 1
        ein guot gedinge, den ich hân
25   zir tugenden, der si vil begât,
        daz sî mich lîhte niht enlât
        ûz ir gewalt
        disen wínter kalt.
        sô ist bestalt:
30   ich wurdes alt
        und sorgen balt
        und doch versalt   71, 10
        ze manicvalt
        und waere verlorn, swaz ez noch galt.
35   daz swachte sêre mînen muot.
        nu ruoche ich: swaz si mir getuot,
        sô lâze ich niemer mînen strît.
        waz ob si in scheidet an der zît?

IV   Si sol ez lân   understân   mit eteslîchen dingen.
        daz ist mîn rât.   als ez mir stât,   sô enmác ir niht gelingen.
        swie sî behabe an mir den sige,
        sô wizzent, daz ich tôt gelige.   71, 20

---

22 *In.* 25 *Zer.*

19 *gnâden* K(LV). 22 *In wil* K(V). 25 *Zir* K(LV). 27 *gewalt.* LV. 28 f Sch 75] *Den
winter kalt / Sô unbestalt.* K, *Der winter kalt / Sô ist bestalt,* LV. 32 LV] ¶ *ouch*
K. 33 vor 32 K, LV bleiben bei C. 36 *enrúoche* K(LV). 38 *si in*] *sin* K(LV).

5   Dêswâr si sol   gedenken wol,   daz ez ir niht enzaeme,
       ob sî mîn leben,   der ichz hân ergeben   an ir genâde, naeme.
       si mües es iemer sünde hân.
       des sol diu guote mich erlân,
           Diu mac sîn   gewaltic mîn.   dêst reht, ich bin ir eigen
10   nû vil lange,   swie ez ergange,   und ⟨. . .⟩ ir gezeigen.
       des solt ich wol gewinnen vromen.
       diu guote diu hât mir benomen
           Mînen sin.   der ich bin   undertân ⟨mit triuwen⟩,
       si ruoret mich an   mînen álten ban;   den muoz ich aber niuwen.   71, 30
15   ich hupf ir ûf der verte nâch.
       mich leit ir süezen ougen schâch,
           Swar si wil.   doch hoere ich vil   von vriunden und von mâgen,
       war umbe ich schîne   in dirre pîne.   es enmác mich niht betrâgen,
       die wîle ich weiz in ir gewalt
20   mînes herzen trôst sô manicvalt.
           Der ich pflac   mengen tac,   wie solde ich sî verlâzen?
       er irret sich,   swer iemer mich   dar umbe wil verwâzen.
       er schiede ê Musel *und* den Rîn,
       ê er von ir daz herze mîn
25   Gar enbünde.   ez ist in sünde,   die mir niht geloubent.   72, 1
       der ougen blicke   mich vil dicke   mîner sinne roubent,
       die vürhte ich als den donerslac,
       dem ich entwenken niene mac.

V   Ob ich die schoenen mac gesehen
       ⟨eins⟩ in eime jâre,
       sô enkán mir guotes niht geschehen
       vor valscher liute vâre.

IV, 23 *und*]*in.* 26 *blic : dic.* 27 *donrslac.*

IV, 6 *der ichz*] *deich* K(LV). 9 *Diu*] *Si* K(LV). 10 *swiez* K(LV). ¶ *und kundez ir g.*
K, LV lassen eine Lücke. 13 *mit triuwen* erg. K(LV). 14 *ruort mich an   mîn a. b.
die* K(LV). 18 *esn mac* K(LV). 20 *Mîns* K(LV). 23 *und* K(LV). 26 *blicke : dicke*
K(LV).
V, 2 *Eins* erg. K (Sch 75 f, V).

5   die nement des war,
     ob mir iht liebes widervar   72, 10
     〈. . . . .
     . . . .〉
         Ez ist ein wunder, daz ich trage
10   sô kumberlîche swaere:
     alse dicke sô si mîner klage
     mit genaedeclîchem maere
     antwürte gît,
     sô vröit den tôren zaller zît
15   mit guoten siten.
     ich wil si aber und iemer biten: 72, 20
         'Vrouwe, habe genâde mîn,
     daz zimt wol dîner güete.
     lâ mich ir iemer einer sîn,
20   der dîner êren hüete,
     als ich ie tet;
     und daz ich niemer vuoz getret
     ûz dîme lobe,
     ich gelíges under oder obe.'
25   Si endárf niht merken, daz ich strebe
     nâch mînes leides ende.   72, 30
     ich muoz ez tuon, die wîle ich lebe.
     hân ich es missewende,
     des enmác ich niet.
30   mîn herze nie von ir geschiet,
     noch niemer wil,
     ez gelte lützel oder vil.
         Nieman darf des wunder nemen,
     daz sî mich hât gebunden.
35   ich enmác ir kreften niht gestemen:
     sô ist si óbe, sô bin ich unden.   72, 40
     swaz ich nu tuon,   73, 1
     si hât bejaget an mir den ruon,
     ich muoz ir jehen.

V, 36 *vnder.*

---

10 *swaere,* K(LV). 11 *Als* K(LV). 12 *gnaediclîchem* K(LV). 13 *gît.* K(LV). 14 *Sô*] *Si*
K(LV). 21 : 22 *tete : getrete* K(LV). 24 LV] *unden* K. 29 *Desn mac* K(LV). 35 *Ichn
mac* K(LV). 36 *Sist obe* K(LV). *unden* K(LV).

40   nu wol eht [], ez ist noch ie beschehen.
        Alexander der betwanc
        diu lant von grôzer krefte;
        doch muoste er sunder sînen danc
        der minne meisterschefte
45   sîn undertân   73, 10
        umb eine vrouwen wolgetân,
        die er erkôs:
        er enwárt ouch nie mê sigelôs.
        In einem wilden walde er sach
50   sînes hérzen küniginne.
        des muose er lîden ungemach,
        er hete sîne sinne
        vil nâch verlorn.
        daz ich die schoenen hân erkorn
55   ze mîme leben,   73, 20
        des wirt mir lîhte ein lôn gegeben.

VI   Nu wil ich aber biten
        die guoten, als ich kan,
        diu mir mit schoenen siten
        und [] mit zühten an gewan
5   von êrst daz herze mîn,
        Daz si sích bedenke noch
        und rehter dinge pflege
        und mînen díenst dóch
        nâch guotem willen wege,   73, 30
10   und mich ir lâze sîn
        Gereit, unz ich nu lebe,
        daz ich níemer, swie ez ergê,
        tac von ir gestrebe,
        und daz niemer mê

---

40 *Nu wol eht doch · es ist noch · ie b.* 43 *mv̊ste.* 49 *einē.* 51 *mv̊se.* 54 *schonē.*
VI, 3 *schonē.* 4 *Vñ mir mit z.* 13 *Dag.*

---

40 *Nu wol eht, deist ouch ê b.* K(LV). 43 *muoste* K(LV). 48 *Ern wart* K(LV). 50 *Sîns*
    K(LV). 51 *muose* K(LV).
VI, 4 *In zühten* K, *Und z.* LV. 6 *Dazs* K. 8 ¶ *dienest* K(LV). 12 *Deich n., swiez*
    K(LV). 14 *daz ich iemer* K(LV).

15   mîne nốt und disen pîn,
      Den ich nu lange dol,
      mit zühten schône trage.
      dêswâr joch tuot si wol:
      si endet mîne klage,
20   und wirt ouch verre schîn.   73, 40

I b   Ir güete und ir mange tugent,   74, 1
          der vil verborgen würde,
          solde ich verslîzen mîne jugent
          under dírre swaeren bürde.
5   Swenne si wil, ich bin gereit.
          si gebe mir ein geleite
          vür kumber und vür herzeleit,
          daz ich ir êre [] breite
              Swar ich des landes iender kome,
10   mit allen mînen sinnen.   74, 10
          dêswâr dâ wahset an ir vrome,
          lât sî michs lôn gewinnen.
              Ich engér niht grôzer dinge zir,
          wan trôstes mîme leide.
15   des hân ich vil, swenne ich enbir
          ir süezer ougenweide.
              Nu seht, ob ez ein vuoge sî,
          swer mir die verteile.
          ich solte ir ofte wesen bî,
20   waer ez an mîme heile.   74, 20
              Mîn leben wirt müelich unde sûr,
          sol ich si lange mîden.
          daz Flôris muose durch Planschiflûr
          sô grôzen kumber lîden,

I b, 2 : 4 *wurde : burde.* 5 *bin*] *din* (?). 6 *geleit.* 8 *ere si bereit.* 18 *v* s*teilde.*

15 *Mîn n.* K(LV).
I b, 4 *swaeren* tilgt K(LV). 5 *Swenn* K(LV). 6 *geleite* K(LV). 8 *êre breite* K(LV).
   13 *Ichn ger* K(LV). 18 *verteile* K(LV). 23 *muost* K(LV).

II b   Daz enwás ein michel *wunder* niet,
wan sî grôz ungeverte schiet,
als ez der alte heiden riet.
   Si wart vil verre über mer gesant,
5   des m*u*ost er in mangiu vrömdiu lant.   74, 30
dâ er si in eime turne vant
   Von guoten listen wol behuot,
dâ wâget er leben unde guot;
des gewán er sît vil hôhen muot.
10   Daz troestet mich und tuot mir wol
von mînem kumber, den ich dol.
ez geschíht gar, swaz geschehen sol.
   Si sol wol wizzen âne wân,
swiez mir dar umbe sol ergân,
15   waer sî versendet zEndîân,   74, 40
   Dar waere mîn varn vil bereit.   75, 1
daz mer, daz lant und bürge treit,
daz enwáer mir dar zuo niht ze breit,
   Als rehte als ich si hân erkant.
20   swer mir nu leidet disiu bant,
der sündet sich und ert den sant.

III b   Er kêrte den Rîn ê in den Pfât,
ê ich si lieze, diu mich hât
betwungen, und doch schône stât
von ir mîn herze, swiez ergât.
5   ez dûhte mich ein missetât,   75, 10
ob ich schiede alsus dervon.
si ist míner triuwen wol gewon
unde wéiz si gar:
swar ich var,

II b, 1 *wunder*] *kvmber.* 5 *mǔst.* 20 *lant* (gestrichen u n d punktiert) *bant.*

II b, 1 *Dazn was* K(LV). *wunder* K(LV). 4 *übr* K(LV). 5 *Dêr muost in* K(LV). 6 *ers*
K(LV). 8 *wâgte* K, *wâgt* LV. 9 *gwan* K(LV). 11 *Von* LV] *In* K. 16 *waer m. varen*
K(LV). 18 *Dazn waer* K(LV).
III b, 7 *Sist* K(LV). 8 *Und* K(LV).

10   sô muoz ich dar
      nemen war,
      swenne ich getar
      vor einer schar
      ze nîde gar.

15   vor der sô muoz ich decken bar   75, 20
      und hüeten mich doch alle tage
      vil sêre vor ir zungen slage
      und vor ir unrekanten spehe.
      doch *sol si sehen,* waz mir geschehe,
20   und wil ⟨ich⟩ dienen ûf ir haz.
      wolde si noch gelouben baz,
         Daz ich von ir niene wil,
      daz waere mir ein senftez spil.
      mînes kumbers dêst ze vil.

25   waz hilfet daz, ob ich ez hil?   75, 30
      jô hât si mînes lônes zil
      gesetzet an wol tûsent jâr.
      ich muoz verderben, daz ist wâr.
      *mîn arbeit
30   mich niht vür treit;
      mir ist verseit
      dar nâch ich streit;
      mîn herzeleit
      daz ist ze breit,
35   daz ich *ie* leit.   75, 40
      mîn lôn der ist noch unbereit.   76, 1
      ich waene wol, mir sî ze gâch:
      si giht alrêrst, wan sî dernâch
      [] versaget mir in spotes wîs.
40   dêswâr des hât si kleinen prîs,
      daz sî mir gît ze lône spot.
      si muoz es iemer fürhten got.

III b, 15 *denken.* 18 *vnrekante.* 19 *Doch wil ich dc si sehe.* 35 *ie*]*e.* 39 *Vn̄ v.*

---

11 LV] *Ir* erg. K. 15 *decken* K(LV). 19 f *Doch wil ichs sehen, swaz . . . | Und wil ir d.*
K, *Doch wil si sehen waz . . . | Und wil ich d.* LV. 21 *Woldes* K(V). 29 ¶ *arebeit*
K(LV). 35 *ie* K(LV). 37 *mir*] ¶ *ir* K(LV). 38 f *alrêrst des si dernach | Versaget mir*
K, *alrêrst, wan sît dernâch | Versaget si mir* LV.

IV b Swaz sî mir tuot, dâst allez guot. ich enmác ir niht entwenken,
    als ez mir stât. doch swiez ergât, sô solte sî gedenken,
    daz ez güete niene zimt,   76, 10
    daz si mir gewerb und vuoge nimt.

5   Si sprichet dicke, daz ich erschricke, vrömdiu wort von schimpfe;
    †si tuot verdrert, swes si gertt vor den liúten mit gelimpfe.
    ich enmác mich schiere niht entstân,
    wan ich der sinne niene hân
    Bî mir gar. swar ich var, sô muoz ich *sî* ir lâzen.
10   d*a*z wirt wo*l* schîn*en*, swenne ich den mînen morgen an den strâzen
    den liuten biute gegen der naht:
    ich *zer* die zît gar ungewaht.

    Ez ist niht wunder, daz ich sunder mînen danc si mîde; 76, 20
    der ougen schîn den kumber mîn, den ich nu lange lîde,
15   mit einem blicke tuot verselt.
    ich hân mir sî vil rehte erwelt.

    Ir vert mit der vrouwen sit de la Roschi bîse:
    die gesách nie man, er schiede dan vrô, rîche unde wîse.
    ich waene wol, ir sî alsam.
20   wer möhte ir danne wesen gram?

V b Ich wil iu mînen willen sagen,
    mac ich der guoten minne
    mit mîme dienste niht bejagen,   76, 30
    daz ich niemêr die sinne
5   noch mînen lîp
    bekêre an dekein ander wîp.
    swie ich mich erhol,
    der gedínge tuot mir alsô wol:
    Daz ich wol weiz, daz si mir gan

IV b, 9 *ich in ir.* 10 *Des wirt wolt schī.* 12 ziere. 17 b*ịẹ*s*ịẹ.* 20 gr*ā.*

IV b, 1 *ichn mag* K(LV). 3 *ir güete* K(LV). 4 *gwerb* K(LV). 5 *deich* K(LV). LV]
 friundes wort K. 6 *Ir munt verseit swaz si gereit vor l.* K, *Si tuot enwiht swes
 si vergiht den l.* K, MFU 195, *Si tuot vertrett swaz si gerett vor l.* LV, *Si tuot
 verrêret swen si geêret vor l.* Sch 79. 7 *Ichn mac* K(LV). 8 *sinnes* K. 9 *in ir* K.
 10 *Daz muoz wol schînen, swenne ich mînen morgen an der str.* K(LV). 12 *Zer*
 K(LV). 17 *mite : site* K(LV).
V b, 6 LV] *an kein* K. 7 *Swiech* K(LV). 8 *alsô* tilgt K(LV).

10   ze dienen umb ir hulde.
        gewunne ich niht mêre dran,
        ich wil sî der schulde
        niht an gehaben.   76, 40
        swer mir ze rehte solde staben   77, 1
15   des einen eit,
        ich swüere wol, ez waere ir leit.
            Sît ich der saelde niene habe,
        daz sî mir sanfte lône,
        ich enwil doch niht wesen abe,
20   ich werde enbunden schône,
        als ichs ger.
        ich muoz iemer wesen der,
        der umbe ir heil   77, 10
        ir treit ein schoenez leben veil.
25   Turnus der wart sanfte erlôst
        von kumberlîchem pîne:
        daz was sînes herzen sunder trôst,
        daz er lac dur Lâvîne
        sô schône tôt.
30   der endet schiere sîne nôt
        in eime tage,
        die ich nu mange jár tráge.

VII   Ich weiz wol, solt ez sîn   77, 20
        an dem gelücke mîn,
        – ir güete diu ist sô manicvalt –
        si taete mich noch vröiden balt.

V b, 24 *schones.* 25 *Turius.*

11 V] *Gewünne et ich* K. 12 *wolde* K(V). 19 ¶ *Ichn wil des doch* K, *Ichn wil ir doch*
LV. 27 *sîns* K(LV). 32 *getrage* K(LV).
VII, 3 *diust* K(LV).

5   Ich enwás niht saelden lôs,
       dô ich si mir erkôs
       in disem ûz erkornen dôn
       ûf guoten rîche schoenen lôn.
           Iedoch, swie ez mir ergê,
10   sô muoz si iemer mê
       nâch gote sîn mîn anebet,   77, 30
       wan si niht wan guot getet.
           Ich ergibe mich und enbar
       an ir genâde gar,
15   daz si mir, dar nâch ich strebe,
       ein wunneclîchez ende gebe.

I, 2 *ringe* froh, unbekümmert. 4 *gan* zu *gunnen* gönnen. 9 *unz* solange. 11 Lohn, der zum Glück führt (K). 17 f Ihre Güte läßt es nicht zu, daß ich mich mit Sorgen abmühe. 28 *sîgen* sinken.

II, 2 ehe mir das vorenthalten bliebe, ... 4 *erban* zu *erbunnen* mißgönnen. 13 *geziehen* Genüge tun (K).

III, 1 *kür* Wahl. 8 ohne zurückzuweichen. 13 *habedanc* Dank mit Worten. 15 *ungedanc* etwa: Sorge. 20 *beiten* warten. 24 *gedinge* Hoffnung. 29 ff Es ist so bestellt: Ich würde davon altern, ständig in Sorgen schweben und auch in zu mannigfacher Weise den Sorgen ausgeliefert sein, wenn alles, was es (mich) bisher gekostet hat, verloren sein sollte. 36 Nun habe ich nur eins im Sinn: 37 *strît* Streben.

IV, 1 *understân lân* bewenden lassen, (eine Sache) auf sich beruhen lassen. 3 *den sige behaben* den Sieg behalten, erringen. 11 *vrome* Gewinn, Vorteil. 14 sie treibt mich auf meine alte Bahn. 16 ihre schönen räuberischen Augen bringen mich... 17 *mâc* Verwandter. 18 *betrâgen* verdrießen. 22 *verwâzen* verfluchen. 28 *entwenken* entgehen.

V, 1 f 'Wenn es mir gelingt, mit der Schönen zusammenzukommen, was selten genug gelingt' (V Anm.). 4 *vâr(e)* Nachstellung, Aufmerksamkeit. 14 erfreut sie ... (Ersparung des pron. Subjekts). 16 *aber und iemer* immer wieder. 24 mag ich damit gewinnen oder verlieren (Bild des Ringkampfes). 28 f werde ich deswegen getadelt, kann ich nichts dafür. 35 *gestemen* Einhalt tun. 38 Sie hat an mir Ruhm errungen, d. h. sie hat mich besiegt. 43 *sunder sînen danc* gegen seinen Willen. 53 *vil nâch* beinahe.

VI, 8 f Und meinen Dienst im Hinblick auf meinen guten Willen beurteilt. 11 *gereit* bereit, zur Hand. 14 *ich* eingespart. 16 *dol* zu *dulden, dolden.* 18 fürwahr sie tut gut daran. 20 *verre* weithin.

I b, 3 *verslîzen* unnütz verbringen. 11 Fürwahr, da erwächst ihr Gewinn. 17 f Nun seht, ob es rechtens ist, wenn mir einer ihren Anblick vorenthielte.

II b, 2 *ungeverte* Leid, böse Umstände, Unwegsamkeit. 16 *zEndiân* nach Indien. 17 zu dieser Vorstellung vgl. Sch 77. 21 *den sant ern = litus arare* den Sand pflügen, d. h. vergebliche, nutzlose Arbeit tun (vgl. Sch 78).

VII, 5 *blos* (gestrichen und punktiert) *los.* 8 *schonē.* 11 *ane bet.*

---

5 *Ichn was* K(LV). 9 *swiez* K(LV). 11 : 12 *anebete : getete* K(LV). 12 *si nie niht* K(LV).

III b, 1 *Pfât* Po. 8 *si* = *triuwe*. *gar* gänzlich, genau. 11 *war nemen* wohl doch acht haben. 13 f vor einer Schar von Neidern (14 wörtlich: bereit zum Neide) 15 Vor der muß ich (meine Gedanken) verhüllen (?). 18 *spehe* (lauernde) Aufmerk samkeit, Verschlagenheit. 25 *heln* verbergen. 30 *vür tragen* vorwärtsbringen 37 *gâch* schnell, ungestüm. 38 *wan* gleichwohl, aber. 42 *es* daher.
IV b, 1 *entwenken* untreu werden. 4 daß sie mir meine Tätigkeit und die Möglich keit zur Ausführung nimmt. 5 seltsame Worte im Scherz. 6 *gelimpf* artiges Beneh men. 7 *sich entstân* sich erinnern. 10 *schînen* offenbar werden. 12 Ich verbring die Zeit "ganz ungeweckt", d. h. wie im Traum. 15 *verseln* verkaufen.
V b, 7 Wie ich auch Ersatz finden mag, sc. für den ausgebliebenen Lohn, vgl. v. 3 (V) 12 f Ich will sie wegen der Schuld nicht angreifen (V). 14 f Sollte mir einer fü diese Behauptung einen Eid abnehmen. 19 *abe wesen* hier: ablassen (vom Dienst) 20 *enbinden* befreien. 27 *sunder* einzig, ausschließlich.
VII, 2 *gelücke* Geschick. 11 *anebete* Gegenstand der Verehrung. 13 Ich ergebe mich indem ich mich der Waffen entblöße (V Anm. 351).

Lied

Ich hôrte ein merlikîn wol singen

<table>
<tr><td>1</td><td>Ich hôrte ein merlikîn wol singen</td><td>77, 36 — 1 BC</td></tr>
<tr><td></td><td>daz mich dûhte der sumer wolt entstân.</td><td></td></tr>
<tr><td></td><td>ich waene, ez al der welte vröide sol bringen,</td><td></td></tr>
<tr><td></td><td>wan mir einen, mich entriege mîn wân.</td><td></td></tr>
<tr><td>5</td><td>Swie mîn vrowe wil, sô sol ez mir ergân,</td><td>78, 1</td></tr>
<tr><td></td><td>der ich bin ze allen zîten undertân.</td><td></td></tr>
<tr><td></td><td>ich wânde, iemen sô hete missetân,</td><td></td></tr>
<tr><td></td><td>suochte genâde, er solte si vinden.</td><td></td></tr>
<tr><td></td><td>daz muoz leider an mir einen zergân.</td><td></td></tr>
</table>

1, 1 *merliken* B. 2 *wolte* C. 6 *zallen* C. 8 *Sôcht er g. im solte gelingen* C.

1—6 Einzelstrr. L, ein Lied V (vgl. schon Giske ZfdPh. 18, 221) K, drei Lieder (1—2; 3—5; 6) Br. — 1, 1 *wol* nach *hôrte* K(LV). 2 LV] *Daz* tilgt K. 3 *werlt* K(LV). 4 *mich'n triege* K(L). 5 *solz* K(LV). 6 V, Aarburg 41, aber *zallen] ich zallen z. bin u.* K(L). 7 LV] *sô* nach *hete* K. 8 *Suochte (Suocht* LV) *er* K(LV).

❷ Wie sol ich mînen dienest sô lâzen,   78, 6 — 2 BC
    den ich lange mit triuwen hân getân?
ich bin leider sêre wunt âne wâfen,
    daz habent mir ir schoeniu ougen getân.
5 Daz ich niemer mê geheilen kan,
    ez enwelle der ich bin undertân.
wê, ⟨waz⟩ sol ein sô verdorben man?
ich waene, an ir ist gnâde entslâfen,
    daz ich ir leider niht erwecken kan.

❸ Ich wil iemer mê wesen holt mînem muote,   78, 15 — 3 BC
    daz er ie sô nâch ir minne geranc.
het ich vunden deheine sô guote,
    dâ nâch kêrte ich gerne mînen gedanc.
5 Si schuof, daz ich mich vröiden underwant,
    die ich mir hân ze einer vrowen erkant.
ich was wilde, swie vil ich doch gesanc;
ir schoeniu ougen daz wâren die ruote,
    dâ mite si mich von êrste betwanc.

❹ Ich wil iemêr mit genâden belîben.   78, 24 — 4 BC
    si muoz sünde âne schult an mir begân,
si kan mich niemêr anders von ir vertrîben,
    ich welle haben gedingen und wân,
5 Daz diu triuwe hôher solte gân
    dan unstaete, der ich guotes verban.
swâ man wiste einen valschaften man,
    den solten gerne alliu wîp vermîden;
sô möhte man in an ir prîse gestân.

2, 1 *dienst so zafen* C. 4 *schonv́* B. 7 *We (Wie* C) *sol* BC. 8 *genade* C.
3, 1 *mê* fehlt C. 3 *hete* C. 6 *Die ich han mir zeiner* C. 9 *erst* C.
4, 2 *schulde* C. 4 ¶ *enwelle* C. 6 *Das* danach Lücke B, *Danne unst.* C. 7 *weste* C.
8 *Der solte vn wˢden allē gv̊ten wibē.* C. 9 *mohte* C.

2, 2 *hân* nach *ich* K(LV). 4 *hânt* K(V). 5 *enkan* K(LV). 6 L (aber: *ezn*) V] K erg. *si*
nach *enwelle.* 7 *waz* erg. K(LV). *ein* nach *verdorben* K(LV). 8 *gnâde* K(LV). 9 V]
niht nach *erwecken* K.
3, 1 L] *iemer sîn holt* K. 5 V] *mich* nach *vröiden* K(L). 6 *zeiner* K(LV). 7 V] *doch*
tilgt K.
4, 1 f LV] *gnâden belîben,* / *Sin müese* K (Jellinek br. an K, vgl. K, MFU 202). 2 LV]
âne schulde an mir sünde begân K. 3 V] *anders* tilgt K(L). 4 *Ichn* K(LV). 5 V]
hôher nach *Daz* K. 6 *Dan* K(LV). 7 *weste* K(LV). 8 V] *gerne* nach *wîp* K(L).

5 Ich wil niemer durch mînen kumber vermîden,   78, 33 — 5 BC
    ich ensinge des alleine, swie ez mir ergât,
    und wil gerne sölhe nôt iemer lîden,
    diu von minnen mir alse nâhe gât,
   5 Sît mîn lîp an dem zwîvel stât,   79, 1
    daz mîn leider niemer kan werden rât,
    âne diu mich sô betwungen hât.
    sol nu mîn vröide von ir schult belîben,
    daz ist ir sünde und grôziu missetât.

*6 Von dem herzen daz wazzer mir gât   79, 6 — 6 BC
    ûz zuo den ougen, daz ist ein wunder.
    als ich gedenke, daz mich niht vervât
    al mîn dienest, sô lîde ich den kumber,
   5 Den ie dehein man gewan oder hât.
    des muoz ich sîn von der welte besundert,
    sît mich ir güete alsô sêre hât
    betwungen, daz sî mîne sêle niht lât
    von ir scheiden, als ez nu stât.

1, 1 *merlikîn* Amsel. 2 *entstân* erstehen, beginnen. 4 . . . , wenn meine Ahnung mich
nicht trügt. 7 f . . . niemand könnte sich so vergehen, suchte er . . . 9 *zergân* nicht
eintreffen.
2, 6 es sei denn, sie, der ich untertan bin, will es (tun). 9 *ir* (sc. *genâde*) abh. von *niht*
3, 1 *holt* hier: dankbar. 7 *wilt, wilde* ungezähmt, unstet.
4, 2 *âne schult* ohne ein Verschulden von meiner Seite. 4 ohne daß ich . . . 6 *ver-*
bunnen mißgönnen. 9 dann könnte man sie weiterhin rühmen.
5, 2 *des alleine* trotzdem. 6 daß mir leider niemals Hilfe werden kann. 8 *belîben*
ausbleiben.

5, 2 *swies* C. 3 *solhe* C. 4 *alse*] *sô* C. 8 *frôide zergā vō der pliden* C. 9 *gros* C.
6 C s. u. — 6 *mŭs* B.

5, 1 LV] *mînen* tilgt K (Sievers Beitr. 56, 20 f). 2 *Ichn s. es alleine swie sôz mir* K
3 LV] *Unde wil gern solhe n.* K. 4 *minnen als nâhe mir g.* K. 6 LV] *mîn nach*
leider K. 7 *mich* nach *betwungen* K(L). 8 LV] *von ir schulde mîn vröide* K. 9 *und*
(*und* LV) *grôz* K(LV).
6 Die vv. in der Folge 2, 1, 6—9, 3—5 K(LV). 6 LV] *besunder* K (Schröder ZfdA
69, 106).

Str. *6 in der C-Überlieferung:

Vs minē ŏgē dc ift ein wund[s]. von
dem h[s]zen dc waffer mir gat. als ich
gedenke dc [m]ich her vnder. al min kvmb[s]
vñ min dieneft niht v[s]uat. den ie deheī
man gewan oder hat. fit mir min ge
mv̊te alfe fere ftat. betwūgē dc fi mine
fele niht lat. des mv̊s ich von der w[s]lte
befvnder vñ vō ir hvlden fcheiden dvr
die getat.

XIII. Rudolf von Fenis

I Gewan ich ze minnen

1 Gewan ich ze mínnen ie guoten wân,   80, 1 — *1 BC*
   nu hân ich von ir weder trôst noch gedingen,
   wan ich enweiz, wie mir süle gelingen,
 sît ich si mac weder lâzen noch hân.
5   Mir ist alse dem, der ûf den boum dâ stîget
     und niht hôher mac und dâ mitten belîbet
       unde ouch mit nihte wider komen kan
       und alsô die zît mit sorgen hine vertrîbet.

2 Mir ist alse deme, der dâ hât gewant   80, 9 — *2 BC*
   sînen muot an ein spil und er dâ mite verliuset
   und erz verswert; ze spâte erz doch ver*k*iuset.
 alsô hân ich mich ze spâte erkant
5   Der grôzen liste, die diu minne wider mich hâ*t*e.
     mit schoenen gebaerden si mich ze ir brâhte
       und leitet mich al*s* der boese geltaere tuot,
       der wol geheizet und geltes nie gedâhte.

I. 1, 2 *werden* C. 3 *sule* C. 5 *als* C.

2, 1 *als dem* C. 3 *verliuset* B. 4 *mich* fehlt C. 5 *diu* fehlt C. *hat* BC. 6 *schonē* BC.
7 *alse* B. *der* fehlt C.

I. 1, 1 *ie mêr* Ba. 5 *ûf* vor *stîget* K. 7 *mit nihte* vor *kan* K(H, Ba). 8 *alsô*] *sô* P 435,
Br. *die zît* nach *sorgen* K(Ba). *hin* K(HV). K] *trîbet* H, Ba, V.

2, 2 *Sîn* Ba. *vliuset* K(H, Ba). 3 *Unz* Br. *doch* tilgt K(H). *verkiuset* K(HV). 5 *Der
liste grôz* Ba. *list, die gein mir Minne* h. K. *wider mich* tilgt H, Ba. *hâte* K(HBaV).
7 *als boese* g. *ie hânt* (mit pl. in v. 8) H, *als boeses* (*boese* Ba) *geltaeres hant*
(= *manus*) Pfeiffer Germ. 3, 487, Ba, *als der boese* g. *dan* V, *als boeser* g. *t.* K.
8 *gelts* K.

80, 17 — *3* CB

3 Mîn vrowe sol lân nû den gewin,
   daz ich ir diene, wan ich mac ez mîden;
   *i*edoch bitte ich si, daz siz geruoche lîden,
   sô wirret mir niht diu nôt, die ich lîdende bin.
5   Wil aber si mich von ir vertrîben,
   ir schoener gruoz scheid et mich von ir lîbe.
   noch dannoch vürhte ich mêre, daz sî
   mich von allen mînen vreuden vertrîbe.

2, 3 *verswern* abschwören. *verkiesen* aufgeben. 4 *sich erkennen* sich bewußt werden.
7 *geltaere* Schuldner. 8 *geheizen* versprechen.
3, 1 f vgl. Anm. 6 *schoener gruoz* freundlicher Abschiedsgruß. *scheid et mich* möge
mich fürwahr von ihr scheiden. 7 dennoch fürchte ich noch darüber hinaus.

II Minne gebiutet mir

80, 25 — *4* BC

1 Minne gebíutet mir, daz ich singe
   unde wil niht, daz mich iemer verdrieze,
   nu hân ich von ir weder trôst noch gedinge
   unde daz ich mînes sanges iht genieze.

81, 1

5   Si wil, daz ich iemer diene an sölhe stat,
   dâ noch mîn dienst ie vil kleine wac,
   unde al mîn staete niht gehelfen mac.
   nu waere mîn reht, moht ich, daz ich ez lieze.

3, 1 *lan* aus *han* geändert C. *nû* fehlt B. 2 *Wan* fehlt B. 3 *E doch* C. *das gerůche* B.
7 *mêre* fehlt B. 8 *von a. m. vreuden* fehlt B.
II. 1, 3 *werden* C. 5 *diene vf einen tag* C. 8 *môht* C. *ich ez]ichs* C.

3, 1 P 434, Ba (aber *lâzen*)] *sol den gedingen nu lân* H, *sol lân âne lônes gewin* V,
solde nu lân den gewin K (Jellinek br. an K). 2 *ich enmac ez niht* Br. 3 *bit* K(V).
ruoche gelîden K(Ba). 4 V] *Son wirret (So wirt* Br*) mir nôt die ich lîdende bin* Ba,
Br, *mir nôt niht diech* K. 6 *schoener]* *swacher* Ba. V] *scheid et sich* K (Jellinek
br. an K), *scheidet mich* H, Ba, *scheide e sich* Br. 7 *mê* K. *daz sî* P 434, Br] *dan
den tôt* K, *den ban* HV, *daz si hin* Ba. 8 Ba] *Daz si mich von al* K(HV).
II. 1, 2 *verdrieze,* K, MFU 208. 3 *Nu* tilgt K. 4 *Unde* tilgt K. *iht gen ir genieze* K.
6 *noch vil kleine mîn dienest ie w.* K. 7 *gehelfen niht* K(H).

2 Ez stêt mir niht sô. ich enmac ez niht lâzen,   81, 6 — *5 BC*
    daz ich daz herze von ir iemer bekêre.
    ez ist ein nôt, daz ich mich niht kan mâzen:
    ich minne sî, diu mich dâ hazzet sêre,
5   Und íemer tuon, swie ez doch dar umbe mir ergât.
    mîn grôziu staete mich des niht erlât,
    unde ez mich leider kleine vervât.
    ist ez ir leit, doch diene ich ir iemer mêre.

3 Iemer mére wil ich ir dienen mit staete   81, 14 — *6 BC*
    und weiz dóch wol, daz ich sîn niemer lôn gewinne.
    ez waere an mir ein sin, ob ich dâ baete,
    dâ ich lônes mich versaehe von der minne.
5   Lônes hân ich noch vil kleinen wân.
    ich diene ie dar, da ez mich kleine kan vervân,
    – nu liez ich ez gerne, moht ich ez lân –
    ez wellent durch daz niht von ir mîne sinne.

4 Mîne sinne wellent durch daz niht von ir scheiden,   81, 22 — *7 BC*
    swie si mich bî ir niht wil lân belîben.
    sî enkan mir doch daz niemer geleiden:
    ich diene ir gerne und durch sie allen guoten wîben.
5   Lîde ich dár under nót, daz ist an mir niht schîn.
    diu nôt ist diu méiste wúnne mîn.
    sî sol ir zorne dar umbe lâzen sîn,
    wan si enkan mich niemer von ir vertrîben.

1, 4 *unde daz* und habe auch das nicht, daß. 6 *wegen* Wert haben.
2, 3 *mâzen* mäßigen, in Schranken halten. 6 *erlân* befreien von. 7 *unde* hier: gleich-
wohl, wenn auch. *vervân* nützen.
3, 3 es wäre klug von mir, wenn... 4 *sich versehen* rechnen auf, erwarten. 8 *durch
daz niht* darum doch nicht, trotzdem nicht.
4, 2 *swie* obgleich. 3 *geleiden* verleiden.

2, 1 *ine mac* C. 2 *niemer* C. 4 *Ine* C. 5 *swies* C. 8 *Ist es leit* C.
3, 3 *wer* C. 7 *liesse* C. *môhte* C.
4, 3 *Sin* C. 4 *endiene* C. 7 *zorn* C.

2, 2 *iemer von ir* K(HV). *kêre* Ba. 3 *Daz* Ba. 4 *In minne* Ba. 5 *swiez* K(HV). *dar
umbe* tilgt K (V Anm. 357).
3, 2 *lôn niemer* K. *gwinne* K(H). 4 *versaehe mich* K(H). 6 *kleine*] *niht* K. *daz mich
kan kleine* Br.
4, 1 *wellent* nach *ir* K. 1—2 Nach *scheiden* Semikolon, nach *belîben* Komma P 436.
3 *geleiden,* K(V). 4 *In* K(V). *allen* tilgt K(HV), *guoten* Br. 7 HV] *sol dar umbe ir*
K. *zorn* K(HV). 8 *sin kan* K(HV).

III   Mit sange wânde ich mîne sorge krenken

Mit sange wânde ich mîne sorge krenken.   81, 30 — 8 BC
   dar umbe singe ich, daz ich sî wolte lân.
sô ich ie mêre singe und ir ie baz gedenke,
   sô mugent si mit sange leider niht zergân,
5 Wan minne hât mich brâht in sölhen wân,
dem ich sô lîhte niht mac entwenken,
   wan ich ime lange her gevolget hân.

Sît daz diu minne mich wolte alsus êren,   81, 37 — 9 BC
   daz si mich hiez in dem herzen tragen,
diu mir wol mac mîn leit ze vröiden kêren,
   ich waere ein gouch, wolt ich mich der entsagen.   82, 1
5 Ich wil mînen kumber ouch minnen klagen,
wan diu mir kunde daz herze alsô versêren,
   diu mac mich wol ze vröiden hûs geladen.

Mich wundert des, wie mich mîn vrowe twinge   82, 5 — 10 BC
   so sêre, swenne ich verre von ir bin.
sô gedenke ich mir – und ist mîn gedinge –,
   mües ich sî sehen, mîn sorge waere dahin.
5 'Sô ich bî ir bin', des troestet sich mîn sin
unde waene des, daz mir wol gelinge.
   alrêst mêret sich mîn ungewin.

III. 1, 3 *gedenkē* C. 5 *solhen* C. 6 *lĭhte* C. 7 *har* C.
2, 4 *wer* C. 5 *minne* C. 7 *mich*]*mir* C. *huse geschragen* C.
3, 1 *des* fehlt C. 4 *Môhte* C. *wer* C. 5 *trôst* C. V̄*n* C.

III Alternierend K, He § 641, 643; im 3. (daktylischen) Modus liest Aarburg 407.
Zwei Lieder (1, 2 und 3, 5) Bu 91, dagegen K, MFU 211. — 1, 2 *sanc* Br. *deich*
K(HV). 3 *mê* K. *und* HV] ¶ *ich* K (P 436). *gedenke:* K. 4 *mugens* K(HV). 6 *enmac*
K(HV). 7 *im* K(HV).
2, 5 P 435] *wil ouch Minnen m. k.* K(HV). 6 *dez* K(HV).
3, 2 *sêre: . . . bin,* P 436, Bu 91, Br. 3 *. . . ich mir und ist daz m. g.* K(HV). 4 *waere*
hin K(HV). 5 Interpunktion nach K (Jellinek ZfdA. 55, 375, V). 6 *Und* K(HV).
vil wol K(HV). 7 *Alrêrste* K(HV).

4 Sô ich bî ir bin, mîn sorge ist deste mêre,   82, 12 — *11 BC*
    alse der sich nâhe biutet zuo der gluot,
  der brennet sich von rehte harte sêre.
    ir grôze güete mir daz selbe tuot.
5   Swenne ich bî ir bin, daz toetet mir den muot,
  und stirbe aber rehte, swenne ich von ir kêre,
    wan mich daz sehen dunket alsô guot.

5 Ir schoenen lîp hân ich dâ vor erkennet,   82, 19 — *12 BC*
    er tuot mir als der viurstelîn daz lieht.
  diu vliuget dâr an, unze sî sich gar verbrennet.
    ir grôziu güete mich alsô ver*riet.*
5   Mîn tumbez herze dáz enlie mích alsô ni*et:*
  ich habe mich sô verre an si verwendet,
    daz mir ze jungest rehte alsame geschi*et.*

1, 1 *krenken* schwächen, mindern. 6 *entwenken* entweichen, entgehen. 7 *her* bisher
5, 2 *viurstelîn* Nachtfalter (vgl. Wallner ZfdA. 72, 264). 6 *sô verre* hier: insoweit
sich verwenden an sich abwenden von.

IV   Ich hân mir selber gemachet die swaere

1 Ich hân mir sélber gemachet die swaere,   83, 11 — *16 CB*
    daz ich der ger, diu sich mir wil entsagen.
  diu mir zerwerbenne vil lîhte waere,
    diu vliuhe ich, wan si mir niht kan behagen.
5   Ich minne die, diu mirs niht wil vertragen.
  mich minnent ouch, die mir sint doch bormaere.
    sus kan ich wol beide, vliehen und jagen.

4, 1 *dest* C. 2 *Als* C. 4 *grossú* C.
5, 2 *viurstelîn*] *vledramus* C. *das liet* C. 3 *vntz* C. 4 *grôssú* C. *verierret* B. 5 : 7 *niht :*
geschiht B. 6 *enhabe* C. *verdennet* C. 7 *reht alsam* C.
IV. 1, 1 *selben* B. 5 *mir es* B. 6 fehlt B.

4, 2 *Als* K(HV). 5 *So ich* K(HV). 6 *ab* K(HV).
5, 1 Br] *vür* K(HV). 3 *dran, unz* K(HV). 5 *daz* tilgt K(HV). 6 H, Ba] *verwennet*
  K(V), *verdennet* Leitzman Beitr. 61, 388, K, MFU 212, *vergennet* Jungbluth GRM.
  35, 241. 7 *rehte alsam* K(V).
IV Dieses Lied hinter III (gegen Hss.!) K (Schwietering AfdA. 44, 27 f) Br. —
  1, 1 P 436, VBr] *selben* K (H, Jellinek Beitr. 49, 105 und K, MFU 214).

2   Owê, daz ich niht erkande die minne,   83, 18 — *17* CB
    ê ich mich hete an si verlân!
    sô hete ich von ir gewendet die sinne,
    wan ich ir nâch mînen willen niht hân.
5   Sus strebe ich ûf vil tumben wân.
    des vürhte ich grôze nôt gewinne.
    den kumber hân ich mir selber getân.

1, 5 *vertragen* gestatten. 6 *ouch* andererseits. *bormaere* gleichgültig.
2, 2 *sich verlân an* sich jem. anvertrauen.

V Ich kiuse an deme walde

1   Ich kiuse an deme wálde,   sîn loup ist geneiget,   82, 26 —
Niune 37 A, 13 BC
    der stuont noch hiure vil vroelîchen ê.
    nu rîset er balde.   des sint gar gesweiget
    die vogel ir gesanges. daz machet der snê.
5   Daz tuot in beiden unsanfte und wê.
    des muoz dur nôt mich verdriezen der zît,
    unz ich besihe, obe der winter zergê,
    dâ von diu heide betwungen nu lît.

2   Lîp unde sinne   die gap ich vür eigen   82, 34 — *14* BC
    ir ûf gnâde; der hât si gewalt.
    ist, daz diu minne   ir güete wil an mir zeigen,
    sô ist al mîn kumber ze vröiden gestalt.
5   Sus mac ich jungen, alsus wirde ich alt,
    wan daz mir ein maere noch sanfter tuot,
    daz si zer besten ist vor ûz gezalt,   83, 1
    diu mich sol machen vrô vroelich gemuot.

2, 3 *het* B. 5 *Sus stirbe* B. 6 *ich vil gr.* B.
V. 1, 1 *dem* BC. *lobe* B. 2 *das doch vil schone stônt frôliche (frôlichen* C) *e* BC. 3 *er*]
es BC. *geswigen* B. 4 *sanges* BC. 5 *Der* BC. *baide* BC. 7 *vnze* B. *besehi* A, *ersihe ob*
BC. 8 *haidv́ betwngenv́* B. *betwngene* C.
2, 1 *ich ir* C. 2 *Vf genade der si hat* C. 5 *sus wird* C.

2, 2 *mich gar an si hette* K. 5 *ich gouch ûf* K, *ich armer ûf* de Boor 1505. 6 *ich vil
grôze* K(HV). *nôt noch g.* K(Ba).
V. 1 K (H, Ba, V) folgen weitgehend BC, dagegen Jellinek ZfdA. 55, 376 f, der sich
für A entscheidet. — 1 *dem* K(HV). 2 Jellinek ebd.] K (H, Ba, V) nach C. 3 *rêret
erz* K, *rifet ez* Br. 4 *sanges* (= BC) K(HV). 5 *Der* K(HV). *unde* K(HV). 7 *ersihe
ob* (= BC) K(HV).
2, 2 *genâde* K(HV). 3 *an mir güete wil* K(Ba), *an mir* tilgt HV. 6 *sanfte* P 436. *mir*
vor *tuot* K(Ba).

3 Wolde si eine, wie schiere al mîn swaere   83, 3 — *15* CB
  wurde geringet, swie wê si mir tuot.
  ir lîp ist sô reine, daz nieman waere
  an vreuden rîche noch hôher gemuot.
5 Ist, daz diu schoene ir genâde an mir tuot,
  sô ist mir gelungen noch baz danne wol,
  wan diu vil guote ist noch bezzer danne guot,
  von der mîn herze niht scheiden ensol.

1, 1 *kiesen* wahrnehmen, erkennen. 2 *hiure* in diesem Jahr. 3 *rîsen* vgl. Anm. *sweigen* zum Schweigen bringen. 6 *dur nôt* notwendigerweise. *zît* hier: Jahreszeit. 2, 7 *ûz gezalt* auserwählt.

VI   Daz ich den sumer alsô maezeclîchen klage

1 Daz ich den súmer alsô maezeclîchen klage,   83, 25 — *18* CB
  – walt unde bluomen die sint gar betwungen –
  daz ist dâ von, daz sîn z î t mir noch her hât gevrumt harte kleine
  vil lîhte gvreuwent si die liehten tage,   [umb ein wîp.
5 den dâ vor ist nâch ir willen gelungen.
  mac mir der winter den s t r î t noch gescheiden hin zir, der ie gerte
  Sô ist daz mîn reht, daz ich in iemer êre,   [mîn lîp,
  wan mîner swaere wart nie mêre.
  owê, zwiu lât mich verderben diu hêre?

3, 4 ¶ *richer* B. 5 *schone* C. *gnade* B. 7 *ist*]*was* B. 8 *sol* B.
VI. 1, 1 *mâsseclichen* C, *meselichen* B. 3 *gefrvmet* B. *vmbe* B. 4 *gevrôwent* B. 6 *hin*]*ir* B. 9 *Owe wie nv lat* B.

3, 3 *enwaere* K(HV). 4 HV (aber *rîcher*)] *Rîcher an vröuden noch* K. 7 *dan* K(HV).
VI Versaufteilung nach Ba und Weissenfels 93; K(HV) teilt vv. 3 und 6 in gefugte Drei- und Vierheber (vgl. He § 686). — 1, 1 *maezlîchen* K(HV). 8 *enwart* K(HV). *noch nie* K. 9 K(HV) nach B.

2   Diu heide ⟨. . .⟩ noch der vogel sanc   83, 36 — *19 BC*

    kan ân ir trôst mir niht vröide bringen,

      diu mir daz herze und den lîp hât betwungen, daz ich ir

    swie vil si gesingent, mich dunket ze lanc   [niht vergezzen mac. ^{84, 1}

5   daz bîten. durch daz verzage ich an guoten gedingen.

    †dâ muoz ich dur nôt von verderben von ir,† wan mir nie

      Swenne si wil, so bin ich leides âne.   [wîp sô nâhe gelac.

      mîn lachen stât sô bî sunnen der mâne.

      doch was gnuoc grôz her mîn vröide von wâne.

1, 1 *maezeclîchen* maßvoll. 2 *betwingen* besiegen. 6 *gescheiden* schlichten, beilegen.
   9 *zwiu* weshalb.
2, 5 *bîten* warten. 9 *von wâne* wegen der Hoffnung.

VII   Nun ist niht mêre mîn gedinge

1   Nun ist niht mêre mîn gedinge,   84, 10 — *20 C*

    wan daz si ist gewaltic mîn:

      bî gewalte sol genâde sîn.

    ûf den trôst ich ie noch singe.

5   Genâde diu sol überkomen

      grôzen gewalt durch miltekeit.

      genâde zimt wol bî rîcheit.

      ir tugende sint sô vollekomen,

      daz durch reht mir ir gewal*t* sol vromen.

2, 4 *sú* B. 5 *dingen* C. 6 *Da von mv̊z ich dur not sin vngesvngen. von ir . . .* C. 9 *Do*
w. gnv̊ B. *genv̊c* C. *her* nach *freude* C.

VII. 1, 5 *uber komen.* 9 *gewaldes.*

---

2 HVBr richten die Strophe weitgehend nach C aus und setzen einen neuen Ton an
(vgl. Anm.). — 1 *heide der walt noch* K. *vogele* K. 1—2 *heide kan noch . . .* / *âne*
ir tr. Ba. 3 *ir vergezzen niht m.* K(Ba). 5 *Daz bîten* tilgt Weissenfels 93, *durch daz*
tilgt K(HV), *guoten* tilgt Ba. 6 Ba (aber ohne crux)] *Dâ von muoz ich lân durch ein*
wîp / *mînen sanc, wan mir nôt nie sô nâhe gelac* K. 9 *Doch w. genuoc* K(HV).

VII. 1, 3 *gwalte* K(HV). 6 u. 9 *gwalt* K(HV).

2 Swer sô staeten dienest kunde,   84, 19 — 21 C
   des ich mich doch troesten sol,
   dem gelunge lîhte wol.
   ze jungest er mit überwunde
5   Daz sende leit, daz nâhen gât.
   daz wirt lachen unde spil.
   sîn trûren gât ze vreuden vil.
   in einer stunde sô wirt es rât,
   daz man zehen jâr gedienet hât.

3 Swer sô langez bîten schildet,   84, 28 — 22 C
   der hât sichs niht wol bedâht.
   nâch riuwe sô hât ez wunne brâht.
   trûren sich mit vreuden gildet.
5   Dém, dér wol bîten kan,
   daz er mit zühten mac vertragen
   sîn leit und nâch genâden klagen,
   der wirt vil lîhte ein saelic man.
   daz ist der trôst, den ich noch hân.

1, 1 Nun habe ich keine größere Hoffnung, als daß sie Macht über mich hat. 5 *über-
komen* überwinden.
2, 4 *mit* damit. 8 *rât* Abhilfe.
3, 4 *gelten* vergelten, entschädigen. 6 *mit zühten* maßvoll.

2, 8 *stunt* K(HV). 9 *zehn* K(HV).
3, 3 *sô* tilgt K. 5 *Deme* HV. *gebîten* K.

VIII Ich was ledic

C: 2, 3, 4; E: 1—4; F: 1, 2

Ich was ledic vor allen wîben.
alsus wânde ich vrô belîben,
daz mich keine mê betwunge
und mich von mînen vröuden drunge.
5 Dô wolte ich, daz mir gelunge,
sô daz ich doch sanfte runge.
was daz niht ein tumber muot?
wer gewan ie sanfte guot?

84, 37 — *Wa 187 E*, F bl. 106ʳ
(ohne Autorenname)

85, 1

Man saget mir, daz liute sterben,
der sî víl, díe verderben,
sô sie minnent al zuo sêre.
wâfen, hiute und immer mêre!
5 Wie behalte ich lîp und êre?
sie ist mir ein teil ze hêre.
sol si denne ein vrouwe sîn?
jâ si, weiz got, immer mîn!

85, 7 — *Wa 188 E*, Fen (23) C,
F bl. 106ʳ (ohne Autorenname)

VIII. 1, 1 *leidic* E. Nach 1 hat F eine zusätzliche Zeile: *das wil ich vor allen frawen
singen*. 2 *Und also wil ich* F. 3 *jr keine gunt zwingen* F. 3 : 4 : 5 : 6 *betwûnge :
drûnge : gelûnge : rûnge* E. 4 *Noch von meiner freude dringen* F. 5 *wolt* F. 6 *So das
senfte runge* F. 7 *tumer* F. 8 *senfte* F.

2, 1 *Ich horte ie sagen* C. *ersterbē* C. 2 *Ir si wunder die* C, *Der sie auch wunder die* F.
3 *Die da mīnē* C. *mynnen also* F. 4—5 *Got behûte mir lib vn̄ ere | Ich diene ir
iemer swar ich kere* C. 4 *heut* F. 5 *behalt* F. 6 *Ja (Nv C) ist si mir* CF. 7 *Wil si* C.
denn F. 8 *immer* fehlt C.

VIII Echt H, unecht K (Pfaff ZfdA. 18, 45 f, Ba, Bu 72 f, V), Wa zugehörig Halbach
ZfdPh. 63, 221 (vgl. dazu Kraus, W. v. d. Vogelweide. Untersuchungen. 1935,
475 f). Bei Maurer, Die Lieder W.'s v. d. V. 2. Bd. Liebeslieder 1956, 156 f unter
„Zweifelhafte und unechte Lieder" abgedruckt. Vgl. auch Anm. — 1, 1 *ledec*
K(HV). 4 H] *Noch von m.* K(V).

2, 1 *sagt* K(HV). 2 *vil*] *wunder* K(HV). 6 *Ja ist si mir* K(HV).

3 Wer hât ir gesaget maere,
daz mir ieman lieber waere?
der müeze als unsanfte ringen,
als ich tuon mit seneden dingen.
5   Sol mir an ir misselingen,
sô muoz in mîn sorge twingen!
tôre, kum dîns vluoches abe:
selbe táet, sélbe habe!

85, 15 — Wa 189 E,
Fe 24 (vv. 1—6) C,
25 (vv. 7—8) C

4 Mir gât einez ime herzen,
dâ von lîde ich manigen smerzen.
daz ersuochet mir die sinne
beidenthalben ûzen und inne.
5   Wê mir, kumet daz von der minne,
daz i's immer denne beginne!
wê, war umbe sprich ich daz?
tuot ez wê, ez tuot ouch baz.

85, 23 — Wa 190 E,
Fe 25 (vv. 1—6) C,
24 (vv. 7—8) C

2, 2 *der sî vil* deren seien es viele. 6 *ein teil* hier: viel.
3, 7 *abe komen* aufgeben. 8 Du hast es selbst getan, nun trage selbst die Folgen davon
(vgl. Ba).
4, 3 *ersuochen* erregen, reizen.

3, 1 *geseit dú m.* C. 4 *tǔ m. selbē d.* C. 5 *niht gelingē* C. 6 *mǔs mich dú s.* C. 7—8 mit
4, 7—8 vertauscht C. 7 *Tore tǔ dich flǔchens abe* C. 8 *tete* C.
4, 1 *gât*] *wont* C. *ime*] *an dem* C. 2 *manigen*] *senden* C. 3 *er sǔchet* E, *dyr sǔchet* C
4 *Beide vsserthalb* C. 5 *Dc kumt alles von* C (vor *Dc* gestrichenes *ǒw*). 6 *Ǒwe d*
ichs ie b. C. 7—8 mit **3,** 7—8 vertauscht C. 7 *spriche* C. 8 *ez . . . ez*]*si . . . si* C.

3, 4 *senden* K. 6 ¶ *müez* K(HV). 8 *taete* K(HV).
4, 2 *mangen* K. 4 *Beide ûzerhalp* K(HV). 5 *kumt* K.

In Handschrift E folgt:

Waz wirret, daz si mich vernaeme?   85, 31 — *Wa 191 E*
daz ir nimmer missezaeme.
    hete ich doch den schaden eine,
    den si hât mit mir gemeine,
5   sô klaget ich ir swîgen kleine.
    mac si hoeren, waz ich meine,
    ouch schadet ez ir vil kleine.

1 *wirren = werren*   schaden. 2 *missezemen*   übel anstehen, mißfallen.

Als 5. Str. zum vorhergehenden Ton unter Annahme einer Verderbnis von v. 7 und
    eines fehlenden v. 8 K(HV), Maurer ebd. — 1 *Waz würr ob si* K(V), *würre* H, Ba.
    vernaeme, K(HV). 5 *klagt* K(HV). 6 *meine?* K(HV). 7 tilgen K(HV).

XIV. Albrecht von Johansdorf

I Mîn êrste liebe, der ich ie began

A: 1, 3, 4; B: 1—3; C: 4 (Nachtrag), 1—3

1 Mîn êrste liebe, der ich ie began,   86, 1 — *1* AB, 2 C
   diu selbe muoz an mir diu *le*ste sîn.
 an vröiden ich des dicke schaden hân.
  iedoch sô râtet mir daz herze mîn:
5   Sold ich minnen mére danne éine,
      daz enwáer mír niht guot,
    sône minnet ich deheine.
     seht, wie meneger ez doch tuot!

2 Ich wil ir râten bî der sêle mîn,   86, 9 — *2* B, 3 C
  durch deheine liebe niht wan durch daz reht.
 waz moht ir an ir tugenden bezzer sîn,
  danne óbe si ir úmberede lieze sleht.
5   Taet an mir einvalteclîche,
      als ich ir einvaltic bin!
    an vröiden werde ich niemer rîche,
    ez enwaere ir der beste sin.

I. 1, 1 *Mîn*] *Dv́* BC. 2 *Die selben* A. *mv́s ŏch mir* BC. *die boeste* A, *dv́ liebeste* BC
3 *des ich* C. 5 *Solte* BC. *me danne* BC. 6 *wę́re* BC. 7 *So m.* BC. 8 *Seht*] *Owe* BC
menger C.
2, 2 *niht* fehlt C. 3 *mŏht* C. 4 *ob* C. *vnrede* C. 8 *were* C.

I. 1, 2 K(HV)] *boeste* Br, *beste* Bergmann 87. 5 *mêr dan* K(HV). 6 *enwaere* K(HV)
8 *manger* K.
2, 2 *keine* K(HV). 4 *Dan obes* K(HV). 7 ¶ *An* tilgt K(HV). 8 *Waere ez niht ir b. s*
K (Jellinek br. an K), *ez enwaere ir beste s.* V.

3   Ich wânde, daz mîn kûme waere erbiten;   86, 17 — 2 A, 3 B, 4 C
     dar ûf hât ich gedingen menege zît.
    nu hât mich gar ir vriundes gruoz vermiten.
    mîn bester trôst der waene dâ nider gelît.
5   Ich muoz alse wîlen vlêhen
        und noch harte, hulf ez iht.
    herre, wan ⟨ist⟩ daz mîn lêhen,
        daz mir niemer leit geschiht?

                    *   *

4   Ich hân dur got daz criuze an mich genomen   86, 25 —
    und var dâ hin durch mîne missetât.   3 A, 1(Nachtrag) C
    nu helfe er mir, obe ich her wider kome,
    ein wîp diu grôzen kumber von mir hât,
5   Daz ich si vinde an ir êren.   87, 1
        sô wert er mich der bete gar.
    süle aber sî ir leben verkêren,
        sô gebe got, daz ich vervar.

2, 2 *niht wan*   nur. 4 *umberede*   Worte, die um die Sache herumgehen. *sleht*   schlicht,
aufrichtig. 5 f *einvaltic*   aufrichtig. 7 f Niemals möge ich reich an Freuden werden,
es sei denn, es wäre auch für sie die beste Lösung.
3, 1 *erbîten*   erwarten. 5 *wîlen*   vormals. 7 *wan*   warum nicht.
4, 6 *weren*   gewähren. *bete*   Bitte, Gebet. 8 *vervarn*   hier: nicht zurückkehren, ster-
ben.

3, 1 *min kvmber węr erlitten* BC. 2 *het* BC. *menge* C. 3 *Nu]Noch* BC. *vrundes* A.
4 *wenne* A. *Min gros gedinge ich węne dar (da* C) *nids lit* BC. 5 *als e (ê* C) *wilent*
BC. 6 *Vn̄ ǒch me vn̄* BC. *hulfe* C. 7 *wan daz m. leben* A, *von weme (wem* C) *ist
das min lehen* BC. 8 *lait (heil* C) *beschiht* BC.
4 Str. über den ganzen unteren Rand der Hs. C nachgetragen und durch Zeichen an
die erste Stelle des Tones gesetzt. — 1 *das krúze an mich durh got* C. *crvce* A.
genom̄ A. 3 *svl ich h. w. komē* C, *kom* A. 5 *an]mit* C. 6 *So gewˢt er mich mis
willen gar* C. 7 *Svle* A, *Sv́l* C. 8 *ich e vervar* C.

3, 2 *het* K(HV). *mange* K. 4 *waen* K(HV). 5 HV Bergmann 88] *als ê* K (Jellinek br.
an K). 6 Bergmann 89] *harter* K(HV). 7 *lêhen* K(HV).
4 Einzelstr. K; zur Verbindung mit 1—3 vgl. Fülleborn Euph. 58, 367 und Ingebrand
79 f und 102 f. — 7 *Sül* K(HV).

II　Mich mac der tôt von ir minnen wol scheiden

1 Mich mac der tốt von ir minnen wol scheiden,　　　　　87, 5 — 4 A
anders niemán: des hân ich gesworn.
ern ist mîn vriunt niht, der mir si wil leiden,
wand ích ze einer vrố̈ide sî hân erkorn.
5　　Swenne ich von schulden erarne *ir* zorn,
sô bin ich vervluochet vor gote alse ein heiden.
si ist wol gemuot und ist vil wol geborn.
heiliger got, wis gnaedic uns beiden!

2 Dô diu wolgetáne gesach án ∫mînem kleide　　　　　87, 13 — 5 A
daz crûze ∖, dô sprach diu guote, ⟨ê ich⟩ gie:
'wie wiltu nû geleísten diu beide,
varn über mer und iedoch wesen hie?'
5　　Sî sprach, ⟨wie ich⟩ wold gebárn umbe si*e*
⟨. . . . .
. . . .⟩
ê wás mir wê: dô geschach mir nie sô leide.

II. 1, 5 *er arn iren.*
2, 1—2 *gesach dc crvce an mine cleide. do sprach dố gûte. gie.* 3 *wiltố. die.* 5 *Si sprach*
wold geborn vmbe si. Nach 5 keine Andeutung einer Lücke.

II vv. 2 u. 4 alternierend Pretzel, Festschr. Hammerich 1962, 233. — 1, 4 *zeiner*
K(HV). 5 *erarne ir* K(HV). 8 *genaedic* K(HV).
2, 1—2 Umstellung K(HV). *mîm* K(HV). *ê ich* erg. K(Ba). 3 *diu* K(HV). 5 *wie ich*
wolde gebarn umbe sie K(V). Pretzel ebd. 234 liest diese Str.: *Dô si daz crûce*
sach an mîme kleide | sprach diu wolgetâne, ê ich gie: | wie wiltû, vriunt, nu
geleisten diu beide, | varn über mer und iedoch wesen hie? | wie ich gebâren nû
wolde umbe sie | . . . . . | . . . . . | ê was mir wê, dô wart mir nie so leide. (!)

*3 Nu mîn herzevrowe, nu entrûre niht sô sêre.   87, 21 — 6 A

    daz wil ich iemer zeinem liebe haben:

    wir suln varn dur des rîchen gotes êre

      gern ze helfe dem vil heiligen grabe.

5   Swer dâ bestrûchet, der mac vil wol besnaben,

      dâne niemen ze sêre gevalle.

        daz meine ich sô: [] die sêlen werden vrô,

      sô si ze himele kêren mit schallen.

1, 5 *erarnen* verdienen.

2, 5 *gebâren* sich verhalten, verfahren.

3, 2 *zeinem l. haben* als eine Freude betrachten. **5** *besnaben* straucheln. **8** *sô* wenn.

III a   Ich und ein wîp

1 Ich und ein wîp, wir haben gestriten   87, 29 — *Niune 48 A,* 4 B, 5 C

    nû vil menege zît.

ich hân léides von ir zorne vil erliten,

    noch heldet sî den strît.

5   nu waenet sî, dur daz ich var,

      daz ich si lâze vrî.

    got vor der helle niemer mich bewar,

      obe daz mîn wille sî.

      Swie vil daz mer und ouch die starken unde toben,

10   ich enwil si niemer tac verloben.

    der ⟨*donre*⟩ slege mohte aber lîhte sîn,   88, 1

      dâ si mich dur lieze.

    nu sprechent, wes si wider mich genieze.

    si kumet mir niemer tac ûz den gedanken mîn.

---

3 Strophe folgt ohne Initiale und Andeutung einer Lücke auf **2**. — **5** *dâ*]*dc. besnabe.*
7 *so so die s.*

III a. 1 BC s. S. 183 — **11** *slege* A (davor Platz für mehrere Buchstaben).

3 Br setzt einen neuen Ton an. — **1** *sô* tilgt K(HV). **2** *Daz* HV, aber v. 1 *sêre:* und
2 *haben.* ¶ *Dich* K. *zeim* K(H). **4** *Gerne* K(HV). **4—5** *vil* tilgt K(HV). **5** *dâ* K.
besnaben K(HV). **6** ff *Dâne mac niemen gevallen ze sêre:* | *daz meine ich, die sêle
werden gevage,* | *sô si mit schálle ze himele kêren* HV; . . . . . *ich sô, daz die sêle
erhaben* | *werden, sô vrô si ze h. kêren.* V (Anm.); wie H, doch mit Änderung von
7 bzw. 8: *ich sô, daz den sêlen behage* K, *ich sô, daz ez die sêle gelabe* | . . . .
kêre Pretzel ebd. 234.

III a Zur Anordnung vgl. Anm.; Strophenfolge III a. **1, 2** (ein Lied); **3**, III b. **2** (Ein-
zelstrr.) K. — **1, 2** *mange* K. **3** *vil leides von ir z.* K (Sch 82). **8** *Ob* (= C)
K(HV). **10** *Ichn wil* K(HV). **11** *donreslege* (≈ C) K(HV). *ab* K(H). **13** *sprechet*
K(V). **14** *kumt* (= C) K.

2 ⟨*Ob ich si iemer mêre gesehe,*   88, 5 — *Niune 49 A,* 20 C
    des enweiz ich niht vür wâr.
dâ bî geloube mir, swes ich ir jehe,
    ez gêt von herzen gar.⟩
5   ich minne si vür alliu wîp,
      ⟨*und swer ir des bî gote*⟩,
    alle mîne sinne und ouch der lîp
      daz stêt in ir gebote.
        Ine erwáche niemer, ez ensî min êrste segen,
10   daz got ir êren müeze pflegen
        und lâze ir lîp mit lobe hie gestên,
          dar nâch êweclîche.
        nu gip ir, herre, vröide in dîme rîche:
      daz ir geschehe, alsô müeze ouch mir ergên.

3 Swie verre ich var, sô jâmert mich,   88, 19 — *Niune 50 A,* 6 B, 7 C
    wiez noch hie gestê.
ich weiz wol, ez verkêret allez sich.
    diu sorge tuot mir wê.
5   die ich hie lâze wol gesunt,
      der envind ich leider niht.
    der leben sol, dem wirt menic wunder kunt,
      daz alle tage geschiht.
        Wir haben in eime jâre der liute vil verlorn.
10   dâ bî sô merkent gotes zorn,
        und erkenne sich ein ieglîchez herze guot.
          diu werlt ist unstaete.
        ich meine, die dâ minnent valsche raete,
      den wirt ze jungest schîn, wies an dem ende tuot.

2, 1—4, 6 fehlt A ohne Andeutung einer Lücke. Text nach C. 7 ¶ *Dc h*ˢ*ze min sin vn̄ al der l.* C. 8 *Die stent* C. *gebot* A. 9 *Ine*] *Ich* C. *es si* C. 10 *mv̆ze* A. 11 *besten* C. 12 *Vn̄ iemer eweklîche* C. 13 *in himelriche* C. 14 *gesche* A. *mv̆ze* A. *Vn̄ mir beschehe alsam als mv̆sse es ergen* C.
3 BC s. u. — 3 *ez*] *er* A. 12 *Die* A.

2, 2 *Desn* K(HV). 8 *gebote* (= C) K(HV). 9 *Ine*] *In* K(V). 11 f Interpunktion nach Braune Beitr. 27, 70] *gestên.* / *... êweclîche* K(HV). 13 *Nu* Braune ebd.] ¶ *Du* K, fehlt HV. 14 *geschehe alsô, als* K.
3, 1 *gerne* HV. 6 *Dern v. ich aller n.* K(HV). 7 *manc* K. 10 *merket* K(V). 11 *Und*]*Nu* K(HV). *ieglich* K(HV).

1, 9 *unde* Flut, Welle. 10 *verloben* aufgeben. 11 f etwa: es könnte aber *donreslege*
geben, um deretwillen sie mich aufgäbe. 13 *wider* im Vergleich zu. *geniezen* Vor-
teil haben.
2, 9 *segen* Morgensegen, Gebet.
3, 14 *wies . . . . . tuot* wie sie (die Welt) . . . . . lohnt.

III b Ich und ein wîp

1 Ich und ein wîp wir haben gestriten
     nû vil manige zît.
  ich hân von ir zorne leides vil erliten,
    noch haltet sî den strît.
5   si waenet des, durch daz ich var,
      ich lâze sî noch vrî.
    got vor der helle niemer mich bewar,
      obe daz mîn wille sî.
        Swie sêre daz mer und ouch die starken unde toben,
10   ich wil si niemer dâ verloben.
       der donreslege mohte aber lîhte sîn,
        durch die sî mich lieze.
        nu sprechent, wes si wider mich genieze.
      si kumet mir niemer tac ûz dem herzen mîn.

87, 29 — 4 B, 5 C,
Niune 48 A

2 Swer minne minneclîche treit
     gar âne valschen muot,
  des sünde wirt vor gote niht geseit.
    si tiuret und ist guot.
5   wan sol mîden boesen kranc
      und minnen reiniu wîp.
    tuot erz mit tríuwèn, sô habe danc
      sîn tugentlîcher lîp.
        Kunden sî ze rehte beidiu sich bewarn,
10   für die wil ich ze helle varn.
       díe áber mit listen wellent sîn,
        für die wil ich niht vallen.
        ich meine, die dâ minnent âne gallen,
      als ich mit triuwen tuon die lieben vrowen mîn.

88, 33 — 5 B, 6 C

89, 1

III b. 1 A s. S. 181 — 1 *wir* fehlt C. 8 *Ob* C. 9 *únde* C. 11 *dornslege* B, *donrslege* C.
môhte C. 14 *kvmt* C.
2, 7 *habe iemer* d. C. 9 *Kvnder* C.

2, 5 *Man* K(V). 7 *Tuo* K(HV). *hab iemer* d. K(HV). 11 Hornoff Germ. 33, 420]
¶ *mit valschen* l. K (Braune Beitr. 27, 71, V), *mit argen* l. Bergmann 66.

3 Swie gerne ich var, doch jâmert mich,   88, 19 — 6 B, 7 C,
       wie ez nu hie gestê.   Niune 50 A
   ich weiz wol, ez verkêret allez sich.
       diu sorge tuot mir wê.
5   die ich hie lâze wol gesunt,
           der vinde ich aller niht.
       swer leben sol, dem wirt manic wunder kunt,
           daz alle tage geschiht.
               Wir haben in einem jâre der liute vil verlorn,
10   an den man siht den gotes zorn.
                   nu erkenne sich ein ieglich herze guot!
                   diu welt ist niemen staete
                   und wil doch, daz man minne ir valschen raete.
               nu siht man wol ir lôn, wie si an dem ende tuot.

2, 5 *wan* = man. *kranc* Makel. 13 *galle* hier: Falschheit.
3, 14 *wie si . . . tuot* wie sie . . . lohnt.

IV   Swaz ich nû gesinge

1 Swaz ich nû gesinge,   89, 9 — 7 B, 8 C
       daz ist állez umbe niht; mir weiz sîn niemen danc.
   ez wiget allez ringe,
       dar ich hân gedienet, dâ ist mîn lôn vil kranc.
5   Ez ist hiure an gnádèn unnaeher danne vert
       und wirt über ein jâr vil lîhte kleines lônes wert.

2 Wie der einez taete,   89, 15 — 8 B, 9 C
       des vrâge ich, ob ez mit vuoge muge geschehen,
   waer ez niht unstaete,
       der zwein wîben wolte sich vür eigen geben,
5   Beidiu tougenlîche? sprechent, herre, wurre ez iht?
           'wán sólz den man erlouben unde den vrouwen niht.'

1, 5 *vert* im vorigen Jahr.
2, 2 *mit vuoge* mit Anstand. 5 *werren* hindern, stören.

---

3 A s. o.
IV. **1, 1** *singe* C. 4 *vil* fehlt C. 5 *genaden* C. 6 *über*] *aber* C. *iare* B.
2, 6 *den*] *dem* C. *vn̄* C.

IV. **1, 2** *Deist* K(HV). 5 *genâde* K(HV).
2, 4 *sich*] *sîn* H. *jehen* K(HV). 5 *sprecht* K(HV). *herre* HV, Hornoff Germ. 34, 110,
Sch 84, Bergmann 116 f, Ingebrand 82] *vrouwe* K, Fülleborn Euph. 58, 358. 6 *Man
sol ez* K(V). *den*] *dem* K. *und* K(HV).

V Die hinnen varn

89, 21 — 10 C, 9 B

  Die hinnen varn, die sagen dur got,
     daz Iérusalêm der reinen stat und ouch dem lande
      helfe noch nie noeter wart.
  diu klage wirt der tumben spot.
5   die sprechent alle, waer ez unserm herren ande,
     er raeche ez ân ir aller vart.
       Nu mugen si denken, daz er leit den grimmen tôt!
       der grôzen marter was im ouch vil gar unnôt,
        wan daz in erbarmet unser val.
10   swen nû sîn criuze und sîn grap niht wil erbarmen,
         daz sint von im die saelden armen.

89, 32 — 10 B, 11 C

2 Nu waz gelouben wil der hân,
     und wer sol im ze helfe komen an sînem ende,
      der gote wol hulfe und tuot es niht?
  als ich mich versinnen kan,
5   ez ensî vil gar ein êhaft nôt, diu in des wende,
     ich waene, er ez übel übersiht.
       Nu lât daz grap und ouch daz criuze geruowet ligen:
       die heiden wellent einer rede an uns gesigen,   90, 1
        daz gotes múotèr niht sî ein maget.
10   swem disiu rede niht nâhe an sîn herze vellet,
        owê, war hât sich der gesellet!

V. 1, 4 *tvmber* B. 5 *v́nserē ande* B. 7 *mvgent* BC. *sv́* B. 8 u. 11 *ime* B.
2, 2 *ime* C. *sinē* BC. 3 *got* C. 5 *ehafte* C. 6 *übel* fehlt C.

V. 1, 2 *Iersalêm* K(HV). 7 *mugen* K(HV).
2, 5 *Ezn* K(HV). 6 *erz* K(HV). 9 *niht ensî* K(HV). 10 *nâhen* K.

3 Mich habent die sorge ûf daz brâht,   90, 5 — *11* B, 12 C
      daz ich vil gerne kranken muot von mir vertrîbe,
        des was mîn herze her niht vrî.
    ich gedénke alsô vil manige naht,
5   'waz sol ich wider got nu tuon, ob ich belîbe,
        daz er mir genaedic sî?'
          Sô weiz ich niht vil grôze schulde, die ich habe,
            niuwan éinè der kume ich niemer abe.
              alle sünde liez ich wol wan die:
10   ich minne ein wîp vor al der welte in mînem muote.
                got herre, daz vervâch ze guote!

1, 5 *ande* schmerzlich. **9** *wan* nur.
2, 4 ... wenn ich es recht verstehen kann. **5** *êhaft* rechtsgültig. *wenden* c. gs. dara[n]
hindern. **6** *übersehen* nicht beachten. **7** Nehmt sogar an, für Kreuz und Grab be[i]
stünde keine Gefahr. **8** die H. wollen in Bezug auf einen Glaubenssatz über un[s]
siegen.
3, 2 *kranker muot* Kleinmut. **5** *belîben* zu Hause bleiben (vgl. Anm.). **11** *vervâhe[n]*
ausrichten.

VI   Ich wil gesehen, die ich von kinde

1 Ich wil gesehen, die ich von kinde   90, 16 — *13* C, 12 B
        her geminnet hân vür elliu wîp.
      und ist, daz ich genâde vinde,
        sô gesach ich nie sô guoten lîp.
5   Obe aber ich ir waere
          víl gár unmaere,
            sô ist si doch, diu tugende nie verlie.
            vröide und sumer ist noch allez hie.

3, 4 *mange* C. **7** *Ich weis niht* C. **9** *liesse* C. **10** *mime gemůte* C. **11** *gůte* C.
VI. 1, 4 *gůt ain wip* B. **5** *Ob* B. **8** *vnde* B.

3, 4 *Ich gedenke mange (manege* HV) *naht* K(HV). **8** *enkume* K(HV).
VI. 1, 5 *Obe ab* K(H). **6** He § 671] K liest *vil gár* ...

Ich hân alsô her gerungen,
   daz vil trûreclîche stuont mîn leben.
dicke hân ich 'wê' gesungen,
   dem wil ich vil schiere ein ende geben.
5   'Wol mich' singe ich gerne,
     swénne ich ez gelerne.
     des ist zît, wan ich gesanc sô nie.
     vröide und sumer ist noch allez hie.

1, 6 *unmaere*   gleichgültig, verhaßt.
2, 7 Es ist Zeit dazu, denn ...

VII Wîze, rôte rôsen

1 Wîze, rôte rôsen, blâwe bluomen, grüene gras,
   brûne, gel und aber rôt, dar zuo des klêwes blat,
von dirre varwe ∫ein schoener slat under einer linden was ᴸ.
   dar ûfe sungen vógelè. daz was ein schoene stat.
5   Kurz ⟨und lanc⟩ gewahsen, bî einander stuont ez schône.
    noch gedinge ich, der ich vil gedienet hân, daz sî mir lône.

2 Ez ist manic wîle, daz ich niht von vröiden sanc,
   und weiz joch niht réhtè, wes ich mich vröwen mac.
daz ich der gúotèn niht sach, des dunket mich vil lanc.
   doch vürhte ich, sî gewunne noch nie nâch mir langen tac.
5   Ich sol ze mâze láchèn, unz ich ir gnâde erkenne.
    als ich danne bevinde, wie ez allez stât, dâ nâch láche ich denne.

1, 3 *slat*   Anger (vgl. V Anm.).

2, 6 *ichs* C.
VII. 1, 1 *roten* B. 2 *und* fehlt C. 3 *Von dierre varwe vnd^s ainer linden was. ain
   schôner slat* BC. 4 *schônv́* C. 5 *Kvrz gewahsen* BC.
2, 2 *enweis* C. 4 *sine g.* C. 5 *genade* C. 6 *ervinde wies* C.

2, 6 *ichz* K(HV).
VII v. 5 lange Zeile He § 772, 798, Bergmann 134] Langzeile mit Zäsur nach 3. Sen-
   kung K (Halbach, Walther v. d. Vogelheide u. d. Dichter v. MF 1927, 42). v. 6
   neue Zeile nach der 6. Hebung K(HV). — 1, 1 *rôte* K(HV). 3 V Anm., de Boor
   ZfdPh. 58, 32, Bergmann 129 f] *Von dirre v. wunder under einer l. was* K(HV).
   5 *und lanc* erg. K (Sch 85, V). 6 *mir es l.* K(HV).
2, 2 *Unde enweiz joch (och H) rehte n.* K(HV). 3 *niht ensach* K(HV). 4 *sine g.* K(HV).
   genâde K(HV).

VIII   Wie sich minne hebt, daz weiz ich wol

B: 3, 4; C: 3, 4 ‖ 1, 2

1 'Wie sich minne hebt, daz weiz ich wol;   *91, 22 — 21 C*
   wie si ende nimt, des weiz ich niht.
íst daz íchs ínne werden sol,
   wie dem ⟨*herzen*⟩ herzeliep beschiht,
5   Sô bewar mich vor dem *s*cheiden got,
      daz waen bitter ist.
     disen kumber vürhte ich âne spot.

2 Swâ zwei herzeliep gevriundent sich,   *91, 29 — 22 C*
   und ir beider minne ein triuwe wirt,
die sol niemen scheiden, dunket mich,
   al die wîle unz sî der tôt verbirt.
5   Waer diu rede mîn, ich taete alsô:
      verliure ich mînen vriunt,
     seht, sô wurde ich niemer mêre vrô.

3 Dâ gehoeret manic stunde zuo,   *91, 8 — 17 C, 16 B*
   ê daz sich gesamne ir zweier muot.
dâ daz énde únsánfte tuo,
   ích wáene wol, daz sî niht guot.
5   Lángè sî ez mir unbekant.
     und werde ich iemen liep,
     der sî sîner triuwe an mir gemant.'

VIII. **1**, 5 *bescheiden.*
2, 6 *vˢlvre.*
3, 2 *gesamene* B. 3 *sanfte tuot* B. 4 *niht* fehlt B.

VIII Anordnung nach KV (Wilmanns, Leben und Dichten Walthers v. d. Vogelweide
   1882, 333, Braune Beitr. 27, 73). — 1 Männerstrophe Angermann, Der Wechsel
   i. d. mhd. Lyrik 1910, 122, Br. — 3 *ich es* K(HV). 4 *herzen* erg. K(HV). *geschiht*
   K(HV). 5 *scheiden* K(HV).
3, 3 *ende denne unsanfte* K(HV). 4 *Ich waene des wol, daz ensî* K(HV). 5 *vil unbe-
kant* K(HV).

Der ich diene und iemer dienen wil,
   diu sol mîne rede vil wol verstân.
spraeche ich mêre, des wurde alze vil.
   ich wil ez allez an ir güete lân.
5   Ír gnâden der bedarf ich wol.
      und wil si, ich bin vrô;
   und wil sî, sô ist mîn herze leides vol.

, 1 *sich heben* anfangen. 7 *âne spot* im Ernst.
, 4 solange sie der Tod verschont.

IX   Saehe ich iemen, der jaehe

Sáehe ích iemen, der jaehe, er waere von ir komen,
   wáere ích dem vîent, ich wolte in grüezen.
allez, daz ich ie gewan, hette er mir daz genomen,
   daz möht er mir mit sînen maeren büezen.
5   Swer si vor mir nennet,
      der hât gar,
      mich ze vriunde ein ganzez jâr,
hette ér mich joch verbrennet.

4 *büezen* ersetzen. 5 *nennen* preisen. 8 *verbrennen* brandschatzen.

4, 5 *genadē* C.
IX, 1 *wer* C. 3 *het* C. 8 *het* C. *joch* fehlt C.

4, 5 *genâden* K(HV).
IX, 1 *Saeh* K. 2 *Waer* K. *vînt* K(HV). 6—7 HV] ein Vers mit Binnenreim K, Berg-
mann 149 f.

X   Got weiz wol, ich vergaz ir niet

Got weiz wol, ich vergaz ir niet,   92, 7 — 23 C
sît ich von lande schiet.
ich engetorste ir nie gesingen disiu liet,
     waer sî vil reine niet und alles wandels vrî.
5   sî sol mir erlouben, daz ich von ir tugenden spreche.
mich wundert, ist si mir doch niht ein wênic bî,
     waz si an mir reche.

7 . . . für welches Unrecht sie mich bestrafen will.

XI   Der al der werlde vröide gît

1   Der al der werlde vröide gît,   92, 14 — 24 C
     der troeste mîn gemüete.
mîn vröide an der vil schoenen lît,
     nâch der mîn herze wüete.
5 Scheide, vrowe, disen strît,
     der in mînem herzen lît,
        mit reines wîbes güete.

2   Du nim daz, vrowe, in dînen muot   92, 21 — 25 C
     und tuo genaedeclîche
gegen mir. unsanfte mir daz tuot,
     und sol ich von dir wîchen.
5   Du lâ gegen mir den dînen haz.
       sône mác mir niemer werden baz
wan in dem himelrîche.

XI. 1, 3 *schonen.*
2, 1 *nime.* 3 *dir.*

X Einstrophiges Lied H Br; unecht Braune Beitr. 27, 73, Hornoff Germ. 33, 398;
VK, Bergmann 137 ziehen die Str. als 3. Str. in folgender Form zu Ton VII:
Got weiz wol, ich vergaz ir niht sît ich von lande schiet.
. . . .
ich engetorste niemer ir gesingen disiu liet,
waere si vil reine niht und alles wandels frî.
(Die folgenden Zeilen wie oben, K jedoch mit Zäsur nach *erlouben* in v. 5.)
XI V Anm.] unecht K, Bergmann 193—205. — 1, 4 Bergmann 194] *wüetet* K(HV).
7 HV] *reiner* K.
2, 1 *nim* K(HV). 3 *Gein mir* K(HV). 5 *gein* K(HV). 6 *Son* K(HV).

92, 28 — *26 C*

Und sold ich iemer daz geleben,
  daz ich si umbevienge,
sô müese mîn herze in vröiden sweben.
  swenne daz alsô ergienge,
5 Sô wurde ich von sorgen vrî.
  ir genâde stânt dâ bî,
  ob sî mir des verhienge!

92, 35 — *27 C*

Diu saelde hât gekroenet mich
  gegen der vil süezen minne.
des muoz ich iemer êren dich,
  vil werde küniginne.

93, 1

5 Swenne ich die vil schoenen hân,
  sône mác mir niemer missegân.
  si ist aller güete ein gimme.

93, 5 — *28 C*

Geprüevet hât ir rôter munt,
  daz ich muoz iemer mêre
mit vröiden leben, zaller stunt,
  swar ich des landes kêre.
5 Alsô hât sî gelônet mir,
  gescheiden hât mich niht von ir
  vro zuht mit süezer lêre.

2, 4 *und* hier: wenn. 7 *wan* außer.
3, 7 *verhâhen* c. gs. gestatten.
4, 7 *gimme* Edelstein.
5, 1 *prüeven* bewirken.

4, 5 *schonē.*

3, 3 *mües* K(HV). 4 *Swenn* K(HV).
4, 2 *Gein* K(HV). 6 *Son* K(HV). 7 *Sist* K(HV).
5, 6 *mich* HV, Bergmann 195] *sich* K.

XII Ich vant si âne huote

1 Ich vant si âne huote   93, 12 — 29 C
   die vil minneclîche eine stân.
  jâ, dô sprach diu guote:
    'waz welt ir sô eine her gegân?'
5   "Vrowe, ez ist alsô geschehen."
    'sagent, war umbe sint ir her? des sult ir mir verjehen.'

2 "Mînen senden kumber   93, 18 — 30 C
   kláge ích, liebe vrowe mîn."
  'wê, waz sagent ir tumber?
    ir mugent iuwer klage wol lâzen sîn.'
5   "Vrowe, ich enmac ir niht enbern."
    'sô wil ich in tûsent jâren niemer iuch gewern.'

3 "Neinâ, küniginne!   93, 24 — 31 C
   daz mîn dienst sô iht sî verlorn!"
  'ir sint âne sinne,
    daz ir bringent mich in selhen zorn.'
5   "Vrowe, iuwer haz tuot mir den tôt."
    'wer hât iuch, vil lieber man, betwungen ûf die nôt?'

4 "Daz hât iuwer schoene,   93, 30 — 32 C
   die ir hânt, vil minneclîchez wîp."
  'iuwer süezen doene
    wolten krenken mînen staeten lîp.'
5   "Vrowe, niene welle got."
    'wert ich iuch, des hetet ir êre; sô waer mîn der spot.'

XII. 1, 4 *wēt. har.* 6 *dc.*
2, 4 *Ir*] *Er.* 6 *ú.*
3, 4 *selken.*
4, 6 *het.*

XII. 1, 1 *si* streicht K(Ba). 2 *minneclîchen* K(HV). 3 *Sâ dô* K(HV). 4 *welt* K(HV)
her K(HV). 6 *Saget,* und so auch im folgenden in der 2. pl. immer *-et* K(V). *daz*
des K(HV).
2, 2 *Klage ich iu, vil l.* K(HV). 4 *Ir mugt* K(Ba). 5 *ichn mac* K(HV). 6 *iuch* K(HV).
3, 2 *dienest* K(HV). 4 H] *solhen* K(V). 5 *iur* K(HV).
4, 6 *hetet* K(HV).

”Sô lânt mich noch geniezen,   93, 36 — *33 C*
    daz ich i*u* von herzen ie was holt.“
’iuch mac wol verdriezen,
    daz ir iuwer wortel gegen mir bolt.‘
5   ”Dunket iu*ch* mîn rede niht guot?“   94, 1
    ’jâ si hât beswaeret dicke mînen staeten muot.‘

”Ich bin ouch vil staete,   94, 3 — *34 C*
    ob *i*r ruochent mir der wârheit jehen.“
’volgent mîner raete,
    lânt die bete, diu niemer mac beschehen.‘
5   ”Sol ich alsô sîn gewert?“
    ’got der wer iuch anderswâ, des ir an mich dâ gert.‘

”Sol mich dan mîn singen   94, 9 — *35 C*
    und mîn dienst gegen iu niht vervân?“
’iu sol wol gelingen,
    âne lôn sô sult ir niht bestân.‘
5   ”Wie meinent ir daz, vrowe guot?“
    ’daz ir dest wérdèr sint unde dâ bî hôchgemuot.‘

2, 3 *tump*   unbesonnen.
4, 6 *wern*   gewähren.
5, 4 *wortel* = *wortelîn. boln*   schleudern.
6, 2 *ruochen*   wollen, geruhen.
7, 2 *vervân*   nützen.

5, 2 *úch.* 5 *iv.*
6, 2 *ir*]*er.*

5, 1 *Lât (lânt* H) *mich* K(HV). 2 *iu* K(HV). 5 *iuch* K(HV). 6 *Jâ hât si* K(HV).
6, 4 *geschehen* K(HV).
7, 2 *dienest* K(HV). 5 *meint* Ba. 6 *deste* K(HV). *und* K(HV).

XIII   Guote liute, holt die gâbe

A: Gedrut 1—4; C¹: 1—4; C²: Rubin v. Rv̊dêger 4

1 Guote liute, holt   *94, 15 — Gedrut 20 A, 36 C*
    die gâbe, die got, unser herre, selbe gît,
    der al der welte hât gewalt.
  dienent sînen solt,
5 der den vil saeldehaften dort behalten lît
    mit vröiden iemer manecvalt.
      Lîdet eine wîle willeclîchen nôt
      vür den iemermêre wernden tôt
        got hât iu beide sêle und lîp gegeben.
10   gebt ime des lîbes tôt, daz wirt deme lîbe ein iemer leben.

2 Minne, lâ mich vrî!   *94, 25 — 37 C, Gedr. 21 A*
    du solt mich eine wîle sunder liebe lân.
    du hâst mir gar den sin benomen.
  kumst du wider bî,
5 swenne ich die reinen gotes vart volendet hân,
    sô wis mir aber willekommen.
      Wilt aber dû ûz mînem herzen scheiden niht
      – daz vil lîhte unwendic doch beschiht –,
        vüere ich dich danne mit mir in gotes lant.
10   sô sî er der guoten dort umb halben lôn gemant.

XIII. 1, 1 *Gv̊ten* C. 3 *Der aller dinge* C. 4 *Vs dienēt* C. 7 *Lidēt* C. *willeklicke* C
  9 *vch* A. *beide* fehlt C. 10 ¶ *G. im des l. hie dc wirt der sele dort ein ewig l.* C.
2, 1 *La mich minne v.* A. 4 *Komest* A. *bî* fehlt A. 5 *Als* A. 8 *geschiht* A. 9 *Vur* A
  10 *So si er vmbe halben l. der gv̊ten hie gemant* A.

XIII v. 10 He § 772, Pretzel, Festschr. Hammerich 1962, 242 f] Langzeile mit Zäsur
  nach 3. Hebung K (Halbach, Walther v. d. Vogelweide und d. Dichter v. MF, 1927
  139, de Boor ZfdPh. 58, 32 f) Bergmann 51 f. — 1, 4 *dienet* K(V). 10 *im* K. *deme*
  libe] ¶ *der sêle* K(HV).
2, 1 K(HV) nach A. 4 *Komest* K(HV). 5 *Als* K(HV). 7 *ab* K(HV). 8 *geschiht* K(HV)
  9 *dan* K(HV). 10 *Sô sî der guoten hie   er umbe halben l. gemant* K, HV und
  Pretzel ebd. lesen nach A.

'Ôwê', sprach ein wîp,   94, 35 — *Gedr. 22 A*, 38 C
  'wie vil mir doch von liebe leides ist beschert!
    waz mir diu liebe leides tuot!
vröidelôser lîp,
5 wie wil du dich gebâren, swenne er hinnen vert,
    dur den du waere ie hôchgemuot?   95, 1
      Wie sol ich der werlde und mîner klage geleben?
    dâ bedorft ich râtes zuo gegeben.
      kund ich mich beidenthalben nû bewarn,
10   des wart mir nie sô nôt. ez nâhet, er wil hinnen varn.'

Wol si, saelic wîp,   95, 6 — *Gedr. 23 A*, 39 C [1],
Rubin v. Rûdegêr 1 C [2]
  diu mit ir wîbes güete gemachen kan,
    daz man si vüeret über sê.
ir vil guoten lîp
5 den sol er loben, swer ie herzeliep gewan,
    wande ir heime tuot alsô wê,
      Swenne sî gedénkèt an sîne nôt.
    'lebt mîn herzeliep oder ist er tôt,'
    sprichet sî, 'sô müezè sîn pflegen,
10   dur den er süezer lîp sich dirre welte hât bewegen.'

4, 9 f ... dann möge der sich seiner annehmen, um dessentwillen er, mein Geliebter,
diese Welt aufgegeben hat.

3, 2 *Wie vil*] *Was* C. 5 *Wie wilt dv nv gebarē* C. *hīnan* C. 6 *wol gemŭt* C. 7 *minr* C.
8 *Da bedorfte ich gŭtes r.* C. 9 *Konde ich dar under b. mich b.* C. 10 *hīnan* C.
4, 1 *vil selig* C[1]. 2 *gŭte* A. *das gemachen* C[2]. *reine w. g. machē kan* C[1]. 4 *reinē* C[1].
5 *Den, er fehlt* C[1]. 6 *Wand* C[2], *Sit* C[1]. *hie heime* C[1]C[2]. *alsô*]*so* C[1], *ouch* C[2]. 7 *stille
an sine* C[2]. *an sîne*]*sîner* C[1]. 8 *er*]*es* C[2]. 9 *mŭse* A. *mŭze sin der pfl.* C[2]. 10 *er*]*sin* C[1].
sŭzer A.

4, 2 *daz gemachen* K(HV). 6 *Wand ir hie h.* K(HV). *sô* K(HV). 7 *g. stille an s.n.*
K(HV). 8 *od* K(HV). 9 *sîn der pfl.* K(HV). 10 ohne Zäsur K (Versehen?).

XV. Heinrich von Rugge

Der Leich

I   Ein tumber man iu hât
gegeben disen wîsen rât,
dur daz man in ze guote sol vernemen.
ir wîsen merkent in:
5   daz wirt iu ein vil grôz gewin.
swer in verstât,
sô ist mîn rât
noch wîser denne ich selbe bin.
     Mîn tumbes mannes munt
10   der tuot iu allen gerne kunt,
wiez umbe gotes wunder ist getân,
des ist mêre danne vil.
swer ime niht gerne dienen wil,
der ist verlorn,
15   wan sîn zorn
muoz über in vil harte ergân.

II   Nu hoerent wîses mannes wort
von tumbes mannes munde:
ez wurde ein langer wernder hort,
swer got nu dienen kunde.
5   Daz waere guot und ouch mîn rât,
daz wizzent algelîche.
vil maneger drumbe enpfangen hât
daz vrône himelrîche.

I, 10 *tvt.* 16 *Mvz.*
II, 5 *gvt. minen rat.* 7 *enphagen.*

I Unechter Zusatz Paus 24, 26, 29 f, 139. — 3 *schol verstân* K (HMS III, 468 b, LV
Paus 17, 139. 12 *Derst* K(LV). 13 *im* K. 16 *Vil harte ergân muoz über in.* K(LV).
II, 3 LV] *lange* K (Wackernagel). 4 *gote* K(LV). 5 *mîn* K(LV).

III Alse müezen wir. jâ teil ich mir   96, 25
   die selben saelekeit:
   obe ich gedienen kan dar nâch,
   diu genâde ist mir gereit.   97, 1
5   Obe ich verbir die bloeden gir,
   die noch mîn herze treit,
   sô wirt mir hín ze den vrôweden gâch,
   dâ von man wunder seit.

IV Nu sint uns starkiu maere komen,   97, 7
   diu habent ir alle wol vernomen.
   nu wünschent algelîche
    Heiles umbe den rîchen got
5   – wande er revulte sîn gebot
   amme keiser Friderîche –:

V Daz wir geniezen müezen sîn,   97, 13
   des er gedienet hât
   unde ander manege bilgerîn,
   der dinc vil schône stât;
5   der sêle, diu ist vor got schîn,
   der niemer sî verlât:
   der selbe sedel ist uns allen veile.
   Swer in nu koufet an der zît,
   daz ist ein saelekeit,
10   sît got süeze marke gît:
   jâ vinden wir gereit
   lediclîchen âne strît
   grôz liep âne allez leit.
   nu werbent nâch dem wunneclîcheme heile.

III, 1 *miuzen.*
IV, 2 *Die.*
V, 1 *mivzen.* 5 *got schin* übergeschrieben. 7 *ueil.* 10 *svze.*

III vv. 1 u. 5 K(V)] je zwei vv. L. — 1 *Als* K(LV). 4 *gnâde* K(LV). 7 LV] *zen* K(Ba). LV] *frôuden* K.
IV, 5 In Klammern K (P 531, V). 6 Docen Allg. Zs. v. Deutschen für Deutsche Bd. 1, 1813, 454] *An* L, *Dem* K (P 531, V).
V, 3 *manec* K(HV). 5 LV] *Der s. sint v. gote* K. 10 *so* nach *got* erg. Docen ebd. 455, ihm folgen LBaVK. Docen ebd.] *süezen market* K(LV). 14 *wünneclîchem* K(LV).

VI   Nu hoeret man der liute vil   97, 27
          ir vriunde sêre klagen.
          zewâre ich iu darumbe wil
          ein ander maere sagen.
5   Mînen rât ich nieman hi*l*:
          jâ suln wir niht verzagen.
          unser leit daz ist ir spi*l*,
          wir mugen wol stille dagen.

VII   Swer si weinet, derst ein kint.   97, 35
          daz wir niet sîn, dâ sî dâ sint,
          daz ist ein schade,   den wir michels gerner möhten weinen.
          Diz kurze leben daz ist ein wint.
5   wir sîn mit sehenden ougen blint,   98, 1
          daz wir nu got   von herzen niet mit rehten triuwen meinen.

VII^b   Ir dinc nâch grôzen êren stât,   98, 3
          ir saelec sêle enpfangen hât
          sunder strît   und âne nît   die liehten himelkrône.
          Wie saeleclîchenz deme ergât,
5   den er den stuol besitzen lât
          und ime dâ gît   nu ze aller zît   nâch wunneclîchem lône!

VIII   Der tiufel huob den selben spot,   98, 13
          entslâfen was der rîche got,
          dur daz wir brâchen sîn gebot.
          in hât sîn genâde erwecket.
5   Wir wâren lâzen under wegen,
          nu wil er unser selbe pflegen.
          er hât vil manegen stolzen degen:
          die boesen sint erschrecket.

VI, 5 *hile*. 6 *sun*. 7 *spile*.
VII, 3 *möhten*.
VII^b, 5 *stul*.

VII, 3, 6 K(BaV)] je zwei vv. L.
VII^b, 3, 6 K(V)] je drei vv. LBa. 4 LV] *saeleclîche ez* K (Wackernagel). 6 *im* K. *zaller*
      K(LV).
VIII, 4 *gnâde* K(LV).

IX Swer nû daz crûce nimet,   98, 21
    wie wol daz helden zimet!
    daz kumt von mannes muote.
    got der guote in sîner huote
5   ⟨si⟩ ze allen zîten hât,
    der niemer sî verlât.

X   Sô sprichet lîhte ein boeser man,   98, 28
    der ⟨. . .⟩ herze nie gewan:
    'wír suln hie héime vil sánfte belíben,
    die zít wol vertríben vil schóne mit wíben.'

Xᵇ Sô sprichet diu, der er dâ gert: 98, 33
    'gespile, er ist niht bastes wert.
    wáz sol er dánne ze vríuntschefte *mír*?
    vil gérne ich in verbír.' 'trût gespil, dáz rât ich dír.'

Xᶜ Viu, daz er ie wart geborn!   98, 38
    nu hât er beidenthalp verlorn,
    wánde er vórhte, daz gót ime gebót 99, 1
    dúrch in ze lîden die nót und den tót.

VIIᶜ Gehabent iu*ch*, stolze helde, wol, 99, 3
    erst saelic, der dâ sterben sol,
    dâ got erstarp, dô er war*p* daz hei*l* der kristenheit*e*.
    Diu helle, diu ist ein bitter hol,
5   daz himelrîch genâden vol.
    nu volgent mir, sô werbent ir, daz man iu*ch* dar verleite.

IX, 1 : 2 *nimit : cimit.* 5 *Zeallen zit hat.* 6 übergeschrieben.
X, 3 *sun.* Xᵇ, 2 *pastes.* 3 *mir*] *minnen.* Xᶜ, 3 *uorthe.*
VIIᶜ, 1 *iv.* 2 *da* übergeschrieben. 3 *do erwarf. daz heile der cristenheit.* 6 *iv. uerleitit.*

IX bis Xᶜ unechter Zusatz Paus 21—24, 27 ff, ebenso für X bis Xᶜ Steller Beitr. 45,
 359 f; hinter 6 Lücke von 6 vv. als Schluß von IX und 4 vv. als Eingang von X,
 K, MFU 238 (vgl. auch Paus 21). — 4 K(V)] zwei vv. LBa. 5 nach K(LV), jedoch
 zallen.
X X, Xᵇ, Xᶜ ein Versikel Ba (vgl. aber Ba Anm.). — 2 *mannes* erg. K(LV), *heldes*
 Ba, Sch 92; beide Möglichkeiten erwägt zuerst Docen ebd. 458 Anm. 35. 4 K(BaV)]
 zwei vv. L.
Xᵇ Xᶜ ein Versikel L. — Xᵇ, 3 W. *schol er dan ze friunde mir* L. 4 Paus 140, Wacker-
 nagel (aber ohne *gespil*)] zwei vv. LBa. *Vil g. i'n verbir.*' '*gespil* K(Ba Anm., V).
Xᶜ Lücke nach Xᶜ vermutet Paus 23. — 3 *im* K(LV). 4 LBaV, Paus 140 (jedoch ohne
 Zäsur)] *Ze lîden die nôt durch in únde den tôt* K (vgl. MFU 238).
VIIᶜ, 3, 6 K(V)] je 3 vv. L. 3 L] *dô er erwarp daz heil der kristenheite* K(BaLV).
 4 *diust* K(LV). 5 L] *himelrîche gnâden v.* K(BaV). 6 L] *beleite* K (Wackernagel),
 verleitet P 532, V, *darwert leite* Ba.

VIII^b   Vil maneger nâch der werlte strebet,   99, 13
deme sî doch boesez ende *gebet,*
und nieman weiz, wie lange er lebet:
daz ist ein michel nôt.
5   Ich râte iu, dar ich selbe wil:
nu nement daz crûce und varent dâhi*n*,
daz wirt iu ein vil grôze gewin,
unde vürhtent niht den tôt.

VIII^c   Der tumbe man von Rugge hât   99, 21
gegeben disen wîsen rât.
ist ieman, der in nû verstât
iht anders wan ze guo*t,*
5   Den riuwet, sô der schade ergât,
daz ime der grôz missetât
nieman necheinen wandel hât,
ze spâte ist ders behuot.

Diz ist ein leich von deme heiligen grabe.

I, 3 *ze guote*   in gutem Sinn.
II, 8 *vrôn*   zum Herrn gehörig, heilig.
III, 1 *teilen*   sich zuteilen, wählen. 4 *gereit*   bereitgestellt. 5 *verbern*   ablassen von, unterdrücken. *bloede*   gebrechlich; *bl. gir*   meint wahrscheinlich Begierde im theologischen Sinne *(concupiscentia* vgl. Sch 90). 7 *gâch*   schnell, eifrig.
IV, 3 *wünschen*   c. gs. und *umbe*   bei jem. nach etwas verlangen. 4 *rîch*   mächtig. 5 *gebot*   Angebot (im Sinne von 'Verheißung').
V, 5 *schîn*   strahlend, leuchtend. 7 *sedel*   Sitz, Wohnsitz. *veile*   käuflich. 8 *koufen*   erwerben, gewinnen. 10 *marke*   Gebiet, Land; *süeze marke*   Jenseits.
VI, 5 *heln*   vorenthalten. 7 *spil*   Freude. 8 *dagen*   schweigen.
VII, 6 *meinen*   lieben.
VII^b, 6 *geben*   c. dp. hier wohl: vergelten. *nâch*   entsprechend, gemäß.
VIII, 5 *under wegen*   mitten auf dem Weg, unterwegs.
X^b, 2 *niht bastes wert*   nichts wert.
VII^c, 3 *werben*   c. as. ins Werk setzen, sich bemühen um. 4 *hol*   Höhle, Loch. 6 *verleiten*   wohl: Geleit geben (vgl. Anm.).
VIII^b, 2 *geben*   schenken. 5 ... dorthin, wohin ...
VIII^c, 4 irgend anders als in gutem Sinne. 6 f daß ihm diese große Missetat niemand rückgängig macht. 8 zu spät ist er davor (sc. *schade)* auf der Hut (oder: beschützt).

VIII^b, 2 *git.* 6 *da hine.* 8 *furhtent.*
VIII^c, 1 *ruge.* 4 *zegûte.* 5 *ruvet.*

VIII^b, 2 ¶ *Dem si mit boesem ende gebet* K(LV). 5 *wil* K(V)] *bin* H, Paus 29 f. 7 *grôz* K(LV). 8 *Und* K(LV).
VIII^c, 4 *in guot* K(LV). 6 *im* ... *grôzen* K(LV). 8 *ers* K(LV). 9 Nachsatz im Apparat K(LV), als Überschrift Ba.

Die Lieder

I Ich sach vil liehte varwe hân

B: 4; C¹C²: 1, 2, 3, 5 ‖ 4

1 Ich sach vil liehte varwe hân
    die heide und al den grüenen walt.
      die sint nu beide worden val,
  und müezen gar betwungen stân
5   die bluomen von dem winter kalt.
      ouch hât diu liebe nahtegal
        Vergezzen, daz si schône sanc.
        ie noch stêt aller mîn gedanc
          mit triuwen an ein schoene wîp.
10   ich enweíz, ob ichs íht geníezen muge,
        si ist mir liep alsam der lîp.

99, 29 — 1 C¹, Rei 188 C²

2 Wurd ich ein alsô saelic man,
    daz ich si lônes dûhte wert,
      in der gewalt mîn vröide stât,
  sô erwurbe ich, daz ich nie gewan,
5   und habe ez doch an sî gegert
      vil wol âne alle [] missetât.
        Nu geschíht mir leide, in weiz dur waz.
        ze guote ich ir noch nie vergaz.
          wil sî mich des geniezen lân,
10   *sî ist unde muoz sîn,
        an der ich staete wil bestân.

100, 1 — 2 C¹, Rei 189 C²

I. 1 188] 196 C². — 4 *müssen* C². 9 *schone* C¹. 10 *Ine weis* C².
2 189] 197 C². — 1 *Wurde* C². 6 *V. w. ane alle valsche m.* C¹C². 7 *ich enweis* C².

I Verfasser: Rug: H, Schmidt 7, 20 f, V; Bezüge zu Rei: P 514, 529, K, MFU 239 f;
  Ps.-Rei: Halbach ZfdA. 65, 156 ff, 170 f, 174 f; Rei: Plenio 90, Paus 113, 114 ff,
  Mau 110 ff. — Mehrere Lieder: 1, 2; 3, 4; 5 H, 1—4; 5 K (V u. V Anm.) Paus
  84 ff, 144 ff, Mau 110 ff. — 1, 3 *Diu* K(HV). 10 *In weiz* K(HV). *iht* fehlt K(HV).
2, 6 Paus 82, 114] *Ân alle valsche m.* K(HV). 10 *und m. ouch iemer s.* K(HV).

3 Sô saelic m a n enwart ich nie,

  daz ir mîn komen taete wol

    und ouch dar nâch daz scheiden wê,

  sît ich b e g a n , daz sich verlie

5   mîn herze, als ez belîben sol,

    an ir mit triuwen iemer mê.

      Diu wunneclîche sündet sich.

        doch denke ich, sî versuoche mich,

          ob ich iht staete kunne sîn.

10   solt ichz bî dem eide sagen,

          sô was ez ie der wille mîn.

100, 12 — *3 C¹*, Rei 190 C²

4 'Vriundes k o m e n waere allez guot,

  daz sunder angest möhte sîn.

    diu sorge diu dâ bî gestât:

  ich hân v e r n o m e n , daz staeter muot

5   des trûric wirt, daz ist wol schîn,

    swenne ez an ein scheiden gât:

      Sô müezen solhiu dinc geschehen,

        daz wîse liute müezent jehen,

          daz groziu liebe wunder tuot.

10   dâ vallet vröide in senende leit,

          des sint siu beidiu unbehuot.'

100, 23 — *21 B*, 29 C¹, Rei 206 C²

***5** Minne minnet staeten man.

  ob er ûf minne minnen wil,

    sô sol im minnen lôn geschehen.

  ich minne minne, als ichs began,

5   die minne ich gerne minne vil,

    der minne minne ich hân verjehen.

      Die minne erzeige ich mit der minne,

        daz ich ûf minne minne minne.

100, 34 — *Rei 191 C²*, Rug 4 C¹

101, 1

---

3 190] 198 C².

4 206] 215 C². — 7 *mvͦssen* BC¹C². 8 *mvͦssent* B, *mvͦsent* C¹C². 9 *liebi* B. 10 *sendú* C¹, *senendú* C². 11 *si* C¹C². *vmbehvͦt* C¹.

5 191] 199 C² — vv. 5 und 6 vertauscht C².

3, 10 *ich ez* K(HV).

4, 10 *sendiu* K(HV). 11 *si* K(HV).

die minne meine ich an ein wîp.
10 ich minne, wan ich minnen sol
dur minne ir minneclîchen lîp.

**, 10 ob ich irgendwie an ihr Freude haben könnte.
**, 8 *ze guote* in guter Absicht; zu meinem Glück. 11 bei der ich treu aushalten werde.
**, 4 *sich verlân an* sich jd. zuwenden.
**, 1 *allez* ganz und gar. 11 davor, d. h. vor dem Leid sind sie beide (die Liebenden)
nicht geschützt.
**, 6 *verjehen* zu erkennen geben, bekennen. 9 *meinen an* meinen im Hinblick auf.

II Mir ist noch lieber

Mir ist noch lieber, daz si müeze leben
nâch êren, als ich ir des gan,
danne mîn diu wérlt wáere sunder streben,
sô waere ich doch ein rîcher man.
5 Ine kunde an ir erkennen nie
enkein daz dinc, dazs ie begie,
daz wandelbaere möhte sîn.
ir güete gêt mir an daz herze mîn.

101, 7 — 5 C¹, Rei 192 C²

2 *als* so wie, (weil?). 3 als daß die Welt ohne Mühe mein wäre. 4 ein Mann, dem
sein Minnedienst gelingt.

III Got hât mir armen

1 Got hât mir armen   ze leide getân,
daz er ein wîp ie geschuof als guote.
solt ich in erbarmen,   sô het erz gelân.
si ist mir vor liebe ze verre in dem muote.
5 Daz tuot diu minne,   diu benimt mir die sinne,
wand ich mich kêre   nâch ir lêre   ze vil,
diu mich der nôt niht erlâzen wil,
sît ich niht mâze begunde   noch enkunde.

101, 15 — 6 C

II 192] 200 C². — 2 *des*] *wol* C². 4 *wer* C². 6 *Kein* C². *dc ie* C¹, *dc sie* C².
III. 1, 8 *nih* C.

II Evtl. als Str. 4 zu Ton IX, da vv. 1 u. 3 u. U. vierhebig, Aarburg in Anm. zu
H. Spanke in: Der dt. Minnesang, hg. v. H. Fromm 1961, 309 u. Paus 65, 131. —
3 *Dan* K(HV). *werelt* K(HV). 5 *In* k. K(HV).
III. 1,2 *alsô* K(LV). 3 *ichn* K(LV). 4 *Sist* K(LV). 5 *nimt* K(LV). 6 *nâch*] *an* K(LV).
7 *enwil* K(LV). 8 *nochn* K(LV).

2 Kunde ich die mâze,   sô lieze ich den strît,   101, 23 — 7 C
    der mich dâ müeget und lützel vervâhet,
der mich ∫ze vaste   verleit ⌉ in den nît.
    swer sich vor liebe ze verre vergâhet,
5   Der wirt gebunden   von stunden ze stunden
    als ich vil arme.   nu erbarme ich sie niet,
    diu mich nu lange alsô trûrigen siet,
    sît ich ir dienen begunde,   als ich kunde.

3 Mir hât ∫verrâten   daz herze ⌉ den lîp,   101, 31 — 8 C
    des was ie vlîzic der muot und die sinne,
daz si mich bâten   ze verre umb ein wîp,
    diu mir nu zeiget daz leit vür ir minne.
5   Dâst ∫besunder   an mir gar ein wunder ⌉,
    daz ich mích hân verlân   ∫ûf den wân,   der mich trouc
    und mir ze verre ie ⌉ vreislîchen louc,
    sît ich ir dienen begunde,   als ich kunde.

1, 3 *solt . . .* würde . . . 4 *vor* wegen. *verre* sehr.
2, 2 *müegen* quälen, verdrießen. *vervâhen* c. ap. nützen. 4 *vergâhen* sich übereilen.
3, 2 *vlîzic* eifrig. 7 *vreislîchen* schrecklich, auf Verderben bringende Weise.

       Str. **3** diplomatisch nach C:

       Mir hat dc hˢze vˢraten den lip. deſ wc
       ie flíſſig der mŭt vn̄ die ſinne. dc
       ſi mich baten ze verre vmb ein wib. dú
       mir nv zeiget dc leit fúr ir mīne. daſt
       an mir gar ein wunder beſvndˢ dc ich
       mich han vˢlan. zevˢre vf den wan. dˢ
       mich ie trŏg. vn̄ mir freiſlichē lŏg. ſit
       ich ir dienen begvnde. als ich kvnde.

III. **2, 3** *vˢleit ze vaste* C.

III. **2, 3** *Der mich verlâzet* (*verleitet,* ohne Zäsur L)   *ze vaste i. d. n.* K(LV), *D. m. hat verlazen   ze v. i. d. n.* Br.
3, 1 Umstellung nach K(LV). 5 *Daz ist* K(LV). Umstellung nach K(LV). 6 f *Deich niht verlân   hân den wân   der mich trouc | und mir vil armen ie freislîchen louc* K, *Deich han mich verlan   uf den wan   der mich trouc | unde mir ie vil freislichen louc* Br.

IV Ich was vil ungewon

102, 1 — 9 C

1 Ich was vil ungewon,   des ich nu wonen muoz,
　　daz mich der minne bant   von sorgen lieze iht vrî.
　nu scheidet mich dâ von   ein ungemacher gruoz,
　　der was mir unbekant,   nu ist er mir als bî.
5　Vil gerne waere ichs vrî.
　　　mir enwárt diu sêle noch der lîp
　　　dêswâr nie lieber, danne mir ie was ein wîp,
　　　　diu eteswenne sprach, daz selbe waere ich ir.
　　　nu hât siz gar verkért hér ze mir.

*　　*

102, 14 — 10 C

2 Des lîbes habe ich mich   dur got vil gar bewegen,
　　ez waer ein tumber wân,   dûhte ⟨ich⟩ mich des ze *guot*.
　jâ liez er wunden sich,   dô er unser wolte pflegen,
　　der im des lônen kan,   wie saeliclîch er tuot!
5　Wir toben umbe guot:
　　　nu lânt mich tûsent lande hân,
　　　ê ich sie danne wisse, sô müeste ich sie lân,
　　　　und enwírt mir dar nâch niht wan siben vüeze lanc.
　　　úf bezzer lôn stêt aller mîn gedanc.

1, 1 *wonen* c. gs. gewohnt sein. 3 *ungemach* unfreundlich. 9 *verkêren* ins Gegenteil
verändern.
2, 1 *bewegen* c. gs. verzichten auf. 5 *toben* nach etwas leidenschaftlich verlangen.
8 gemeint ist der Sarg bzw. das Grab.

2, 1 *liebes.* 2 *duhte mich des ze vil.*

IV Einzelstrr. K(LV), Ingebrand 132 ff; Brinkmann 520 ff hält **1** für eine Einzelstr.,
2 fehlt in seiner Ausgabe (unecht?); e i n Lied Wentzlaff-Eggebert, Kreuzzugs-
dichtung d. Mittelalters 1960, 204 f, Paus 72 ff, 135. — vv. 1—4 K (He § 746)]
acht Kurzzeilen LV; He § 806 faßt vv. 5, 6 zu einer Langzeile zusammen. —
1, 3 LVBr] *ungemaches* K, Paus 70, 135. 4 *Nust* K. *alsô* K(LV). 6 *Mirn* w. K(LV).
9 *verkêret* K(LV).
2, 2 K] *Ich waer ein tumber man,   dûht ich mich des unfruot* LV. 4 *saeliclîche*
K(LV). 8 *Und wirt* K(LV).

V   Mich grüezet menger

1   Mich grüezet menger mit dem munde,   102, 27 — *11* C
den ich doch wol gemelden kunde,
daz er mir ze keiner stunde
rehter vröide nie niht gunde.
5 Den gelîche ich einem hunde,
der dur valschen muot
sich des vlîzet,   daz er bîzet   den, dér im niht entuot.

2   Ich erkénne mînen vriunt sô staete,   102, 34 — *12* C
daz er niemer missetaete
wan dur boeser liute raete,
der die ungetriuwen baete.
5 Daz si niht in schoener waete
trüegen valschen muot,   103, 1
daz stüende in wol.   ir lachen sol   mich selten dunken guot.

1, 2 *den*   von dem. 7 *niht*   nichts.
2, 3 ff vgl. Anm. 5 *wât*   Kleidung.

V. **2,** 5 *schoner.*

V. **1,** 7 *den* tilgt K(LV).
2 Unechte Zusatzstr. Paus 60, 139. — 1 *mînen* tilgt K(LV). 7 ¶ *im wol* L.

VI   Habe ich vriunt

A: Seven **2, 3, 1**; Rug BC [1] u. Rei C [2] **1—4**

Habe ich vriunt, die wünschen ir,
daz si iemer saelic müeze sîn,
dur die ich elliu wîp verbir.
diu mêret vil der vröide mîn
5   Und kan mit güete sich erwern,
daz man ir valsches niht engiht.
ich entrûwe von léide den lîp ernern
swenne sî mîn ouge niht ensiht.

103, 3 — *13 C[1]*, 1 B,
Seven 14 A, Rei 194 C[2]

2   Mir gap ein sinnic herze rât,
dô ich si ûz al der welte erkôs,
ein wîp diu manege tugent begât,
ir lop mit valsche niene verlôs.
5   Daz was ein saeliclîchiu zît.
von der ich grôze vröide hân,
der schoenen, der sol man den strît
vil gar an guoten dingen lân.

103, 11 — *Seven 12 A,*
Rug 2 B, 14 C[1], Rei 195 C[2]

VI. 1 194] 203 C[2]. — 1 *Han ich iht* A. *wunschen* A. 2 *mv̊ze* A. 3 *allv̊* AB. 4 *Si* A.
vröden B. 5 *gv̊te* AC[1]. 7 fehlt A. *entrv̊we* B. *von*] *vor* B. *erwern* B.
2 195] 204 C[2]. — 3 *manig* B. *tvgende* BC[1]C[2]. 4 *Vn̄ l.* BC[1]C[2]. *nie* BC[1]C[2]. 6 *der*] *ir*
BC[1]C[2]. 7 *schonen* AC[1]C[2]. *der sol man*] *mv̊s man ie* B, *mv̊s ich* C[1]C[2].

VI Verfasser: Rug: H u. H Anm., Schmidt 16, V u. V Anm., Paus 123 f, Mau 113;
nur Str. 4 (1—3 von einem späteren Dichter) Brinkmann 498 ff u. ö.; Rei: Regel
Germ. 19, 181, P 529 f, Brachmann Germ. 31, 474 Anm. 57, Ba (vgl. S. 74 Anm.);
Rei-Schüler: K, RU I, 67, Halbach, Walther v. d. Vogelweide u. d. Dichter v. MF
1927, 14 Anm. 1 u. ZfdA. 65, 156, K, MFU 243 f. — Strophenfolge 1, 3, 4, 2 Paus
63, 129 f; 2, 4 (bzw. 4, 2), 1, 3 erwägt Mau 113, jedoch Abdruck in der Folge von
MF. — 1, 1 *Hân ich iht* K(HV). 2 *Dasz* K(HV). 4 *Si* K(HV). 7 *Ichn trûwe* K(HV).
den lîp von (vor H) *leide* e. K(H). 8 *Swenn* K(V), *Sô* H.
2, 2 *ichs* K(HV). 3 *mange* K. 4 *Ir*] *Und* K(HV). *nie* K(HV).

3 Mîn lîp von liebe mac ertoben,   103, 19 — *15 C¹*, 3 B,
    swenne ich daz aller beste wîp   Seven 13 A, Rei 196 C²
    sô gar ze guote hoere loben,
    diu nâhe in mînem herzen lît
5   Verholne nu vil manigen tac.
      si tiuret gar die sinne mîn.
    ich bin noch staete, als ich ie pflac,
    und wil daz iemer gerne sîn.

4 'Vil wunneclîchen hôhe stât   103, 27 — *4 B*, 16 C¹,
    mîn herze ûf manige vröide guot.   Rei 197 C²
    mir tuot ein ritter sorgen rât,
    an den ich allen mînen muot
5   Ze guote gar gewendet hân.
      daz ist uns beiden guot gewin,
    daz er mir wol gedienen kan
    und ich sîn vriunt dar umbe bin.'

1, 3 *verbern*   ablassen von. 7 *ernern*   erretten.
2, 4 *mit*   hier etwa: durch. 7—8 *einem den strît lân*   nachgeben, nicht dagegen strei
ten.
3, 1 *ertoben*   von Sinnen kommen, anfangen zu rasen. 4 *nâhe in*   ≈ fest eingeschlos
sen. 5 *verheln*   verbergen. 6 *tiuren*   wertvoll machen.
4, 3 *rât tuon*   c. gs. frei machen von. 5 *ze guote*   in guter Absicht.

3 196] 205 C². — 1 *vor l. mŭz ir toben* A. 3 *horen* A. 4 *in*] *an* A. *hᵉze* A. 5 *Vᵉholr*
n. v. menegŭ zit A. 6 *gar die*] *vil der* A. 7 *alse si mich lie* A, *als si mich hies* B.
4 197] 206 C². — 2 *menge* C¹.

3, 1 *vor l. muoz* K(HV). 4 *in*] *an* K(HV). 5 *mangen* K. 6 *gar die*] *vil der* K(HV).
4, 2 *mange* K.

VII   Ein wîser man vil dicke tuot

A: 1, 2, 3; B: 7, 8 ‖ 1, 2, 3; C: Rug 8; C: Rei 1—11

1   Ein wîser man vil dicke tuot,
    sô des ein tumber niht enkan.
  als im daz hoehet sînen muot,
  sô muoz ich leider trûric stân.
5   Ich mac wol sîn von gouches art
    und jage ein üppeclîche vart.
      tôren sinne hân ich vil,
       daz ich des wîbes minne ger,
      diu mich ze vriunde nien enwil.

103, 35 — Rei 163 C,
49 A, Rug 15 B

104, 1

2   Sol ich leben tûsent jâr,
    sô daz ich in gnâden sî,
  gewinne ich niemer grâwes hâr.
  sist aller wandelunge vrî.
5   Lop si wol gedienen kan
    und weiz doch wol, daz alle man
      ir niht gar gemaeze sint.
       swer ir dekeines valsches giht,
      an dem hât haz mit nîde ein kint.

104, 6 — Rei 50 A,
164 C, Rug 16 B

VII. 1 163] 170 C. — 1 *wise* B. 2 *Sô* fehlt AB. 3 *Alse* AB. *ime* A. 5 *goiches* A, *toren* B. 6 *vppeclicbe* ABC. 8 *minne* fehlt B. *ger*] *gar* A. 9 fehlt A, *Dv́ mich niht enwil* B.
2 164] 171 C. — 1 *Solte* B. 2 *Vñ mv́se ich in ir gn. sin* B. *genaden* C. 3 *So gewunne ich* B. *In gewinne niemer* C. 4 *Wan si ist alles wandels vri* B. *Si ist* C. 5 *verdienen* B. 7 *gemaeze*] *ze masse* B. *gar* übergeschrieben C. 9 *den* B. *mit*] *bi* BC.

VII Verfasser: Rug: H, Schmidt 25 ff, Bu 190 ff, V (jedoch mit Bedenken vgl. Anm.); Rei: P 494, 527 f, Wilmanns AfdA. 1, 155, Plenio 90, Mau 116 ff, ebenso (aber 7, 11 vielleicht Wechsel Wa's) Paus 90 ff; Rei-Schüler: K, RU I, 66 f und MFU 245, Halbach ZfdA. 65, 149 f u.ö., K. — Einzelstrophen H; mehrere Lieder: 1, 2, 3; 9, 10 (sonst Einzelstrr. wie H) P 533, 1, 2, 3; 4, 5, 6; 7; 8, 9, 10; 11 K (V u. V Anm.), 1, 2, 3; 7, 11 (Wechsel); 4, 8, 9, 10, 5, 6 Paus 141 ff, 1, 2, 3, 4, 7, 6; 9, 8, 5, 11, 10 Mau 116 ff. — 1, 2 *Sô* fehlt K(HV).
2, 2 *in ir g.* K(HV). 3 *In gwinne n. g. h.* K(HV). 9 *mit*] *bî* K(HV).

3 Ez ist ein spaehes wîbes sin,   104, 15 — *Rei 51 A,*
  diu sich vor valsche hât behuot,   165 *C,* Rug 17 B
 swie unschuldic ich des bin:
  swâ ich si weiz, dar sprich ich guot.
5 Doch ist ein site, der niemer zimet,
  swer dienst ungelônet nimet,
  doch es leider vil geschehe.
   hât mir dekeiniu sô getân,
   der rât ich, daz si zuo ir sehe.

* *

4 Der boesen hulde nieman hât,   104, 24 — *Rei 166 C*
  wan der sich gerne rüemen wil.
 swes muot ze valschen dingen stât,
  den kroenent sî und lobent in vil.
5 Der site ist guoter liute klage.
  waz hulfe, ob ich in allen sage,
  sô mir iht liebes widervert?
   schaden hab ich dâ von vernomen,
   es muoz mir iemer sîn erwert.

5 Gedinge hât daz herze mîn   104, 33 — *Rei 167 C*
  gemachet wunneclîchen vrô,
 daz muoz ûf ir genâde sîn
  mit staete zallen zîten sô,
5 Der ich dâ guotes hoere jehen.   105, 1
  waz kunde liebes mir geschehen
  von allen wîben, waer ir niht?
   mîn lîp in grôzer senfte lebt
   des tages, sô sî mîn ouge siht.

---

3 165] 172 C. — 1 *spęher* BC. *von v.* B. 3 *gar* hinter *Swie* nachgetragen C. 4 *si*] *die*
B. *dar*] *der* B, *da* C. *spriche* €. 5 *niemer*] *niht* B, *niemā* C. 6 *Swer*] *Der* B. *dienest*
C. 7 *es*] *sin* B. *es* gestrichen, *Swie es* am Rand mit Verweisungszeichen vor *doch* C.
9 *rate* C.
4 166] 174 C. — 3 *digen.*
5 167] 175 C.

3, 1 ¶ *spaeher* K(HV). 5 *niemen* K(HV). 6 *dienest* K(HV).

6 Diu alse gar waere guot,
    diu sol des mich geniezen lân,
daz sî sô vil der tugende tuot.
    ich bin ir worden undertân.
5   Genâde, vrouwe, saelic wîp,
    und troeste sêre mînen lîp,
      der sich nâch dir gesenet hât.
        du enwéllest des ein ende lân,
      der sorgen wirdet niemer rât.

105, 6 — Rei 168 C

          *   *

7 Wan daz ich vriunden volgen sol,
    ich bin mir schedelîchen hie.
si zürnet sêre, waene ich wol,
    diu guote, die ich dâ senende lie,
5   Und hât von mînen schulden leit.
    daz ich durch iemen sî vermeit,
      des wirde ich selten wol gemuot.
        ich enweiz, ob ieman schoener sî:
      ez lebet niht wîbes alse guot.

105, 15 — 5 B,
Rei 169 C

          *   *

8 Man sol ein herze erkennen hie,
    daz zallen zîten hôhe stât.
rehte vröide lobt ich ie
    und nîde niemen, der si hât.
5   Der sô gewendet sînen muot,
    daz er daz beste gerne tuot,
      ich wil iu mînen willen sagen:
        ê dáz er unsanfte müese gên,
      ûf mîner hant wolt ich in tragen.

105, 24 — 17 C¹, 6 B,
Rei 170 C²

---

6 168] 176 C. — 7 *sich* am Rand nachgetragen mit Verweisungszeichen hinter *Der*.
7 169] 177 C. — 3 *Si truret* C. *wenne* BC. 4 *Dú liebe die ich s.* C. 8 *schoner* BC.
  9 *Es en lebt* C.
8 170] 178 C². — 2 *ze allen* B. 3 *lobte* B. 7 *úch* B. 8 *E der* B, *E er* C². *músse* B,
  mûste C². *gan* B. 9 *in* fehlt B.

6, 1 *Diu albegarwe* K(V), *alsô garwe* H. 2 H] *soldes* K(V).
7, 4 *diech* K(HV). *sende* K. 8 *Ichn weiz* K(HV). 9 *Ezn lebt* K(HV).
8, 8 *Ê der uns* K(HV). *gân* K(HV).

9 Ich hân der welte ir reht getân   105, 33 — *Rei 171* C
       ie nâch der mâze, als ez mir stuont,
   der volge ich noch ûf guoten wân,
   alsam die tôren alle tuont.
5   Mac mir dar an niht wol geschehen,   106, 1
       sô lâze ich doch die liute sehen
          den willen und die staete mîn.
             ist daz mir danne missegât,
          dar an wil ich unschuldic sîn.

10 In hân niht vil der vröide mêr   106, 6 — *Rei 172* C
       von ir wan eine, diu ist sô grôz,
   diu machet mich sô rehte hêr,
   an vröiden al der werlte genôz.
5   Wie möhte ich baz ze heile komen?
       ez ist mir iemer unvernomen.
          des vröit sich herze und al der lîp
          ûf alsô minneclîchen trôst:
          sô meine ich nieman wan ein wîp.

                        *   *

11 'Ein reht unsanfte lebende wîp   106, 15 — *Rei 173* C
       nâch grôzer liebe, daz bin ich.
   ich weiz getriuwen mînen lîp,
   noch nieman staeter danne mich.
5   Sît ich sîn künde alrêrst gewan,
       sôn gesách ich nie dekeinen man,
          der mir ze rehte geviel ie baz.
             nu lône, als ich gedienet habe!
          ich bin, diu sîn noch nie vergaz.'

1, 5 *gouch* Tor, Narr. 6 einen unnützen, leichtfertigen Weg einschlagen.
2, 5 *gedienen* verdienen.
3, 1 *spaehe* klug, schlau. *dienst nemen* Dienst annehmen. 9 daß sie auf sich selbst
achte, sehe (= sich besinne?).
4, 7 *sô* wenn. 9 *erwern* verwehren.

9 171] 179 C.
10 172] 180 C.
11 173] 181 C.

10, 2 *diust* K(HV). 9 *Jô* K(HV).
11, 6 *sach* K(HV).

5,1 *gedinge* Hoffnung. 3 *ûf genâde* in Hinblick auf (ihre) Gunst. 5 Von der ich da
Gutes sagen höre.

6,8 wenn du nicht... 9 *rât werden* c. gs. hier: aufhören.

7,2 *mir schedelîchen* mir zum Schaden.

8,1 *erkennen* kennenlernen.

10,2 *wan* außer. 3 *hêr* freudig, stolz. 6 *unvernomen* unbekannt. 9 *wan* als.

VIII   Nu lange stât diu heide val

1   Nu lange stât diu heide val,
      si hât der snê   gemachet bluomen eine.

    die vogele trûrent über al,
      daz tuot ir wê,   der ich ez gerne scheine:

5   mîn lîp ie vor den boesen hal,
      daz ich si mê   mit rehten triuwen meine,

    danne ieman kunde wizzen zal.

    hete ich von heile wunsches wal
          über elliu wîp,

10   verleite mich unstaete ab ir dekeine.

106, 24 — *Heinrich
der Rîche 1 A,*
Rug 7 B, 18 C¹,
Rei 198 C²

2   Die vindent mich in meneger zît
      an einem sinne,   der ist iemer staete.

    nâch rehte liez ich mînen strît,
      daz mir ie minne   lônes gnâde taete.

5   nu gemachet valscher liute nît,
      daz guote gewinne   sint ein teil ze spaete.

    dâ von mîn herze in swaere lît.

    betwungen was ez iemer sît,
          noch wurde ez vrô,

10   leiste noch diu schoene, des ich baete.

106, 34 — *Heinr.
d. R. 2 A,*
Rug 8 B u. 19 C¹,
Rei 199 C²

107, 1

VIII. 1 198] 207 C². — 3 *vogel* BC¹C². 4 *tů* C¹. 6 *truwen* A. 7 *vinden kvnne* z. B,
vindē kvnde z. C¹C². 8 *Het* C¹. *võ allem heile* C². *wunsches* zweimal C¹. 9 *allů* B.
10 *Vˢlaitet mich abe* (ab C¹) *dierre* (dirre C¹C²) *stẹte dehaine* BC¹C².

2 Zu BC¹C² s. S. 215. — 10 *schone* A.

VIII Verfasser: Rug: H u. H Anm., Schmidt 27, P 494 f u. ö., Bu 190 ff, V, Spanke
ZfrPh. 49, 223; Pseudo-Rei: Halbach ZfdA. 65, 152 ff u. ö., zustimmend K, MFU
247 f; später Rug oder Epigone (Heinrich der Rîche) Rug's od. Rei's: Paus 117 f,
149 f, zustimmend Mau 121. — Zwei Lieder 1, 2; 3, 4 K(HV), ein Lied 1, 3, 4, 2
Paus 53 ff, 149 f, ebenso, aber Abdruck in der Folge von MF, Mau 121 ff. —
1, 9 *Ůbr* K(HV). 10 *Mich verleite* K(HV).

2,1 *Si vindet* (= BC¹C²) K(HV). *menger* K. 4 *ie*] *ir* (= BC¹) K(HV). 5 *machet*
(= BC¹C²) K(HV). 6 Paus 51, 150] *Daz guot gedinge wirt* (= BC¹) K(HV).

3 Mir waere starkes herzen nôt:
　　ich trage sô vil　der kumberlîche*n* swaere.
　noch sanfte*r* taete mir der tôt,
　　danne ich ez hil,　deich alsus gevangen waere.
5 ich leiste ie, swaz si mir gebôt,
　　und iemer wil.　wie ungern ichz enbaere!
　diu zît hât sich verwandelôt,
　der sumer bringet bluomen rôt,
　　　mîn wurde rât,
10　wolte sî mir künden liebiu maere.

107, 7 — *Heinr.
d. R. 3 A,*
Rug 9 B u. 20 C[1],
Rei 200 C[2]

4 'Solt ich an vröiden nu verzagen,
　　daz waer ein sin,　der nieman wol gezaeme.
　er muoz ein staetez herze tragen,
　　alse ich nu bin,　der mich dâ von benaeme;
5 er muose zouberliste ha*ben*,
　　wan mîn gewin　sich hûeb, alse ér mir kaeme.
　sîn langez vremeden muoz ich klagen.
　du solt ime, lieber bote, sagen
　　　den willen mîn,
10　wie gérne ich in sáehe, síne vröide [] vernaeme.'

107, 17 — *Heinr.
d. R. 4 A,*
Rug 10 B u. 21 C[1],
Rei 201 C[2]

1, 4 *ez*　verweist auf das Folgende. *scheinen*　zeigen, zu erkennen geben (vgl. Sch 96).
5 *heln*　verbergen.
3, 4 *heln*　verheimlichen. 9 mir würde geholfen.
4, 4 *benemen*　abbringen. 6 *heben*　steigern.

---

3 200] 209 C[2]. — 2 *Ich han* B. *kumberliche* A. 3 *sanfte* A. 4 *daz ich* B. 6 *vngerne ich si verbere* B, *ich das v.* C[2]. 10 *kvnden* A. *liebe* B.

4 Zu C[2] s. S. 215. — 2 *węre* BC[1]. *niemen gůtem zęme* BC[1]. 3 *měse* BC[1]. 4 *Als ich en bin* BC[2]. 5 *Der měse* BC[1]. *han* ABC[1]. 6 *hůb* A. *als e. m. zęme* BC[1]. 7 *frőmden* C[1]. 8 *im* C[1]. 9 *fehlt* C[1]. 10 *vň sine* BC[1]. *noch vern.* AB.

3, 2 *kumberlîchen* K(HV). 4 *sus* K(HV).
4, 3 u. 5 *müese* (= BC[1]C[2]) K(HV). 7 *fremden* (= C[1]C[2]) K. 8 *im* (= C[1]C[2]) K(HV). 10 *i'n saehe und* ($\approx$ BC[1]C[2]) K(HV).

Strophen des Tones im Wortlaut anderer Überlieferungsträger.

Str. 2 nach B(C [1]):

Si vindet mich nu lange zît
  an dem sinne,   der ist iemer staete.
nâch rehte liez ich mînen strît,
  daz mir ir minne   lônes gnâde taete.
5 nu machet velscher welte nît,
  daz guot gedinge   wirt ein teil ze spaete.
dâ von mîn herze swâre lît.
betwungen was ez iemer sît,
  noch wurde ez vrô,
10 léistè diu guote, des ich baete.

Str. 2 nach C [2]:

Si vindet mich nu lange zît
  an der gir,   diu ist eht iemer staete.
nâch rehte lieze ich mînen strît,
  waer, daz si mir   lônes genâde taete.
5 nu machet valscher werlte nît,
  daz ich verbir   gedinge, der wirt ze spaete.
dâ von mîn herze swaere lît,
betwungen was ez iemer sît,
  noch wurdez vrô,
10 leiste diu schoene, des ich si baete.

Str. 4 nach C [2]:

'Solt ich an vröiden nu verzagen,
  daz waere ein sin,   der mir niht wol enkaeme.
ich müese unstaetez herze jagen,
  als ich enbin.   der mich dâ von benaeme,
5 der müese zouberliste tragen,
  wan solh gewin   sich hüebe, der mir niht zaeme.
sîn langez vremden muoz ich klagen.
du solt im, lieber bote, sagen,
    ⟨. . . . .⟩
10 wie gérne ich in sáehe und sîne vröide vernaeme.'

2, 3 *liessse* C[1]. 4 *genade* C[1]. 5 *valscher* C[1]. 7 *swere* C[1].

2 199] 208 C[2]. — 5 *velscher* C[2]. 10 *schone* C[2].

4 201] 210 C[2].

IX   Nâch vrowen schoene nieman sol

1 Nâch vrowen schoene nieman sol
   ze vil gevrâgen. sint si guot,
 er lâzes ime gevallen wol
 und wizze, daz er rehte tuot.
5   Waz obe ein varwe wandel hât,
   der doch der muot vil hôhe stât?
     er ist ein ungevuoge man,
     der des an wîbe niht erkennen kan.

107, 27 — *1 A*, 11 B, 22 C¹, Rei 202 C²

2 Ich tuon ein scheiden, daz mir nie
   von deheinen dingen wart sô wê.
 vil guote vriunde lâz ich hie.
   nu wil ich trûren iemer mê,
5   Die wîle ich sî vermîden muoz,
   von der mir sanfter taete ein gruoz
     an dem staeten herzen mîn,
     danne ich ze Rôme ein keiser solte sîn.

107, 35 — *2 A*, 12 B, 23 C¹, Rei 203 C²

108, 1

*   *

3 Ich gerte ie wunneclîcher tage.
   uns wil ein schoener sumer komen,
 al deste senfter ist mîn klage.
   der vogele hân ich vil vernomen,
5   Der grüene walt mit loube stât.
   ein wîp mich des getroestet hât,
     daz ich der zît geniezen sol.
     nu bin ich hôhes muotes, daz ist wol.

108, 6 — *13 B*, 3 A, 24 C¹, Rei 204 C²

IX. 1 202] 211 C². — 1 *schone* A. 2 *sǔ* B. 3 *lasse sǔ* B, *lasse si im* C¹C². 5 *ob* BC¹C². 7 *vngevüge* BC¹C². 8 *wiben* BC¹C².
2 203] 212 C². — 2 *Von kainē (deheinē* C¹C²*) dinge* BC¹C². 3 *lasse* BC¹C². 5 *wile vn̄ ich* BC¹C². *si* fehlt C¹, nachgetragen C². *vrǒmeden* B, *frǒmdē* C¹C². 6 *Von der mir tete ain lieplich* (fehlt C¹C²*) grǔs* BC¹C². 7 *Noch sanfter an dem hˢzen min* BC¹C². 8 *Danne ob ich* BC¹C². *ein* fehlt BC¹C².
3 204] 213 C². — 2 *schoner* A. 4 *vogel* A. 5 *grǔne* A. *lobe* B. 7 und 8 *Dc ich mine gehabe wol / Wan ich dˢ zit geniezen sol* A.

IX Zum Problem der liedhaften Einheit und zur Strophenfolge vgl. Anm. — 1, 3 HV] *im* K. 7 *ungevüege* K(HV).
2,2 *keinen* K(HV). 7 *deme* K(HV). 8 *ein* fehlt K(HV).

*   *

Ich hôrte gerne ein vogellîn,
daz hüebe wunneclîchen sanc.
der winter kan niht anders sîn
wan swaere und âne mâze lanc.
5   Mir waere liep, wolt ez zergân.
waz vröiden *ich* ûf den sumer hân!
dar stuont nie hôher mir der muot,
daz ist ein zît, diu mir vil sanfte tuot.

108, 14 — *4 A*, 14 B,
25 C¹, Rei 205 C²

, 5 *varwe*   Aussehen, Schönheit.
, 4 *wan*   als.

X   Diu welt mit grimme wil zergân

1   Diu welt mit grímme wil zergân nu vil schiere.
ez ist an den liuten [ ] grôz wunder geschehen:
vröwent sich zwêne, sô spottent ir viere.
waeren siu wîse, siu möhten wol sehen,
5   Daz ich durch jâmer die vröide verbir.
nu sprechent gnuoge, war umbe ich niht singe,
den vröide noch geswîchet ê danne mir.

108, 22 — *18 B*,
Rei 56 A, Ru 26 C

---

4 205] 214 C². — 2 *hvbe* A, *hûbe* C², *hǒp vil* BC¹. *sanc*] *schal* C¹, *sc̣ḥāk* ('*sanc*' aus '*schal*' gebessert!) C². 5 *ez*] *er* BC¹C². 6 *Waz vroidench* A, *Was gǔter vrǒde ich* BC¹C². 7 *gestǒnt* BC¹C². 8 *mir vil*] *minen ǒgen* BC¹C².

X. 1, 1 *wil* nach *welt* A. 2 *vil gros* BC. 4 *dise wise si* A, *si wise si* C. *mohten* A. 6 *genǒge war umbe. ich tvmbe. n. s.* C. 7 *Den friunden gesw. noch* A. *danne* fehlt A.

4, 5 *ez*] *er* K(HV). 6 *vröide* K(HV).
X v. 6 zwei Kurzverse H, ein Vers mit Binnenreim Ba, vgl. auch ders. Germ. 12, 133, 166. — 1, 1 *wil mit gr.* K(HV). 2 *vil* tilgt K(HV). 4 *si wîse si* K(HV). 6 *genuoge* K(HV). Br] ¶ *ich sus truobe* K (Ba, ohne *sus* HV). 7 *geswîchet noch ê* K(HV).

2 Diu welt hât sich sô von vreuden gescheiden,
    daz ir der vierde niht rehte nu tuot.
  juden und kristen, ine weiz umbe heiden,
    die denkent alze verre an daz guot,
5   ⟨*Wie siu des vil gewinnen*⟩. doch wil ich in sagen:
    ez muoz hie belîben. daz niemen den wîben
  nu dient ze rehte, daz hoere ich si klagen.

108, 30 — Rei 57 A,
Ru 19 B u. 27 C

3 Swer nu den wîben ir reht wil verswachen,
    den wil ich vil verteilen ir minne und ir gruoz.
  ich enwil ir leides von herzen niht lachen,
    swer nu sô welle, der lâze oder tuoz.
5   Wan ist ir einiu niht rehte gemuot,
    dâ bî vund ich schiere   wol drî oder viere,
  die zallen zîten sint hövesch und guot.

109, 1 — Rei 58 A,
Rug 20 B u. 28 C

1, 7 *geswîchen* schwinden, entweichen.
2, 4 *verre* sehr.
3, 2 *verteilen* c. a. etwas absprechen, für verlustig erklären. 5 *wan* denn.

2, 1 *sô* fehlt BC. 2 *nu* fehlt BC. 3 *ich enwais vmbe die h.* B, *inweis vmb die h.* C.
5 *Wie sv́ des (si es* C) *vil* g. BC, fehlt A. 6 *alles hie* BC. 6, 7 *beliben. den rainen*
wiben. / *Nv niemen dienet ze rehte alse hôre ich sv́ clagen* B, *belibē. den wiben.* /
Nv niemā dienet rehte als hôre ich si kl. C.

3, 2 *Dem* BC. *vil* fehlt BC. 3 *Ich wil* BC. *herze* B. *niemer gelachen* BC. 4 *sô* fehlt BC.
5 *aine* BC. 6 *vinde* BC. *wol* fehlt BC. *drie* BC. 7 *ze allen* B. *hovesch* A, *hv́besche* B,
hûbesch C.

2, 1 *HV*] *alsô* K. 3 *unde* K(V). *in weiz* K(HV). 4 *H*] *alle ze* K (P 534, Weissenfels
175, V). 5 *Wie sis vil* g. K(HV).
3, 2 *Den* HBa] *Dem* K(V). *vil* fehlt K(HV). 3 *Ich wil* K(HV). 4 *Br*] *sô nu* K(HV).
6 *BaBr*] *vind* K(HV). 7 *Ba*] *höfsch unde* K(HV).

XI   In mîner besten vröide

A: Rei 1, 2, 4; B: Hau 1, 2, 3; C: Rug 6, 4;
C: Rei 1, 2, 3 ‖ 6, 4 ‖ 5; E: Rei 1—5

1   In mîner besten vröide ich saz
    und dâhte, wiech den sumer wolte leben.
    dô rieten mîne sinne daz
      – des ich enkeinen trôst niht kan gegeben –,
5   Daz ich die sorge gar verbaere
      unde hôhes muotes waere.
      ʃ daz het ich gerne sît getân,
      wan daz ich bin verleitet   ûf einen lieben wân,
      den ich noch leider unverendet hân. ʅ

109, 9 — Rei 46 A,
Hau 12 B, Rei 160 C,
279 E

2   Het ich ze dirre sumerzît
    zwêne tage und eine guote naht,
    mit ir ze redenne âne strît
    nâch mînem willen, alse ich hân gedâht,
5   Daz mich des nieman wenden solte,
      wie lützel ich getrûren wolte!
      doch lâz ich ez unversuochet niht:
      ich wil ir iemer dienen   und lobe ez, als ez geschiht,
      daz mich si niemer mêr unvrô gesiht.

109, 18 — Rei 47 A,
Hau 13 B, Rei 161 C,
280 E

XI. 1 160] 167 C. — 1 *An miner* E. *minen besten vrôden* B. 2 *gedahte* BCE. *wie ich*
BC, *wes ich* E. *sôlte* E. 3 *Dô]* *Vñ* E. *riten* B. 4 *Das ich dehainē trost mir kan* g. B,
Dc ich mir anders keinē trost niht kan g. C, *Des ich keinnen trost han* g. E. 5 *Wan*
dc ich C. *die swęre* BC, *mine swere* E. 6 *Vñ* A, *Vñ iemˢ* BCE. 7 *nach* 9 A. 8 *Won* B,
Wenne E. *bin verleidet* A, *wart verleitet* E, *vˢlaitet bin* BC. *lieben* fehlt E.

2 161] 168 C. — 1 *Hete* BCE. *ze]von* BC, *zů* E. 2 *Doch zw.* BC. *tag* B. *guote* fehlt
BC. 3 *reden* E. *ane nit* BC. 4 *Nach m. w.* fehlt E, *Mit m. w.* C. *als* BCE. *hân* fehlt
BC. 5 *Vñ mich des nieman irrē sôlte* E. 6 *lvzzil* A. *getrurn wôlte* E. 7 *Ôch lasse ich*
sin BC, *Ichn laz ez* E. 8 *Ichn wôlle* E. *vñ lob es swenne es* g. BC, *vñ lobe ir so ez*
nu g. E. 9 *Das si mich* BCE. *niemˢme* B.

XI Verfasser: Rug: Schmidt 8, 27 f; schwankend zwischen Rug und Rei: H Anm.; Rei:
Bu 43 ff, V u. V Anm. 371, Paus 74 ff, 99—112, Mau 128 ff; Ps-Rei: K, vgl. K,
MFU 253 f. — Ein Lied in der obigen Folge K, RU I, 67 ff, Paus 146 ff, Mau
128 ff; mehrere Lieder 1—3; 5—6 H u. a. (vgl. K, MFU 251). — v. 8 Rhythmisie-
rung wie K (Bartsch Germ. 2, 266), Paus 76, Mau 129, 6-hebiger v. ohne Zäsur
HV. — 1, 4 *niht mir* K(HV). 6 *Und iemer* K(HV).
2, 7 *Ouch lâze ichz* K(HV). 9 *si mich* K(HV).

3 Missebieten tuot mir niht   109, 27 — *Hau 14 B*
    von wîben noch von boesen mannen wê,   Rei 162 C, 281 E
ob sî mich eine gerne siht,
    waz bedárf ich guoter handelunge mê?
5   Lîde ich von ieman swachez grüezen,
      *daz mac sî mir eine wol gebüezen.
      und wirde ich noch sô saelic man,
    daz sich mîn leit verendet,   daz ich von ir gewan,
    sô vröwet mich, daz ich sîn ie began.

4 Ich hân nâch wâne dicke wol   109, 36 — *31 C¹*,
    gesungen, des mich anders niene bestuont,   Rei 48 A, 187 C²,
und lobe iedoch, als ich dâ sol,   282 E
    swâ guotiu wîp bescheidenlîche tuont.
5   Daz biute ich mînen vriunden ze êren
      und wil in iemer vröide mêren.
      mîn eines wurde lîhte rât:
    swes muot iedoch ze der werlte   als der mîne stât,
    ich waene, er menege sorge ûf êre hât.

---

3 162] 169 C. — 1 *Ein missebieten* E. 3 *Sit sie mich* E. 4 *Waz darf ich denne g.* E.
5 *Lide er iemens* C. *swacher* E. 7 *Und* fehlt E. *so*] *ein* E. 8 *võ ir han* CE. 9 *frôit*
C. *So frau ich mich denne daz is ie b.* E.
4 187] 195 C². — 2 *daz* E. *niht* AE. 3 *Vn̄ lobe doch wan ich nv sol* A, *Vn̄ lobt swie*
ich des niht ensol E. 4 *So gûte* E, *Swa getrvwe* A. *bescheidelichen* E. 5 *bot* AE. *ichs*
C². 6 *Und* fehlt A. *Den wil ich i. fr. mern* E. 7 *Min selbes wirdet* E. 8 *iedoch*] *also*
A. *zer* AC², *zv̊r* E. *alser miner* A, *so der mine* E. 9 *vmbe ere* A, *vmmere* E.

3,4 *darf* K(HV). 6 *D. m. si eine mir wol büezen* K(HV). 8 H, Paus 75, 147, Mau
131] *hân* K (P 535, Bu 225, V).
4,2 *niht* K(HV). 3 *doch, wan ich nu s.* K(HV). 5 H, Bu 225, V u. V Anm., Paus 75,
147] *bot* K (P 534) Mau 131. *zêren* K(HV). 8 *zer* K(HV). HV] *alsô* K. 9 *menge* K.
ûf] *umb* K(HV).

110, 8 — *Rei 193 C*, 283 E

5 ’Dem ich alsolher êren sol
  getrûwen, als ich her behalden hân,
 den muoz ich ê bekennen wol:
  sîn wille mac sô lîhte niht ergân.
5   Welle er ze vriundinne mich gewinnen,
   sô tuo mit allen sînen sinnen
    daz beste und hüete sich dâ bî,
    daz mir iht kome ze maere,   wie rehte unstaete er sî:
   ⟨waer er mîn eigen denne, ich liez in vrî.⟩‘

110, 17 — *30 C¹*, Rei 186 C²

6 Mich vröit âne alle swaere wol,
   daz ich sô liebiu maere hân vernomen,
  der ich mich gerne troesten sol.
   mir ist der muot von grôzen sorgen komen.
5   Sît man der staete mac geniezen,
   sô ensol ir niemer mich verdriezen.
    mîn herze ist ir mit triuwen bî;
    vreisch aber ez diu schoene,   daz ez mit valsche sî,
   sô lâze sî mich iemer mêre vrî.

1, 5 *verbern* ablassen, aufgeben. 7 *sît* seither. 8 *wan daz* nur daß.
2, 8 *loben* versprechen, geloben.
3, 1 *missebieten* schlecht behandeln. 4 *handelunge* Behandlung. 6 *gebüezen* gut-
machen. 9 *sîn* es (= leidvoller Dienst).
4, 1 *nâch wâne* auf ungewisse Hoffnung hin. 2 *mich bestât (ein dinc)* mir kommt zu.
4 *bescheidenliche* verständig, nach Gebühr. 7 *rât* Abhilfe (vgl. Anm.).
5, 2 anvertrauen, wie ich sie bis jetzt bewahrt habe. 3 *bekennen* erkennen. 8 *ze maere
komen* bekannt werden, zu Ohren kommen.
6, 6 *verdriezen* c. ap. u. gs. lästig, beschwerlich sein. 8 *vreischen* erfahren.

---

5 193] 201 C. — 1 *so maniger eren* E. 3 *erkennen* E. 5 *Wil er ze frûnde mich* g. E.
6 *So tuo er in allen sinen willen* E. 8 fehlt E. 9 fehlt C.
6 186] 194 C². — 1 *an* C¹. 8 *schone* C².

5, 5 P 534] *Wil* K(HV). *friunde* K(HV).
6, 8 HV] *Freische ab* K.

XII   Ich suoche wîser liute rât

B: 1, 2; C: 1—3

1   Ich suoche wîser liute rât,   110, 26 — 22 B, 32 C
       daz sî mich lêren,   wie ich sî behalde,
    diu wandelbaeres niht begât
       und ie nâch êren   vrowen prîs bezalde.
  5 mîn heil in ir genâden stât,
       si kan verkêren   sorge, der ich walde.
    ir güete mich gehoehet hât,
       daz sol si mêren   nâch ir êren manicvalde.

2   Ich hôrte wîse liute jehen   110, 34 — 23 B, 33 C
       von einem wîbe   wunneclîche maere.
    mîn ouge sî begunde spehen,
       ob an ir lîbe   diu gevuoge waere.
  5 nu habe ich selbe wol gesehen,   111, 1
       wie sî vertrîbe   senelîche swaere;
    und ist mir sô von ir beschehen,
       daz ich belîbe   vrô, des ich unsanfte enbaere.

XII. **1,** 1 *sůchte* C. 2 *ich die* b. C. 3 *niene* C. 4 *frôiden* C. 6 *v^striben* C. 8 *sol* fehlt C.
2, 2 *Eime wibe wůneklicher m.* C. 3 *ǒgē sa begůden* C. 5 *Nv han ichs wol an ir g.* C.
6 *Si kā v^striben* C. 7 *geschehen* C.

XII Verfasser: Rug: H, Schmidt 8, P 497 u. ö., V, Paus 117 f, Mau 106; Ps.-Rei:
Halbach ZfdA. 65, 151 f, K, MFU 255. — Strophenfolge: Folge wie oben K(HV);
2, 1, 3 Wilmanns, Leben u. Dichten Walthers v. d. V. 1882, 333, Angermann, Der
Wechsel i. d. mhd. Lyrik 1910, 21, 121, ebenso oder **2, 3,** 1 Paus 48. — **1,** 8 *êre*
K(HV).
2, 2 *wunneclîcher* K(HV). 3 *ougen sâ begunden* sp. K(HV). 5 *Nu hân ichz wol an ir g.*
K(HV). 6 *Si kan vertrîben* K(HV). 7 *geschehen* K(HV).

'Mîn lîp in ein gemüete swert   111, 5 — *34* C
   − sît er sô ringet −,   dáz ích behüete,
daz er ist vröiden unbehert;
   des er betwinget   mich mit sîner güete.
5 an mir er niemer missevert.
   wan dem gelinget ⟨. . . . . . .
. . . .
 . . . . .⟩ ob uns niemer bo*um* geblüete.'

, 4 *prîs* Ruhm. *bezaln* erwerben.
, 4 *gevuoge* Schicklichkeit.
, 3 . . ., daß er der Freuden nicht beraubt ist. 5 *missevarn* sich irren.

XVI. Bernger von Horheim

I   Nu enbeiz ich doch des trankes nie

1 Nu enbeiz ich doch des trankes nie,   112, 1 — *1 B,* 5 C
    dâ von Tristran in kumber kam.
    noch herzeclîcher minne ich sie
    danne er Îsalden, daz ist mîn wân.
    5   Daz habent diu ougen mîn getân.
    daz leite mich, daz ich dar [ ] gie,
    dâ mich diu minne alrêst vie,
      der ich deheine mâze hân.
    sô kumberlîche gelébte ich noch níe!

2 Ez ist ein wúnder, daz ich niht verzage,   112, 10 — *6 C,* 2 B
    sô lange ich ungetroestet bin;
    als ich ir mînen kumber klage,
      daz gât ir leider lützel in.
    5   Daz hât mir mîne vröide hin.
    doch vlîze ich mich alle tage,
    daz ich ír ein staetez herze trage.
      nu wîse mich got an solhen sin,
    daz ich nóch getuo, daz ir behage.

I. 1, 2 *tristan* C. *kan* C. 3 *ich* fehlt C. 4 *ysaldens* B. 6 *das ich dar ich dar gie* B, *da*
ich gie C.

2, 1 : 3 *verzagete : clagete* B. 6 *mich des alle* B. 8 *sôlhen* B.

I. 1, 4 *Dann er Îsalden, deist* K(HV). 6 *Si leiten* Br. 7 *alrêste* K(HV). 9 ¶ *noch* fehl
K(HVBr).

2, 1 ¶ *Êst wunder* K(HV), *Ein wunder ist deich* n. Br. 6 K(HV) nach B. 7 u. 9 *Deic*
K(HV). 8 *an den sin* K(HV).

3 Swer nû deheine vröide hât,   112, 19 — *3 B*, 7 C
    des vingerzeige muoz ich sîn.
    swes herze in guoten gebiten stât,
    die selben vorhte die sint mîn.
5 Daz sî mir tuon ir nîden schîn!
    doch singe ich, swie ez dar umbe ergât,
    und klage, daz sî mich trûren lât.
    herze, die schulde wâren dîn:
    du gaebe mir an sî den rât!

1, 1 *enbîzen* (Nahrung) genießen.
2, 5 *hin hân* wegnehmen.
3, 2 auf den muß ich mit dem Finger deuten. 3 *gebite* (geduldiges) Warten. 5 *schîn tuon* zu erkennen geben.

II Mir ist alle zît, als ich vliegende var

1 Mir ist alle zît, als ich vliegende var   113, 1 — *4 B*, 8 C
    ob al der welte und diu mîn alliu sî.
    swar ich gedenke, vil wol sprunge ich dar.
    swie verre ez ist, wil ich, sô ist ez mir nâhe bî.
5 Starke unde snel, beidiu rîch unde vrî
    ist mir der muot: dur daz loufe ich sô balde;
    mir enmac entrinnen dehein tier in dem walde –
    daz ist gar gelogen: ich bin swaere als ein blî.

2 Ich mac von vröiden toben âne strît: 113, 9 — *5 B*, 9 C
    mir ist von minne sô liebe geschehen.
    swâ waere ein walt beidiu lanc unde wît,
    mit schoenen boumen, den wolte ich erspehen;
5 Dâ mohte man mich doch springende sehen.
    mîn re*h*t ist, daz ich mich an vröiden twinge.
    wes liuge ich gouch? ich enweiz, waz ich singe.
    mir wart nie wirs, wil ich der wârheit jehen.

───

3, 2 *D*^s C. 6 *swies* C. 7 *sî* fehlt C. 8 *w*^r*en* C. 9 *ane* C.
II. 1, 2 *ellú* C. 4 *sost* C. 5 ¶ *Starc vñ* . . . *rîche vñ* C.
2, 5 *mőhte* C. 6 *ret* B. 7 *ine weis* C.

───

3, 1 *Swer in deheiner vröide stat* Br. 2 *Der* K(HV). 3 *in ungebiten* HV, *in guoten biten* K (Jellinek br. an K). 4 *Des selben* Br. 5 *tuo* Ba. 6 *swiez* K(HV). 8 *Die schulde, herze, w.* K (Spanke ZfrPh. 49, 190).
II. 1, 4 *sost mirz n.* K(HV). 5 *Starc . . . rîche* K(HV). 7 *Mirn mac kein* K(HV).
2, 1 Ba] *ertoben* K (Buchholz 21), *getoben* HV. 4 *bluomen* Br. 6 *ich an v. mich twinge* K (Buchholz 21). 8 *wil der w. ich jehen* K(V), *wârheite* H.

3 Ich mache den merkaeren truoben den muot.   *113, 17 — 6 B, 10 C*
    ich hân verdienet ir nît und ir haz,
    sît daz mîn vrowe ist sô rîche unde guot.
    ê was mir wê, nu ist mir sanft unde baz.
5   Ein herzeleit, des ich niene vergaz,
      daz hân ich verlâzen und ist gar verwunden.
    mîn vröide hât mich von sorgen enbunden:
    mir wart nie baz — unde liuge ich iu daz.

*4 Mir wil gelingen, dâ mir nie gelanc,   *113, 25 — 7 B, 11 C*
      an minne der süezen, daz wil ich iu sagen.
    die merkaere habent mengen gedanc,
      swenne sî mich nu niht mêre hoerent klagen
5   Dehein herze sêr. daz tuot sî mir verjagen.
      ⟨. . . . .⟩
      des lône ir got, daz mîn trûren hât ende —
    daz ist gar gelogen, und ist dar doch niht lanc.

1, 2 *und diu* . . . und daß sie . . . 6 *balde* schnell.
2, 6 . . . mich an die Freude presse (vgl. K, MFU 258 f). 8 *wirs* schlechter.
4, 8 aber es währt bis dahin doch nicht lange Zeit.

III Mir ist von liebe vil leide geschehen

1 Mir ist von líebe vil leide geschehen;   *113, 33 — 8 B, 12 C*
      liez ichz dar umbe, sô waere ich ze kranc.
    durch daz sende ich disiu lieder durch spehen
      an eine stat, dar mich daz herze twanc.
5   Sît ich ir leider niht wol mac gesehen,
      sô sol si merken durch got mînen sanc.
    wil mir diu schoene der wârheit jehen,
      sô was si ez ie, nâch der mîn herze ranc   *114, 1*
    und iemer muoz, doch mir nie gelanc.

3, 1 *trûbenden* B, *trûbenden* C. 3 *ist rich vn̄* C. 4 *sanfte* C. 6 *verwunden* aus *ver-swunden* geändert B, *verswûden* C.
4, 4 *sú* B. 6 fehlt ohne Andeutung einer Lücke BC. 7 *lon* C.
III. 1, 8 *ie* fehlt C.

3, 1 K (Schröder ZfdA. 67, 196)] *truobenden* HV. 4 *nust* K(HV). *sanfter dan b.* K (Jellinek br. an K).
4 H] unecht K(V), Br tilgt Str. — 3 *vil mengen* K(Ba). 4 *mêr* K(HV). 6 *si waenent niht, dez si mîn herzeleit wende* erg. Buchholz. 8 V] *doch lanc* H, *doch noch lanc* K.
III. 1, 3 *durch* HV] *für* K. 4 *dar daz h. mich tw.* K(HV). 7 *wârheite* K(HV). 8 *siz* K(HV). 9 *niene* K.

2 Mich hât daz herze und ein unwîser rât
   ze verre verleitet an tumplîchen muot,
  dâ doch mîn dienst vil kleine vervât.
   der kumber hât mich vil dicke gemuot.
5 Minne vil süeze beginnunge hât
   und dunket an dem anevange guot,
  dâ doch daz ende vil riuwic gestât,
   als ez mir armen vil lîhte getuot.
  wie solt ich von der nôt mich haben behuot!

114, 3 — *13* C, 9 B

3 Si darf des niht gedenken, daz ich mînen muot
   iemer bekêre an dehein ander wîp.
  des selben hân ich mich her wol behuot,
   sît ich ir gap beidiu herze unde lîp
5 Ûf ir gnâde, swie wê ez mir tuot,
   doch wil ich langer noch haben den strît.
  ich hoffe des, daz mîn reht iht sî sô guot,
   daz si mir schiere ein víl liebez énde gît
  *der grôzen swaere, sô si des nu dunket zît.

114, 12 — *10* B, 14 C

2, 3 *vervâhen* nützen. 4 *müejen* quälen.

IV Wie solte ich armer der swaere getrûwen

1 Wie solte ich ármer der swaere getrûwen,
   daz mir ze leide der künic waere tôt?
  des muoz ich von ir daz ellende bûwen;
   des werdent dâ nâch mîniu ougen vil rôt.
5 Der mir ze Pülle die hervart gebôt,
   der wil mich scheiden von liebe in die nôt,
  der ich gewinne vil míchel rûwen.

114, 21 — *11* B, 15 C

2, 4 *gemŭt* C. 6 *anvange* B. 8 *lihte guot* B. 9 *solte* B.
3, 5 *genade* C. 6 *noch lang*ˢ C. 7 *offe* C.
IV. 1, 1 *getrŭwen* B. 7 *micheln* C. *rŭwen* BC.

2, 1 *ein* HV] *sîn* K (Buchholz 19). 3 *dienest* K(HV). 6 HV] *anvange vil g.* K. 9 HV
(aber *solte*)] *Wie solt ich mich v. d. nôt hân b.* K.
3, 1 Br] *denken* K(HV). 5 *genâde* K(HV). 6 HV] *noch halden den str.* K, dagegen
Jungbluth¹ 198 Anm. 21, *noch langer behaben den str.* Br. 7 H] *iht* tilgt K (Weis-
senfels 56, V). 8 HV (H aber *schier*)] *Daz si ein vil liebez ende mir g.* K. 9 *grôzen*
tilgt Buchholz 20. *sô siz dunket z.* K(HV).
IV. 1, 1 : 3 : 7 Reimausgleich nach *û* K(V), nach *iu* H, Buchholz 7. 2 *künc* K(H).
4 *des werdent ir diu ougen vil rôt* Bu 200. 7 *michelen* K(HV).

2 Ich wil bevelhen ir lîp und ir êre   114, 28 — *12 B*, 16 C
   gote und dâ nâch allen engelen sîn.
  sî sol wízzen, swar ich landes kêre,
   daz ich ir bin unde muoz iemer sîn,
5   Als ich ê was, dô mich ir ougen schîn
   brâhte alse verre ûz deme sinne ⟨*mîn*⟩;
  dô was mir wê unde nû michels mêre.

3 Nû muoz ich varn und doch bî ir belîben,   114, 35 — *13 B*, 17 C
  von der ich niemer gescheiden mac;
  si sol mir sîn vor allen anderen wîben
   in mînem herzen beidiu naht unde tac.
5   Als ich gedenke, wie ich ir wîlent pflac,
   owê, daz Pülle sô verre ie gelac!   115, 1
  daz wil mich leider von fröiden vertrîben.

1, 1 *der swaere getrûwen* die schmerzliche Nachricht glauben. 3 *ellende bûwen* in
einem fremden Lande leben. 5 *Pülle* Apulien.
3, 5 *als* wenn.

V   Si vrâgent mich, war mir sî komen

1 Si vrâgent mich, war mir sî komen   115, 3 — *1 C*
  mîn sanc, des ich ê wîlent pflac.
  si müejent sich; êst unvernomen,
  war umbe ich nû niht singen mac.
5   Noch waere mir ein kunst bereit,
   wan daz mich ein sendez herzeleit
   twinget, daz ich swîgen muoz.
  des mir unsanfte wirdet buoz.

2, 2 *engeln* C. 4 *vñ si iemer min* C. 5 *ê*]*ie* C. 6 *Brahte so* C. *dem* C. *mîn* fehlt B.
3, 3 *andern* C.
V. 1, 3 *mv̊gent*. 6 *mir*.

2, 3 *sol wol wizzen* K (Buchholz 10). 6 *ûzer dem* K.
3, 2 *enmac* K(HV). 3 HV] *vor al anderen* K (Buchholz 14). 4 V] *beidiu* tilgt K.
  5 *wiech* K(HV).
V. 1, 6 *mich* K(HV).

Kunde ich klagen   mîn herzeleit
  gelîch, als mir nâhe gât,
sô wolde ich sagen   ûf mînen eit,
  daz nieman groezern kumber hât,
5   Noch niene wart sô trûric man.
  daz verswîge ich, als ich wol kan,
    und klage ez den gedanken mîn;
    die lâze ich mit unmüezic sîn.

Ze der werlte ist wîp   ein vröide grôz;
  bî den sô muoz man hie genesen.
doch es mînen lîp   noch nie verdrôz:
  mîn herze daz ist in bî gewesen.
5   Ich hete ie ze der werlte muot
    und daz mîn munt in iemer sprichet guot,
      die triuwe lât nu werden schîn:
      belîbe ich, sô gedenkent mîn!

1, 8 *buoz* Abhilfe.
3, 6 *und daz mîn* . . . abh. von *muot* (vgl. V Anm. 378).

VI Nu lange ich mit sange die zît hân gekündet

Nu lánge ich mit sange die zít hân gekŭndet;
  swanne si vie, al zergie, daz ich sanc.
ich hange an getwange, daz gît, diu sich sündet;
  wan si michs ie niht erlie, sine twanc
5   Mich nâch ir, diu mir sô betwinget den muot.
    ich singe unde sunge, betwunge ich die guoten,
    daz mir ir güete baz tete. si ist guot.

3 *getwanc* Not, Bedrängnis.

2, 4 *grossern.*
VI. 2 *vienc.*

2, 1 *ich in kl.* K. 2 *Geliche als ez m.* K(HV). 6 *wole* K(HV).
3, 1 *Zer* K(HV). 3 *Des m.* H, *Jochs m.* Br, *Doch es mîn lip* . . . *genôz* K(V). 4 *deist*
  K(HV). 5 f V] ¶ *muot./daz mîn* K, *muot/und mîn* Br. 7 HVBr] *lân* K. 8 *gedenket*
  HVBr, *gedenken* K.
VI. 1 u. 3 den Binnenreim *zît : gît* nach Bartsch Germania 3, 483. 2 *vie* K(HV). 4 *si*
  getwanc K(HV). 5 *nâch ir mich diu mir* K. 7 ¶ *Daz mir noch baz taet ir güete*
  K. *sist guot* K(HV).

XVII. Hartwig von Rute

I Mir tuot ein sorge wê

1 Mir tuot ein sorge wê in mînem muote,   116, 1 — *1 BC*
   die ich hin hein ze lieben vriunden hân.
obe sî dâ iender gedenken mîn ze guote,
   als ich hie mit triuwen hân getân?
5 Si solten mich dur got geniezen lân,
   daz ich ie bin gewesen in grôzer huote,
   daz sî iemer valsch kunne an mir verstân.

2 Swer waenet, daz mîn trûren habe ein ende,   116, 8 — *2 BC*
   der weiz niht, waz mir an dem herzen lît,
ein kumber, den mir niemen kan erwenden,
   ez taete danne ir minneclîcher lîp.
5 Die sorge hân ich leider âne strît,
   sî enwelle mir ir boten senden,
   dem ich verwartet hân vor maniger zît.

3 Swie mir tôt vast ûf dem ruggen waere,   116, 15 — *3 BC*
   unde dar zuo manic ungemach,
sô wart mîn wille nie, daz ich sî verbaere.
   swie nâhen ich den tôt bí mir sach,
5 Dâ manic man der sünden sîn verjach,
   dô was daz mîn al*ler* meistiu swaere,
   daz mir genâde nie von ir geschach.

I. 1, 3, 5, 7 *sú* B. 3 *Ob* C. 4 *ich ir hie* C. 5 *solte* C. 7 *vęlsch* BC.
2, 2 *enweis* C. *an mime h.* C. 6 *Sine welle* C. 7 *menger* C.
3, 1 *tôt* fehlt C. 6 *almaistú* BC.

I. 1, 3 *Obs iender dâ* K(HV). 4—5 K(HV) *nach* C. 7 *Dazs iemer kunne valsch* K(HV).
2, 2 *Dern* K(HV). 6 *Sin welle danne* K, *Sine welle* HV. *mir ze troste ir b.* Br. 7 *man-*
  ger K.
3, 1 *der tôt* K(HV). *rugge* K(HV). 2 HV] *und d. manic ander* K. 3 *deich* K(HV).
  4 *gesach* K(HV). 6 HV] *Sô waz doch daz* K. *aller* K(HV).

Nach **3** folgen in BC folgende Verse:

Ich sihe wol, daz dem keiser und den wîben   *116, 22 — 4 BC*
   mit ein ander niemen gedienen mac.
des wil ich in mit saelden lân belîben,
   er hât mich ze in versûmet manigen tac.

1, 2 *ze lieben vriunden* vgl. Anm. 6 *in* g. *huote sîn* sich in acht nehmen (vgl. Anm.).
2, 7 *verwarten* vergeblich warten (vgl. K, MFU 265).
3, 3 *verbern* aufgeben. 5 *verjehen* bekennen.

II Ich bin gebunden

Ich bin gebunden   *117, 1 — 5 BC*
ze allen stunden
   als ein man,
      der niht kan
5   gebâren nâch dem willen sîn.
         daz mac sî g e b ü e z e n, diu mich twinget,
         daz mîn munt singet
            manigen swaeren tac.
         wan ich enmac
10   niht geruowen, ich enkome ir nâhe bî
            sô daz ich ir gesagen m ü e z e, waz mîn wille sî,
               daz eine mac mir sorge wenden,
               si kan mit leide anevân und mit vröiden enden.

---

4 *hin zin* C.
II. 2 *Als* gelöscht C, *zallē* C. 4 *enkan* C. 5 *Niht* C. 11 *sagen* C. 12 *m* vor *mac* gelöscht C.

---

2 HV, aber *dienen*] *Gedienen mit ein ander nieman* K. 4 *zin* K(HV). *mangen* K.
II E i n Lied mit III Br; HV] K, MFU 265 ff faßt vv. 1—2 u. 3—4 zu einem Vers
zusammen. — 2 *Zallen* K(V). 4 *enkan* K(V). 6 *mich des tw.* Br. 6 f *gebüezen | diu*
twinget daz ir singet | mîn munt mangen swaeren tac: | wan ich geruowen niht
enmac, | ich enkome ir nâhe bî | sô daz ich ir müeze | gesagen waz mîn wille sî.
K. 13 *an vâhen* K.

III Ich wil versuochen

Ich wil versuochen,   117, 14 — 6 BC
 obe sî geruochen
  welle, daz ich sinne
  nâch ir minne
5   langer danne ich hân getân. enpfâhet sîz ze guote,
    sô stîget mîn vröide gegen der wunneclîcher zît
  und wirt mir sô wol ze muote,
    daz ez wunder waere,
     obe mîn herze daz verbaere,
10   daz ez von vröiden zuo den himelen niht ensprunge
   und von sô süezer handelunge
   ein hôhez niuwez liet in süezer wîse sunge.

IV Als ich sihe daz beste wîp

Als ich sihe daz beste wîp,   117, 26 — 7 BC
 wie kûme ich daz verbir,
daz ich niht umbevâhe ir reinen lîp
 und twinge sî ze mir.
5 ich stân dicke ze sprunge, als ich welle dar,
   sô si mir sô suoze vor gestêt.
  naeme sîn al diu werlt war,
   sô mich der minnende unsin ane gêt,
    ich mohte sîn niht verlân,
10   der sprunc wurde getân,
   trûwet ich bî ir einer hulde durch disen unsin bestân.

III. 2 u. 9 *Ob* C. 10 *dc es vō fröide niht zuo den himeln ensprvnge* C.
IV, 7 *ellú* C. 8 *an* C. 9 *môhte* C.

III HV] K, MFU 267 f faßt vv. 1—2 u. 3—4 zu je einem Vers zusammen u. teilt
v. 5 in zwei vv. — 2 *Ob si ruoche* K. 3 *welle* fehlt K, Br. 6 f *mîn fröide stîget
widerstrît / engegen der wünneclîcher zît* K, *so stigt min fröide unde wirt mir so
wol ze muote / gegen der wünneclicher zit*, Br. 7 *wol* fehlt K. 8 *wol wunder* K.
9 *Ob daz mîn* K. 10 *fröiden niet zen h. e.* K. 11 HV] *wandelunge* K (Schröder
ZfdA. 33, 103 f).
IV Gemischt daktylisch V, He § 710, Br (aber erst ab v. 5), alternierend K (de Boor
ZfdPh. 58, 37 f, K, MFU 268). — 1 *daz aller beste wip* Br. 3 HV] ¶ *reinen* fehlt
K. 5 *Dicke ich stân ze sprunge / als ich welle dar*, K. 6 *So si also suoze vor mir
gestet* Br. 7 HV] *Naem al diu werlt sîn war* K, *unde n. sin* ... Br. 9 *sîn* HVBr]
es K. 10 HV] *enwurde* K, Br. 11 *Triut* H, *Trûte* K(V). HVBr] *einer* tilgt K.

XVIII. Bligger von Steinach

I Mîn alte swaere

1 Mîn alte swáere die klage ich vür niuwe, 118, 1 — *1* CB
   wan si getwanc mich sô harte nie mê.
   ich weiz wol, durch waz si mir tuot sô wê,
  daz mich sîn verdrieze und diu nôt mich geriuwe,
     5 Die ich hấte ûf trôstlîchen wân.
  nein, ine mac noch enl â t mich mîn triuwe,
   swie schiere uns aber diu sumerzît zergê.
    des wurde r â t, müese ich ir hulde hân.
   díe naeme ích vür loup unde vür klê.

2 Ich getar niht vor den liuten gebâren, 118, 10 — *2* CB
   als ez mir stât. dûhtez ir einen guot,
   dâ bî sint viere, den mîn leit sanfte tuot.
  boese und guote gescheiden ie wâren.
     5 Der site müeze ouch lancstaete sîn!
  ir beider willen k a n nieman gevâren,
   wan er ist unwert, swer vor nîde ist behuot.
    si haben d a n daz ir und lâzen mir daz mîn,
  und sweme dâ gelinge, der sî wol gemuot.

2, 5 *lancstaete* lange fest, beharrlich. 6 *gevâren* hier etwa: ausforschen.

I. **1,** 1 *Ain* B. 5 *wâne* B. 6 *ich enmag* B.
2, 1 *niht wol vor* B. 2 *dvhte es* B. 5 *mv́z* B. 8 *Sv́ haben in* B. *mine* B.

I. **1,** 4 *michs* K(Ba). 5 *ich ie* h. K(Ba). 6 *ich enmac* K(HV). 7 *aber* vor *zergê* K(BaH).
  9 nach *ich* erg. *für bluomen* K, *beide* Ba, *gerne* Br.
2, 3 *vier* K(HV). 4 *unde* K(HV). 5 *lange staete* H, *lange staete ouch* Br. 8 *dan]in*
  K(HV). *unde lân* K(HV). 9 *swem* K(Br).

II   Er vunde guoten kouf

1 Er vunde guoten kouf an mînen jâren,   118, 19 — 3 *BC*
  der âne vröide wolte werden alt,
 wan sî mir leider noch ie unnütze wâren.
  umbe einez, daz waer als ein trôst gestalt,
 5 Gaebe ich ir driu. sô vorhte ich den gewalt.
 des gêt mir nôt. wie sol ein man gebâren,
  der âne reht ie sîner ⟨. . . . .⟩ engalt?

2 Bevunde ich noch, waz vür die grôzen swaere,   118, 26 — 4 *BC*
  die ich nu lange an mînem herzen hân,
 bezzer danne ein staeter dienest waere,   119, 1
  des wurde ein michel teil von mir getân.
 5 Hulfe ez mich iht, sô waere daz ie mîn wân:
 swer alliu wîp durch eine gar verbaere,
  daz man in des geniezen solte lân.

3 Ich vunde noch die schoenen bî dem Rîne,   119, 6 — 5 *BC*
  von der mir ist daz herze sêre wunt,
 michels harter, danne ez an mir schîne
  ⟨. . . . .⟩
 5 . . .⟩ wurde ir mîn swaere kunt,
 diu mir ist alse Dômas Saladîne
  und lieber mohte sîn wol tûsent stunt.

1, 1 f Der wäre mit dem Kauf meiner Lebensjahre gut bedient, der ... 5 *sô*   so aber *gewalt*   etwa: rechtlose Behandlung (vgl. Sch 107 u. V Anm.). 6 *mir gêt nôt*   c. gs ich bin gezwungen, ich muß.
2, 6 *verbern*   aufgeben. 7 *geniezen*   c. g. sich erfreuen an.
3, 6 die mir so (lieb) ist wie Damaskus dem Saladin.

II. **1,** 3 *noch* fehlt C. 5 *fôrhte* C.
2, 1 *ERfunde* C. 5 *ie* fehlt C. 6 *ellú* C. 7 *in* fehlt C.
3, 1 *schonen BC.* 5 *mir* C.

II. **1,** 3 K(HV) wie C. 5 ¶ *vürhte* K(H), *vörhte* V. 7 *sîner triuwe* K(HVBa), s. *staete* Br.
2, 5 K(HV) wie C.
3, 4 f ⟨*Waere ich da heime. ich wurde noch gesunt,*⟩ *wurde ir mîn groze sw.* Br 7 HVBr], *möhtez sîn,* K.

III Ich merke ein wunder an dem glase

Ich merke ein wunder an dem glase, daz niht von herte mac 119, 13 — 6 C
gewern an sîner staete einen ganzen tac.
　　dan ist diu herte niht bewart.
　　waer ez ze mâze hert, ez stüende vaster.
5　　　daz selbe wunder siht man an den liuten, waene ich, same.
　　*swer âne milte guotes pfligt und dâ bî âne schame,
　den wirfet si in vil swinder art
　　in einen schaden und in ein êwic laster.
　　　Des mannes sterke waere guot,
10　　　die er ze rehten dingen lieze schînen.
　　　sô ist aber menger sô gemuot,
　　　daz er der geste haz bejaget und leidet sich den sînen.
　　　sol des êre lange wern, daz muoz ein wunder wesen.
　　　ich engehôrte nie gesagen,
15　　　daz ie geschaehe, noch enhâns ouch niht gelesen.

2 *gewern* währen, bestehen. 6 *guotes pflegen* den Besitz verwalten. *schame* Ehr-
gefühl. 7 *si* bezieht sich auf *herte* v. 1, 3 (anders Sch 108). *swint* heftig, schnell.
8 *êwic laster* dauernde Schande. 12 *bejagen* erwerben. *sich leiden* sich unbeliebt
machen.

III, 2 *stete.*

III Unecht Sch 108, Ba S. XLVI, Schröder ZfdA. 67, 252, de Boor ZfdPh. 58, 38; echt
Meyer ZfdA. 39, 305 f, Spanke ZfrPh. 49, 225; ''unentscheidbar'' K, MFU 271. —
2 *stete* (< *stat*) Schröder ebd. 6 ¶ *dâ bî* tilgt K(HV). 7 *wirfets* K(HV). 15 *dazz*
K(HV).

XIX. Heinrich von Morungen

I   Si ist ze allen êren

1 Si ist ze allen éren ein wîp wol erkant, 122, 1 — *1* BCCᵃ
schoener gebaerde, mit zühten gemeit,
sô daz ir lop in dem rîche umbe gét.
alse der mân wol verre über lant
5 liuhtet des nahtes wol lieht unde breit,
sô daz *sîn* schîn al die welt umbevêt,
Als ist mit güete umbevangen diu schône.
dés man ir *jêt,*
si ist aller wîbe ein krône.

2 Diz lop beginnet vil vrouwen versmân, 122, 10 — *2* CCᵃB
daz ich die mîne vür alle andriu wîp
hân zeiner krône gesetzet sô hô,
unde ich der deheine úz genomen hân.
5 des ist vil lûter vor valsche ir der lîp,
smal wol ze mâze, vil fier unde vrô.
Des muoz ich in ir genâden belîben,
gebiutet si sô,
mîn liebest vor allen wîben.

I. **1,1** *zallen* C. 2 *schoner* C. 3 *vmbe gat* B, *vmbegaṇt* C. 4 *Als der mane* C. 6 *sîn*]*ir*
BC. *vmbevat* BC. 7 *güte* B. *schône* B. 8 *giht* BC.
2,1 *versmahen* B. 2 *vür a. a. wîp* fehlt Cᵃ. *anderv́* B. 3 *ze ainer* B. 7 *gnaden* B.
9 *liebes* B.

I Die Rhythmisierung der vv. 8—9 ist kontrovers: 8—9 daktylisch K, alternierend
zuletzt Fortmann 36 f (dort frühere Lit.), 8 daktylisch u. 9 jambisch Schweiger
198. — 1, 1 *zallen* K(LV). 3 : 6 : 8 *gêt : umbevêt : jêt* K(LV). 4 *der mâne vil v.*
K(V), *diu maeninne* L. 6 *sîn* K (vgl. Gottschau 340). 8 *ir*]*mir* K.

2 Abgesang unecht Jungbluth² 141, dagegen Fortmann 36, Anm. — 2 LV] *ander* K.
4 *keine* K, *dehein* LV. *enhân* K. 5 *Doch* K(LV). 6 *fier*] ¶ *fîn* Frings Beitr. 70, 434.
7 V] *müez* K(L). 9 *liebeste* K(L).

3   Got lâze sî mir vil lange gesunt,
     die ich an wîplîcher stáete noch ie vánt,
       sît si mîn lîp ze einer vrowen erkôs.
    wol ir vil süezer – vil rôt ist ir der munt,
5   ir zene wîze ebene – verre bekant,
      durch die ich gar alle unstaete verkôs,
        Dô man si lobte als reine unde wîse,
      senfte unde lôs;
        dar umbe ich si noch prîse.

4   Ir tugent reine ist der sunnen gelîch,
     diu trüebiu wolken tuot liehte gevar,
       swenne in dem meien ir schîn ist sô klâr.
    des wirde ich staeter vröide vil rîch,
5   daz überlíuhtet ir lop alsô gar
      wîp unde vrowen die besten vür wâr,
        Die man benennet in tíuschem lánde.
      verre unde nâr
        sô ist si ez, diu baz erkande.

1, 8 daher gesteht man ihr zu . . .
2, 1 *versmân* geringschätzig behandeln. 6 *fier* stolz.
3, 6 *verkiesen* c. a. verzichten auf. 8 *lôs* anmutig.
4, 2 *gevar* farbig. 8 *nâr* = *nâher.*

3, 1 *l. mir vil l. lebē g.* C. 3 *zeiner* C. 5 *wis e. vil v. erkant* C. 6 *gar ich* Cª. 7 *also* C.
4, 2 *Die trŏben w. tŏnt* BC. 3 *den meigē* C. 7 *benenne* C. *tŭtschem* C. 8 *oder* C, *ader*
   Cª. *nahe* B, *nach* C.

---

3 Echt L, K, MU 5, neuerdings Schröder GRM. 49, 341; unecht Schütze 12 u. 32—34,
   VK, Ludwig ZfdPh. 87, Sonderh. 57, Anm., neuerdings Schweiger 197 (dort und K,
   MFU die übrige Lit.). — 2 *staete* V] *tât* K(L). 3 *zeiner* K(LV). 4 V] *der* tilgt K(L).
   5 *vil verre* K(LV). 7 *alsô* K(LV).
4, 2 *Diu trüebiu w. tuot* K(LV). 7 *tiuscheme* K(LV). 8 *ader* K(V). *nâr* K(LV).

II   Mîn liebeste und ouch mîn êrste

A: 1, 2, 3; C: 1, 3, 2, 4, 5

1   Mîn liebeste und ouch mîn êrste   123, 10 — *18 A,*
      vreude was ein wîp,   5 CCᵃ
         der ich mînen lîp
           gap ze dienste iemer mê.
5 daz hôhste und ouch daz hêrste
         an dem herzen mîn,
           seht, daz muoz si sîn,
         der ich selten vrô gestên.
        Ir tuot leider wê
10   beide mîn sprechen und mîn singen.
           des muoz ich an vreuden mich nu twingen
         unde trûren, swar ich gê.

2   Waer ir mit mîme sange   123, 22 — 7 CCᵃ,
      wol, sô sunge ich ir.   19 A
         sus verbôt siz mir,
           und ir taete mîn swîgen baz.
5 nu swîge aber ich ze lange.
         solde ich singen mê,
           daz taete ich als ê.
         wie zimt mîner vrouwen daz,
         Daz si mîn vergaz
10   und verseite mir ir hulde?
           ôwê des, wie rehte unsanfte ich dulde
         beide ir spot unde ouch ir haz!

II. 1,1 *Min erste vñ ouch min leste* C. 4 *Bot* C. 5 *Dú hôhste vñ ouch dú beste* C.
6 *In* C. 8 *gestên]beste* C. 10 *Al min* C. 12 *swa* Cᵃ.
2,1 *ir]ich* A. *minem* A. 2 *swig* A. *ich fehlt* Cᵃ. 3 *Nu v. si* A. 4 *Wan ir tôt* A. 5—7 *Nv
giht si ich si zelange | ¶ Konde ich danne me | Ich svnge abs alse* A. 8 *stet* A.
9 *mîn]sich* A. 10 *versagite* A. 12 *spot]zorn* A.

II Folge **1, 2, 5, 3, 4** K, MU 7 f. — 1 K(LV) lesen diese Str. nach C, außer v. 8 *gestê*
(VK); für A, aber mit v. 8 *gestê* Br und neuerdings weitgehend Schweiger 170 f
(dort Lit.).
2, 4 *Wan* K(LV). *m. sw. töhte ir b.* K. 5 *LV] sw. ich ir ze* K. 6—7 *LV]* K nach A,
aber: *künde, süng.* 8—9 K(LV) nach A. 10 *versagite* K(V).

Nu râtent, liebe vrouwen,　　　　　　　　　　123, 34 — 20 A, 6 CCᵃ
　　waz ich singen muge,
　　sô daz ez iuch tuge!
　　　sanc ist âne vreude kranc.
5　ich enhân niht wan ein schouwen
　　　von ir ⟨*und den gruoz*⟩,　　　　　　　　124, 1
　　　den si teilen muoz
　　al der welte sunder danc.
　　Diu zît ist ze lanc
10　　　âne vreude und âne wunne.
　　　　nû lâ sehen, wer mich gelêren kunne,
　　daz ich singe niuwen sanc!

Vil wîplîch wîp, nu wende　　　　　　　　　　124, 8 — 8 CCᵃ
　　mîne sende klage,
　　die ich tougen trage,
　　dû weist wol, wie lange zît.
5　ein saelden rîchez ende,
　　　wirt mir daz von dir,
　　　sô siht man an mir
　　vröide âne alle*n* widerstrît,
　　Sît daz an der lît
10　　　mînes herzen hôchgemüete.
　　　maht du troesten mich dur wîbes güete,
　　sît dîn trôst mir vröide gît?

3, 1 *lieben* C. 1 : 5 *vrowen : schowen* A. 2 *mv̊ge* A. 2 : 3 *mv́ge : tv́ge* C. 3 *ez* fehlt Cᵃ.
vch A, *ir* C. 4 *an frôden* Cᵃ. 5 *Mir wart n. w.* C. 6 *vñ der grůs* C, fehlt A. 8 *Al*]
Mit C. 9 *zekranc* C. 11 *Nv wol dar swer m. g.* C. *kůnne* A. 12 ACᵃ] *singe ir*
n. s. C.
4, 8 *an* Cᵃ. *alle* C.

3, 1 L] *rât et* K, *ratet* V. LV] *frouwe* K. 3 *iuch*]*ir* K(LV). 5 *Ich enhân*] *Mir wart*
　K(LV). 6 *ir* LV] *dir* K. *der gr.* K(LV). 7 *si* LV] *ich* K. 8 *Al* LV] *Mit* K.
Strr. 4 und 5 unecht K (Schütze 34 f), echt K, MU 7 f, V (weitere Lit. vgl. Schweiger
　174 f). — 4, 8 *allen* K(LV).

5 Ich sihe wol, daz mîn vrouwe   124, 20 — 9 CCᵃ
     mir ist vil gehaz.
    doch versuoche ichz baz,
      in verdiene ir werden gruoz.
  5 des ich ir wol getrouwe,
      daz hât sî versworn.
      ir ist leider zorn,
     daz ichz der werlte künden muoz,
     Daz ich niemer vuoz
  10   von ir dienste mich gescheide,
        ez kom mir ze liebe alder ze leide.
    lîhte wirt mir swaere buoz.

1, 8 *vrô gestên*   froh sein.
2, 3 *sus*   so aber. 4 und (sie sagte,) ihr täte ... 9 *vergaz* s. Anm.
3, 4 *kranc*   wertlos, leer. 7 f den sie ohnehin jedermann zukommen lassen muß.
4, 3 *tougen*   heimlich.
5, 2 *gehaz*   hassend, feind. 4 *in* (‹ich en)   ob ich nicht. 5 was ich ihr zutraue, d. h. wa
  sie kann. 6 *verswern*   abschwören. 12 vielleicht gibt es noch Abhilfe für meine
  Kummer.

III   Het ich tugende niht sô vil

1 Het ich tugende niht sô vil von ir vernomen   124, 32 — 10 CCᵃ
    und ir schoene niht sô vil gesehen,
   wie waere sî mir danne alsô ze herzen komen?
    ich muoz iemer dem gelîche spehen,
  5   Als der mấne tuot, der sînen schîn
      von des sunnen schîn enpfât,
       áls kúmt mir dicke
       ir wol liehten ougen blicke
     in daz herze mî́n, dâ si vór mir gât.

5, 5 *getruwe* Cᵃ. 10 *dieneste* Cᵃ. 11 *ald ir* C.
III. **1,** 3 *zeherzen also,* aber durch Zeichen umgestellt C. 5 *den* C. 8 *liehte* Cᵃ.

5, 4 *Ich v.* K(LV). 11 *alder]oder* K (Sievers ¹ 349, *adir* V, vgl. Gärtner, Germ. 8, 54)
III. **1,** 5 Gottschau 342] *mâne, der* K (Sievers ¹ 349), *mâne sînen* LV. 6 : 9 *enpfêt : gê*
  K (Sievers ¹ 349). 7 *Alsô kument* K(LV). 9 *In mîn herze* K(V).

2 ⟨Gênt⟩ ir wol liehten ougen in daz herze mîn, 125, 1 — *11* CC[a]
 sô kumt mir diu nôt, daz ich muoz klagen.
solde aber ieman an im selben schuldic sîn,
 sô het ich mich selben selbe erslagen,
5 Dô ichs in mîn herze nam
 und ich sî vil gerne sach
 – noch gerner danne ich solde –,
 und ich des niht mîden wolde,
 in hôhte ir lop, swâ manz vor mir sprach.

3 Mîme kinde wil ich erben dise nôt 125, 10 — *12* CC[a]
 und diu klagenden leit, diu ich hân von ir.
waenet si danne ledic sîn, ob ich bin tôt,
 ich lâze einen trôst noch hinder mir,
5 Daz noch schoene werde mîn sun,
 daz er wunder an ir begê,
 alsô daz er mich reche
 und ir herze gar zerbreche,
 sô sín sô rehte schoenen sê.

1, 4 *dem gelîche* ebenso. 7 f so dringt oft der strahlende Glanz ihrer Augen.
2, 3 *schuldic sîn an* sich vergehen an. 8 f ... nicht ablassen wollte, ihr Lob zu über-
bieten.
3, 4 *noch* dennoch. 6 *begên* hier: bewirken. 9 *sô sîn* wenn sie ihn ...

2, 7 *Nach g. dan* C[a].
3, 2 *klagende* C[a]. 3 *Wenent* C. 4 *Ich* (Seitenwechsel) *ich* C. 9 *schonen* C, *schone* C[a].

2, 1 *Gênt ir l.* Kibelka 124, Br, Schweiger 218] *Birgets ab ir l. o. schîn* K, zustim-
mend Schneider AfdA. 45, 172, vgl. K, MFU 285 u. auch Schwietering ZfdA. 82,
92, *Kument ir l.* HBaV. 3 *ab* K(HV). 9 *gesprach* K(HV).
3, 2 *diuch* K(LV). 3 *Wênet* K(LV). *dan* K(LV). 4 Ba] *doch* K(LV). 5 *wirt* K(LV).
6 *Daz si w. an im spê* K. 9 *Sô sin alsô schônen selten sê* K.

IV In sô hôher swebender wunne

A: 1; BC: 1—4

1 In sô hôher swebender wunne
    sô gestuont mîn herze ane vröiden nie.
    ich var, als ich vliegen kunne,
      mit gedanken iemer umbe sie,
  5 Sît daz mich ir trôst enpfie,
      der mir durch die sêle mîn
      mitten in daz herze gie.

125, 19 — *5 B*, 25 A,
13 CC[a]

2 Swaz ich wunneclîches schouwe,
    daz spile gegen der wunne, die ich hân.
    luft und erde, walt und ouwe
    suln die zît der vröide mîn enpfân.
  5 Mir ist komen ein hügender wân
      und ein wunneclîcher trôst,
      des mîn muot sol hôhe stân.

125, 26 — *6 B*, 14 CC[a]

3 Wol dem wunneclîchen maere,
    daz sô suoze durch mîn ôre erklanc,
    und der sanfte tuonder swaere,
    diu mit vröiden in mîn herze sanc,
  5 Dâ von mir ein wunne entspranc,
      diu vor liebe alsam ein tou
      mir ûz von den ougen dranc.

125, 33 — *7 B*, 15 CC[a]

4 Saelic sî diu süeze stunde,
    saelic sî diu zît, der werde tac,
    dô daz wort gie von ir munde,
    daz dem herzen mîn sô nâhen lac,
  5 Daz mîn lîp von vröide erschrac,
      und enweiz von liebe joch,
      waz ich von ir sprechen mac.

126, 1 — *8 B*, 16 CC[a]

2, 2 *spiln gegen* sich widerspiegeln in. **5** *hügen* sich freuen.

IV. **1,** 1 *hohet* C[a]. 2 *an* AC. 3 *vare alse* A. 4 *kv̓nne* AC[a]. 5 *enpie* C. 6, 7 sele
    enmitten in min A.
2, 1 : 3 *schowe : owe* B. 2 *spil* C. 4 *Sv̓lnt* C. 7 *hohen* C[a].
3, 2 *sv̓sse* B. 3 *tv̓nder* B.
4, 4 *nahe* C[a]. 5 *frȯiden* C.

IV. **1,** 1 *hôe* K (*hôhe* E. Schröder ZfdA. 67, 127). 2 *an* K(LV).
2, 2 *spil* K(LV).
4, 6 LV, Fortmann 56] *vor wunne* K Br. 7 *vor* LV.

V Von den elben

A: 1—4; B: 1, 4, 3; C: 1, 4, 3, 2

1 Von den elben wirt entsehen vil manic man,   126, 8 — *8 A*, 9 B,
    sô bin ich von grôzer liebe entsên   17 CCª
    von der besten, die íe dehein mán ze vriunt gewan.
    wil aber sî der úmbè mich vên
5 Und ze unstaten stên,
      mac si danne rechen sich
      und tuo, des ich si bite. sô vréut si sô sére mich,
    daz mîn lîp vor wunnen muoz zergên.

2 Sî gebiutet und ist in dem herzen mîn   126, 16 — *9 A*, 20 CCª
    vrowe und hêrer, danne ich selbe sî.
    hei wan muoste ich ir alsô gewaltic sîn,
    daz *si* mir mit triuwen waere bî
5 Ganzer tage drî
      unde eteslîche na*h*t!
    ·sô verlür ich niht den lîp und al die maht.
    jâ ist si leider vor mir alze vrî.

V. 1, 1 *der elbe* BC. 2 *Also wart ich* BC. *entsehen* BC. 3 *kein* Cª. *man liep* g. BC.
4 *si mich darvmbe* BC. *vehen* ABC. 5 ¶ *Mir ze* BC. 7 *Und* fehlt BC. *da mitte*
vrôwet si so mich BC. 8 *Das ich danne vor liebi (libe* C) BC.
2, 3 *wan solt ich ir noch so gevangen* s. C. 4 *Dc mir mir mit* A. 6 *nach* A. 7 *Son* C.
verlur C, *verlúre* Cª. 8 *Nv ist* C.

V Strophenfolge nach A bevorzugen K(LV) Br, Schweiger 259 ff. Str. 4 vor 3 Schnei-
der, Festschr. Baesecke 1941, 180 f, Kibelka 37; Folge BC Gottschau 343 und Schlos-
ser in: Interpretationen mhd. Lyrik, hg. v. G. Jungbluth 1969, 120—35; vv. 5—6 L
(v. 6 aber 3 v [!]), Pfeiffer Germ. 3, 491] Langzeile mit Inreim (3vb+3vc) K
(Bartsch Germ. 3, 483, V). — 1, 2 *minne* K. 3 *dehein* tilgt K Br. 4 *Wil si aber mich*
dar u. K(LV). 5 *Mir* K(LV). *zunstaten* K. 6 *dan* K(LV). 7 *Und* tilgt K(LV). *bite : si*
fröit sô sére K. 8 *wunne*] *liebe* K.
2, 8 *Nust* K.

3 Mich enzündet ir vil liehter ougen schîn,
     same daz viur den durren zunder tuot,
     und ir vremeden krenket mir daz herze mîn
     same daz wazzer die vil heize gluot.
5   Und ir hôher muot
        und ír schoene und ir werdecheit
        und daz wunder, daz man von ir tugenden seit,
     daz wirt mir vil übel – oder lîhte guot?

126, 24 — *10 A*, 11 B
19 CCª

4 Swenne ir liehten ougen sô verkêrent sich,
     daz si mir aldur mîn herze sê*n*,
     swer dâ enzwischen danne gêt und irret mich,
     dem muoze al sîn wunne gar zergên!
5   Ich muoz vor ir stên
        unde warten der vröiden mîn
        rehte alsô des tages diu kleinen vogellîn.
     wenne sol mir iemer liep geschên?

126, 32 — *11 A*, 10 B
18 CCª

1, 1 *entsehen* durch den Anblick bezaubern. 4 *vriunt* Geliebte. 4 *vêhen, vên* hassen, befehden. 5 *ze unstaten stên* schaden.
2, 3 *wan* daß doch. *gewaltic sîn* Macht haben über.
3, 3 *krenken* bekümmern. 8 *lîhte* vielleicht.
4, 1 *sich verkêren* sich wenden. 3 Und wenn jem. dann dazwischen tritt und mich stört.

3, 1 *enzvndet* A. 2 und 4 *Alse* B, *Als* C. 2 *ein túrre z.* C, *ainen z.* B. 3 *vrômede* B *frômde* C. *crenken* A. *mir*]*so* BC. 4 *wasser aine glôt* BC. 6 *schone* A. *werdecheit edelkait* BC. 7 *tvgenden* A, *tvgende* C. 8 *Daz ist* BC. *vbel* A. *vñ ôch l.* BC.
4, 1 *also* BC. 2 *sv́* B. *mir*] *mich* BC. *an dur* C. *hˢzen* B. *sehent* A. 3 *gêt*] *stet* BC 4 *mv́sse al sin vrôde z.* BC. 5 f ¶ *Wan ich danne stan / Vñ warte dˢ vrowen mi* BC. *waren* A. 7 *Reht alse* B. *als* C. 8 *geschehen* B.

3, 3 *fremden* Ḱ. 6 *Ir schône, ir w. (edelkeit L)* K(LV). 8 *Deist mir übel* K(LV). *un. wirt noch l. g.* K.
4, 1 *verkêren* K (Sievers 350). 3 *da 'nzwischen* K. *gêt*] *stêt* K(LV). 5—6 L] K (Gott schau 343, V) nach BC, doch *stên* VK. 6 *und warten der frouwen* Br.

VI a West ich, ob ez verswîget möhte sîn

1 Wést ích, ob ez verswîget möhte sîn,
  ich lieze iuch sehen   mîne schoene vrouwen.
  der enzwéi bráeche mir daz herze mîn,
    der möhte sî schône drinne schouwen.
5   Si kam her dur diu ganzen ougen []
      sunder tür gegangen.
        ôwê, solde ich von ir süezen minne sîn
        áls mínneclîch enpfangen!

127, 1 — 21 CC^a, 24 A

2 Der sô lange rüeft in einen touben walt,
  ez antwürt im   dar ûz eteswenne.
  nû ist diu klage vor ir dicke manicvalt
    gegen mîner nôt,   swie sis niht erkenne.
5   Doch klaget ir maniger mînen kumber
      vil dicke mit gesange.
        ôwê, jâ hât sî geslâfen allez her
        alder geswigen alze lange.

*127, 12 — 22 CC^a,
23 A (vv. 1—4)*

3 Waer ein sitich alder ein star, die mehten sît
  gelernet hân,   daz si spraechen minnen.
  ich hân ir gedienet her vil lange zît.
    mac sî sich doch   mîner rede versinnen?
5   Nein sî, niht, got enwelle ein wunder
      vil verre an ir erzeigen.
        jâ möht ich sît einen boum mit mîner bete
        sunder wâpen nider geneigen.

*127, 23 — 23 CC^a,
23 A (vv. 5—8)*

VI a. 1 A s. S. 246. — 2 *schone* C, *schonen* C^a. 5 *kan* C. *ŏgen min* C. 8 *minneclichen* C^a.
2 A s. S. 246. — 3 *vor*] *vō* C. 5 *manger* C^a.
3 A s. S. 246. — 1 *stich* C. *ader* C^a. 2 *spreche* C. 6 *mir* C. 7 *bŏn* C.

VI a Zur Echtheit vgl. Anm. — 1, 1 K(LV) folgt A. 2 *lieben* (= A) K(LV). 3 *ge-brêche* K(LV). 4 *sie* K(LV). 5 Zäsur nach 2. Hebung *(her)* K(BaV), Versgrenze L. *min* (C) tilgt K(LV). 7 f K(LV) folgt A.
2, 1 *sô vil geriefe* (≈ A) K(Ba). 2 *ime* (= A) K. 3 *Nust der schal vil dicke vor ir* m. (≈ A) K. 4 *Von* (= A) K(LV). *wils eht die bekenne* K. 5 L, Wilmanns AfdA. 25, 343, VBr] *Ouch klagt* K. 6 *Vil* tilgt K(Ba). 8 *Ader* K(V).
3, 1 *sitich* K(LV). *ader* K(V). *mohten* K(V). 2 *sprêchen* K(LV). L] ¶ '*Minne*' K(BaV). 4 *rede*] *flê* K. *versinne* K(Ba). 5 LV] *got well ein sîn* w. K. 6 *Vil* tilgt K(Ba). *ir* K(LV). 7 *sît*] *baz* K(LV). 8 *wâfen* K(L).

1, 8 ebenso liebreich ...
2, 4 *gegen* etwa: im Verhältnis zu. *swie* obgleich. 5 *doch* auch. 7 *allez her* bishe
immer.
3, 2 ... daß sie sprächen von Minne. 4 *versinnen* die Gedanken richten auf. 8 *wâpe*
Werkzeug.

VI b   Der alsô vil geriefe

1 Der alsô vil geriefe in einen touben walt,   127, 12—17; 127, 29—33 —
    ez antwürte ime   dar ûz eteswenne.   23 *A*, 22 CC^a (vv. 1—4),
nû ⟨*ist*⟩ der schal dicke vor ir manicvalt   23 CC^a (vv. 5—8)
von mîner nôt.   wil si die bekennen?
5   Nein, *si* entuot, got der welle ein wunder sîn
      vil verre an ir erzeigen.
        jâ mohte ich baz einen boum mit mîner bete
    sunder wâfen nider geneigen.

*2 Wist ich, obe ez mohte wol verswigen sîn,   127, 1 — 24 *A*, 21 CC^a
    ich lieze iuch sehen   mîne lieben vrouwen.
der enzwei braeche mir daz herze mîn,
    der mohte sî   schône drinne schouwen.
5 Si kam her dur diu ganzen ougen mîn
      sunder tür gegangen.
      ôwê, solte ich von ir reinen minnen sîn
    alsô werdeclîche enpfangen!

1, 4 *bekennen* erkennen.

VI b C s. S. 245. — 1, 2 *antwirte* A. 3 *ist* fehlt A. 5 *sinen tŏt* A.
2 C s. S. 245. — 2 *vch* A. *minen* A. 2 : 4 *vrowen : schowen* A. 5 *dv* A.

VII   Ez ist site der nahtegal

B: 4 (vv. 1—6), 3 (vv. 7—10), 4 (vv. 8—10); C: 1—6

1 Ez ist site der nahtegal,   127, 34 — 24 CCᵃ
      swanne síʼ er liep volendet, sô geswîget sie.
   dur daz volge aber ich der swal,
      diu durch líebe noch dur leide ir singen nie verlie.
5   Sît daz ich nu singen sol,
         sô mac ich von schulden sprechen wol:
            ”ôwê,   128, 1
               daz ich ie sô vil gebat
               und gevlêhte an eine stat,
10   dâ ich genâden nienen sê.“

2 Swîge ich unde singe niet,   128, 5 — 25 CCᵃ
      sô sprechent sî, daz mir mîn singen zaeme baz.
   sprich aber ich und singe ein liet,
      sô muoz ich dulden beide ir spot und ouch ir haz.
5   Wie sol man den nû geleben,
         die dem man mit schoener rede vergeben?
            ôwê,
               daz in ie sô wol gelanc,
               und ich lie dur si mînen sanc!
10   ich wil singen aber als ê.

VII. 1, 2 *liet* C. *swiget* Cᵃ. 4 *in* C. 8 *ichs* C. 10 *le* C.
2, 5 *dien* C. 6 *schoner* C.

VII vv. 7—8 eine Zeile K(Ba). — 1, 2 *Swan* K(LV). LV] *sich* K. *liep* K (Hildebrand
   ZfdPh. 2, 257, V). 3 *v. ich nâ der s.* K. 4 *liep noch leit* K. *ir* K(LV). *niene lie* K.
   10 *gnâden n. sê* K(LV).
2, 2 LV, Schwietering ZfdA. 82, 90, Kibelka 23] *sprichet si* K (Rössner, Untersuchun-
   gen zu Heinrich von Morungen 1898, 4 Anm.) Schweiger 180. *ze mir ʼdîn singen
   douch mir baz*ʻ K. 3 *ab* K(LV). *ein* tilgt K. 5 *der nu gelebe* K. 6 *Diu* K. *vergebe* K.
   8 *in*] *ir* K (sg., als Folge der Konjektur in v. 2). 9 *mîn* K(LV).

3 Owê mîner besten zît
    und owê mîner liehten wunneclîchen tage!
      waz der an ir dienste lît!
        nu jâmert mich vil manger senelîcher klage,
5   Die si hât von mir vernomen
      und ir nie ze herzen kunde komen.
        ôwê,
          mîniu gar verlornen jâr!
          díu ríuwent mich vür wâr.
10   in verklage si niemer mê.

128, 15 — 26 CCª,
16 B (vv. 7—10)

4 Ir lachen und ir schoene ansehen
    und ir gúot gebaerde hânt betoeret lange mich.
  in kan anders niht verjehen.
      swer mich rúomes zîhen wil, vür wâr, der sündet sich.
5   Ich hân sorgen vil gepflegen
      und den vrouwen selten bî gelegen,
        ôwê,
          wan daz ich si gerne an sach
          und in ie daz beste sprach.
10   mir enwart ir nie niht mê.

128, 25 — 27 CCª,
16 B

5 Ez ist niht, daz tiure sî,
    wan habe ez deste werder wan den getriuwen man.
  der ist leider swaere bî.
      er ist verlorn, swer nû niht wan mit triuwen kan.
5   Des wart ich vil wol gewar,
      wand ich ir mit triuwen ie diente dar.
        ôwê,
          daz ich triuwen nie genôz!
          dés stên ich vröiden blôz.
10   doch diene ich, swie ez ergê.

128, 35 — 28 CCª

129, 1

3, 2 *tage̦n* C. *m. rehten w. tagen* Cª. 8 *verlorne* B. 10 *Ich v́bſwinde sv́* B.
4, 1 *Lachen vn̄ ſchones ſehen* B, *ſchone* C. 2 *Vn̄ gv̊t gelęſſe hat ertv́ret* B. 3 *Mir iſt a. n. geſchehen* B. 4 *rv̊mens* B. *vür wâr fehlt* B. 6 *Vn̄ vr.* B. *Nach v. 6 iſt in B* 3, 7—10 *eingeſchaltet.* 7 *ôwê fehlt* B. 8 *sv́ g. ſach* B. 10 *wart* B. *me owe* B.

3,4 *senelîchen* K. 9 *geriuwent* K(LV).
4, 1—7 K(LV) *nach* B, *aber* 1 : 3 *sên : geschên* K. 8 *an tilgt* K(LV).
5, 2 *Man* K(LV). *den tilgt* K(LV). 6 *ich ie m. t. diente* K(LV). 9 *ich an fr.* K(LV).
    10 *Iedoch* K (K, MU, V). *swiez* K(LV).

rhetorically dis

6 Ob ich si dûhte hulden wert,
   sôn möhte mir zer werlte lieber niht geschên.
 het ich an got sît genâden gert,
   sin könden nâch dem tôde niemer mich vergên.
5   Herumbe ich niemer doch verzage.
   ir lop, ir êre unz an mîn ende ich singe und sage.

   waz,
   ⟨ob⟩ si sich bedenket baz?
   unde taete si liebe daz,
10   sô verbaere ich alle klage. . . . *she meste is silence*

1, 2 *liep* Liebesfreude (vgl. V Anm. 389). 3 *swal* Schwalbe. 4 *verlân* aufgeben.
   6 *von schulden* zu Recht.
2, 6 *vergeben* c. dp. vergiften, kränken.
3, 3 *der* (erg. *tage*) g. pl. abh. v. *waz.* 10 *in verklage si . . .* ich höre nie auf, sie zu
   beklagen.
4, 3 *verjehen* berichten. 4 *ruom* Prahlerei. 10 Mehr wurde mir von ihnen nicht
   zuteil.
5, 1—2 Alles Kostbare schätzt man entsprechend hoch ein, nur nicht den treuen Mann.
   3 *swaere bî* langweilig (vgl. V Anm.).
6, 4 *vergên* verfehlen. 5 *herumbe* (md.) deshalb. 10 *verbern* aufgeben.

VIII Sach ieman die vrouwen

1 Sach ieman die vrouwen,
   die man mac schouwen
   in dem venster stân?
   diu vil wolgetâne
5   diu tuot mich âne
   sorgen, die ich hân.
   Si liuhtet sam der sunne tuot
   gegen dem liehten morgen.
   ê was si verborgen.
10   dô muost ich sorgen.
   die wil ich nu lân.

6, 2 *lieber* fehlt Cᵃ.
VIII. 1, 1 *frowē.*

6, 1 *hulden*] *gnâden* K. 3 *gnâden* K(LV). 6 *singe und* tilgt K(LV). 7—8 Br] *Ich vlê
daz si sich bedenke baz.* K, *Waz ob si sich bedenket baz?* LV. 9 *tuot* K. 10 Mohr,
Festschr. de Boor 1971, 290] *Sô verbere ich al owê* K.

VIII Zur Rhythmisierung vgl. Anm. — 1, 3 *In daz* K, MU 20, Pretzel, Festschr.
Öhmann 1954, 581. 10 V, Fortmann 67] *Do muoten mich s.* K(L).

2 Ist aber ieman hinne,   *129, 25 — 31 C*
    der sîne sinne
      her behalten habe?
        der gê nach der schônen,
5   diu mit ir krônen
      gie von hinnen abe;
        Daz si mir ze trôste kome,
        ê daz ich verscheide.
       diu liebe und diu leide
10   diu wellen mich beide
    vürdern hin ze grabe.

3 Wan sol schrîben kleine   *129, 36 — 32 C*
    reht ûf dem steine,
      der mîn grap bevât,
        wie liep sî mir waere   *130, 1*
5   und ich ir unmaere;
      swer danne über mich gât,
        Daz der lese dise nôt
        und ir gewinne künde,
        der vil grôzen sünde, *religion of love*
10   die sî an ir vründe
    her begangen hât.

1, 11 *die*   die Sorgen (vgl. V Anm.).
2, 1 *hinne* = *hie inne*. 3 *her* bis jetzt.
3, 3 *bevân* einfassen. 8 *ir* bezogen auf *sünde*. 10 *vründe*   md. = *vriunde*.

3, 10 *frúnde.*

2, 1 *ab* K(LV). 10 *Diu* tilgt K(V).
3, 1 *Man* K(LV). 8 ¶ *ir* tilgt K(LV).

IX   Sîn hiez mir nie widersagen

1 Sîn hiez mir nie widersagen   130, 9 — *33 C*
    unde warp iedoch
       unde wirbet noch hiute ûf den schaden mîn.
  des enmác ich langer niht verdagen,
5   wan si wil ie noch
      elliu lant behern und ⌠sîn ein rouberîn.⌡
        Daz machent alle ir tugende und ir schóene, die méngem
         der sî an siht,   [man tuont wê.
        der muoz ir gevangen sîn
10   und in sorgen leben iemer mê.

✳2 In den díngen ich ir dienstman   130, 20 — *34 C*
    und ir eigen was dô,
       dô ich sî dur triuwe und dur guot an sach,
  dô kam si mit ir minnen an
5   und vienc mich alsô,
      dô si mich wol gruozte und wider mich sô sprach.
        Des bin ich an vröiden síech únd an herzen sêre wunt;
         und ir óugen klâr
        diu hânt mich beroubet gar
10   und ir rôsevarwer rôter munt.

1, 1 *widersagen*   den Krieg ansagen. 2 *werben ûf*   sinnen auf. 4 *verdagen*   verschweigen. 6 *behern*   verheeren.
2, 1 *In den dingen*   während. 2 *eigen*   hörig, leibeigen. 3 *dur guot*   in guter Absicht.

IX. 1, 6 *vn̄ ein rŏᵇsinne sin.* 7 *mengē.*
2, 4 *kan.* Nach dieser Str. Raum für eine weitere.

IX vv. 1 und 4 L Br] fünfhebig K (P 549, V); v. 7 zwei Verse: 6kl/4v K(LV). —
  1, 1 *Sine* K(V). *mir noch nie* K (P 549, V). 3 *wirbet hiute noch den* K. 6 *beheren
alse ein rouberîn.* K(LV). 7 *die vil mangem* K(LV). 8 *Ders ane sêt* K.
2, 1—2 *ir eigen man | Und ir dienst* K (Schröder ZfdA. 33, 105 f, V). *was*] *wart*
K (Sch 130). 4 *si mich mit* K(LV). 5 LV] *Unde v. m. sô* K. 6 *Daz si* K. *sô* LV]
suoze K. 7 *ich blôz an fr., siech an lîbe unde* K. 8 *Und* tilgt K(LV). 9 *gar*] ¶ *ach*
K (vgl. L Anm.), *gâch* Schütze 72.

X Ich hân sî vür alliu wîp

B: 1—4; C: 2—4

1 Ich hân sî vür alliu wîp   130, 31 — *12 B*
  mir ze vrowen und ze liebe erkorn.
  minneclîch ist ir der lîp.
  seht, durch daz sô hab ich des gesworn,
5   Daz mir in der welt ⟨*niht*⟩
    niemen ⟨*solde*⟩ lieber sîn.
  swenne aber sî mîn ouge an siht,
    seht, sô tägt ez in dem herzen mîn.

2 'Owê des scheidens, daz er tet   131, 1 — *13 B, 35 C*
  von mir, dô er mich vil senende lie.
  wol aber mich der lieben bet
  und des weinens, daz er dô begie,
5   Dô er mich trûren lâzen bat
    und hiez mich in vröiden sîn.
  von sînen trehenen wart ich nat
    und erkúolte iedoch daz herze mîn.'

3 Der dur sîne unsaelicheit   131, 9 — *36 C, 14 B*
  iemer arges iht von ir gesage,
  dem müeze allez wesen leit,
  swaz er minne und daz im wol behage.
5   Ich vluoche in, unde schadet in niht,
    dur die ich ir muoz vrömde sîn.
  als aber sî mîn ouge an siht,
    sô taget ez in dem herzen mîn.

X. 2, 1 u. 4 *daz*] *des* C. 7 *nas* BC. 8 *e doch* C.
3, 2 *gesage*] *ge* B. 4 *ime* B. 5 *Vñ ich* B. *niht*] *das* B. 6 *vrömede* B. 8 *es mir in* B.

X. 1, 5 *welte niht* K(LV). 6 *Niemer solde* K(V). 7 *Alse* K. *ab* K(Ba). 8 L] *Seht* tilgt K (K, MU 22, V).

2, 1 u. 4 *daz*] *des* K(LV). 1 : 3 *tete : bete* K(LV). 6 *mich hiez* K. 7 *trênen* K (Sievers [1] 350). *nat* K(BaV). 8 LV, Jungbluth [2] 142 (dort andere Konjekturen), Schweiger 70 f] *ergluote* KBr.

3, 5 *schat* K (Sievers [1] 350), *schad' in iht* Chambers MLR. 54, 404 f (vgl. Rössner, Untersuchungen zu Heinrich von Morungen 1898, 89 Anm. 2), *schadet ir niht* Jungbluth [2] 143. 7 *ab* K. 8 *tagt* K.

4 'Owê, waz wîzent si einem man,   131, 17 — *15 B, 37* C
   der nie vrowen leit noch arc gesprach
und in aller êren gan?
   durch daz müet mich sîn ungemach,
5   Daz si in sô schône grüezent wal
      und zuo ime redende gânt
   und in doch als einen bal
     mit boesen worten umbe slânt.'

2, 8 *erküelen*   sich erquicken (vgl. Jungbluth ² 142).
3, 5 *unde* . . .   und doch schadet es ihnen nicht.
4, 1 *wîzen*   Vorwürfe machen.

XI a   Ich bin iemer ander

1 Ich bin iemer ander und niht eine   131, 25 — *15 A,* 17 B,
   der grôzen liebe, der ich nie wart vrî.   38 C
waeren nû die huotaere alle gemeine
   toup unde blint, swenne ich ir *waere* bî,
5   Sô mohte ich mîn leit
     eteswenne mit sange ir wol künden.
   mohte ich mich mit rede zuo ir gevründen,
sô wurde wunders vil von mir geseit.

4, 1 u. 5 *sv* B. 2 *noch* fehlt C. 5 *wol* B. *in grûssent vber al* C. 6 *im* C.
XI a. BC vgl. S. 254. — **1,** 3 *Waten* A. 4 *Tub* A. *werbe bi* A. 6 *kvnden* A.

4, 1 *wîzents* K(LV). 4 *müejet* K(L). 5 *wal* K(BaV), L nach C. 6 *Unde* K(LV). *im*
   K(LV).
XI a. **1** Zur Strophenanordnung der früheren Hgg. vgl. Anm. — 1 LV] *iemer eine,*
   und niht e. K. 2 *liebe* LV, vgl. auch Schweiger 233—36] *minne* K, Br. 3 *waeren*
   K(LV). *huoter* K. *algemeine* (= BC) K(LV). 4 *waere* K(LV). 6 f L, aber *Eteswan,*
   vgl. auch Br und Pretzel, in: Interpretationen mhd. Lyrik, hg. v. G. Jungbluth
   1969, 115] K (Gottschau 346, V) wie BC.

2 Sî ensol niht allen liuten lachen   131, 33 — *16 A*, 21 B,
     alsô *v*on herzen, same si lachet mir,   42 C
   und ír ane sehen sô minneclîch niht machen.
     waz ⟨*hât*⟩ aber ieman ze schouwen daz an ir,
5   Der ich leben sol
       unde an *der* ist mîn wunne behalten?
      *j*â enwil ich niemer des eralten,   132, 1
      swenne ich si sihe, mir sî von herzen wol.

3 Sît si herzeliebe heizent minne,   132, 19 — *17 A*, 20 B,
     so enwéiz ich, wie diu liebe heizen sol.   41 C
   liebe won mir dicke in mînen sinnen.
     liep h*a*et ich gerne, leides enbaere ich wol.
5   Liebe diu gît mir
       hôhen muot, dar zuo vreude unde wunne.
      sô enweiz ich, waz diu leide kunne,
      wan daz ich iemer trûren muoz von ir.

1, 1 f ”Ich bin immer 'zu zweit' und nicht allein, d. h. ohne die große Liebe . . .“ (vgl.
Anm.). 7 *gevründen zuo* befreunden mit.
2, 6 *behalten* in Obhut haben. 7 Fürwahr, ich will nie in der Weise alt werden.

XI b

1   Ich bin iemer der ander, niht der eine   131, 25 — *17 B*, 38 C,
      der grôzen liebe, der ich nie wart vrî.   15 A
   ôwê, waeren die huotaere algemeine
     toup unde blint, swenne ich ir waere bî,
5   Sô möhte ich mîn leit
       eteswenne mit gelâze ir künden
        unde mich mit rede zuo ir gevründen,
      sô wurde ir wunder vil von mir ge*seit*.

---

2 BC vgl. S. 256. — 2 *von*] *son* A. 4 *hât* fehlt A. 6 *der*] *ir* A. 7 *Wa* A.
3 BC vgl. S. 255. — 4 *hat* A. *enbere* A.
XI b. 1 A s. S. 253. — 3 *hv̂ter* C. 5 *ich*] *si* C. 8 *gesaget* BC.

2, 1 *Sie nesol* K(LV). 2 LV] *Sô . . . sam* K (Sievers [1] 350). 3 *minneclîche enmachen* K.
4 *Waz habet ieman* K(LV). 6 *al mîn* (= BC) K(LV). 7 *Jâne wil* (≈ BC) K(LV).
8 *sê (sihe* LV) ¶ *mirn sî* (≈ BC) K(LV).
3 Die Str. lautet nach K: *Sît si herzen liebe heizent minne, / in weiz wie ich die minne
heizen sol. / minne wonet dicke in mînem sinne: / hête ich liebe, minne enbêre ich
wol. / liebe diu gît mir / hôhen muot, dar zuo freud unde wünne: / sône weiz ich
waz diu minne künne, / wan deich eine trûren muoz von ir.* — Zu weiteren Text-
vorschlägen vgl. Anm.

2   Mîner ougen tougenlîchez sehen,
      daz ich ze boten an si senden muoz,
     daz neme durch got von mir vür ein vlêhen,
      und obe si láchè, daz sî mîn gruoz.
5   Ich enwéiz, wer dâ sanc:
      "ein sitich unde ein star âne sinne
       wol gelerneten, daz siu sprâchen 'minne'."
    wol, sprich daz unde habe des iemer danc.

132, 3 — 18 B, 39 C

3   Wolte sî mîn denken vür daz sprechen
     und mîn trûren vür die klage verstân,
     sô müese in der niuwen rede gebrechen.
     owê, daz iemen sol vür vuoge hân,
5   Daz er sêre klag*e*,
      daz er doch von hérzèn niht meinet,
      alse einer trûret unde weinet
     únde ér sîn niemen kan gesagen.

132, 11 — 19 B, 40 C

4   Sît siu herzeliebe heizent minne,
     so enwéiz ich niht, wie diu liebe heizen sol.
    herzeliebe wont in mînem sinne.
     liep hân ich gerne, leides enbaere ich wol.
5   Diu guote diu ſgît mir ⌉
      hôhen muot, dar zuo vröide unde wunne.
      sô enweiz ich, waz diu liebe kunne,
    wan daz ich iemer trûren muoz nâch ir.

132, 19 — 20 B, 41 C,
17 A

2, 3 *nemen* B. 4 *ob* C. 7 *gelernten* C. *si* C.
3, 2 *vnde* B. 5 *claget* B, *klagen* aus *klaget* geändert C. 7 *als* C.
4 A s. S. 254. C s. S. 256. — 5 *mir git* B.

XI b. 2, 1 : 3 Bartsch Germ. 3, 483, Schweikle ZfdA. 93, 79] *spêen : flêen* K (*spên :
vlên* Schröder ZfdA. 33, 106 f, *spehen : flêhen* V) Br, *brechen : sprechen* K, MU
23. 4 *ob* K(LV). Schweikle ebd. 81] *sî mir ein gruoz* K(LV). 5 *In weiz* K (Sievers [1]
350). 6 *ân alle s.* K(LV). 7 *gelernten* K(LV). Schweikle ebd.] *sprêchen* K(LV).
8 L, Schweiger 238 f] *Wol sprechent siz und habent des* (*habents* K, MU, *habent es*
V) *niemer d.* K (K, MU 24, V), *Sprich daz wort und* Br.
3, 2 *Und* K(LV). 3 Kibelka 47, Schweikle ebd. 81] *müese ir im* (*mües im* K, MU 24,
V), *der niuwen rede, g.* K (K, MU 24, V) 4 *Wê, sol i. daz für* K. 5 *klage* K(V).
6 *enmeinet* K(LV). 7 Schweikle ebd. 75, Schweiger 240 f, aber *Alsô*] *Als der eine*
K (K, MU 24, V) Br, *Oder der eine* Pretzel, in: Interpretationen mhd. Lyrik, hg. v.
G. Jungbluth 1969, 144. 8 Taktfüllendes *Unde* schon P 594. *sîn leit doch n. kan
gesage* K (Lemcke 44).

5 Sî ensol niht allen liuten lachen 131, 33 — *21 B*, 42 C
    alse von herzen, sam si lachet mir, 16 A
  und ír ane séhen sô minneclîchen machen.
    waz hât aber ieman daz ze schouwen an ir,
5   Der ich leben sol,
      und an der ist al mîn wunne behalten?
    joch enwil ich niemer des eralten, 132, 1
  swenne ích si síhe, mir ensí von herzen wol.

1, 1 Ich bin immer nur der zweite (wegen der *huotaere*) und nicht der einzige (vgl. Schweikle ZfdA. 93, 74). **6** *mit geláze* durch Gebärden. **7** *gevründen zuo* befreunden mit.
2, 3 *neme* erg. *si.* **5** ff vgl. Mor. VI a. **3**, 1 f.
3 Zur Übersetzung vgl. Anm.

Str. 4 nach Handschrift C:

Sit dů herzeliebe heiſſet mīne ſone
weiſ ich niht wie dů leide heiſſen ſol.
herzeliebe wont mir indem ſinne. lieb
het ich gerne leides enber ich wol. div
ṃịṛ gůte dů mir git hohē mv̊t. dar zv̊
froide vn̄ wūnne. ſone weis ich wc dů lie
be kvnne. wā dc ich iem︁s trurē mv̊ſ nah ir.

XII   Ist ir liep mîn leit

AB: **1—3**; C: **2, 1, 3**

1 Ist ir liep mîn leit und mîn ungemach, 132, 27 — *23 B*, 12 A,
    wie kan ich danne iemer mêre rehte werden vrô? 44 C
  sî getrûrte nie, swaz sô mir geschach.
    klaget ich ir mîn jâmer, sô stuont ir daz herze hô.
5   Sîst noch hiute vor den ougen mîn, alse sî was dô,
  dô si minneclîche mir zuo sprach
    und ich si ane sach.
      ôwê, solte ich iemer stên alsô.

---

5 A s. S. 254. — **1** *Sine sol* C. **3** *an sehē* C. *mīnekliche* C. **4** *daz*] *da* C. **7** *Jone wil* C.
XII. **1**, 2 *solte* A, *kônde* C. **3** *Sine* AC. *so* fehlt A. **4** *Clage* A. *hoh* A. **5** *Si ist* C. *als* C.
6 *minneclichen* A. **7** *an* C. **8** *solt* C.

XII. **1**, 1 *und ung.* K(BaV). **2** *solt* K(LV). *dan* K(LV). **3** *Sin* K. *sô* tilgt K(LV).
4 *Klagte* K (Sievers [1] 350). **5** *als* K(LV). **7** *ichs* K(BaV).

Sî hât liep ein kleine vogellîn,   132, 35 — *13 A*, 24 B,
     daz ir singet oder ein lützel nâ*ch* ir sprechen kan.   43 C
muost ich dem gelî*ch* ir heimlich sîn,
     sô swüere ich des wol, daz nie vrowe solhen vogel gewan.
5   Vür die nahtegal wolte ich hôhe singen dan: 133, 1
"ôwê, liebe schoene vrowe mîn,
nû bin ich doch dîn,
     mahtu troesten mich vil senenden man!"

Sîst mit tugenden und mit werdecheit   133, 5 — *14 A*, 25 B,
     sô behuot vor aller slahte unvrowelîcher tât,   45 C
wan des einen, daz si mir verseit
     ír gnâde únde mînen dienest sô verderben lât.
5   Wol mich des, daz sî mîn herze sô besezzen hât,
daz der stat dâ nieman wirt bereit
als ein hâr sô breit,
     swenne ir rehtiu liebe mich bestât.

       *   *

†Hôher wunne hât uns got gedâht   H Anm. 282, V Anm. 395,
an den reinen wîben, die er in rehter güete werden lie.   K 194 f — *22 B*
daz vil manigen herzen wol ist kunt.
von ir rôten munt ist gehoehet dicke mir der muot.†

5   Von ir schoene kumt, swaz iemen vröiden hât.
     dâ von müezens iemer geêret sîn,
     sît diu vröide mîn
     gar an einer hôchgelobten stât.

2, 3 *heimlich* vertraut. 5 Heller als die Nachtigall wollte ich dann singen.
3, 6—7 daß niemandem auch nur ein Haarbreit von dieser Stätte eingeräumt wird.
8 *bestân* befallen.

2, 1 *claines* BC. 2 *ir*] *si* C. *oder*] *vñ* BC. *naher* A. 3 *Solt* BC. *geliche* B, *gelichen* C.
hainlich BC. 4 *swůre* A, *swůr* B. *selchen* A, *bessern* BC. 5 *wolt ich ir h. s. an* BC.
6 *schone* A. *h^sze liebṽ (liebe* C) *vr.* BC. 8 *trosten* A. *senden* BC.
3, 1 *Si ist* BC. *tvgende* BC. *stẹtekait* BC. 2 *Wol* BC. *slahte* fehlt BC. *vnvrôweclich^s*
B. 3 *Was des eine* C. 4 *genade* C. *vñ das si mich also* BC. 5 *also* BC. 6 *Vñ dṽ stat
ist niemen (nienen* C) *me b.* BC. 7 *Vmbe* BC. *also* C. 8 *So dṽ rehte* BC.

2, 2 *oder* K, MU 28] *und* K(LV) Br. *nach ir* K, *naher* Br. 4 *des* tilgt K. 5 *ich ir hôe* K.
6 Br, Schweiger 268] *schône* (imp.), *liebe* K (K, MU 28, V). 8 *senden* K.
3, 4 *genâde und* K(LV). 8 LVBr, Fortmann 119 Anm., Schweiger 268] *Sô diu rehte l.
si b.* K.
Zusatzstr. v. 2 f *er werden lie sô rehte guot. | des vil manic herze ist inne brâht* K.
4 *munde* K. 6 f *iemer sîn | gêret* K. *e. reinen h.* K.

XIII   Leitlîche blicke

B: Die 2, 3; C: 1—4

1 Leitlîche blícke unde grôzlîche riuwe   133, 13 — 46 C
   hânt mir daz herze und den lîp nâch verlorn.
   mîn alte nôt die klagte ich vür niuwe,
   wan daz ich vürhte der schimpfaere zorn.
5   Sínge aber ích dur die,   díu mich vrôwet hie bevorn,
   sô velsche dur got nieman mîne triuwe,
   wan ich dur sanc bin ze der welte geborn.

2 Maniger der sprichet: "nu sehent, wie der singet!   133, 21 — Die 17 B,
     waere ime iht leit, er taete anders danne sô."   47 C
   der mac niht wizzen, waz mich leides twinget.
   nu tuon aber ich rehte, als ich tet aldô.
5   Dô ich in leide stuont,   dô huop sî mich gar unhô.
   diz ist ein nôt, diu mich sanges betwinget.
   sorge ist unwert, dâ die liute sint vrô.

3 Diu mînes herzen ein wunne und ein krôn ist   133, 29 — Die 18 B,
     vor allen vrowen, die ich noch hân gesehen,   48 C
   schoene unde schoene, diu liebe aller schônist
   ist sî, mîn vrowe; des hoere ich ir jehen.
5   Al diu welte si sol   durch ir schoene gerne sehen.
   noch waere zît, daz du mir, vrowe lônist.
   ich kan mit lobe anders tôrheit verjehen.

XIII. 1, 2 hat. 3 klage.

2, 1 Menger sprichet seht C. 2 Wer C. 4 do C. 5 ¶ hôb ich si gar C. 6 dv̂ sanges mich
twinget C.

3, 1 krone C. 3 diu liebe] ¶ vn̄ schône C. schônest B, schônist C. 4 hoere] ¶ mv̂s C
5 welt sol si d. ir sch. flehen C. 6 frôwe mir C. lonest B. 7 Ich han C.

XIII v. 5 ohne Eingriffe in die hs. Überlieferung im 3., "daktylischen" Modus inter
pretierbar Aarburg, Anm. zu Spanke, in: Der dt. Ms. 1969, hg. v. H. Fromm, 30[
(vgl. auch P 547). — 1, 2 LV] Hân K (Sievers [1] 350). 3 klagte K(LV). 5 ab K(LV)
freute K. 7 zer w. K(LV).

2, 1 Manger K(LV). 2 dan K(LV). 3 VBr, Rodewald ZfdA. 95, 285 f, Fortmann 13[
Anm., Schweiger 187] sanges twinget K. 4 ab K(LV). 5 K(LV) folgt C. 6 VBr
Rodewald ebd., Fortmann 136 Anm., Schweiger 187] leides verdringet K.

3, 2 diech K(LV). 3 Schône unde schôner und schône a. K. 4 Br] muoz ich K(LV)
Rodewald ebd. 287, Schweiger 189. 5 werlt sol si K(LV). 5 : 7 flên : begên K, sên
verjên VBr, Rodewald ebd. 286. 6—7 Wörtliche Rede K. du, frouwe, im lônist:
er... K, nach C lesen LVBr, nach B Rodewald ebd. 287, vgl. auch Mohr Deutsch
unterricht 6, H. 5, 104 Anm.

4 Stên ich vor ir unde schouwe daz wunder,   133, 37 — 49 C
       daz got mit schoene an ir lîp hât getân,
     sô ist des sô vil, daz ich sihe dâ besunder,
       daz ich vil gerne wolt iemer dâ stân.   134, 1
5   Ôwê, sô muoz ich   víl trúric scheiden dan,
     sô kumt ein wolken sô trüebez dar under,
       daz ich des schînen von ir niht enhân.

1, 2 *nâch*   beinahe. *verliesen*   zugrunde richten.
2, 5 *unhô heben*   gering achten. 6 *betwingen*   c. gs. zu etw. zwingen.
3, 7 *anders*   sonst.
4, 7 *schîne*   Glanz.

XIV   Mîn herze, ir schoene und diu minne

   Mîn herze, ir schoene und diu minne habent gesworn   . 134, 6 — *Die* 19 B,
       zuo ein ander, des ich waene, ûf mîner vröuden tôt.   50 C
     zwiu habent diu driu mich éinèn dar zuo erkorn?
       ôwê, minne, gebent ein teil der lieben mîner nôt,
5   Teilent si ir sô mite, daz sî gedanke ouch machen rôt.
     wünsche ích ir senens nû? daz waere bezzer verborn.
     lîhte ist ez ir zorn,
       sît ir wort mir deheinen kumber gebôt.

6 *verbern*   unterlassen.

XIV, 1 *m. des habent* C. 2 *vrowen* BC. 4 *gib* C. 5 *Teil ir si so mit* C. *gedenke* BC.
   6 *Wunsche* C.

4, 3 *Sost* K. 5 *vil* Rodewald ebd. 287] *harte* K.
XIV, 1 u. 3 *haben* K (Sievers [1] 350). 2 *fröuden* K(LV). 3 *zuo ûz erkorn* K(LV). 4 *gib*
   K(LV), *gebet* Br. 5 *Teile ir si sô* K(LV). *Teilet* Br. 6 *baz* K(V). 8 Br] sechshebig:
   keinen k. nie g. K(LV).

XV   Ez tuot vil wê

1 Ez tuot vil wê, swer herzeclîche minnet   134, 14 — *51 C*
    an sô hôher stat,   dâ sîn dienst gar versmât.
 sîn tumber wân vil lützel dar ane gewinnet,
    swer sô vil geklaget,   daz ze herzen niht engât.
5 Er ist vil wîse, swer sich sô wol versinnet,
    daz er díent, dâ   man sîn dienst wol enpfât,
 und sich dar l â t ,   dâ man sîn genâde hât.

2 Ich bedárf vil wol, daz ich genâde vinde,   134, 25 — *52 C*
    wan ich hab ein wîp   ob der sunnen mir erkorn.
 dêst ein nôt, die ich niemer überwinde,
    ⟨sîn⟩ gesaehe mich ane,   als si táet híe bevorn.
5 Si ist mir liep gewest dâ her von kinde,
    wan ich wart dur sî   und durch anders niht geborn.
 ist ir daz z o r n ,   daz weiz got, sô bin ich verlorn.

3 Wâ ist nu hin mîn liehter morgensterne?   134, 36 — *53 C*
    wê, waz hilfet mich,   daz mîn sunne ist ûf gegân?
 si ist mír ze hôh und ouch ein teil ze verne   135, 1
    gegen mittem tage   unde wil dâ lange stân.
5 Ich gelébte noch den lieben âbent gerne,
    daz si sich her nider   mir ze trôste wolte lân,
 wand ich mich h â n   gar verkapfet ûf ir wân.

1, 2 *versmân*   verachten.
2, 2 *ob der sunnen* vgl. Anm.
3, 7 *sich verkapfen*   sich in starres Schauen verlieren.

XV. 1, 2 *versmaht*.
3, 3 *verŗ̃e*.

XV Zwei Lieder (1 und 2—3) Bu 98. LV, Schweiger 298] Zäsuren nach 2. Hebung in
vv. 1, 3, 5 K (He § 704) Br. — 1, 2 ¶ *hôhe* K(LV). *dienest* K(LV). *versmât* K(LV).
3 *dran* K (Sievers [1] 350). 4 *da'z* K(LV). 5 *wîs* K(LV). 6 *dienet dar   dâ man dienest*
K(LV).
2, 1 *darf* K(LV). 2 *ob der* LV, vgl. auch Frings/Lea 72, Schweiger 297] *für die* KBr.
3 *Daz ist* K(V). *diech* K(LV). 4 *Sin* K, *Sine* LV. *tete* K(LV). 7 *zorn,   weiz got*
K (E. Schröder, vgl. K, MFU 310).
3, 3 *Sist* K(LV).

XVI   Wê, wie lange sol ich ringen

1   Wê, wie lange sol ich ringen   135, 9 — *54 C*
      umbe éin wîp, der í c h noch nie wort zuo gesprach?
    wie sol mir an ir gelingen?
      seht, dés wundert m í c h , wan es ê niht geschach,
5   Daz ein mán also tóbt, als ich tuon zaller zît,
          daz ich sî sô herzeclîche minne
      und es ê nie gewuoc und ir dient iemer sît.

2   Ich weiz vil wol, daz si lachet,   135, 19 — *55 C*
      swenne ich vor ir stân und enweiz, wer ich bin.
    sâ zehant bin ich geswachet,
      swenne ir schoene nimt mir sô gar mînen sin.
5   Got weiz wol, daz si noch mîniu wort nie vernam,
          wan daz ich ir diende mit gesange,
      sô ích beste kunde, und als ir wol gezam.

3   Owê des, waz rede ich tum*me*?   135, 29 — *56 C*
      daz ich niht enrette als ein saeliger man!
    sô swîge ich rehte als ein stumme,
      der von sîner nôt niht gesprechen enkan,
5   Wan daz er mit der hant sîniu wort tiuten muoz.
          als erzeige ich ir mîn wundez herze
      unde valle vür sî unde nîge ûf ir vuoz.

1, 6 *daz* hier etwa: weil. *7 gewagen*   sagen, erwähnen.

XVI. **3,** 1 *tvmbe.* 2 *enrete.*

XVI Zum Strophenbau vgl. Anm.
2, 7 *ich ie b.* K (V Anm.).
3, 1 *waz*] *wan* K, MU 31. K, Heinrich v. Morungen 1925, 41] ¶ *tede* K(V). 1 : 3
   tumbe : stumbe K(LV).

XVII   Owê, war umbe volg ich tumbem wâne

1 Owê, war umbe volg ich tumbem wâne,   136, 1 — *1 A*, 57 C
   der mich sô sêre leitet in die nôt?
   ich schiet von ir gar aller vröiden âne,
   daz sî mir trôst noch helfe nie gebôt.
5   Doch wart ir varwe liljen wîz und rôsen rôt,
   und saz vor mir diu liebe wolgetâne,
   geblüet rêht alsam ein voller mâne:
   daz was der ougen wúnne und des hérzen tôt.

2 Mîn staeter muot gelîchet niht dem winde.   136, 9 — *58 C*, 2 A
   ich bin noch, als sî mich hât verlân,
   vil staete her von einem kleinen kinde,
   swie wê si mir nu lange hât getân,
5   Als swîgende iegenôte, und ein verholner wân.
   wie dicke ich mich der tôrheit underwinde,
   swanne ich vór ir stân und sprüche ein wunder vinde,
   und muoz doch von ir ungesprochen gân?

3 Ich hân sô vil gesprochen und gesungen,   136, 17 — *59 C*, 3 A
   daz ich bin müede und héis vón der klage.
   in bin umbe niht wan umb den wint betwungen,
   sît sî mir niht geloubet, daz ich sage,
5   Wie ích si mínne, und wíe ich ir hóldez herze trage.
   deswâr, mirn ist nâch werde niht gelungen.
   hete ich nâch gote ie halp sô vil gerungen,
   er naeme mich zuo zim. ach mîner tage!

XVII. 1, 1 *volge ich also tvmbē* C. 3 *gar fehlt* C. 4 *nien g.* C.
2, 2 *alse* A. 3 *kleinem* A. 5 ¶ *Alswigende ie gnote* A. 6 *dicke fehlt* A. 7 *Swen* A.
spreche A.
3, 2 *heiz von miner* A. 3 *Ich* A. *niht vn̄ vmbe ... betwingen* A. 3 *und 4 nit* C. *ich*
von ir A. 5 *Vn̄ ich ir doch so h. h. t.* A. 6 *mir* A. 7 *Het ich dvr got* A. 8 *mich hin*
zv̊zim ¶ *ê miner tage* A.

XVII v. 8 sechshebig Br, Jungbluth² 145. — 1, 7 *Geblüejet* K, *Gebluhet* V (Sch 138).
8 *und* tilgt K(LV).
2, 2 *alse* K(LV). 5 *Alswîgend* K(LV). Sch 138, V, Br, Pretzel in: Interpretationen
mhd. Lyrik, hg. v. G. Jungbluth 1969, 117 f] *ûf den verholnen wân* K(L). 5 f *wân, /*
swie K(LV). 7 Br, aber *Swen*] *Swâ* K(LV).
3, 2 *von mîner* K(LV). 3 *Ich bin umb* K(LV). LV, Pretzel ebd. 118] *umb den wân*
KBr, Schweiger 277, *Ich bin von ir niht umb den wint b.* Jungbluth² 145. 5 *wiech*
LV, *und ich sô h. h. ir t.* K. 7 *Hêt* K(BaV). 8 *mich hin zim ê m. t.* K(LV).

, 4 *daz*   hier: da.
, 5 *als*   so. *iegenôte* unablässig. *verholner wân* neben *si* Subj. (Sch 138 f). 7 *sprüche*
ein wunder   etwa: viele erlesene Worte (bzw. Lieder).
, 2 *heis*   heiser. 3 ich bin nur wegen einer Nichtigkeit in Kummer und Sorgen. 8 *ach*
mîner tage!   etwa: weh über mein Leben!

XVIII   Diu vil guote

A: 1—3, 5;   C: 1, 3, 2;   p: 1, 3, 4

1   Diu vil guote,
     daz si saelic müeze sîn!
   wê der huote,
     diu der welte sô liehten schîn
5   *An ir* hât benomen, daz man si niht wan selten sêt,
     sô diu sunne, diu des âbendes under gêt.

> 136, 25 — 60 C, 4 A,
> p bl. 235r

2   Ich muoz sorgen,
     wen diu lange naht zergê
   gegen dem morgen,
     daz ichs einest an gesê,
5   Mîn vil liebe sunnen, diu mir sô wunnenclîchen taget,
     daz mîn ouge ein trüebez wolken wol verklaget.

> 136, 31 — 62 C, 5 A

3   Swer der vrouwen
     hüetet, dem künde ich den ban;
   wan durch schouwen
     sô geschuof si ⟨got⟩ dem man,
5   Daz si waer ein spiegel, al der werlde ein wunne gar.
     waz sol golt begraben, des nieman wirt gewar?

> 136, 37 — 61 C, 6 A,
> p bl. 235r
>
> 137, 1

XVIII. 1, 1 *Die* p. 2 *sú* p. *mv́ze* A. 3 *hv́te* A. 4 p, aber *Die*] *Die man tv́t der welte*
(*welde* C) *schin* AC. 5 *Die mir h.* AC. *An ir hat benūmen d. m. sú so selten*
schöwen lat p. *siht* A. 6 *Sam die s. die* p. *abens* A. *gat* p.

2, 2 *Wie dv* A. 4 *ich ez* A. *gesehe* A. 5 *Die vil lieben svnnen taget* A.

3, 1 *Die* A, *Wer* p. 2 *Hv́tent den kunde* A. 3 *Wanne* p. 4 Lies *schöwen* lies *si werden*
got den man p. *got* fehlt C. 5 *sú* p. *were* Ap. *sp. vn̄ d^s* A, *sp. ob aller der* p.
wunne]*bilde* A. 6 *golt*]*got* A, *gott* p. *begramen* A. *daz sin n. werde* p.

XVIII. 1—5 echt K, MU 34 f (mit vielen Konjekturen!), Schneider Euph. 42, 34—37,
    Schweiger 101 f; 3—5 unecht K (Sievers [1] 343); 4—5 unecht V, Br, Frings/Lea 51
    (weitere Lit. s. Schweiger ebd.). K (Bartsch Germ. 3, 483 f, V) faßt vv. 1—2 und
    3—4 zu einem Vers zusammen. — 1, 4 *werlt* K(V). 6 *âbents* K(LV).

2, 5 *Die vil lieben* K(LV). *mir* tilgt K(LV).

4 Wê der huote,   137, 4 — *p bl. 235ʳ*
    die man reinen wîben tuot!
†huote machet
    staete vrouwen wankelmuot.†
  5   Man sol vrouwen schouwen unde lâzen âne twanc.
    ich sach, daz ei*n* sieche verboten wazzer tranc.

5 Ascholoie   137, 9ª (L Anm. 283) –
    d*iu* vil guote heize*t* wol.   7 *A*
erst von Troie
    Paris, der si minnen sol.
  5   Obe er kiesen solde ún*der* den schóenesten, d*í*e nu leben
    sô wurde ir der apfel, waer er unvergeben.

1, 5 *benemen* entziehen.
2, 2 *wen* bis. **4** *einest* einmal. **6** *verklagen* mit dem Klagen aufhören.
3, 5 daß sie glänze wie ein Spiegel (Frings/Lea 107).
5, 1 *Ascholoie* s. Anm.

XIX   Vrowe, wilt du mich genern

Vrowe, wilt du mich genern,   137, 10 — *21 A*, 63 C
    sô si*ch* mich ein vil lützel an.
ich enmác mich langer niht erwern,
    den lîp muoz ich verlorn hân.
  5   Ich bin siech, mîn herze ist wunt.
    vrowe, daz hânt mir getân
    mîn ougen und dîn rôter munt.

4, 6 *eine.*
5, 2 *Der v. g. heizest.* **5** *vñ den.*
XIX, 2 *sihe* AC. *vil* fehlt C. **3** *lange* C.

4, 1 *Wê den raeten* LBa. **3** f ¶ *Huote guote / frouwen machet w.* K(V), *Huote staeten*
frowen m. LBa, *Staete huote / frouwen* Schütze 36, Schweiger 107.
5, 2 *Diu* K(LV). *heizet* K (Lemcke 59, V), *hiez et* L. **5** *undern* K(LV). *schônsten* K.
XIX, 2 *sich* K(LV). **3** *In mac* K. **4** *verloren* K(LV).

XX Vrowe, mîne swaere sich

Vrowe, mîne swaere sich,
  ê ich verliese mînen lîp.
ein wort du spraeche wider mich:
  verkêre daz, du saelic wîp!
5   Du sprichest iemer neinâ neinâ nein,
    neinâ neinâ nein.
    daz brichet mir mîn herze enzwein.
      maht dû doch eteswenne sprechen jâ,
      jâ jâ jâ jâ jâ jâ jâ?
10   daz lît mir an dem herzen nâ.

137, 17 — 22 A, 64 C

4 *verkêren* ändern. 8 *eteswenne* zuweilen, endlich.

XXI Ob ich dir vor allen wîben

1 Ob ich dir vor allen wîben guotes gan,
  sol ich des engelten, vrouwe, wider dich,
stê daz dîner güete saeliclîchen an,
  sô lâz iemer in den ungenâden mich.
5   Hab ich dar an m i s s e t â n , die schulde rich,
  daz ich lieber liep zer werlte nie gewan:
  nâch der liebè sent ⟨ie⟩ mîn herze sich.

137, 27 — 65 C

2 Ob ich iemer âne hôchgemüete bin,
  waz ist ieman in der werlte deste baz?
gênt mir mîne tage mit ungemüete hin,
  die nâch vröiden ringent, den gewirret daz.
5   Jâ, ⌠wirt daz⌡ ir u n g e w i n , der valschen haz.
  die verkêrent underwîlent mir de*n* sin:
  nieman solde nídèn, ern wiste waz!

137, 34 — 66 C

138, 1

XX, 5 ein *neinâ* fehlt C. 6 fehlt C.
XXI. 2, 6 den] *der.*

XX ¶ 2. Str. von XIX K(LV). — 5 *Du* tilgt K (K, MU 37, V). Ein *neinâ* aus v. 5
zieht K(LV) zu v. 6. 8 *etswan* K(LV). 9 Das 2., 4., 6. u. 7. *ja* mit Längezeichen
K (Sievers [1] 350).
XXI. 1, 7 *sent iedoch* K(V).
2, 5 Fortmann 135 Anm. (aber ohne Umstellung)] *Indes wirt mîn* K(LV). 6 *den* K(LV).
7 *erne* K(LV).

3 Vrowe, ob dû mir niht die werlt erleiden wil,   138, 3 — *67 C*
  sô rât unde hilf, mir ist ze lange wê,
  sît si jehent, ez sî niht ein kinde spil,
  dem ein wîp sô nâhen an sîn herze gê.
5 Ich erkande mâze v i l der sorgen ê,
  disiu sorge gêt mir vür der mâze zil:
  hiute baz und áber danne über morgen wê.

4 Ich habe ir vil grôzer dinge her verjehen,   138, 10 — *68 C*
  herzeclîcher minne und ganzer staetekeit.
  des half mir diu rehte herzeliebe spehen.
  wol mich, hab ich al der werlte wâr geseit.
5 Habe ich dar an m i s s e s e h e n, dást mir leit.
  mir mac elliu saelde noch von ir geschehen:
  in weiz niht, waz schoener lîp in herzen treit.

2, 2 *was nützt das irgendjem. auf der Welt? (V Anm.). 4 gewirren* bekümmern.
5 *ir* = derer, die nach Freude ringen.
3, 1 *erleiden* verleiden. 5 *mâze* mäßig. 6 *vür* über ... hinaus.
4, 1 *her* bisher. *verjehen* über jem. etw. aussagen. 4 *wâr* Wahrheit.

XXII Ich waene, nieman lebe

A: 2; C: 1—5

1 Ich waene, nieman lebe, der mînen kumber weine,   138, 17 — *69 C*
  den ich eine trage,
  ez entuo diu guote, die ich mit triuwen meine,
  vernimt si mîne klage.
5 Wê, wie tuon ich sô, daz ich sô herzeclîche
  bin an sî verdâht, daz ich ein künicrîche
  vür ir minne niht ennemen wolde,
  ob ich teilen unde wéln sólde?

4, 7 *nit. schoner.*

3, 3 *jêen* K (Sievers [1] 350, jedoch *jên*). 7 *dan* K(LV). ¶ *mê* K(LV).
4 Unecht Br (Sievers [1] 332 ff) — 1 *hân* K (Sievers [1] 350). 5 *daz ist* K(LV). 7 *niht* K(LV).
XXII Bei der C-Folge bleiben: L, Neckel Beitr. 46, 159 f, Jungbluth [2] 145 f, Fort-
mann 81; Folge 1, 4, 2, 3, 5 K (K, MU 42—44, V) Br, Schweiger 329—31; Folge
1, 3, 4, 2, 5 Ludwig GRM. 46, 329—36; Folge 1, 3, 2, 5 (4 Einzelstr.!) Bu 99, Sch
141 f, neuerdings Kibelka 42 ff. — de Boor ZfdPh. 58, 39 gliedert vv. 1, 3, 5, 6 als
zwei dreitaktige Halbverse. — 1, 3 *diech* K(LV). 8 *welen* K(LV).

2 Swer mir des verban, obe ich si minne tougen,   138, 25 — 26 *A*, 70 *C*
    seht, der sündet sich.
  swen ich eine bin, *si* schînt mir vor den ougen.
    sô bedunket mich,
5   Wie si gê dort her ze mir aldur die mûren.
  ir rede und ir trôst enlâzent mich niht trûren.
    swenne si wil, sô *v*üeret sî mich hinnen
    zeinem venster hôh al über die zinnen.

3 Ich waene, si ist ein Vênus hêre, die ich dâ minne,   138, 33 — *71 C*
    wan si kan sô vil.
  sî benimt mir beide vröide und al die sinne.
    swenne sô si wil,
5   Sô gêt sî dort her zuo einem vensterlî*n*e
  unde siht mich an reht als der sunnen schî*n*e.
    swánne ich sî danne gerne wolde schouwen,   139, 1
    ach, sô gêt si dort zuo andern vrouwen.

4 Dô si mir alrêrst ein hôchgemüete sande   139, 3 — *72 C*
    in daz herze mîn,
  des was bote ir güete, die ich wol erkande,
    und ir liehter schîn
5   Sach mich gûetlîch an mit ir spilnden ougen,
  lachen sî began ûz rôtem munde tougen.
    sâ zehant enzunte sich mîn wunne,
    daz mîn muot stêt hôhe sam diu sunne.

2, 1 *erban ob* C. 2 *svndet* A. 3 *Si won mir zallen ziten vor* C. *so schient* A. 4 *Vn̄* (übergeschr.) *dvnket* C. 5 *ge zv̊ mir dvr ganze* C. 6 *Ir trost vn̄ ir helfe lassent* C. 7 *svv̊uret* A. 8 *Mit ir wissen hant hohe vber* C.

3, 5 : 6 *venst*ˢ*lin : schin.* 8 *frowen.*

2, 1 L] *erban* K(V). 3 *si* K(LV). 7 *Swenn* K(LV). *füeret* K(LV). 8 Lemcke 67, Kraus, Heinrich von Morungen 1925, 47, Ludwig ebd. 332 f, Schweiger 332] K(LV) folgt C.
3, 1 *diech* K(LV). 3 *beide* LVBr, Jungbluth² 145, Ludwig ebd. 335, Fortmann 81] *leide* K, Schweiger 332 f. 5 : 6 *vensterline : schîne* K(LV). 7 *dan* K(LV).
4, 4 f LV, Fortmann 82] *schîn. | si sach* K. 5 *ane* K(LV). 8 Jungbluth² 146, Fortmann 82] *stuont* K(LV). *hô alsam* K.

5 Wê, waz rede ich? jâ ist mîn geloube boese   139, 11 — *73 C*
   und ist wider got.
 wan bite ich in des, daz er mich hin*n*en loese?
   ez was ê mîn spot.
5   Ich tuon sam der swa*n*, der singet, swenne er stirbet.
   waz ob mir mîn sanc daz lîhte noch erwirbet,
     swâ man mînen kumber sagt ze maere,
   daz man mir erbunne mîner swaere?

1, 6 *verdâht sîn an* in Gedanken an etw. verloren sein. 8 auch wenn ich (es mir) zu-
teilen und auswählen dürfte (vgl. Anm.).
2, 1 *verbunnen* mißgönnen.
4, 4 *ir liehter schîn* ihre strahlende Erscheinung. 5 *spiln* leuchten, funkeln.
5, 4 Was ich vorher gesagt habe, war nicht mein Ernst (V Anm.). 7 *ze maere sagen*
berichten. 8 *erbunnen* beneiden, mißgönnen.

XXIII   Ich hôrte ûf der heide

1 Ich hôrte ûf der heide   139, 19 — *74 C*
   lûte stimme und süezen sanc.
 dâ von wart ich beide
   vröiden rîch und an trûren kranc.
5 Nâch der mîn g e d á n c sére r á n c ùnde swanc,
   die vant ich ze tanze, dâ si sanc.
 âne l e i d e ich dô spranc.

5, 3 *hinan.* 5 *swal.*
XXIII. 1, 7 *leit.*

5, 3 *hinnen* K(LV). 4 V, Neckel ebd. 161, Jungbluth ² 146, Fortmann 85, Ludwig ebd.
331] *Ich was ie ir spot* K (*ez waz ie ir spot* L Anm.) Br, Schweiger 334. 5 *swan*
K(LV).
XXIII Folge **1, 3, 2** Br (Schütze 50 f), Folge **2, 3, 1** Bu 99. — Alle Verse alternierend
K (Sievers ¹ 347), vv. 1, 3, 5 daktylisch V, nur v. 5 daktylisch Br, Maurer, Fest-
schr. Trier 1954, 168 f, Schweiger 326 f. — 1, 2 *sanc* LV] *klanc* K (Sch 144), *lûter
st. süezen klanc* Br. 4 *und trûrens kranc* K(LV).

2 Ich vant sî verborgen   139, 29 — 75 C
  eine únd ir wéngel von tréhen naz,
 dâ si an dem morgen
  mînes tôdes sich vermaz.
5 Der vil lieben h á z tùot mir b á z dànne daz,
  dô ich vor ir kniewete, dâ si saz
  und ir s o r g e n ⟨*gar*⟩ vergaz.

3 Ich vant si an der zinne   140, 1 — 76 C
  eine, únd ich was zuo zir gesant.
 dâ mehte ichs ir minne
  wol mit vuoge hân gepfant.
5 Dô wânde ich diu l á n t hân verb r á n t sâ zehant,
  wan daz mich ir süezen minne bant
  an den s i n n e n hât erblant.

1, 4 *an trûren kranc* frei von Kummer.
2, 4 vgl. Anm.
3, 4 *pfenden* c. ap. gs. jem. etw. als Pfand abnehmen. 5 vgl. Anm. 7 *erblant* zu
erblenden.

XXIV Solde ich iemer vrowen leit

1 Solde ich iemer vrowen leit   140, 11 — 77 C
  alder arc gesprechen, daz hât sî verschuldet wol,
 diu daz hât von mir geseit,
  daz ich singe owê von der ich iemer dienen sol.
5 Si ist des liehten meien schîn
  und mîn ôsterlîcher tac.
  swenne ich sî an sihe, sô lachet ir daz herze mîn.

2, 3 *da* aus *do* geändert?

2,2 *von trehen* tilgt K(LV), *Eine, ir w. trêne n.* Ba, *Und ir w. trehen naz* de Boor
1511. 3 Br] *Dô* K(LV). 6 *kniete* K(LV). 7 *gar* erg. K(LV).
3,1 *vants* K(BaV). 1 : 3 *zinnen : minnen* K(LV). 2 *zuo* tilgt K(LV). LVBr] *besan:* K.
3 *moht* K(V).
XXIV vv. 2 u. 4 sechshebig K (Sievers[1] 350) Schweiger 87 f, siebenhebig HVBr. v. 7
sechshebig K(H) Br, Schweiger ebd., siebenhebig V. — 1, 2 *Od* K. 4 *Deich* K (Sie-
vers[1] 350). 4 : 7 Zäsurreim *owê : ¶ sê* K. 5 *Sist* K (Sievers[1] 350). 7 *ichs* K(HV).

2 Mîn vrowe ist s ô genaedic wol,   140, 18 — 78 C
   daz sî mich noch tuot von allen mînen sorgen vrî.
   des bin ich v r ô reht als ich sol.
   ich waene, nieman lebe, der in sô ganzen vröiden sî.
5   Wol ir hiute unde iemer mê!
       alsô sprich ich und wünsche ir des,
       diu mir hât benomen mit vröiden gar mîn alt owê.

3 Swaz ich s i n g e ald swaz ich sage,   140, 25 — 79 C
       sône wil si doch niht troesten mich vil senden man.
   des muoz ich r i n g e n mit der klage
   unde mit der nôt, die ich selbe mir geschaffet hân.
5   Sô ist siz doch diu vrowe mîn:
       ich binz, der ir dienen sol,
       unde wünsche ir des, dazs iemer saelic müeze sîn.

1, 2 *alder* oder. *verschulden* verdienen. 4 *von der* ... von der, der ich ...
3, 3 *ringen* sich abmühen.

XXV Uns ist zergangen

1 Uns ist zergángen   der lieplîch sumer.   140, 32 — 80 C
   dâ man brach bluomen, da lît nu der snê.
   mich muoz belangen,   wenne sî mînen kummer
   welle volenden, der mir tuot so wê.
5   Jâ klage ich niht den klê,
       swenne ich gedenke an ir wîplîchen wangen,
       diu man ze vröide so gerne ane sê.

3, 7 *des dc.*
XXV. 1, 3 *kvmbs.* 6 *wēgel.*

2 Unecht Kibelka 19. — 1 : 3 Zäsurreim K(V). 2 *tuot aller mîner s.* K. 4 *lebe der*
tilgt K (Sievers[1] 350). 5 direkte Rede K. 6 *Alsô* tilgt K. *unde* K. 7 LV] *Diu mir*
mit fröiden hât benomen mîn K.

3 Unecht Br (Schütze 61 f), Zusatzstr. V. — 1 u. 3 Zäsurreim K(V). *ald* tilgt K(V).
2 *Son* K (Sievers[1] 350). 3 *ringe* K. 4 *Und* K (Sievers[1] 350). *diech* K(HV). 5 *Sost*
K. 7 *Und* K(H). Zäsur nach *des* K.

XXV Abgesänge unecht Sievers[1] 343 f. Die vv. 2, 4, 6, 7 mit Binnenzäsur, in der
Regel nach der 1. Senkung des 2. 'Daktylus' K (Sievers[1] 343). — 1, 1 *lieplîche*
K(HV). 3 *wenn* K(V). *kummer* K(HV). 6 *wangen* K(HV).

2 Seht an ir ougen   und merkent ir kinne,   141, 1 — *81 C*
   seht an ir kele wîz und prüevent ir munt.
   Si ist âne lougen   gestalt sam diu minne.
   mir wart von vrouwen so liebez nie kunt.
5   Jâ hât si mich verwunt
   sêre in den tôt. ich verliuse die sinne.
   genâde, ein k ü n i g i n n e, du tuo mich gesunt.

3 Die ich mit gesange   hie prîse unde kroene,   141, 8 — *82 C*
   an die hât got sînen wunsch wol geleit.
   in gesach nu lange   nie bilde alsô schoene
   als ist mîn vrowe; des bin ich gemeit.
5   Mich vröit ir werdekeit
   baz danne der meie und alle sîn doene,
   die die vogel singent; daz sî iu geseit.

1, 3 *belangen*   lang dünken.
3, 4 *gemeit*   froh.

XXVI Mich wundert harte

1 Mích wundert hárte,   141, 15 — *83 C*
   daz ir alse zarte
     kan lachen der munt.
     ir liehten ougen
5   diu hânt âne lougen
   mich senden verwunt.
     Diu brach alse tougen
   al in mîns herzen grunt.
     dâ wont diu guote
10   vil sanfte gemuote.
   des bin ich ungesunt.

XXVI. 1, 10 *senfte.*

2 Die Echtheit des Abgesangs zweifelt Br an. — 1 *merket* K(HV). 2 *kel* K(HV).
prüevet K(HV). 3 *Sist* K (Sievers¹ 343). 7 He § 704] *Gnâde* K(HV). He § 704]
künginne K (V Anm.).
3, 1 He § 704] *Diech* K(V). 3 He § 704] *sach* K(HV). *alse* K (K, MU 49, V). 6 *dan*
K(HV). *al sîne* K(HV).
XXVI vv. 1—3, 4—6, 9—11 daktylische Langzeilen V (vgl. schon Gottschau 357),
7—8 geradtaktige Langzeile V (vgl. schon Weissenfels 138); weitere Lit. Schwei-
ger 142. — 1, 7 *Si* K(HV). 11 *sanfte* K(HV).

*2   Swenne ich vil tumber   *141, 26 — 84 C*

     ir tuon mînen kumber

       mit sange bekant,

         sô ist ez ein wunder,

5   daz sî mich tuot under

       mit rede zehant.

           Swenne ich si hoere sprechen,

            sô ist mir alse wol,

             daz ich gesitze

10   vil gar âne witze

            non weiz, war ich sol.

1, 10 *gemuot*   gestimmt.

2, 5 *under tuon*   unterbrechen. **11** *non weiz = noch enweiz.*

XXVII   Si hât mich verwunt

1   Si hât mich verwunt   *141, 37 — 85 C*

     rehte aldúrch mîn sêle

   in den vil toetlîchen grunt,   *142, 1*

   dô ich ir tet kunt,

5   daz ich tobte unde quêle

   umb ir vil güetlîchen munt.

   Den bat ích zeiner stunt,

     daz er mich ze dienste ir bevêle

     und daz er mir stêle

10 von ir éin senftez küssen, sô waer ich iemer gesunt.

---

2 Nach dieser Str. Raum für eine weitere.

2, 4 *Sôst* K (Sievers [1] 350, V). **8** *Sôst* K (Gottschau 354, Sievers [1] 350). **11** *Noch enweiz*
K(V).

XXVII Versordnung nach H] vv. 1—2, 4—5 Langzeilen K (P 547, V), 7—8 Langzeile
K(V). v. 10 Langzeile mit Zäsur nach *küssen* (Str. 1) und *diende* (Str. 2) K (vgl.
auch Weissenfels 141, V). — 1, 2 *mîne* K(HV). 7 HV, Schweiger 148] *Den mînen
bat* KBr.

Wie wirde ich gehaz   142, 9 — *86 C*
   ir vil rôsevarwen munde,
des ich noch niender vergaz!
   doch sô müet mich daz,
5   daz si mir zeiner stunde
sô mit gewalt vor gesaz.
Des bin ich worden laz,
   alsô daz ich vil schiere wol gesunde
   in der helle grunde
10 verbrunne, ê ich ir iemer diende, in wisse umbe waz.

, 5 *toben*   leidenschaftlich verlangen.
, 7 *laz*   matt.

XXVIII   Ich bin keiser âne krône

C: 1—3; M: 1

Ich bin keiser âne krône,   142, 19 — *87 C,*
   sunder lant: daz meinet mir der muot;   M bl. 61ʳ
der gestuont mir nie sô schône.
   danc ir liebes, diu mir sanfte tuot.
5   Daz schaffet mir ein vrowe vruot.
   dur die sô wil ich staete sîn,
wan in gesach nie wîp sô rehte guot.

---

* Nach dieser Str. Raum für eine weitere.
XXVIII. 1 M s. S. 274.

, 2 *rôsevarn* K (P 547). 3 u. 4 Schweiger 148] *doch — Noch* K (K, MU 50) Br. 5 *si*
Br, Schweiger 149] *er* K (K, MU 50). 6 Br, Schweiger 149] *gewalte versaz* K. 8 *wol*
tilgt K(HV). 10 HVBr] *Brunne . . . . . ine wisse rehte u.* K.
XXVIII Strophenfolge 2, 3, 1 Br, F. R. Schröder GRM. 49, 339 f; ein Lied K, MU 51,
zwei Lieder (1; 2—3) HV. — 1 Unecht Ba, Weydt, Verf. Lex. II, 1936, 310. —
2 ¶ *d. meine ich an den* (≈ M) K (V, vgl. auch Anm. z. 2. Aufl. 1875). 3 *Dern*
K(HV). 4 Lemcke 95, Fortmann 21, Schweiger 77] *Wol ir libe* (= M) K(HV).

2 'Gerne sol ein rîter ziehen   142, 26 — *88* C
        sich ze guoten wîben. dêst mîn rât.
      boesiu wîp diu sol man vliehen.
        er ist tump, swer sich an sî verlât,
5   Wan sîne gebent niht hohen muot.
        iedoch sô weiz ich einen man,
        den ouch die selben vrowen dunkent guot.

3 Mirst daz herze worden swaere.   142, 33 — *89* C
        seht, daz schaffet mir ein sende nôt.
      ich bin worden dem unmaere,
        der mir dicke sînen dienest bôt.
5   Owê, war umbe tuot er daz?   143, 1
        und wil er sichs erlouben niht,
        sô muoz ich im von schulden sîn gehaz.'

1, 2 *meinen* angenehm machen. 4 *danc ir liebes* Dank sei ihr für das Liebe. 5 *vruo[*
verständig, edel, schön.
2, 1—2 *sich ziehen zuo* sich anschließen an. 4 *sich verlân an* sich jem. anvertrauen.
3, 3 *unmaere* verhaßt. 6 *sich erlouben* etw. aufgeben.

Die 1. Strophe hat in M folgenden Wortlaut:

                                        Ich pin cheifer ane chro
                        ne vn̄ ane lant daz meine ih an dem mů̊t. ern geſtůnt mir
                        nie ſo ſchone wol ir libe div mir ſanfte tůt. daz machet mir
                        ein vrowe gů̊t. ih wil ir iemmˢ dienen mer ih engeſah nie wip
                                                            ſo wol gemů̊t.

2, 3 *die.*
3, 7 nach *im* gestrichenes *sin.*
M-Str.: *schone* über gestrichenem *hohe* (Korrektur von k[1]). *libe* aus *liebe* verbesser[
dienen iemmˢ] in M möglicherweise umgestellt.

2, 5 Fortmann 22, Schweiger 78] *sin geben* K (Sievers[1] 351). 7 *dunken* K (Sievers[
351).
3, 5 *Wê* K (Sievers[1] 351).

XXIX Wie sol vröidelôser tage

Wie sol vröidelôser tage   143, 4 — *90 C*
  mir und sender jâre iemer werden rât?
sô ist daz aber mîn hoehste klage,
  daz uns beide, an sange, an vröide, missegât.
5   Sît daz diu werlt mit sórgèn sô gar betwungen stât,
  maniger swîget nu, der doch dicke wol gesungen hât.

Ich was eteswenne vrô,   143, 10 — *91 C*
  dô mîn herze wânde nebent der sunnen stân.
dur die wolken sach ich hô.
  nû muoz ich mîn ouge nider zer erde lân.
5   Mich triuget alze sêre ein vil minneclîcher wân,
  sît daz ich von ir niht wan leit und herzeswaere hân.

Wil si vrömden mir dur daz,   143, 16 — *92 C,*
  dazs ein lützel ist mit valscher diet behuot?   31 Cᵃ (*vv. 2—6*)
dêst ein swacher vriundes haz,
  daz si mit den andern mir sô leide tuot.
5   Ez hoeret niht ze liebe ein sô kranker vriundes muot.
  wil aber sî die húote alsô tríegen, dâst uns beiden guot.

, 4 vgl. Anm.
, 3 und 5 *vriunt* hier: Geliebte. 4 *leide tuon* Leid antun.

XXIX. 1, 2 *iaren.*
, 2 *das* C.

XXIX Abgesänge unecht K (Sievers ¹ 344) Br; echt H, neuerdings Schweiger 93 f. —
1, 2 *jâre* K(HV). 3 *Sost* K. 4 *beiden* K, MU 52. 5 *sô*] *alsô* K(HV). 6 *Nu swîget
manger* (*maneger* HV) K(HV).
, 2 *neben* K(HV).
, 2 *Dazs* K(HV). 6 *Wils aber die* K(HV).

XXX   Owê, sol aber mir iemer mê

1   Owê, –   143, 22 — *93 C,* 32 C
  Sol aber mir iemer mê
    geliuhten dur die naht
  noch wîzer danne ein snê
5   ir lîp vil wol geslaht?
      Der trouc diu ougen mîn.
    ich wânde, ez solde sîn
    des liehten mânen schîn.
      Dô tagte ez.

2   'Owê, –   143, 30 — *94 C,* 33 C
  Sol aber er iemer mê
    den morgen hie betagen?
  als uns diu naht engê,
5   daz wir niht durfen klagen:
    'Owê, nu ist ez tac,'
    als er mit klage pflac,
    dô er júngest bî mir lac.
      Dô tagte ez.'

3   Owê, –   144, 1 — *95 C,* 34 C
  Si kuste âne zal
    in dem slâfe mich.
  dô vielen hin ze tal
5   ir trehene nider sich.
      Iedoch getrôste ich sie,
    daz sî ir weinen lie
    und mich al umbevie.
      Dô tagte ez.

XXX. 1, 9 *tagt* C, *taget* Cᵃ.
2, 9 *tagete* Cᵃ.
3, 4 *vieln* Cᵃ. 5 *trene* Cᵃ. 6 *iedoch so* Cᵃ.

XXX Hs. Folge der Strr. K(HV) Br, Mohr, Festschr. Pretzel 1963, 132, Stopp Eupl
    64, 51, Folge **1, 4, 3, 2** Kroes Neophil. 34, 141—43, zuletzt Huismann ZfdPh. 87
    Sonderh. 72—76. — vv. 1—2 e i n e Zeile K(V), *owê* als Eingangskehre von St
    abgehoben He § 746, Mohr ebd. 133 f, zuletzt Schweiger 292—94. — 1, 9 *taget* K
    tagete HV (so in allen Strr.).
2, 2 *immer* K (Sievers ¹ 351). 8 *Do'r* K.
3, 3 *deme* K(HV). 5 *nidersich* K (E. Schröder, vgl. K, MFU 332).

4   'Owê, –   144, 9 — 96 C, 35 C^a
    Daz er sô dicke sich
      bî mir ersehen hât!
    als er endahte mich,
5   sô wolt er sunder wât
      Mîn arme schouwen blôz.
      ez was ein wunder grôz,
      daz in des nie verdrôz.
        Dô tagte ez.'

4, 2 wird mir denn jemals künftig . . . 5 *geslaht* geartet, schön.
2, 1—3 Oh weh, wird er denn jemals den Morgen über bleiben? Die Nacht möge uns
   so vergehen, daß . . .
3, 5 *nider sich* hernieder.
4, 3 in meinen Anblick verloren hat. 4 *endecken* aufdecken. 5 *wât* Kleidung.

XXXI   Hât man mich gesehen in sorgen

1 Hât man mich gesehen in sorgen,   144, 17 — 97 C, 36 C^a
     des ensol niht mêr ergân.
  wol vröiwe ich mich alle morgen,
    daz ich die vil lieben hân
5   Gesehen in ganzen vröiden gar.
      nu vliuch von mir hin, langez trûren!
    ich bin aber gesunt ein jâr.

2 Sî kan durch diu herzen brechen   144, 24 — 98 C, 37 C^a
    sam diu sunne dur daz glas.
  ich mac wol von schulden sprechen:
    "si ganzer tugende ein adamas!"
5   Sô ist diu liebiu vrowe mîn
      ein wunnebernder süezer meije,
    ein wolkelôser sunnen schîn.

4, 3 *entsehen* C^a. 6 *armen* C^a.
XXXI. 2, 1 *die herze* C^a. 7 *wulkeloser* C.

4, 6 ¶ *mich armen* K (Sch 148), vgl. Anm.
XXXI Echt HV, Maurer, Festschr. Trier 1964, 309 f, Schweiger 63—65, unecht K,
  MU 54, 2—3 unecht K, 3 unecht Br. — 1, 3 *freu* K (Sievers [1] 351).
2, 4 *Si* tilgt K(HV). 5 *Sô'st* K (Sievers [1] 351). *liebe* K(HV). 7 *wolkenlôser* K(HV).

3 Ob si mînre nôt, diu guote,   144, 31 — 99 C, 38 C
      wolde ein liebez ende geben,
   mit den vrôn in hôhem muote
   saehe man mich danne leben.
5   Die wîle sô daz niht ist beschehen,
      sô muoz man bî der ungemuoten
      schar mich in den sorgen sehen.

2, 4 *adamas* Edelstein, bes. Diamant. 6 *wunnebernde* Freude tragend, bringend.

XXXII   Mir ist geschehen als einem kindelîne

CCᵃ: 1; e: 1—4

1 Mir ist geschehen als einem kindelîne,   145, 1 — 100 C, 39 C
      daz sîn schoenez bilde in einem glase gesach   Rei 364 e
   unde greif dar nâch sîn selbes schîne
   sô vil, biz daz ez den spiegel gar zerbrach.
5   Dô wart al sîn wunne ein leitlich ungemach.
   alsô dâhte ich iemer vrô ze sîne,
   dô ich gesach die lieben vrouwen mîne,
      von der mir bî liebe leides vil geschach.

2 Minne, diu der werelde ir vröude mêret,   145, 9 — Rei 365 e
      seht, diu brâhte in troumes wîs die vrouwen mîn,
   dâ mîn lîp an slâfen was gekêret
   und ersach sich an der besten wunne sîn.
5   Dô sach ich ir liehten tugende, ir werden schîn,
   schoen unde ouch vür alle wîp gehêret,
   niuwen daz ein lützel was versêret
      ir vil vröuden rîchez ⟨rôtez⟩ mündelîn.

3, 1 *miner* Cᵃ.
XXXII. 1, 1 *eime* e. 2 *einē* C. *besach* e. 4 *So lange vntz daz sin hant den* e. *zebrach* e
  6 *gedahte ich immer* e. 8 *mir hertzeleides vil* e.
2, 1 u. 2 *die.* 1 *werlede.* 3 *slaffe.* 4 *die.* 6 *Schon.*

3, 1 *mîner* K(HV). 5 *soz n.* K(HV). *geschehen* HV, *geschên* K.
XXXII. 1, 1 *Mirst* K(LV). 2 LV] *ersach* K, Schweiger 303. 7 *Dô'ch* K (Sievers¹ 351)
2, 1 *werlde* K(LV). 3 *slâfen* K(LV). 4 *der* K(V). 5 LV, Hrubý DVjs. 42, 19, Ludwig
  ZfdPh. 87, Sonderh., 49] *ir werden tugende, ir liehten schîn* K. 6 *ouch* tilgt K(LV)
  8 *rôtez* erg. K (HMS I, 130, Michel, Heinrich von Morungen u. die Troubadour
  1880, 30 f), Lücke LV.

3 Grôz ángest hân ich des gewunnen,   *145, 17 — Rei 366 e*
   daz verblîchen süle ir *mündelîn* sô rôt.
  des hân ich nu niuwer klage begunnen,
   sît mîn herze sich ze sülher swaere bôt,
5 Daz ich durch mîn ouge schouwe sülhe nôt
  sam ein kint, daz wîsheit unversunnen
  sînen schaten ersach in einem brunnen
  und den minnen múoz únz an sînen tôt.

4 Hôher wîp von tugenden und von sinnen   *145, 25 — Rei 367 e*
   die enkan der himel niender ummevân
  sô die guoten, die ich vor ungewinn*e*
  vremden muoz und immer doch an ir bestân.
5 Owê leider, jô wânde ichs ein ende hân
  ir vil wunnenclîchen werden minne.
  nû bin ich vil kûme an dem beginne.
  des ist hin mîn wunne und ouch mîn gerender wân.

2, 4 *ersehen* sich in Anschauung verlieren.
3, 6 wie ein Kind, im Denken unerfahren.
4, 3 *ungewin* Schaden, Unglück. 4 *bestân* festhalten. 8 *g. wân* sehnsüchtige, aber
nichtige Hoffnung.

XXXIII¹ Ich wil ein reise

1 Ích wíl ein reise.   *145, 33 — 101 C, 40 Cᵃ*
   wünschent, daz ich wol gevar.
  dâ wirt manic weise,
   diu lant wil ich brennen gar.
5   Mîner vrowen rîche,
    swaz ich des bestrîche,
     daz muoz allez werden verlorn,   *146, 1*
     sî enwende mînen zorn.

3, 2 *munt.*
4, 2 *ǔmme v.* 3 *vngewinnē.*
XXXIII¹. 1, 4 *lant du wil* Cᵃ.

3, 1 *Grôze* K(LV). 2 *mündelîn* K (HMS I, 130, LV). 5 *schouwe*] *lîde* V Anm., *douge*
K, MFU 333 f. 8 ¶ *muose* K(LV).
4, 1 *sinne* K(L). 3 *diech* K(LV). *ungewinne* K(LV).
XXXIII¹—XXXIII² Alle Strr. echt V, Anm., K, Heinrich von Morungen 1925, 20;
alle unecht Gottschau 376 f; XXXIII¹, 1—2 echt K, MU 55 und MFU 355; XXXIII¹
echt, XXXIII² Morungen-Parodie Walthers Schweikle, Festschr. de Boor 1971,
305—14. Anordnung bei K(HV): XXXIII¹, 1—2, XXXIII², 3, 2, XXXIII¹, 3,
XXXIII², 4. — 1, 1 *eine* K(HV). 2 *Wünschet* K(HV). 7 *vlorn* K(HV).

2 Helfet singen alle,   146, 3 — *102 C*, 41 C^a
    mîne vriunt, und zieht ir zuo
mit ⟨. . . . .⟩ schalle,
    daz si mir genâde tuo.
5   Schrîet, daz mîn smerze
      mîner vrowen herze
        breche und in ir ôren gê.
      sî tuot mir ze lange wê.

3 Vrowe, ich wil mit hulden   146, 27 — *103 C*, 42 C^a,
    reden ein wênic wider dich.   Wa 22 E
daz solt dû verdulden.
    zürnest dû, sô swîge aber ich.
5   †Wiltu dîne jugende
      kroenen wol mit tugende,
        sô wis mir genaedic, süeziu vruht,
        und troeste mich dur dîne zuht.†

1, 4 *brennen* brandschatzen. 6 *bestrîchen* erreichen.
2, 2 *zuo ziehen* jem. zusetzen. 7 *brechen* erweichen (vgl. aber K, MFU 335 u. Schweiger 160).
3, 1 *mit hulden* mit (deiner) Zustimmung. 2 *reden wider* sprechen mit. 3 *verdulden* geschehen lassen. 7 *vruht* hier etwa: Geschöpf.

XXXIII²   **Ich wil immer singen**

1 Ich wil immer singen   146, 11 — *Wa 20 E*
    dîne hôhen wirdekeit
und an allen dingen
    dînen hulden sîn gereit.
5   Vrouwe, ich kan niht wenken
      ⟨. . . . .⟩
        hâst*u* tugende und êren vil,
        daz wolte ich und immer wil.

2, 7 Vor *ôren* getilgtes *ŏgē* C.
3 E s. S. 281. — 2 *wenīg* C.
XXXIII². **1**, 6 fehlt. 7 *Haste*. 8 *wŏlte*.

2, 6 *Mîner* HV, Schweikle ebd. 307] *In der* K.
3, 4 *ab* K(HV). 5—8 K nach E.
XXXIII². **1**, 6 *Daz soltu bedenken* erg. K (H Anm.). 7 *Hâstu* K(HV).

2 Sie sint *un*verborgen,
   vrouwe, swaz du tugende hâs*t.*
   den âbent und den morgen
   sagent si allez, daz du begâs*t.*
5   Dîne redegesellen
   die sint, swie wir wellen,
       guoter worte und guoter site.
       dâ bist dû getiuret mite.

146, 19 — *Wa* 21 E

3 Vrouwe, ich wil mit hulden
   reden ein wênic wider dich.
   daz solt dû verdulden.
       zürnest dû, sô swîge aber ich.
5   Wilt du dîner jugende
   kumen gar zuo tugende,
       sô tuo vriunden vriuntschaft schîn,
       swie dir doch ze muote sî.

146, 27 — *Wa* 22 E,
103 C, 42 Cᵃ

4 Nieman sol daz rechen,
   ob ich hôhe sprüche hân.
   wâ von sol der sprechen,
       der nie hôhen muot gewan?
5   Ich hân hôchgemüete.
   vrouwe, dîne güete,
       sît ich díe álrêrst sach,
       sô weste ich wol, waz ich sprach.

146, 35 — *Wa* 23 E

147, 1

1, 4 *gereit* bereit, gewärtig. 5 *wenken* unstet werden.
2, 5 *redegeselle* jem., mit dem man sich unterhält (vgl. Anm.). 6 *swie* ganz so wie.
8 *tiuren* ehren, verherrlichen.
3, 5 Willst du in Bezug auf deine Jugend.
4, 2 *ob* daß. *spruch* Lied.

2, 1 *verborgen.* 2 *tugendē.* 2 : 4 *has : begas.* 6 *wōllen.*
3 C s. oben S. 280.
4, 3 *Wo.*

2, 1 *unverborgen* K(HV). 2 *tugende* K(HV). 2 : 4 *hâst : begâst* K(HV). 3 *Den* tilgt
K(HV). 4 *Sagents* K (Sievers ¹ 351). *al* K(HV). 6 *sîn* K (H. Schneider, vgl. K, MFU
336). *wir* HV] *si* K. *wellen* K(HV).
3, 4 *ab* K(HV). 5 *Wiltu* K(HV). 6 *ze* K(HV). 7—8 HV akzeptieren weder die C-
noch die E-Überlieferung und setzen eine Lücke an. 7 *friunde* K. 8 *dir ze muote
müge sîn* K.
4, 3 *Wâ* K(HV). 7 *alrêrste* K(HV).

XXXIV   Vil süeziu senftiu toeterinne

Vil süeziu senftiu toeterinne,   147, 4 — *104 C*, 43 Cᵃ
  war umbe we*l*t ir toeten mir den lîp,
und ich íuch sô herzeclîchen minne,
  zwâr*e* vróuwè, vür elliu wîp?
5   Waenent ir, ob ir mich toetet,
      daz ich iuch iemer mêr beschouwe?
  nein, iuwer minne hât mich des ernoetet,
    daz iuwer sêle ist mîner sêle vrouwe.
    sol mir hie niht guot geschehen
10   von iuwerm werden lîbe,
    sô muoz mîn sêle iu des verjehen,
      daz*s* iuwerre sêle dienet dort als einem reinen wîbe.

3 *und* wo... doch. 4 *zwâre* fürwahr. 6 daß ich Euch nicht mehr... 7 *ernoeten* nötigen zu.

XXXV   Lange bin ich geweset verdâht

Lange bin ich geweset verdâht   147, 17 — *p bl. 234ʳ*
  und unvrô von rehter minnen.
nû hât men mir maere brâht,
  der ist vrô mîn herze inbinnen.
5   Ich sol trôst gewinnen
      von der vrowen mîn.
    wie möht ich danne trûric sîn?
      ob ir rôter munt
      tuot mir vröide kunt,
10   sô getrûr ich niemer mê.
      ez ist quît, was mir wê.

1 *geweset* gewesen. *verdâht sîn* in Gedanken verloren sein. 11 Es ist erledigt, es hat mir weh getan.

XXXIV, 1 *senfte toterinne* Cᵃ. 2 *went* C. 4 *Zwar* C. 5 *tôtent* C. 12 *Dc* C, *Das* Cᵃ.
XXXV, 4 *in pīnen*. 11 *quid waz*.

XXXIV, 2 *welt* K(HV). 3 *Und i'uch* K(HV). 4 *Zewâre, frouwe, gar für* K(HV).
5 K(HV) nehmen Lücke zwischen *ir* und *ob* an (vgl. Anm.). 6 *iuch danne niemer* K(HV). *mê* K. 12 *Dazs* K(HV). *iuwerr* K(HV). Nach *dort* Zäsur K(V).
XXXV Unecht K (weitere Lit. vgl. K Anm.), echt HV, neuerdings Frings/Lea 49. —
1 *Lanc* K(HV). 11 *Êst* K(HV). *was* K(HV).

XX. Engelhart von Adelnburg

I Wart ich ie von guotem wîbe

1 Wart ich ie von guotem wîbe
 wol gemuot, dêst gar ein niht.
ine weiz, wie ich die zît vertrîbe,
sît diu hôchgemuote giht,
5   Daz si welle nien verdriezen
  mîner nôt.
 ôwê, sol ich niht geniezen
 gotes willen, dêst der tôt.

148, 1 — *1 C*

2 Saelden vruht, der ougen süeze,
 gunnet mir der arbeit,
daz ich, vrowe, iu dienen müeze,
daz wirt mir ein saelikeit.
5   Ich wil iemer dur iuch êren
  elliu wîp.
 nieman kan mîn leit verkêren
 âne got wan iuwer lîp.

148, 9 — *2 C*

3 Kunde ich hôhen lop gesprechen,
 des waer ich ir undertân,
swie si welle in zorne rechen,
des ich nien begangen hân.

148, 17 — *3 C*

I. 1, 8 *dir tot.*
2, 1 *weide* vor *sůsse* getilgt.

I vv. 5—6 H, He § 804] einen Vers mit Spatium nach dem 4. Takt K(V). — 1, 3 *wiech*
K(HV). 8 *Guotes* K(HV). *der* K(HV).
2, 2 *arebeit* K(HV).

5   In habe doch gegen ir dekeine
     schulde mê,
wan daz ich sî mit triuwen meine.
   seht, wie daz ir güete stê.

3, 3 *swie*   obwohl.

II   Swer mit triuwen

Swer mit triuwen umbe ein wîp   148, 25 — 4 C
   wirbet, als noch maniger tuot,
waz schadet der sêle ein werder lîp?
  ich swüere wol, ez waere guot.
5   Ist aber ez ze himele zorn,
    sô koment die boesen alle dar,
  und sint die biderben gar verlorn.

3, 5 *In hân doch gein ir deheine* K(HV). 7 *deich* K(HV).
II, 2 *manger* K.

XXI. Reinmar der Alte

I Ez wirt ein man, der sinne hât

A: 1—3; B: Hau 1, 3 ‖ Rei 2; C: 2, 1, 3

1 Ez wirt ein man, der sinne hât,
vil lîhte saelic unde wert,
der mit den liuten umbe gât,
des herze niht wan êren gert.
5   Diu *vröu*de wendet eime sîn ungemüete.
  sich sol ein ritter vlîzen meneger güete.
    ist ieman, der daz nîde,
      daz ist ein sô gevüeger schade,
    den ich vür al die wélt gérne lîde.

150, 10 — 43 A,
2 C, Hau 15 B

2 Mîn liep ich mir vil nâhe trage,
des ich zwâre nie vergaz,
des êre ich singe unde sage;
mit rehten triuwen tuon ich daz.
5   Si sol mir iemer sîn vor allen wîben;
  an dem múote wil ich menegiu jâr belîben.
    waz bedárf ich leides mêre,
      wan swenn eht ich si mîden sol?
    daz klage ich unde műegèt mich sêre.

150, 1 — 44 A, 1 BC

I. 1, 3 *So er mit lúten* B. 4 *D͛ hˢzen nvwen* B. 5 *Div de wendet* A, *Dc wēdet* C,
Dv̌ vr. hôhet im sin gemv̌te B. *eime*] ¶ *im* BC. 5 : 6 *ungemv̌te : gv̌te* A. 6 *ritter*]
man C. 8 *gevûger* A. 9 *Dē vō al dˢ welte* B. *vil gerne* C.
2, 1 ¶ *Ain* BC. 2 *zware*] *ze gv̌te* BC. *niene* B. 3 *singe ich* BC. 4 *Mit gv̌ten tr. main*
BC. 5 *Si mv̌s* BC. 8 *Wan das ich si vrômede (frômde* C) BC. *eth* A. 9 *mv̌get* A.
Das mv̌get (mv̌t C) *mich dike sere* BC.

I Br] ¶ C-Folge K(LV); drei Einzelstrr. Bu 194. — 1, 5 *im* K(LV). 6 *manger* K. 9 *w.*
vil gerne K(L).
2, 1 *Ein* K(LV). 2 *ze guote* K(LV). 3 *singe ich* K(LV). 6 *mangiu* K. 8 *mîden* LV]
fremden K (Bu 195). 9 *müet mich dicke sêre* K(LV).

3   Ez ist ein nît, den nieman kan   150, 19 — *45 A,* 3 C,
        verhéln vór den liuten sich,   Hau 16 B
    war umbe sprichet menic man:
    "wes toeret sich der?" und meinet mich?
5   Daz kund ich ime gesagen, obe ich wolde.
    ich enwấnde niht, daz ieman vrâgen solde,
    der pflaege schoener sinne.
        wan nieman in der welte lebt,
    er envínde sînes herzen küneginne.

1, 3 *der* wenn er. 5 *ungemüete*   Mißmut. 8 *gevüege* gering, erträglich.
3, 4 *toeren*   zum Toren machen.

II Si koment underwîlent her

1   'Si koment underwîlent her,   151, 1 — *2 B,* 4 C
        die baz dâ heime möhten sîn.
    ein ritter, des ich lange ger,
        bedaeht der baz den willen mîn,
5   Sô waere er ze allen zîten hie,
            als ich gerne saehe.
        Ówề, waz suochent die,
            die nîdent daz, ob iemen guot geschaehe.'

3, 1 ¶ *d^s niht kan (enkan* C) BC. 2 *An dē l. v^sheln sich* B. *vor]* an C. 4 *tőrt* C. *vrőt*
B. 5 *ime ich* A (doch durch Zeichen umgestellt). *kớnd (kvnde* C) *ich im* BC. *ob* BC.
6 *Ioch wand ich niht das des* B. 7 *Ern phlage* A, *Er enpflege* C. *Dehain mā der*
pflege rehter sinne B. *schoner* C. 8 *in der welte* fehlt C. 9 *wol sines* C. *kvneginne* A.
II. 1, 1 *Sớ komen* B. 2 *hainme* B. 4 *Bedehte er* C. 5 *zallē* C. 6 *in gerne s.* C. 8 *niden*
C. *guot] gûter lieb* C.

3, 1 *der niene kan* K(LV). 2 *Verhelen an den liuten sich* K(LV). 4 *toert* K(LV). 5 *kunde*
ich im K. 6 *Ichn wânde* K(V). *deis* K(LV). 7 VK] *Ern pflaege swacher sinne* L.
9 *Ern vinde* K(LV).
II Zwei Wechsel wie oben HVBr. 1 und 2 Einzelstrr. P 537, Brachmann Germ. 31,
467; e i n Lied in der Folge 1, 3, 4, 2 K, dagegen Brinkmann 507; Schweikle, in:
Interpretationen mhd. Lyrik, hg. v. G. Jungbluth, 1969, 254 und Anm. — 1, 4 Be-
daehte er K(HV). 5 *zallen* K(HV). 6 K(LV) nach C. 7 LVBr] *aber die* K.

2 Mir ist beschehen, daz ich niht bin 151, 9 — 3 B, 5 C
   langer vrô, wen unz ich lebe.
si wundert, wer mir schoenen sin
   und daz hôchgemüete gebe,
5   Daz ích ze der wélte niht getar
    ze rehte alsô gebâren.
   nie genam ich vrouwen war,
    ich was in holt, die mir ze mâze wâren.

*   *

3 Genâde suochet an ein wîp 151, 17 — 6 C, 4 B
   mîn díenst nû vil manigen tac.
durch einen alsô guoten lîp
   die nôt ich gerne lîden mac.
5   Ich weiz wol, daz sî mich ʃlât
    geniezen˺ mîner [] staete.
   wâ naeme sî sô boesen rât,
    daz sî an mir ⟨...⟩ missetaete?

4 'Gnâden ich gedenken sol 151, 25 — 5 B, 7 C
   an ime, der mînen willen tuot.
sît er mir getriuwet wol,
   sô wil ich hoehen sînen muot.
5   Wes er mit rehter staete vrô;
    ich sage ime liebiu maere,
   daz ich in gelege alsô,
    mich dûhte vil, ob ez der keiser waere.'

2, 2 *wen unz* so lange. 8 *ze mâze sîn* angemessen sein.
4, 5 *wes* = *wëse* sei.

2, 2 *vrowen vnz* B. 3 *Sv́* B. *schonē* C. 8 *Ich wᵉse in* C.
3, 1 *Gnade* B. 2 *dienest* B. 3 *Durch*] *An* B. 5 f *geniessen lat* BC. 6 *Miner grossen stete* C. 7 *bôse ręte* B.
4, 3 *Sit dc er* C. *getrvwet* C. 5 *Wese* C. 6 *im* C. 8 *dûhte es vil* C.

2, 1 *geschehen* K(HV). 2 *wan* K(HV). 5 *zer werlte* K(HV). *niht*] *ie* P 537. 8 *Ich waere in* K(HV).
3, 2 *dienest* K(HV). *mangen* K. 2—4 P 537, VK] *tac,* / *An ... lîp.* / *Die* H, Bu 196. 5 f *nach* K(HV). 8 HV] *Dazs an mir alsô harte m.* K (Arnoldt ZfdPh. 4, 71), weitere Vorschläge Regel Germ. 19, 154 u. Brinkmann 507.
4, 1 *Genâden* K(HV). 3 *Sît daz er* K(HV). 6 *im* K(HV). 8 K(HV) nach C.

III Ich wirde jaemerlîchen alt

BC: 3, (2, vv. 1—6+4, vv. 7—10), 1; E: 3, 1, 2, 4

1 'Ich wirde jaemerlîchen alt,   152, 15 — 8 B, 10 C,
     so*l* mich diu welt alsô vergân,   337 E
   daz ich deheinen gewalt
     an mînem lieben vriunde hân,
5   Daz er táete ein teil des willen mîn.
         mich müet, und sol ime iemen lieber sîn.
           bote, nû sage ime niht mê,
             wan mir ist leide
               und vŕhtè des, daz sich scheide
10   diu triuwe, der wir pflâgen ê.'

2 Mir kumet eteswenne ein tac,   151, 33 — 7 (vv. 1—6) B,
     daz ich vor vil gedenken niht   9 (vv. 1—6) C, 335 E
   gesingen noch gelachen mac.
     sô waenet maniger, der mich siht,
5   Daz ich in grôzer swaere sî.
         mir ist vil lîhte ein vröude nâhe bî.
           guot gedinge michn lât   152, 1
             in der swaere.
               mir ist sorge harte unmaere.
10   mîn hérzè reht hôhe stât.

III. 1, 2 *So* B. 4 *minē* BC. *minen gůten frůnden* E. 6 *und* fehlt E. *im* CE. 7 *im* CE.
niht mê] *zeleide* E. 8 fehlt E. 9 *Ich fůrhte daz wir sin gescheiden* E. 10 *Der trůwen
der* E.

2,1 *kvmt* C. *etswenne* E. 2 *gedankē* CE. *niht* fehlt E. 3 *Gesprechen. noch gelachen
niht enmac* E. 4 *menger* C. 5 *Daz ich habe grozze swere* E. 6 *Vn̄ ist mir lihte ein
fraude nahen bi* E. 7—10 so E; statt dessen haben BC hier *Wil dv̇ schône* usw.,
s. 4, 7—10.

III Ein Lied in der obigen Folge K (dazu kritisch Neumann 38 und Fortmann 25
sowie Anm.), in der E-Folge Br. Ein Lied aus den 3 BC-Strr. in der Folge 2, 3, 1
(338 E nur in Anm.) HBa. Wechsel aus 1, 4, dazu 2 und 3 als Einzelstrr. (Abge-
sänge nach E) Bu 196 ff. Zwei Lieder aus 2, 3 und 1, 4 V. vv. 5, 6, 9 viertaktig K
(vv. 5, 6 schon P 538), fünftaktig HV. — 1, 2 *Sol* K(HV). 6 H] *müet, sol'm*
(*im* V) K(V). 7 *sag im* K. 8 H] *mirst* K(V). 9 *daz* tilgt K(HV).

2,2 *gedanken* K(HV). 4 *manger* K. 6 H] *Mirst lîhte* K. 7—10 K (Bu 197, V) nach E,
H nach BC. 7 *mich enlât* K(V). 9 V] *Mirst* K. 10 *rehte* K(V).

Ich hân vil ledeclîche brâht
 in ir gnâde mînen lîp.
und ist mir noch vil ungedâht,
 *daz iemer werde dehein ander wîp,
5 Diu von ír gescheide mínen muot.
  swáz diu wélt mír ze leide tuot,
   daz belíbet von mir ungeklaget;
   wan ir nîden
    mohte ich nie sô wol erlîden:
10   ein liebez maere ist mir gesaget.

152, 5 — 6 B, 8 C,
336 E

Möhte ich der werlde ∫mînen muot
 erzeigen als ich willen hân ∖,
sô diuhte ez sie vil lîhte guot,
 ob ich durch sie iht hân getân.
5 Nu enwéiz ich, wie ich leben sol,
  und gedenke, wie getuon ich wol.
   wil diu schoene triuwen pflegen
   und diu guote,
    sô ist mir als wol ze muote,
10   als der bî vrouwen ist gelegen.

152, 24ª — 338 E,
7 (vv. 7—10) B,
9 (vv. 7—10) C

1, 2 wenn mich die höfische Gesellschaft in der Weise übergeht . . . 6 *und* hier: pleo-
nastisch vor Konditionalsatz.
2, 7 *gedinge* Hoffnung. 9 *unmaere* verhaßt.
3, 1 *vil ledeclîche* ganz und gar. 3 und es ist mir auch ganz undenkbar.

3, 1 *ledelichen* B. 2 *genade* C. *In ir gewalt den m. l.* E. 3 *noch*] *doch* E. 4 *Daz in der*
werlde kein E. 5 *Diu* fehlt E. 7 *von mir* fehlt E. 8 *wēne* E. 9 *Moht ich* C, *Môhtich*
E. 10 *mer* E.
4, 1 f *minen muot* hinter *han* E. 7 *schone* C. *trůwe enpflegē* C. 9 *also wol mir* BC.
10 *Alse* B. *ist*] *hat* BC.

3, 2 HV] K nach E. 4 HV] *Daz in der werlde* K. *ein ander w.* K(HV). 5 HV] *Diu*
tilgt K. 6 *Swaz mir diu w.* K. 7 *von mir* tilgt K(V). 9 HV] *nie gerner lîden* K.
4, 1 ¶ *der werden* K (Bu 197, V), *zer werlde* K, RU I, 14. 1 f Umstellung nach K (H
Anm. 288, V). 5 HV] *Nu 'nweiz* K. 9 H] *Sost* K(V). *alsô* HV, *sô* K. 10 *hât* g.
K(HV).

IV   Ich lebte ie nâch der liute sage

1   'Ich lebte ie nâch der liute sage,
    wan daz si niht gelîche jehent.
    alse ich ein hôhez herze trage
    und si mich wolgemuoten sehent,
5   Daz hazzet einer sêre,
    der ander gíht, mír sî vröide ein êre.
    nun weiz ich, weme ich volgen sol;
    hete ich wîsheit unde sin,
    sô taete ich gerne wol.

152, 25 — *Wa 24 A*
u. 355 C², *Rei 14 C*
u. 332 E

2   Ich hoere ime meneger êren jehen,
    der mir ein teil gedienet hât.
    der ime ín sîn hérze kan gesehen,
    an des gnâde suoche ich rât,
5   Daz er mirz rehte erscheine.
    nu vürht aber ich, daz erz mit valsche meine.
    taet er mir noch den willen schîn,
    haet ich iht liebers danne den lîp,
    des mües er hêrre sîn!'

Wa 71, 19 —
Wa 25 A, 250 C¹,
356 C²

IV. **1** 355] 371 C². — 1 *ie* fehlt C. 2 *Wenne* E. *jehent*] *sagen* E. 3 *Als ich ein* C, *Al
iein* C², *Sit ich ein so* E. 4 *mich so w. sehen* E. 5 *Des spottet* C, *Daz schiltet* E. 6 *s.
dú frôide* C. 7 *Nv weiz* A, *Nu enweiz* E. *wene* A, *wem* C, *wē* C², *wenne* E. 8 *He*
C, *Wanne het* E. 9 *Ich tete g°ne* E. *tet* C. *gerne* fehlt C².
2 250] 259 C¹, 356] 372 C². — 1 *hore* A. *im* C². 2 *Dᶜ* C². 3 *im* C¹. 4 *genade* C¹C². *sůch*
C¹. 5 *ers mir* C². *reht* C¹. *erschein* A. 6 *fvrht* A, *fvrhte* C¹C². 7 *Tete* C¹. 8 *Hat* A
Hete C¹, *Het* C². 9 *mŏzer* A, *mŭste er* C¹, *mŏze er* C².

IV Zu Autorschaft, Strophenzusammengehörigkeit sowie -folge usw. vgl. Anm. —
1, 4 *wolgemuote* K. 6 *sî diu frôide* K(HV). 7 *nun . . . weme* K(HV). 8 *Wan het*
K(HV). 9 *Ich taete gerne* K(HV).
2, 1 *im* K(L). 3 *im inz herze* K. 4 *genâde* K(L). 6 *ab* K(L).

Wie kumet, daz ich sô wol verstân
  ir rede und sî der mîner niht,
und ich doch grôze swaere [] *h*ân,
  wan daz man mich vrô drunder siht?
    Ein ander man ez lieze:
    nu volg aber ich, swie ich es niht genieze.
      swaz ich darumbe swaere trage,
        dâ ensprích ich niemer übel zuo
      wan sô vil, daz ich ez klage.

Wa 71, 27 — Wa 27 A,
251 C¹, 358 C²,
Rei 334 E

Ist daz mich dienest helfen sol,
  als ez doch menegen hât getân,
sô gewinnet mir ir hulde wol
  ein wille, den ich hiute hân.
    Der riet mir, daz ich ir baete,
    und zúrnde aber sí, daz ich ez dannoch taete.
      nu wil ich ez tuon, swaz mir geschiht.
        ein reiniu wîse, saelic wîp,
      *der lâz ich doch sô lîhte niht.

152, 34 — Wa 26 A
u. 357 C², Rei 13 B,
19 C, 333 E

153, 1

5 *erscheinen* c. as. zeigen, offenbaren.
4 *wan daz* wenn auch. 6 *swie* obwohl.

251] 260 C¹, 358] 374 C². — 1 *kvmt* C¹C². 2 *minē* E. 3 *grozer swere niht enhan*
AC¹C². 3 f *Daz ich ein so hohez hertze trage / Vñ man mich so frowen siht* E (vgl.
1, 3 f). 4 *dar vnder* C¹. 5 *ez] daz* E. 6 *volge* C¹C²E. *iz swie ez mich verdriezze* E.
7 *Swar* A. 8 *Da enspich* A, *Da spriche* C¹, *Da en spriche* C², *Do gespriche* E. *vbel*
A. *zuo] von* E. 9 *Wenne so vil ob iz clage* E.
357] 373 C². — 2 *doch] vil* E, fehlt BC. *mangē* CC². 4 *hiute] lange* BC. 5 *riete* E.
ir] si BC, fehlt E. 6 *zvrnde sis* BC, *z. a. si dc dc* C², *zv́rnet siez* E. *ichs* CE. 7 *Nv*
tůn ich es swas so mir BC. *iz* E. 8 *In rainer wise ain sęlig* BC. *reine* C²E. 9 *Lasse ich*
so BC, *Enlazze* E, *Der laze* C².

1 *kumt* K(L). 3 nach K (P 552) Br. 6 *volge ab* K, *volg ab* L. 7 *swaz* K(HV). 9 *ichz*
K(L).
2 *mangen* K(HV). 5 *deich* K(HV). 6 *ab siz* K(HV). 7 *ichz* K(HV). 9 K(HV) nach
BC.

V   Wie ist ime ze muote

A: 4, 1, 2, 5, 6, 7; B: 1—4; C: 1—3 ‖ 4—7; E: 4, 1, 3

1 Wie ist ime ze muote, wundert mich,   153, 14 — *9 B*, 29 A
     dem herzeclîche liep geschiht?   11 C, 285 E
   er saelic man, dâ vröit er sich,
     als ich wol wáene, ich enwéiz ez niht.
5   Doch saehe ich gerne, wie er taete,
       ob er iht pflaege wunneclîcher staete;
         diu sól ime wesen von rehte bî.
           got gebe, daz ich erkenne noch, wie solichem lebenne sî.

2 Ich weiz bî mir wol, daz ein zage   153, 23 — *30 A*,
     unsanfte ein sinnic wîp bestât.   10 B, 12 C
   ich sach si, waene ich, alle tage,
     daz mich des iemer wunder hât,
5   Daz ich niht redte, swaz ich wolte;
       als ích es begínnen under wîlen solte,
         sô swîget ich, deich niht ensprach,
          wan ich wol weste, daz nieman noch liep von ir geschach.

V. 1, 1 *Wiest* A. *im* C. 2 *Dē* C. *hˢzeclichez* A. *hertzelichē liebe* E. 3 *dar vûrt* A, *a fraut* E. 4 *ich weiz* AE. 5 *Och weste ich* A, *Doch west ich* E. 6 *Obe* A. *iht* fehlt E *wunderlicher* E. 7 *im* CE. *ime rehte wesen bi* A. 8 *noch erkenne* E. *in welhe lebenne er si* A. *solhem* C, *sûlchem leben* E.

2, 1 *mir selben wol* B. 3 *wēne ich* C. 5 *redde* AC, *redete* B. 6 *es*] *sin* BC. *wilēt* BC 7 *So geswaig ich das ich* BC. 8 *westi* A, *wisse* BC. *noch* fehlt BC.

V Zur Autorschaft, Strophenzusammengehörigkeit und -folge usw. vgl. Anm. zu I und V. — E i n Lied in obiger Folge KBr (zustimmend v. Ertzdorff, in: Interpre tationen mhd. Lyrik, hg. v. G. Jungbluth, 1969, 139); ein Lied aus **5, 6, 7**, die übri gen als Einzelstrr. HV. — v. 8 v. Ertzdorff ebd. Anm. 20] zwei vv. (4v u. 3sˢ K(HV). — 1, 1 *Wiest* K(HV). 4 *ich weiz* K(HV). 5 *Br*] *Och* K(HV). *saehe ich weste ich* K(HV). 7 *im* K(HV). 8 *solhem* K.

2, 5 *redete* K(HV). 6 *ichs* K(HV). 8 *nie man* K(HV).

Dô sprechens zît was wider diu wîp,   153, 32 — *11 B,*
                                                       13 C, 286 E
    dô warp ich als ein ander man;
dô wart mir einiu alse der lîp,
    von der ich niuwan leit gewan.
        Dô wânde ich ie, si wolte ez wenden.
        baete ich si noch, ich künde ez niht verenden.   154, 1
            nu hân ich mir ein leben genomen,
            daz sol, ob got von himel wil, mir ze bezzern staten komen.

Gewan ich ie deheinen muot,   153, 5 — *28 A*, 12 B,
                                                       15 C, 284 E
    der hôhe stuont, den hân ich noch.
mîn leben dunket mich sô guot;
    und ist ez niht, sô wæen ich es doch.
        Daz tuot mir wol; waz wil ich es mêre?
        ich envürhte unrehten spót níht ze sêre
            und kan wol lîden boesen haz.
            solt ich es sô die lenge pflégen, ine gért es niemer baz.

Mîn herze ist swaere zaller zît,   154, 5 — *31 A*, 16 C
    swenne ich der schoenen niht ensihe.
si mugen ez lâzen âne nît,
    obe ich der wârheit ime vergihe;
        Wan sî mir wonet in mînem sinne,
        und ich die lieben âne mâze minne,
            nâher dánne ime hérzen mîn.
            sine móhte von ir güete mir niht langer vremede sîn.

, 3 *Dˢ w. m. eine so* E. *als* C. 4 *nvwan* B, *nie wan* C, *nie niht wanne* E. 5 *Doch* E.
woltes C, *wóldez* E. 6 *kvndes* C, *kóndez* E. 7 *Des* E. 8 *von himel fehlt* E. *mir noch
baz ze staten kummen* E.

, 3 *dúnket* E. *sô*] *vil* BC. 4 *Als* E. *sô fehlt* E. *wein ich ez* A, *węne* B, *wen ichs* C. *ich
wenes* E. 5 *Es* BCE. *ich ez*] *ich sin* BC, *iz* E. 6 *Vn̄ (Ich* E) *fúrhte* BCE, *envurhte* A.
8 *Solte (Solt* C) *ich sin also* BC. *ich es*] *iz* E. *ich gerte sin* BC, *ich gertes* E.

, 2 *schonē* AC. 4 *Ob* C. *im* C. 7 *Nahet* A. *in dem h.* C. 8 *móhte* C. *góte* A. *lange
frómde* C.

, 3 *als* K(HV). 8 *himele* K(HV). *mir baz (noch* H) *ze staten k.* K(HV).

, 4 *waene ichs* K(HV). 5 *wil i's m.* K(HV). 6 *Ichn fürhte* K(HV). *niht alze* K(HV).
8 *Solt i's alsô* K(HV). *in gertes* K(HV).

, 4 *in* K(HV). 5 HV] *wont* K. 7 *Nâher dan in dem* K(HV). 8 HVBr] *lange* K.

6 Mich geróu noch nie, daz ich den sin   154, 14 — *32 A,* 17
   an ein sô schoene wîp verlie.
   ez dunket mich ein guot gewin:
   ir gruoz mich minneclîche enpfie.
5   Vil gerne ich des iemer lône.
      si lebet mit zühten wunneclîchen schône.
      der tugende sî geniezen sol.
      mir gevíel in mînen zîten nie ein wîp sô rehte wol.

7 Got hât gezieret wol ir leben   154, 23 — *18 C,* 33
   alsô, daz michs genüegen wil;
   und hât ze vröiden mir gegeben
   an einem wîbe liebes vil.
5   Sol mir ir staete komen ze guote,
      daz gilt ich ir mit sémlîchem muote
      und nîde nieman durch sîn heil;
      wand ich ze wunsche danne hân der werlde mînen teil.

1, 1 *sich wundern* zu wissen wünschen. 8 *erkennen* erfahren.
2, 1 *zage* elender Kerl. 2 *bestân* hier: erobern, gewinnen.
3, 4 *niuwan* nichts als, nur.
5, 7 etwa: mehr als nur in meinem Herzen (nämlich in seinem *sin).*
7, 2 *genüegen* zufriedenstellen, erfreuen.

6, 2 *schone* AC. 4 *mīneklich* C. 5 *ich ir des* C. 6 *lebt* C. *zvhten* A. 7 *tvgendē* C
  geniezel A.
7, 1 *wol gezieret* A. 2 *mich ez* A. 4 *einen* A. 6 *mit* fehlt A. *semlichen* A. 8 *Wan A*
  wůnsche A.

6, 5 *ich ir des* K(HV). 6 HV] *lebt* K.
7, 6 *semelîchem* K(HV). *Wan* K(HV).

VI a   Sô ez iener nâhet deme tage

A: 1, 3, 4, 5; B: 1—3; C: 1—5; E: 3, 5, 2, 1

1   Sô ez íener nâhet deme tage,
    sôn getár ich niht gevrâgen: ist ez tac?
  diz machet mir diu swaere klage,
  daz mir ze helfe nieman komen mac.
5   Ich gedénke wol, daz ich es anders pflac
    hie vor, dô mir diu sorge
  sô niht ze herzen wac.
    iemer an dem morgen
      sô troest mich der vogel sanc.
10   mir enkóme ir helfe an der zît,
  mir ist béidiu winter und der sumer alze lanc.

154, 32 — 1 A, 14 B,
20 C, 290 E

155, 1

2   Ime ist wol, der mac gesagen,
  daz er sîn liep in senenden sorgen lie.
  nu muoz aber ich ein anderz klagen:
  ich gesách ein wîp nâch mir getrûren nie.
5   Swie lange ich was, sô tet si doch daz ie.
    diu nôt mir underwîlent
  reht an mîn herze gie.
    und waere ich ander iemen
      als unmaere manigen tac,
10   *deme het ich gelâzen den strît.
  diz ist ein dinc, des ich mich niht getroesten mac.

155, 5 — 15 B,
21 C, 289 E

VI a. 1 E s. S. 298. — 1 *iender* BC. *gegen dem* BC. 2 *So* BC. 3 *Das kvmet* (nur *kv* C,
aber Zeilenende) BC. *von so grosser clage* BC. 4 *Das es mir niht ze helfe k. m.* BC.
5 *Doch gedenke ich wol das ich sin* BC. 7 *Niht so z. h. lag* BC. 9 *Trôste ich mich*
BC. *vogele* B. 10 *ne kome* B. *helhe* B. 11 *beide* C. *svmer vñ winter* BC.

2 E s. S. 298. — 5 *ich*] *si* C. 7 *Rehte* C. 8 *wer* C. *anders* B. 10 *Dē* C. 11 *mich ọ niht* B.

VI a E i n Lied in C-Folge wie oben K (vgl. auch K, MFU 344 ff); 1, 2, 3, 5 (4 un-
echt) Br; z w e i Lieder 1—3 u. 4, 5 LV; 1—3 u. 5, 4 Bu 200 ff; 1—3, 5 u. 4
P 519 f. — 1, 1 *iender* K(LV). 2 *So* K(V). 3 *Daz kumt* (*kumet* LV) *mir von sô*
grôzer klage K(LV). 4 *Daz es mir niht ze helfe k. m.* K(LV). 9 *trôste* K(LV). *vogele*
K(LV). 10 *Mirn kome* K(LV). 11 *Mirst* K(LV).

2, 1 *ist vil wol* K(LV). 3 *Sô m. ab* K(LV). 5 Ba] *iedoch leit* (*meit* LV) *si daz ie*
K(LV), *so tete si doch ie* Br. 8 *ander* K(LV). 9 *mangen* K. 10 *Dem* K(LV). *gelân*
K(L).

3 Diu liebe hât ir varnde guot
    geteilet sô, daz ich den schaden hân.
  des nam ich mér in mînen muot,
    danne ich ze rehte solte hân getân.
5 Und ist ienoch von mir vil unverlân,
    swie lützel ich der triuwen
  mich anderhalp entstân.
      sî was ie mit vröiden
        und lie mich in den sorgen sîn.
10   alsô vergíe mích diu zît.
      ez taget mir leider selten nâch dem willen mîn.

155, 16 — 2 A, 16 B, 22 C, 287 E

4 Diu welt verswîget mîniu leit
    und saget vil lützel iemer, wer ich bin.
  ez dunket mich unsaelikeit,
    daz ich mit triuwen allen mînen sin
5 Bewendet hân, dar es mich dunket vil,
    und mir der besten einiu
  des niht gelouben wil.
      ez wart von unschulden
        níemàn sô rehte wê.
10   got helfe mir, deich mich bewar,
      daz ich ûz ir hulden kome niemer mê.

155, 27 — 3 A, 23 C

---

3 E s. S. 297. 2 *Also getailet* BC. 3 *Der* BC. *mir* A, *mere* BC. 4 *von rehte* BC. *haben* BC. 5 ¶ *Doch węne ich si ist (sist* C) *v. m.* BC. 7 *and*ˢ*thalp* C. *verstan* BC. 9 *Ich mův̊se (mv̊s* C) *in sorgen sin* BC.

4, 5 *dar*] *dc* A. 6 *bresten* A. 8 *vō̆ schuldē* C. 10 *dc ich* C.

3, 1 *Liebe* K(V). 3 *mêre* K(LV). 4 *von rehte s. haben* K(LV). 5 Ba] K(LV) *nach* C. 10 *m. al diu zît* K.

4, 1 f LV] ¶ *Die werlt verswîge ich m. l.* / *Und sage v. l. iemen* K. 5 *dar* K(LV). 6 *besten* K(LV). *eine* K. 9 *Nie nieman* K(LV). 10 *déiz wol (noch* V) *ergê* LV.

5 'Ôwê trûren unde klagen,   155, 38 — 4 A,
24 C, 288 E
    wie sol mir dîn mit vröiden [] werden buoz?

mir tuot vil wê, deich dich muoz tragen: 156, 1
    du bist ze grôz, doch ich dich tragen muoz.

5   Die swaere wendet nieman, er entuoz,
        den ich mit triuwen meine.

    gehôrt ich sînen gruoz,
            daz er mir nâhe laege,
                sô zergienge gar mîn nôt.
10   sîn vremeden tuot mir den tôt
            unde machet mir diu ougen rôt.'

1,1 *iener* irgend. 7 *wegen* sich bewegen, drängen. 8 f In Zukunft möge mich am
Morgen der Gesang der Vögel trösten.
2,5 *daz* bezogen auf *getrûren nie* (Ba). 10 dem hätte ich das Feld geräumt.
3,7 *anderhalp* von anderer, d. h. ihrer Seite. *sich entstân* bemerken, wahrnehmen.
4,8 *von unschulden* unverdienterweise.

VI b   Diu liebe hât ir varende guot

1 Diu liebe hât ir varende guot   155, 16 — 287 E, 2 A,
16 B, 22 C
    geteilet sô, daz ich den schaden hân.

der nam ich mêr an mînen muot,
    denne ich von rehte sólt hân getân.

5   Ich waene, ez ist von mir vil unverlân,
        swie lützel ich mich der triuwen

    anderthalp entstân.
            si was ie mit vröuden
                und lie mich in den sorgen sîn.
10   alsus vergienc mich diu zît.
            ez taget mir leider selten nâch dem willen mîn.

5 E s. S. 298. — 2 *vr. iemer w.* AC. 3 *dc ich* C. 7 *ich* fehlt C. 8 *nahē* C. 9 *gar*] *al* C.
10 *frŏmdē* C.
VI b. 1 ABC s. S. 296.

5 K(LV) lesen die Str. nach E.

2 Ôwê truren unde klagen,   155, 38 — *288 E,*
    wan sol mir dîn mit vröuden werden buoz?   4 A, 24 C

mîn herze kan dich niht getragen,   156, 1
    du bist ze grôz, doch ich dich lîden muoz.

5   Diu swaere enwendet nieman, sî entuoz,
    die ich mit triuwen meine.

vernáem ích ir gruoz,
    als ich ir nâhen laege,

      sô zergienge gar mîn ⟨nôt⟩.

10   ir vremden müet mich iemer sît

    unde machet mir die ougen dicke rôt.

3 Ime ist vil wol, der mac gesagen,   155, 5 — *289 E,*
    daz er sîn liep an seneden sorgen lie.   15 B, 21 C

sô muoz aber ich ein ander klagen:
    ich gesach ein wîp nâch mir getrûren nie.

5   Swie lange ich wás, dóch tet sî daz ie.
    diu nôt mir underwîlen

in mîn herze gie.
    waer ich anders ieman

      als unmaere manigen tac,

10   dem het ich lâzen den strît.

    daz ist ein dinc, des ich mich niht getroesten mac.

4 Sô ez iergen nâhet dem tage,   154, 32 — *290 E,*
    sô getar ich niendert vrâgen: ist ez tac?   1 A, 14 B, 20 C

dáz kúmet von der klage,
    dáz ér mir niht gehelfen mac.

5   Ich gedenke wol, daz i's anders pflac
    und mir diu grôzen swaere

ze herzen niht enlac.
    iemer wider den morgen   155, 1

      wol troeste mich der vogel gesanc.

10   mir enkume ir helfe an der zît,

    sô ist mir winter und sumer alze lanc.

---

2 AC s. S. 297. — 1 *trurn* E. 2 *Wanne* E. 5 *entwendet* E. 7 *ieren* E. 9 *mĩ swere* E.
3 BC s. S. 295. — 1 *dem* E. 4 *getrurn* E. 6 *underwiln* E.
4 ABC s. S. 295—6 *die grozzen* E.

VII   Ich waene, mir liebe geschehen wil

Ich waene, mir liebe geschehen wil.   156, 10 — *17 B, 25 C*
mîn herze hebet sich ze spil,
  ze vröiden swinget sich mîn muot,
  als der valke envluge tuot
5   und der are ensweime.
    joch liez ich vriunde dâ heime.
      wol mich, ⟨*unde*⟩ vinde ich die
     wol gesunt, alse ich si lie.
       vil guot ist daz wesen bî ir.
10   herre got, gestate mir,
      daz ich si sehen müeze
     und alle ir sorge büeze;
        Obe sî in deheinen sorgen sî,
       daz ich ir die geringe
15   und sî mir die mîne dâ bî.
        sô mugen wir vröide niezen.
         ô wol mich danne langer naht!
      wie kunde mich der verdriezen?

---

4 *envluge = in vluge.* 5 *ensweime = in sweime* im Schweben. 6 *vriunde* hier: die geliebte Dame (vgl. Rut I. 1, 1—5). 7 *unde* hier: wenn. 12 *büezen* wieder gut machen.

VII, 4 *Als* C. *inflvge* C. 5 *in sweime* C. 6 *Io* C. 8 *als* C. *sv́* B. 13 *Ob* C. 14 *ringe* C. 18 *kv́nde* B. *der* fehlt C.

VII, 1 *waen* K(HV). 4 *Als* K(HV). 6 *friunt* K(HV). 7 *unde* erg. K(HV). 12 *sorge*] ¶ *swaere* K(HV). 13 *Ob s'in* K. 15 *mîn* K(HV). 18 *der* fehlt K(HV).

VIII   Sô vil sô ich gesanc nie man

A: 1—5; B: 2, 1, 5; C: 2, 3, 1, 5, 4; E: 2, 4, 1, 5, 4

1   Sô vil sô ich gesanc nie man,
      der anders niht enhete wan den blôzen wân.
    daz ich nû niht mêre enkan,
        des enwúnder nieman: mir hât zwîvel, den ich hân,
5   Allez, dáz ich kunde, gar benomen.
        wanne sol mir iemer spilende vröide komen?
          noch saehe ich gerne mich in hôhen muote als ê.
          mich enschéide ein wîp von dirre klage
            und spreche ein wort, alse ich ir sage,
10   mírst ánders iemer wê.

156, 27 — *10 A*, 19 B,
28 C, 319 E

2   Ich *a*lte ie von tage ze tage
      und bin doch hiure nihtes wîser danne vert.
    hete ein ander mîne klage,
        deme ríete ich sô, daz ez der rede waere wert,
5   Und gibe mir selben dekeinen rât.
        ich weiz vil wol, waz mir den schaden gemachet hât:
          daz ich si niht verhéln kúnde, swaz mir war.
          des hân ich ir geseit sô vil,
            daz sî daz niemer hoeren wil.
10   nu swîge ich unde nîge dar.

157, 1 — *11 A*, 18 B,
26 C, 317 E

VIII. **1,** 1 *So vil als ich* E, *So lasse ich* B. *ich* fehlt C. 2 *wan ainen blozen (bôsen* C)
BC, *wenne blozzen* E. *wane* B. 3 *Dvrch das* BC, *Vñ daz* E. *nû*] *ioch* E. *mer* E. *kan*
BC. 4 *wunder* BC, *enwundert* E. 5 *Allez daz vil gar benümen* E. *genomen* BC.
6 fehlt E. *spilnde* B, *spilndú* C. 7 *mich gerne* BCE. *hohem* BE, *hohê* C. 8 *ein scheide*
E. *klage*] not E. 9 *sprçche* B, *enspreche* E. *als* E, *das* BC. 10 *Mir ist* BCE.
2, 1 *halte* A. 3 *Vñ het* BC, *Vñ hete* E. 4 *Dem* CE. *riet* BCE. *ez*] *er* E. 5 *Ich* E. *gip*
BCE. *selber* E. *dekeinen*] *bôsen* BCE. 7 *si* fehlt E. *niht*] *nie* BC. *verswigê konde*
waz mir ie gewar E. 8 *gesaget* E. 9 *si es (siez* E) *niht mere (mer* E) BCE. *horī* A.

VIII E i n Lied in obiger Folge LV (vgl. aber V Anm. 414); in der Folge **3, 1, 2, 4, 5**
KBr; d r e i Lieder (**2, 4**; **3, 5**; **1**) Bu 202 f. — **1,** 4 *Desn wunder* K(LV). 5 *Al*
K(LV). 6 *spilndiu* K(LV). 7 *hôhem* K(LV). 8 *Michn scheide* K(LV). 10 *Mir ist*
K(LV).
2, 1 *alte* K(LV). 3 *Und hete* K(LV). 4 *Dem* K(LV). 5 *dekeinen*] *boesen* K(LV). 7 *ver-*
helen K(LV). 9 *sis* K (Regel Germ. 19, 156), *si es* LV. *niht mêre* K(LV).

3 Ich wânde ie, ez waer ir spot,

  die ich von minnen grôzer swaere hôrte jehen.

 des engílte ich sêre, semmir got,

  sît ich die wârheit an mir selben hân ersehen.

5 Mir ist kómen an daz herze mîn

  ein wîp, sol ich der vol ein jâr unmaere sîn,

  und sol daz ⟨. . . . .⟩ alse lange stân,

   daz si mîn niht nimet war,

   sô muoz mîn vröide von ir gar

10   vil lîhte ân allen trôst zergân.

157, 11 — 27 C,
12 A, 321 E

4 Sît mich mîn sprechen nû niht kan

  gehelfen noch gescheiden von der swaere mîn,

 sô wolde ich, daz ein ander man

  die mîne rede hete zuo der saelde sîn;

5 Und iedoch niht an die stat,

  dar ich nu lange bitte und her mit triuwen bat.

  dar engán ich nieman heiles, swenne ez mich vergât.

   nu gedinge ich ir genâden *noch*.

   waz sî mir âne schulde doch

10   langer tage gemachet hât!

157, 21 — 30 C,
13 A, 318 E

3, 1 *Ichn wande niht* E. *were* AE. *ir* fehlt E. 2 *Do ich v. m. horte grozze swere iehen*
E. 3 *Nu* E. *engilt* A. *somir* E. 4 *Daz ich die worheit selbe han besehē* E. 5 *Io ist*
mir kommē in E. *kom̄* C. 6 *der*] *ir* A. *volle* AE. 7 fehlt A. 7—10 *So mǔz min*
fraude gar zer gan / Swaz ich nu vf diesen tac. / Vf wibes lon gedienen (gebessert
aus *lange dienen*) *mac. / Daz ist allez in ir namen getan*. E. 8 *Vn̄ dc* A.
4, 1 *Nu* E. *spr. niht enkan* E. 2 *von den sorgen* E. 3 *Nv wôlt* E. *and man* A. 4 *der*
selden A, *den selden* E. 5 *iedoch*] *doch* E. *die selben stat* E. 6 *nu bite vn̄ lange her*
E. 7 *Do* E. *heiles nieman sit sie mich* E. 8 *gnaden* A. *noch*] *wol* AC. *Ia wart ich do*
gnaden noch E. 10 *Vil langer* E.

3, 3 *Desngilte* K(LV). 5 *Mirst* K(LV). 7 K] ohne Lücke LV.
4, 4 L] *den saelden* K (P 540, V). 5 L] K (P 540, V) nach E. 6 L] K (P 539, Bu 203, V)
nach E. 7 *Darn gan* K(LV). 8 *noch* K(LV).

5   Und wiste ich niht, daz sî mich mac   157, 31 — *14 A,* 20 B,
        vor al der welte wol wert gemachen, obe si wil,   29 C, 320 E
    ich gediende ir niemer mêre tac.
        jô hât si tugende, der ich volge unz an daz zil,
5   Niht langer wan die wîle ich lebe.
        noch bitte ich sî, daz sî mir liebez ende gebe.
        waz hilfet daz? ich weiz wol, daz si ez niht entuot.
            doch *tuo* si ez dur den willen mîn
            und lâze mich ir tôre sîn
10   und neme mîne rede vür guot.

2, 2 *hiure* dieses Jahr. *vert* letztes Jahr. 7 *war* zu *werren* verwirren.
3, 1 *spot* Scherz. 3 *engelten* büßen müssen für.
4, 6 *her* bisher. 7 . . . wenn es an mir vorübergeht. 9 *âne schulde* ohne Grund.
5, 5 *niht langer* nicht weniger lang. 8 *ez* wird durch v. 9 f erläutert.

IX   Wol ime, daz er ie wart geborn

AC: 1—4; B: 1, 3, 4; E: 2, 4, 3, 1

1   Wol ime, daz er ie wart geborn,   158, 1 — *15 A,* 21 B,
        dem dise zît genaediclîch hine gât   31 C, 305 E
    âne aller slahte seneden zorn
        und doch ein teil dar under sînes willen hât.
5   Wie deme nâhet manic wunneclîcher tac!
        wie lützel er mir, saelic man, gelouben mac;
            wan ich nâch vröide bin verdâht
            und kan doch niemer werden vrô.
        mich hât ein liep in trûren brâht.
10   daz ist unwendic. nu sî alsô!

5, 1 *Vnde enwisse* B, *Vn̄ en wesse* C, *West* E. 2 *Wid^s al die welt* BC, *Vor aller werlde*
E. *wol* fehlt BCE. *machē* C. *ob* BCE. 3 *gedient* C. *mêre*] *ainen* BC, fehlt E. 4 *Svs*
BC, *Noch* E. *tugenden* E. *den ich iem^s volgen (dienen* E) *wil* BCE. 5 *Langer niht*
wan al die BC, *Anders niht die* E. 6 *So* BCE. *bit* E. *mir ain liebes* BCE. 7 *sis* BC,
siez E. *tv̊t* B. 8 *Doch dv* A, *Nv tv̊* BCE. *si* fehlt BC. *ez* fehlt E. 9 nach 10 B. *toren*
B. 10 *min* E. *v^sgv̊t* BC.

IX. 1 31] 40 C. — 1 *Vil sęlic wart er ie geborn* BC. *im* E. 2 *Deme* E. *disv̊* BC. *gene-*
diclichen BE. *hingat* A, *zergat* C. 3 *Ân* CE. *sende* B, *senden* C. *senede nǫt zorn*
E. 4 *doch*] *er* BC. *dor vnder* E. 5 *dem* BE, *dē* C. *nv nahet* B. *wunnenclicher* E. 6 *er*
mir]*mir ein* E. 7 *Das ich vf sorge* BC, *Wenne ich von frauden* E. 8 *Vn̄ wirde ǒch*
niem^s rehte vro BC. *enkan* E. *niht* E. *kan*]*han* (?) A. 9 *ein wip in trurn* E. 10 *es si*
so B.

5, 2 *wol* fehlt K(LV). 4 *Sô* K(LV). *den* K(LV). 7 *siez* K(LV). 8 *Nu tuo* K(LV). *ez*
fehlt K.

IX In v. 6 Zäsur nach 4. Hebung K. — 1, 1 *im* K. 2 *genaedeclîchen hine* K(LV).
3 *senden* K. 10 *Deist* K(LV).

2 Daz ich mîn leit sô lange klage,

   des spottent die, den ir gemüete hôhe stât.

  waz ist in liep, daz ich in sage?

    waz sprichet der von vröiden, der deheine hât?

5   Wolde ich liegen, sôst mir wunders vil geschehen;

      sô truge aber ich mich ân nôt, solt ich des jehen.

    wan lânt si mich erwerben daz,

      dâ nâch ich ie mit triuwen ranc?

    stê iemen danne ein lachen baz,

10   daz gelte ein ouge, und habe er doch danc.

158, 11 — *32* C,
16 A, 302 E

3 Ich wil von ir niht ledic sîn,

   *die wîle ich iemer gernden muot zer werlte hân.

  daz beste gelt der vröiden mîn

    daz lît an ir und aller mîner saelden wân.

5   Swenne ich daz verliuse, sône hân ich niht

      und enrúoche ouch vür den selben tac, swaz mir geschiht.

    ich mac wol sorgen umb ir leben:

      stirbet sî, sô bin ich tôt.

    hât sî mir anders niht gegeben,

10   so erkenne ich doch wol sende nôt.

158, 21 — *33* C, 17 A,
22 B, 304 E

---

2 32] 41 C. — 1 *so*]*nv* A. 2 *gemůte* A. 4 *von frauwen* E. 5 *Wil* AE. *so ist* AE.
6 *trůge* E. *mich selben* A. *ane* AE. *wolt* A. *sôlt* E. 7 *Wenne* E. *lat* A. 8 *Dar* AE.
9 *Zeme* AE. 10 *gelt* E. *Dc gelt ein trivren vñ habe er doch vndanc* A.

3 33] 41 C. — 2 *Die wile vñ ich d^s gerndin můt zefroiden han* A, *Die wil immer* E.
gerenden B. *zeder* B. 3 *frauwen min* E. 5 *daz*]*den* A. *so han* A, *so enhan* B, *so
enkan* E. 6 *Ichn růche* E. *swaz*]*wc* AE. 7 *Ich můz* AE. *vmbe* AB, *ůmme* E. 9 *si* fehlt
B. 10 *wol*]*nv* A. *senede* AE.

2, 5 *Wil ich* K(LV). 6 *trüge ab ich* K(LV). *âne* K(LV). 8 *Dar* K(LV). 9 *Zem* K(LV).
10 *haber doch* K(LV).

3, 5 *sô enhân* K(LV). 6 *Und ruoche* K. *waz* K(LV). 7 *mac*]*muoz* K(LV).

4 Gnâde ist endelîchen dâ.   158, 31 — *18 A*, 23 B
    diu erzéige sich, als ez an mînem heile sî.   34 C, 303 E
    die ensúoche ich niender anderswâ;
      ân ir gebot sô wil ich niemer werden vrî.
5   Daz sî daz sprechent von verlorner arbeit,
    sol daz der mîner einiu sîn, daz ist mir leit.
      ich enwânde niht, dô ich es began,
      ich engelébte noch an ir lieben tac.
      ist mir dâ misselungen an,
10   doch gap ich ez wol, alse ez dâ lac.

1, 7 *ich bin verdâht nâch* meine Gedanken sind immer gerichtet auf. **10** *unwendic*
unabwendbar.
2, 10 ... dafür gebe ich ein Auge ...
3, 3 alles, was es an Freuden für mich gibt. **6** *enruochen* sich nichts aus etwas machen
4, 1 *endelîchen* sicherlich. **8** *leben* erleben. **10** so habe ich ihr doch mit Recht gedient
wie es einmal lag.

---

4 34] 42 C. — 1 *Gnade (be* über *G)* A, *Genade* C. *endeliche* BC. 2 *Sie erzeige sie* E.
als] ob BC, *swenne* E. *an ir genaden* BC, *an mime heile* E. 3 *Ich versůch (vˢsůche* C)
es BC. *gesůche* E. 4 *Von ir gebotte wil ich* BC, *Ich wil von ir gebote* E. 5 *Dc si*
(sú B) *da* BCE. *arebait* B. 6 *Sol der die minne eine* E. 7 *wande* BC, *wandes* E. *ich*
sin BC, *is* E. 8 *gesęhe an ir noch* BCE. 10 *ichz* BC, *iz* E. *als* BCE. *dâ]do* CE.

4, 1 *Genâde ist endeliche* K(LV). 2 *Diu' rzeige* K(LV). 3 *Dien suoche* K(LV). 4 *Von*
ir gebote wil K(LV). 5 *si dâ* K(LV). *arebeit* K(LV). 7 *Ichn wânde* K(LV). *ichs*
K(LV). 8 *In gesaehe an ir noch* K. 10 *ichz* K(LV).

X Ich wirbe umbe allez, daz ein man

A: 5, 1, 4, 2, 3; bC: 1—5; ¶ E: 1, 4, 2, 5, 3

1 Ich wirbe umbe allez, daz ein man
     ze wéltlîchen vröiden iemer haben sol.
  daz ist ein wîp, der ich enkan
     nâch ir vil grôzem werde niht gesprechen wol.
5   Lobe ich si, sô man ander vrouwen tuot,
     daz engenímet si niemer tac von mir vür guot.
     doch swer ich des, si ist an der stat,
     dâs ûz wîplîchen tugden nie vuoz getrat.
     daz ist *in* mat!

159, 1 — 1 b, 6 A,
35 C, 297 E

2 Alse eteswenne mir der lîp
     durch sîne boese unstaete râtet, daz ich var
  und mir gevriunde ein ander wîp,
     sô wil iedoch daz herze níendèr wan dar.
5   Wol íme des, dáz ez sô réhte welen kan
     und mir der süezen árbèite gan!
     doch hân ich mir ein liep erkorn,
     deme ích ze dienst – und waer ez al der welte zorn –
     wil sîn geborn.

159, 19 — 2 b, 8 A,
36 C, 299 E

X. 1 35] 43 C. — 2 *wereltlichen* f. *haben* E. 3 *der nieman kan* E. 4 *ir wol grozer werdekeit* g. A, *ir grozzen werdekeit* g. E. *grossen* b. 5 *Lob* C, *Sobich* (?) A. *and frowen* A. 6 *genimt* C. *Dc e. eth (Daz en nimet sie* E) *si võ mir niht fvr* g. AE. *verguot* bC. 7 *sist* C. *sú stet noch húte ands* s. A. *swúre ich wol sie ist* E. 8 *Da si uz* CE. *Dc vzer* A. *sie* E. *tvgende* b. 9 *Dc ist iv* A, *Da ist dú* bC, *Dar ist* E.

2 36] 44 C. — 1 *So* A, *Als* CE. *etswenne* E. *der muot* E. 2 *Dvr* AC. *sin* C. *grozze vnstete raten* E. 3 *vñ ich gefrivnde mir ein* A. 4 *Son wil daz hertze eht niendert denne dar* E. 5 *So wol* A. *im* C. *des das es* bC, *dc ez* A, *der* E. *so reine* AE. *weln* ACE. 6 *Daz er mir* E. *súze* A. *arbeit* C, *erebeite* E. 7 *Des* E. *ein wip* E. 8 *Dem i. z. dienste* AC. *were* AC. *Der ich diene wer ez al der wselede* E. 9 *Múz* AE. *gebor* C.

X ¶ Str.-Folge nach E, d. i. 1, 4, 2, 5, 3 K(LV). — 1, 2 *wereltlichen* K(LV). 4 *grôzen werdekeit* g. K(LV). 6 *Dazn nimet eht si von mir niht* f. g. K(V). 7 *sist* K(LV). 8 *tugenden* K(LV). 9 nach K(LV); vgl. auch L Anm., V Anm. sowie Kralik, Walther gegen Reinmar 1955, 10, Wapnewski Euph. 60, 17 ff.

2, 5 *deiz so reine* K(LV). 6 *arebeite* K(LV). 7 *Doch* L] *Des* K(V). 9 *Muoz* K(LV).

3 Unde ist, daz mirs mîn saelde gan,   159, 37 — *3 b*, 9 A,
    daz ich ábe ir wol rédendem múnde ein küssen mac verste*ln*,   37 C, 301 E
  gît got, daz ich ez bringe dan,
  sô wíl ich ez tougenlîchen tragen und iemer heln.

  5   Und ist, daz sîz vür grôze swaere hât   160, 1
    und vêhet mich durch mîne missetât,
  waz tuon ich danne, unsaelic man?
  dâ nim eht ichz und trage ez hin wider, dâ ichz dâ nan,
  als ich wol kan.

4 Si ist mir liep, und dunket mich,   159, 10 — *4 b*, 7 A,
    wie ich ir volleclîche gar unmaere sî.   38 C, 298 E
  waz darumbe? daz lîde ich:
    ich was ir ie mit staeteclîchen triuwen bî.

  5   Nu waz, ob lîhte ein wunder an *m*ir geschiht,
    daz sî mich eteswenne gerne siht?
      sâ denne lâze ich âne haz,
      swer giht, daz ime an vröiden sî gelungen baz:
      der habe im daz.

---

3 37] 45 C. — 1 *Mac ich daz mirs* E. 2 *Ab ir wol r.* E. *ab* C, *vō* A. *wol* fehlt A. *redi*
deme A. *ein kůschē* E. *mac*] *noch* E. *verstelen* b. 3 *Git mir got daz ich daz b.* E
Vñ dc iz mit mir A. 4 *Ich wil ez* A. *ichs* C, *ich t.* E. *tǒgenlīche* A. *vñ* C. 5 *Ist ab*ˢ *d*
si ez A. 7 *Wie getuon* E. *ich selic man* A. 8 *trages* C. 8—9 *Da hebiz vf vñ lege e.*
*hin wid*ˢ *als ich wol kan* | *Da ich ez da nam* A. 8 *Da gen ich vñ lege ez hin wide*
do iz nam E. *vñ b. nam* C.

4 38] 46 C. — 1 *Sie* E. *vñ* b. 2 *Daz ich* AE. *volleklich* C. *ir noch vǒlleclichē vmmer*
E. 3 *Nv waz* AE. 4 *Vñ bin ir doch mit triuwen steteclichen bi* AE. 5 *Nu*] *Vñ* C
*Waz ob ein wund*ˢ *lihte (noch* E) AE. *an ir* bE. *beschiht* C. 6 *sie m. etwenne* E
7 *Denne den l. ich iemer ane haz* A. *San daz l.* E. 8 *an frowē* C. *ime zůr werlde i*
gelūnge baz E. 9 *ime* ACE.

3, 2 *Deich* K(LV). *wol* streicht K(LV). *versteln* K(LV). 3 *deichz mit mir bringe* K(LV)
4 *ichz tougenlîche* K(LV). 8 *Dâ heb i'z ûf und legez hin* K(LV).

4, 2 *Daz ich* K(LV). 3 *Nu waz* K(LV). 4 K(LV) nach AE. 5 *Waz obe ein wunde*
lîhte an ¶ *mir* K(LV).

Diu jâr diu ich noch ze lebenne hân,
159, 28 — 5 b, 5 A,
39 C, 300 E
   swie vil der waere, ir wurde ir niemer tac genomen.
sô gar bin ich ir undertân,
   daz ich niht sanfte ûz ir gnâden mohte komen.
5   Ich vröiwe mich des, daz ich ir dienen sol.
   si gelónet mir mit lîhten dingen wol,
     geloube eht mir, swénne ich ir ságe
     die nôt, die ich ⟨. . .⟩ an dem herzen trage
     dicke án dem tage.

, 6 *niemer tac* niemals. 8 *nie vuoz* nicht um Fußesbreite. 9 *in:* gemeint ist wohl die klatschsüchtige, höfische Gesellschaft.
, 3 *dan* von dannen, weg. 4 *heln* verbergen, verschweigen. 6 *vêhen* befehden, bekriegen, hassen. 8 *nan = nam.*
, 7 Dann werde ich sofort den nicht beneiden, der . . .

---

5 39] 47 C. — 1 *Swaz iar ich* AE. 2 *ir enwurde* A, *ir wurde n.* C. *ichn wŭrde ir nimmer tac benŭmen* E. 3 *Also* E. 4 *ich vnsanfte* AC. *genaden* ACE. *mŏhte* E. 6 *gelo* (Zeilenende) C. *senften d. vol* A. 7 *Gelovbet eth si mir dc wol swenne* A, *Sie gelaube mir daz ich ir* E. *clage* A. 8 *Dc ich die not zeherzen vō ir schvldē tragē* A, *Die not die ich in mime h. von ir schulden tr.* E. 9 *an deme* A, *in dē* C, *mine* E.

5, 1 *Swaz jâre ich* K(LV). 2 *irn wurde* K(LV). 4 *unsanfte* K(LV). *genâden* K(LV). 5 *fröu* K. 8 *nôt diech inme herzen von ir schulden t.* K(LV). 9 *Dick inme tage* K(LV).

XI   Daz beste, daz ie man gesprach

A: 4, 3, 1, 2, 5; bC: 1—5; E: 1, 3, 4, 2

1   Daz beste, daz ie man gesprach   160, 6 — 6 b, 24 A,
        oder íemer mê getuot,   40 C, 322 E
        daz hât mich gemachet rehtelôs.
      got wéiz wol sít ich si érste gesach,
5   sô het ich ie den muot,
        daz ich vür sî nie dehein wîp erkôs.
          Kunde ích mich dar an haben gewendet,
          dâ man ez dicke erbôt
            mînem l î b e rehte, als ich wolte,
10   ich hete eteswaz vollendet.
            ich rüeme ân nôt
              mich der w î b e mêre, danne ich solte.
            war sint komen die sinne mîn?
            sol ez mir wol erboten sîn,
15   hân ich tumber gouch sô verjehen?
            swaz des wâr ist, daz muoz noch geschehen.

XI. 1 40] 48 C. — 1 iemā AE. 2 mer E. 3 Die E. froidelos A, ¶ redelos E. 4 weiz v
(Zeilenende) A. ich ez eres sach A, ichs erste an sach E. erst C. 5 hete E. 6 kei
wip A. Daz ich nie wip erkoṣ fůr sie erkos E. 7 Kvnd i. m. dar han bewendet A
Het ich minē můt gewendet E. 8 Da manz A, Do man mirz E. bot A. 9 Minē C
reht E, libe als ich ez wolde A. 10 So het ich A. etwaz E. vˢendet AE. 11 rům A
ane E. 11 f mich vor an not C. 12 me A, mer E. 13 sin nu die s. E. ko῀ A. 14 mi
so wol E. 15 Wie han ich mich gauch E. goch A. 16 Swaz daz war si daz sol E.

XI Bu 205 f will 1, 3 und 2, 4 jeweils zu einem Lied zusammenfassen; der Anschlu
von 5 bleibe unsicher; v. 15 vierhebig K(HV); Zäsur nach Binnenreim in v. 9 u
12 K. — 1, 2 Od K(HV). 3 redelôs K(HV). 4 ichs érste sach K(HV). 6 kein wî
K(HV). 7 dar hân gewendet K(HV). 8 manz K(HV). 9 ich ez wolde (:solde
K(HV). 10 verendet K(HV). 11 âne K(HV). 15 Wie hân ich gouch mich sô v. K.

160, 22 — 25 *A*, 7 b,
41 C, 325 E

2 Mîn rede ist alsô nâhe komen,
    daz sî êrst vrâget des,
       waz genâden sî, dér ich ger.
  wil sî des noch niht hân vernomen,
5   sô nimet mich wunder, wes
      ich vil meneger swaere niht enber,
      Die mir dicke sêre nâhen
        an dem herzen sint,
          daz ich n i e m e r tác vrồ belîbe.
10   sol der kumber niht vervâhen –
      tete ez danne ein kint,
        daz sus i e m e r lebete ⟨*nâch*⟩ wîbe,
        dem solt ich wol wîzen daz.
      mohte ich mich noch bedenken baz
15   unde naeme von ir gar den muot!
      néin, hérre, jô ist sî sô guot.

---

2 41] 49 C. — 1 *Ain* b. *nahen* E. 2 *sie alrerst* E, *si erste* bC. *des* fehlt E. 3 *gnaden*
Ab. *ich da ger* bCE. 4 *sis* E. *nv niht haben* bC. 6 *Ich so manig*ˢ bC. *Daz ich so*
maniger sorgen niht empere E. 7 *Dv́* bC. *mir alse dike* bCE. *seren* A, *sêre nâhen*
fehlt E. 8 *In* E. *sint*] *lit* b. 9 *iem*ˢ bC. *Des wil ich nimmer tac fro belibe* E. 10 *Sol*
mich der bC. *vervan* b. *Daz mich der kummer niht sol vervan* E. 11 *Tetez* E.
12 *lebet wibe* A. *Dc sich iemer liebet nach dē wibe* C, *Daz so lebt nach w.* E. 13 *Dē*
C. *wolte* bC, *wôlte ich sere* E. 14 *Mag* b, *Mac* durchgestrichen, *Môht* am Rande
nachgetragen C. *Kônde ich mis nu versinnen baz* E. 15 *vō mir* C, *gar von ir* E.
16 *Neine* b, *Neina* CE. *ioch* b. *si doch so rehte gôt* bC, *sie doch so gût* E.

2, 2 *Dazs êrste* K(HV). 3 *genâden* K(HV). *ich dâ ger* K(HV). 5 *nimt* K. 6 *manger* K.
7 K(V) *nach* bC. 9 V] *tac ir vrî belîbe* K. 11 *Taete* K(HV). 12 *Deiz sus* .... *lebete*
nâch K(HV). 14 *Môht* K(HV). 15 *Und* K. 16 *Neinâ* K(HV).

3 Hete ich der guoten ie gelogen   160, 38 — *23 A,* 8 b,
    sô grôz als umbe ein hâr,   42 C, 323 E
        sô lite ich von schulden ungemach.   161, 1
    ich weiz wol, waz mich hât betrogen:
5   dâ seit ich ir ze gar,
        swaz mir liebes ie von ir geschach
        Und ergap mich ir ze sêre.
            sô si daz verna*m,*
                daz ich niemer von ir komen kunde,
10   dô was sî mir iemer mêre
        in ir herzen gram,
            und erbôt mir léit záller stunde.
            alsô hân ich sî verlorn,
            und wil nu, dêst ein niuwer zorn,
15   daz ich sî der rede gar begebe.
                weiz got, niemer al die wîle ich lebe!

---

3 42] *50* C. — 1 *Het* bC. 2 *V̊mme ein har* E. 3 *litte* b, *lidde* A, *lide* CE. 5 *Do* bE
ich ir in A unleserlich. 6 *Alles das mir ie* bC, ¶ *Waz mir leides ie* E. *von ir* fehlt E
7 *erbot* bC. 8 ¶ *Do* bC, *Zehant. do* E. *daz* fehlt E. *v^{s}na* A. 9 *ich von ir niht kom*
kvnde (konde E) bCE. 10 *Sit* bC. *iemer mêre* fehlt E. 11 *ir*]*dem* E. *h^{s}ze* b. 12 *Vi*
tet mir leide E. *ze allen stvnden* b, *zallē^r stv̄de̢* C, *ze aller stunde* E. 14 *Nv wi*
si bCE. *daz ist* E. 15 *sie mit rede vergebe* E. *begede* A. 16 *nimmer die wil* E.

3, 3 *lit* K(HV). 6 *liebes*] ¶ *leides* K(HV). 8 *Dô si* K(HV). 9 *Deich durch nôt   von i*
niht komen kunde K. 12 *Unde* K(HV). *ze aller* K(HV). 15 *Deich* K.

161, 15 — 22 *A*, 9 b,
43 C, 324 E

4 Wie dicke ich in den sorgen doch
  des morgens bin betaget,
  sô ez allez slief, daz bî mir lac!
 si enwísten noch enwizzen noch,
5 daz mich mîn herze jaget,
  dar ich vil unsanfte komen mac.
  Sî enlât mich von ir scheiden
   noch bî ir ⟨*bestên*⟩;
    ie dar u n d e r muoz ich gar verderben.
10 mit den listen, waen ich, beiden
   wil si mich vergên,
    hoerent w u n d e r , káns álsus werben?
     nein si, weiz got, sî enkan.
     ich hâns ein teil gelogen an.
15   si engetet ez nie wan umbe daz,
      daz si mich noch wil versuochen baz.

---

4 43] 51 C. — 1 *Svie* b. *doch* fehlt E. 2 *Des morgens* fehlt E. *betaget* aus *betroget* E.
3 *So allez daz slief* E. 4 *Diene wissen* b, *Die en wessen* C, *Die enwesten* E. *noch*
enwissent bC, *vñ enwizzen* E. 5 *War mich* b, *Das* (aus *was*) *mich* C, *War nach* E.
6 *ich*]*es* bCE. *vil* fehlt C, *doch vil* E. 7 *Wan si* bC. *von ir*] *noch* E. 8 *bi mir* E.
beliben A, *beste* E. 9 *Seht sus mac mǔz ich vˢderderben* E. *gar* fehlt bC. 10 *wan*
A, *węne* bCE. 11 *vˢgan* E. 12 *Hǒret* E. *kan si* bCE. 13 *sine kan* C, *noch enkan* E.
14 *han si* bC. 15 *Si getet* bCE. *wan* (*wenne* E) *dvrch das* bCE. 16 *noch* fehlt bC.
Sie wil mich ein teil versǔchen baz E.

4, 8 *bestân* K. *waene* K(HV). 11 *vergân* K. 12 *kan si* K(HV). 13 *sine kan* K(HV).
15 *Sin getet* K(V).

5 Dô liebe kom und mich bestuont,   *161, 31 — 10 b,*
    wie tet gnâde sô,   *26 A, 44 C*
    daz sî ez niht vil endelîch beschiet?
  dô tet ich, als alle tuont,
5   die gerne waeren vrô –
      wan der trôst vil manigen wol beriet –
      Daz si mir daz selbe taete.
      inrehalp der tür
        hât sî ⟨. . . .⟩ leider sich verborgen.
10   mac si sehen an mîne staete
        und gê durch got her vür   *162, 1*
        unde loese mích vón den sorgen.
        wan ich hân mit guoten siten
        vil kumberlîche her gebiten.
          obe sích diu guote des niht entstât,
15   owê gewaltes, den sî an mir begât!

1, 3 *rehtelôs* jemand, dem sein Recht vor Gericht verweigert wird *(iure privatus)*.
13 *sinne* Besonnenheit.
2, 12 *daz = daz ez.*
3, 15 daß ich ihr meine *rede* erspare.
4, 1 f Wie oft mich der anbrechende Tag in Sorgen findet. 11 *vergên* meiden. 12 *werben* sich verhalten. 16 *versuochen* prüfen.
5, 1 *bestân* angreifen. 3 *bescheiden* schlichten. 6 *berâten* helfen. 14 *bîten* warten.
15 *sich entstân* verstehen, bemerken.

5 44] 52 C. — 2 genade C. 3 ez]mich a. niht gnedelichehen (genedeklichē C) schiet AC. 4 Ich bat si dike so die tŭnt A, Ich bat si reht als C. 5 waren A. 6 Sit dc ir trost A, Wand ir trost gebessert aus Wan der trost C. wol]ie AC. 7 Dc och mir A, Dc si ŏch mir C. 8 Innerhalp A, Inrethalp C. tvr (:hervur) A. 9 si fehlt A. 11 Vñ gebe AC. 12 Helfe deich (dc ich C) kom vs sorgē AC. 13 guoten]schonen A, schŏnē C. 14 So kvmecliche dˢ gibitten A. So kvmberlîchē C. 15 Ob C. sich fehlt AC. des diu gŭte A, des dú liebe C. vˢstat AC. 16 We A, So we C. des ez an A, dens an C. gat (nach Rasur von be) C.

5, 2 Genâde K(HV). 3 ¶ Daz siz niht genaedeclîchen schiet K(HV). 4 ¶ Ich bat si dicke, sô die tuont K(HV). 6 Sît ir trôst vil mangen (manegen HV) ie beriet K(HV). 7 Dazs och mir K(HV). 8 Innerhalb K(HV). 9 Hât si tiure leider K, Lücke hinter hât bei HV. 11 Und tilgt K(HV). 12 Gebe stiure daz ich kome ûz sorgen K. 13 schoenen K(HV). 14 Sô kûmeclîche K(HV). 15 Ob des diu guote niht verstât K. 16 Wê K(HV). dens K(HV).

XII   Ein wîser man sol niht ze vil

A: 1, 3, 2;   b: 6, 1, 2;   C: 6, 3, 1, 2, 5, 4;   E: 1—6;   i: 3

1   Ein wîser man sol niht ze vil
    [] versuochen noch gezîhen, dêst mîn rât,
von der er sich niht scheiden wil,
    und er der wâren schulden doch keine hât.
5   Swer wil al der welte lüge an ein ende komen,
       der hât im âne nôt ein vil herzelîchez leit genomen.
         wan sol boeser rede gedagen.
          vrâge ouch nieman lange des,
        daz er ungerne hoere sagen.

162, 7 — *19 A,*
12 b, 47 C, 326 E

2   Si jehent, daz staete sî ein tugent,
     der andern vrowe; sô wol im, der si habe!
si hât mir vröide in mîner jugent
    mit ir wol schoener zuht gebrochen abe,
5   Daz ich unz an mînen tôt niemer sî gelobe.
       ich sihe wol, swer nû vert wüetende, als er tobe,
        daz den diu wîp sô minnent ê
         danne einen man, der des niht kan.
        ich ensprach in nie sô nâhe mê.

162, 25 — *21 A, 13 b,*
48 C, 327 E

XII. 1 47] 55 C. — 1 *Ein*] *Eya* E. *wise* bC. *solt* C. 2 *Sîn wîp* AbCE. *gezihen noch
versúchen* E. *dast* b. 3 *sich*] *doch* E. 4 *er*] *si* bC, *er* fehlt E. *warn* E. *schvlde* bCE.
ŏch dehaine bC. 5 *adder welte* A. *lvge* AC. *wˢelde ze ende kummen* A. 6 *ime* b.
an not bC. *hˢzecliches* bC. *ein hertzeleit genummē* E. 7 *Man* bCE. *bôse* bC. *ver-
dagen* bC. 8 *Vñ frage* bCE. *ouch* und *des* fehlen E. 9 *er doch vngˢne* E. *hore* A.

2 48] 56 C. — 1 *Sú* B. *iegent* A. *daz die stete sie* E. 2 *vrowen* b. *sô* fehlt bCE. *sin*
bC, *sie* E. 3 *Die hat* E. *mit* AE. *mit (mir* C) *stęte* bC. *in*]*an* E. 4 *Mir* fehlt E) *gebro-
chen mit ir schônen zvhten abe* bCE. *ir*]*in* A. *schoner* A. 5 *ich si (sie* E) *vnz* bCE.
nimmer E. *sî*]*me* bC, *wil* E. 6 *wol swer* fehlt C. *vert sere wûtende* bCE. 7 *sô*]*noch*
bC, *nu* E. 8 *des des* A. 9 *Ich gesprach* bCE. *ime* b.

XII Ein Lied in der Folge **1**, 3, 2, 4—6 HV, in der Folge **1**, 3, 2, 6, 5, 4, K, "Vortrags-
gefüge" in der Folge **6**, 1, 3, 2, 4, 5 Neumann, in: Interpretationen mhd. Lyrik,
hg. v. G. Jungbluth 1969, 164 ff. — In v. 5 Zäsur nach der 4., in v. 6 nach der
3. Hebung K (de Boor ZfdPh. 58, 21). — 1, 4 *schulde* K(HV). *ouch keine* K(HV).
6 *vil* tilgt K(HV). 7 *Man sol* K(HV). 8 *Und frâge* K(HV). 9 *Daz er doch* K(HV).
2, 3 *mir* K(HV). 4 *ir* K(HV). 5 *unze* K. *si niemer mê g.* K. 6 *vert sêre wüetend alse* K.
7 *sô*]*nu* K(HV).

3 War umbe vüeget mir diu leit,   162, 16 — 20 *A*, 46 C
    von der ich hôhe solte tragen den muot?   328 E, i bl. 115ᵛ
jô wirb ich niht mit kündecheit
noch dur versuochen, alsam vil meneger tuot.
5   Ich enwart nie rehte vrô, wan sô ich si sach.
    sô gie von herzen gar, swaz mîn munt wider sî gesprach.
    sol nû diu triuwe sîn verlorn,
        sô endarf ez nieman wunder nemen,
    hân ich underwîlen einen kleinen zorn.

4 Ez tuot ein leit nâch liebe wê;   162, 34 — 61 *C*, 329 *E*
    sô tuot ouch lîhte ein liep nâch leide wol.
swer welle, daz er vrô bestê,
    daz eine er dur daz ander lîden sol
5   Mit bescheidenlîcher klage und gar ân arge site.
    zer welte ist niht sô guot, daz ich ie gesach, sô guot gebite.   163, 1
    swer die gedulteclîchen hât,
        der kam des ie mit vröiden hin.
    alsô dinge ich, daz mîn noch werde rât.

---

3 46] 54 C. — 1 *We warvmbe* i. *fúgent* E. *sú mir* i, *dú mir* C, *sie mir* E. 2 *der*]*den* E.
Durch die ich dicke hohe trage minē mût i. 3 *Ion* E. *wirbe* CE. *niht*]*nit* E. *kvndecheit*
A. *Nu wurbe ich nút durch kúndekeit* i. 4 *alse noch vil* i, *als iedoch vil* C, *so vil* E.
5 *Ich wart* iC, *Ichn wart* E. *wande so ich* i, *wan (wenne* E) *als ich* C. *sú an sach* i,
sie sach E. 6 *Vñ* iCE. *gieng mir ie ze herzen waz ich wider sú gesprach* i. *swaz ie
min* E. *mvnt ie wider* C. *sie* E. 7 *Sol daz allez sin vˢlorn* i. 8 *So darf eht n.* C, *So
darf des n.* E. n. *vnbillich han* i, n. *wundeˢn* E. 9 *Han ich gegen der lieben vnder
wilen ein gefúgen zorn* i. *vnderwilēt* C, *vnderwiln* E.
4 61] 69 C. — 1 *Ez* fehlt E. 2 *liht* E. 3 *wolle* E. 5 *vñ ane* E. 6 *Zer werlde wart nie
niht so gût des ich* E. 7 *Der die bescheidenlichen hat* E. 8 *Der komes ie* E. 9 *Alsus
mac min noch werden rat* E.

3, 1 *diu mir* K(HV). 3 *Jon wirbe* K(HV). 4 *als vil manger* K. 5 *gesach* K(HV).
8 *ez*]*eht* K(HV). 9 *keinen zorn* K, *einen zorn* HV.
4, 6 *deich ie* K.

5 Des einen und dekeines mê   163, 5 — *60 C, 330 E*
    wil ich ein meister sîn, al die wîle ich lebe:
  daz lop wil ich, daz mir bestê
   und mir die kunst diu werlt gemeine gebe,
      5   Daz nieman sîn léit *álsô* schône kan getragen.
     dez begêt ein wîp an mir, daz ich naht noch tac niht kan gedagen.
      nû hân eht ich sô senften muot,
        daz ich ir haz ze vröiden nime.
      owê, wie rehte unsanfte daz mir doch tuot!

6 Ich weiz den wec nu lange wol,   163, 14 — *11 b,*
    der von der liebe gât unz an daz leit.   *45 C, 331 E*
  der ander, der mich wîsen sol
   ûz leide in lie*p*, der ist mir noch unbereit.
      5   Daz mir von gedanken ist alse unmâzen wê,
      des überhoere ich vil und tuon, als ich des niht verstê.
      gît minne niuwan ungemach,
        sô müeze minne unsaelic sîn.
      die selben ich noch ie in bleicher varwe sach.

1, 2 prüfen und beschuldigen. 4 *und*   wenn auch.
3, 3 *kündecheit* List.
4, 5 *bescheidenlîch* geziemend. 6 *gebite* geduldiges Warten.
5, 3 *bestên* zukommen. 6 *begên* erreichen.
6, 8 *unsaelic* verflucht.

5 60] 68 C. — 1 *deheines* E. 2 *Mûz ich* E. *si die wile* E. 3 *daz* fehlt E. 4 *Vñ daz man mir die kunst vor alder werelde gebe* E. 5 *so schone* C. *Daz niht mannes kan sin leit so schone trage* E. 6 *Des* C. *Ez begat* E. *des ich tac noch naht niht mac gedage* E. 7 *So bin ab*⁵ *ich so wol gemût* E. 9 *reht* E. *vnsanfte doch daz selbe tût* E.
6 45] 53 C. — 2 *von liebe get* E. *gât* fehlt C. 4 *liebe* bC. *mir vil vngereit* C. 5 *ist*]*was* E. *als* C, fehlt E. 6 *tûn reht als ich mis niht verste* E. 7 *nvwā* b, *niht wan* C, *nûr wanne* E. 8 *mûz sin*]*si* E. 9 *Wenne ich sie noch nie* (verbessert zu *in*) *bleicher varwe sach* E.

5, 1 *deheins* K(HV). 2 *al* tilgt K(HV). 5 *Daz niht mannes sîniu leit sô schône* K(V). 6 *Dez* tilgt K(HV). *Begât* K. *deich tac noch naht niht* K(HV). 8 HV] *nim* K. 9 *daz*]*ez* K(HV).
6, 4 *derst* K(HV). 7 *niht wan* K(HV). 9 *Wan ichs noch* K(HV).

XIII   Mich hoehet, daz mich lange hoehen sol

A: 3, 1, 4, 5; B: *7; bC: 1, 2, 5, 6, 3, 4; E: 1—6

1 Mich hoehet, daz mich lange hoehen sol,   163, 23 — 66 *A*, 14 *b*,
   daz ich nie wîp mit rede verlôs.   49 C, 311 E
  sprach in anders ieman danne wol,
   daz was ein schult, die ich nie verkôs.
5   In wart nie man so rehte unmaere,
    der ir lop gerner hôrte und dem iem*er* ir gnâde lieber waere.
  doch habent sî den díenst mîn:
    wan al mîn trôst und al mîn leben
  daz muoz an eime wîbe sîn.

2 Wie mac mir iemer iht sô liep gesîn,   163, 32 — 15 *b*, 50 C,
   deme ich sô lange unmaere bin?   312 E
  lîde ich die liebe mit dem willen mîn,
   sô hân ich niht ze guoten sin.
5   Ist aber, daz ich es niht mac erwenden,
    sô mohte mir ein wîp ir rât wol enbieten und ir helfe senden
  und lieze mich verderben niht.
    ich hân noch trôst, swie klein er sî: 164, 1
  swaz geschehen sol, daz geschiht.

XIII. 1 49] 57 C. — 1 *erhöhen* E. 3 *iemen anders* bC. 4 *schulde* C. 5 *Ich enwart* b,
Ich wart E. *manne* E. *rehte*] *gar* bC. 6 *Der ir ere vñ ir gûte gern*[s] *horte vñ sęhe*
b, *Dem al ir lob vñ ôch ir ere lieber were* C. *gerner*] *so gerne* E. *hôrte* E. *iemā* A,
fehlt E. *genade* E. 7 *Iedoch* b. *hant* bC. *sû* b. *Nv hat sie doch* E. *dienest* CE.
8 *Wan*] *Vñ* E. *leben*] *heil* E. 9 *mûz* E. *ainê* b, *einem* CE.
2 50] 58 C. — 1 *mir ein wip so rehte liep* g. E. 2 *Dē* C. *Der ich doch so gar v.* b. E.
3 *mit*]*nach* E. 4 *Son* E. 5 *daz iz nit mac verenden* E. 6 *So solt ein wip irn rat mir*
doch empieten E. *môhte* C. *wol* fehlt C. *helfe wol* s. C. 8 *hân* fehlt C. *kleiner sin*
C. 9 *Waz* E. *sülle* E.

XIII Ein Lied in der Folge 1, 2, *7, 3, 4, 5, 6 K; dagegen Vogt ZfdA. 58, 212, Schnei-
der 74, Neumann 38 f; vorher verschiedene Aufteilungen (vgl. K, RU I, 47). —
1, 3 H] *iemen anders* K (Wackernagel, V). 4 *diech* K(HV). 6 *ie ir genâde* K(HV).
7 *dienest* K(HV).
2, 4 *Son* K(HV). 5 *i's* K(HV). 6 *wol* streicht K(HV).

3 Ich sach si, waer ez al der welte leit,   *164, 12 — 18 b,* 65 A,
     die ich dóch mit sorgen hân gesehen.   53 C, 313 E
     wol mich sô minneclîcher arebeit!
     mir enkúnde niemer baz geschehen.
5   Dar nâch wart mir vil schiere leide.
     ich schiet von ir, daz niemer man von wîbe mit der nôt gescheide
     und daz mir nie sô wê geschach.
        owê, dô ich dannen muoste gân,
        wie jaemerlîch ich umbe sach.

4 Ôwê, daz ich einer rede vergaz,   *164, 21 — 67 A,* 19 b,
     daz tuot mir hiute und iemer wê.   54 C, 314 E
     dô sî mir âne huote vor gesaz,
     war umbe redte ich dô niht mê?
5   Dô was aber ich sô vrô der stunde,
     und der vil kurzewîle, daz man der guoten mir ze sehenne gunde,
     daz ich vor liebe niht ensprach.
        ez mohte manegem noch geschehen,
        der si saehe, als ich si sach.

---

3 53] 61 C. — 1 *were ez aller (al* C) *d.* AC. *werelde* E. 3 *minnenclicher* E. *arbeit*
ACE. 4 *Mir konde* A, *Mir enkônde* E. 5 *schier* E. 6 *von wibe niem^s mit* A, *daz ich*
von wibe nimm^s E. 7 *Und*] *Noch* AE. *nie* fehlt C. 8 *danne* AC, *dānā* E. *gen* AE.
9 *ich mich v̂mme s.* E.
4 54] 62 C. — 2 *tv̂* C. *hv̂te* A, *hût vn* E. 4 *redde* A, *redete* b, *redet* E. 5 *Da* C. *was*
aber]*was eht* bC, *wart* E. 5—6 *fro d^{s}wile vñ d^s vil kvrzen stvnde* b, *fro der wilę*
stûde. vñ ôch der wile C. 6 *Vñ der kûrtzewile daz man mir der gûten wol zesehene*
gûnde. E. *die gûten* C. 7 *niene sprach* bC. 8 *môhte* C, *môht* E. *och manne* bE.

3, 2 *Diech* K(HV). 4 *Mirn könde* K(HV). 6 *daz ich v. w. niemer mit* K(HV). 7 *Und*]
Noch K(HV). 8 *danne* K(HV).
4, 5 *ab* K(HV). 6 *kurzen wîl* K(HV).

5 In disen boesen ungetriuwen tagen   164, 30 — *68 A*, 16 b,
  ist mîn gemach niht guot gewesen.   51 C, 315 E
wan dez ich leit mit zühten kan getragen,
ich enkónde niemer sîn genesen.
  5   Taete ich nâch leide, als ich ez erkenne,
     si liezen mich vil schiere, die mich dâ gerne sáhen eteswenne,
     die mir dâ *sanfte* wâren bî.
        nu muoz ich vröiden noeten mich,
        dur daz ich bî der welte sî.

6 Der ie die welt gevröite baz danne ich,   164, 3 — *17 b*, 52 C,
  der mûezè mit gnâden leben;   316 E
der tuoz ouch noch, wan sîn verdriuzet mich.
  mir hât mîn rede niht wol ergeben:
  5   Ich diende ie, mir lônde niemen.
     daz truoc ich alsô, daz mîn ungebáerdè sach lützel iemen
     und daz ich nie von ir geschiet.
        si saelic wîp enspreche: 'sinc!',
        niemer mê gesinge ich liet.

---

5 51] 59 C. — 1 *ungetruwen* A. 2 *niht ze gût* E. 3 *Wenne* E. *dez* A] *das* bCE. *zuhten*
A. *kan vertragen* E, *trage* bC. 4 *Ich enkvnde* b, *In kvnde* C, *Ichn kŏnde* E. 5 *ichs*
C, *ichz* bE. 6 *Sv́* b. *vil lihte* bC. *da* fehlt E. *sehen* A, *sẹ̄hen* C. *etsweñe* E. 7 *Vñ mir
vil sanfte* bCE. *sempfte* A. *warn* E. 8 *vrŏde* bCE. 9 *Dur* fehlt E. *bî*] *mit* E.

6 52] 60 C. — 1 *Der aldie werlt gefrauwet ie baz denne* E. 2 *genadē* C. 3 *wenne ez*
E. 4 *niht zŏ wol* E. 5 *diende ir ie mir enlonte* E. 6 *trŭc ab^s ich* E. *geberde sach vil
lŭtzel* E. 7 *wip sie spreche* E.

5,3 *daz* K(HV). 4 *Ichn könde* K(HV). 5 *ichz* K(HV). 6 *dâ* streicht K(HV), dagegen
P 542 und Beitr. 8, 173 Anm. 2. *sâhen* K(HV). 7 *Und mir vil s.* K(Ba). *Die mir dô
s.* HV. 8 *fröide* K(HV).

6,2 *genâden* K(HV). 5 *diende ir ie: mirn l.* K(HV). 6 *sach vil lützel* K(HV).

7   Ich bin der sumerlangen tage sô vrô,   165,1 — 55 C, 31 B
     daz ich nu hügende worden bin.
     des stêt mîn herze und al mîn wille alsô:
     ich minne ein wîp, dâ mein ich hin.
5   Diu ist hôchgemuot und ist sô schoene,
         daz ich sî dâ von vor andern wîben kroene.
         wil aber ich von ir tugenden sagen,
             des wirt sô vil, swenne ichz erhebe,
             daz ichs iemer muoz gedagen.

1, 2 *verliesen* jds. Wohlwollen verlieren. 4 *verkiesen* verzeihen. 5 *unmaere* gleich-
gültig, zuwider.
3, 6 f ich schied von ihr in solchem Kummer, wie nie ein Mann von einer Frau scheiden
wird, und mit solchem Weh, wie . . .
6, 4 mir hat mein Singen nichts eingebracht. 6 *ungebaerde* Freudlosigkeit.
7, 2 *hügen* sich freuen. 4 *hin meinen* seine Gedanken auf etwas richten. 8 *erheben*
anheben.

XIV   Swaz ich nu niuwer maere sage

A: 1, 3, 2, 4; BC: 1—4; E: 1—5

1   Swaz ich nu niuwer maere sage,   165, 10 — 34 A, 32 B,
         des endárf mich nieman vrâgen: ich enbin niht vrô.   56 C, 306 E
     die vriunt verdriuzet mîner klage.
         des man ze vil gehoeret, dem ist allem sô.
5   Nú hán ich beidiu schaden unde spot.
         waz mir doch leides unverdienet, daz bedenke got,
             und âne schult geschiht!
             ich engelige herzeliebe bî,
         sône hât an mîner vröude nieman niht.

---

7 55] 63 C. — 3 *O̊ch stat* B. *al* fehlt B. 4 *mein*] *mṳs* B. 5 *und niht so* B. 8 *swenne
ichz erhebe* fehlt B. 9 *ich sin niemer darf g.* B.
XIV. 1 56] 64 C. — 1 *Was* CE. *nu* fehlt E. 2 *Des sol* BE, *Des darf* C. *mich* fehlt C.
frage E. *ich bin* BCE. 3 *frůnde* BC. *verdruzet* A. 4 *Swes* BC. *man do z. v. ge-
fraget gehȯret* E. *allem (alleme* C, fehlt E) *also* BCE. 5 *ich sin b.* BC, *is b.* E.
6 *do leides vndˢgienc* E. *bedenke*] *erkenne* BC, *erkennet allez* E. 7 *schvlde* BC.
8 *Ich (Ichn* E) *gelige* BCE. 9 *Son* E, *Es* BC. *minen fröden* BC.

7, 3 K(HV) nach B. 5 *Diust* K(HV). 6 V] K geht von der Identität der Str. mit 1—6
aus und setzt nach *andern* eine Lücke. H weist in Anm. auf sie hin. 8 *erhebe* HV]
bestân K.
XIV. 1, 1 *Waz* K(HV). 2 *Desn darf* K(HV). 5 *ich es b.* K(HV). 6 H] *erkenne*
K (P 542, Bu 210, V). 8 *Ichn gelige* K(HV). 9 *Son* K(HV).

2 Die hôchgemuoten zîhent mich,   165, 19 — 36 A, 33 B
   ich minne niht sô sêre, als ich gebâre, ein wîp.   57 C, 307 E
   si liegent und unêrent sich:
   si was mir ie gelîcher mâze sô der lîp.
5   Nie getrôste sî dar under mir den muot.
   der ungnâden muoz ich, unde des si mir noch tuot,
   erbeiten, als ich mac.
      mir ist eteswenne wol gewesen:
      gewínne aber ích nu niemer guoten tac?

3 Sô wol dir, wîp, wie rein ein nam!   165, 28 — 35 A, 34 B
   wie sanfte er doch z'erkennen und ze nennen ist!   58 C, 308 E
   ez wart nie niht sô lobesam,
   swâ dûz an rehte güete kêrest, sô du bist.
5   Dîn lop mit rede níemàn volenden kan.
      swes dû mit triuwen pfligest wol, der ist ein saelic man
      und mac vil gerne leben.
         dû gîst al der welte hôhen muot:
         maht ouch mir ein wênic vröide geben!

---

2 57] 65 C. — 2 *Ichn* E. *ein wip* vor *so sere* E. 3 *Sv́* B. 4 *mir liep alsam der taç li,
zware* E. 5 *Nie*] *Nu* BC, *Vn̄* E. *getorste* A. *si dar vnder mir nie* B, *si mir dar vnde
nie* C, *nie dar vnder mir* E. 6 *Die vngenade mv̂z ich han die sie mir tv̂t* E. *vngenade
BC. *getv̂t* BC. 7 *Vn̄ auch erbeiten* E. 8 *etswenne* E. *wol geschehen* BC.
3 58] 66 C. — 1 *raine* BC. *ein*] *din* C. *name* ABC, *namę* E. 2 *senfte* ABC. *dv z
nemmenne (nennen CE) vn̄ zer kennenne (zerkennen C, zv̂r erkennen E) bist* BCE
3 *Ezn* E. *lobesan* A, *rehte lobesame* BC. 4 *Da dv es (dvs* C) *an* BC, *Daz du in* E
gv̂te A. 5 *niemen wol vol enden* BC. *nieman* vor *mit rede* E. 6 *Des* E. *wol im,
(im* C) *der* BCE. 9 *Maht du* C. *Wāne m. du mir ein lv̂tzel fraudē* E.

2, 5 *getrôste* K(HV). 6 *ungenâden* K(HV). *und* K(HV). *getuot* K(HV). 9 *ab* K(HV).
3, 1 *nam* K(HV). 5 K(V) nach E, H nach BC. 6 *phligest, wol im, derst* K (P 542
Bu 210, V). 9 *Wan maht* K(V). *ein lützel fröiden* K(V).

4 Zwei dinc hân ich mir vür geleit,

165, 37 — *309 E*, 37 A, 35 B, 59 C

    diu strîtent mit gedanken in dem herzen mîn:

  ob ich ir hôhen wirdekeit

    mit mînen willen wolte lâzen minre sîn,

166, 1

5   Oder ób ich daz welle, daz si groezer sî

     und sî vil saelic wîp bestê mîn und áller manne vrî.

       siu tuont mir beide wê:

         ích wírde ir lasters niemer vrô;

       vergêt siu mich, daz klage ich iemer mê.

5 Ob ich nu tuon und hân getân,

166, 7 — *310 E*

    daz ich von rehte in ir hulden solte sîn,

  und sî vor aller werlde hân,

    waz mac ich des, vergizzet sî darunder mîn?

5   Swer nu giht, daz ich ze spotte künne klagen,

     der lâze im béidè mîn rede singen unde sagen

      ⟨. . . . .⟩

       unde merke, wâ ich ie spreche ein wort,

       ezn lige, ê i'z gespreche, herzen bî.

1, 6 *bedenken* hier: sich einer Sache annehmen.
2, 6 . . . und was sie mir sonst noch zufügt. 7 *erbeiten* erwarten.
4, 6 *vrî bestân* c. gp. frei bleiben von. 9 *vergên* übergehen.
5, 3 und sie lieber habe als die ganze Welt (die ganze höfische Gesellschaft).

---

4 59] 67 C. — 1 *Ich han ein dinc* ABC. *mit sorge geleit* A. 2 *Vn̄ strite* A, *Das stritet* BC. 3 *Obe* AB. *in* E. *hohe* B. *werdecheit* A, *werdekeit* BC. 4 *minem* AB, *minē* C. *willen* fehlt A. *wólte* E, *wolte* ABC. 5 *Obe* A. *Alde (Ald* C) *ob ich wólte (wolte* C) BC. *grozer* AC. *sî*] *węre* B, *were* punktiert und *si* überschrieben C. 6 *vil raine sęlig* BC. *ste* ABC. 7 *Sie* E, *Div* A, *Si* C. *tv̊n* B. *bede* A, *baidv̊* B. 8 *In wurde* A, *Ich enwirde* B, *In wirde* C. 9 *si* A. *si aber mich* BC. *iemerme* B.

4, 1 liest H nach BC, 2 nach A; 1 u. 2 nach E liest K (P 542, V). 3 *ir . . . . werdekeit* K(HV). 4 *mînem* K(HV). 5 *Ode ob* K(HV). 6 *stê* K(HV). 7 *Diu* K (P 542, V). 8 *Ich enwirde* K(V). 9 *Vergât* K.

5, 6 ¶ *im mîne rede beide singen* K(HV). 8—9 HV] *spraeche . . . laege . . . gespraeche* K (P 542).

XV   Der lange suozer kumber mîn

A: **1, 2, 3, 6, 5;** b: **1, 2, 3, 6, 4;** C: **1—6;** E: **1, 6, 2, 3, 4, 5;** m: **4, 5** (vv. 1—2)

1 Der lange suozer kumber mîn   166, 16 — *38 A*, 20 b,
  an mîner herzelieber vrowen der ist erniuwet.   62 C, 291 E
  wie mohte ein wunder groezer sîn,
  daz mîn verlórn díenest mich sô selten riuwet,
5   Wan ich noch nie den boten gesach,
      der mir ie braehte trôst von ir,   wan leit und ungemach.
      wie solt ich iemer dise unsaelde erwenden?
          unmaere ich ir, daz ist mir leit,
      si enwárt mir nie sô liep, kund i'z volenden.

2 Wâ nû getriuwer vriunde rât?   166, 25 — *21 b,* 39 A,
      waz tuon ich, daz mir liebet, daz mir leiden solte?   63 C, 293 E
  mîn dienest spot erworben hât
  und anders niht; wan ob ichz noch gelouben wolte,
5   Joch waene ich ez nû gelouben muoz.
      des wirt ouch niemer leides mir   unze an mîn ende buoz,
      sît sî mich hazzet, die ich von herzen minne.
          mir kund ez níemèn gesagen;
      nû bin ich sîn vil unsanfte worden inne.

XV. 1 62] 70 C. — 1 *sússe* bCE. 2 *An*] *Nach* C. *h*ˢ*zeliebē* bC, *lieben* E. *derst* C, *ist*
bE. *vernúwet* E. 3 *mȯhte* CE. *grozer* AE. 4 *Daz mich min* E. *v*ˢ*lorner* bCE. *dienst*
CE. *mich* fehlt E. 5 *Vñ ich doch* bC. *Wenne ich ḑẹn noch* E. 6 *trost* fehlt E. *wenne*
E. 7 *sol* bCE. *dis* b. *vnselde (vn* nachgetragen) *verenden* E. 9 *Si wart* bC. *kvnde*
bC, *kȯnde* E. *ichz* bC. *verenden* bCE.

2 63] 71 C. — 1 *Vvan getrúwet frúnde niht* A. *frúndes* C. 2 *Wan* A. *ich des* bE.
3 *dienst* A, *dienste* b. *erworbet* E. 4 *niht obe ich ez gelȯben* A, *niht swie clein ich des*
getruwen E. 5 *Ich (Doch* E) *wen* AE. *Io* C. *is* E. 6 *unz* AC. *wirt mir nimmer sorgen*
vntz E. 7 *Sit mich dú hazzet* E. 8 *Mir enkvnde ez* A, *Mir kvndes* C, *Ez konde mir*
E. 9 *ich ez* A. *innen* A. *Des ich mich vnsamfte nu v*ˢ*sinne* E.

XV Ein Lied in obiger C-Folge Neumann 39, Br] in der Folge **1, 4, 2, 5, 3, 6** K (da-
gegen Vogt ZfdA. 58, 213 ff); HV ein Lied 1—3, 6 und zwei Einzelstrr. — Zäsur
in v. 6 nach K (Plenio 90). — 1, 1 *süeze* K(HV). 2 *herzelieben* K(HV). *derst*
K(HV). 3 *möhte* K(HV). 4 *verlorner* K(V). 7 *sol* K(HV). 9 H] *So* K (P 543, V).
H] *verenden* K(V).
2, 2 *daz* K(HV). 4 *niht: ob ichz noch niht* K. 5 *ich ez*] *i'z* K(V). 7 *diech* K(HV).
8 *Mirn* K(HV). 9 *ichs* K(HV).

Daz sî mich als unwerden habe, 166, 34 — 22 b, 40 A,
64 C, 294 E
  als sî mir vor gebâret, daz geloube ich niemer.
nû lâze ein teil ir zornes abe,
  wan endelîchèn ir gnâden bit ich iemer.
5   Von ir enmac ich noch ensol.
    sô sich gnúoge ir liebes vröuwènt,   so ist mír mit leide wol.
      enkan ich anders niht von ir gewinnen,   167, 1
        ê daz ich âne ir hulde sî,
      sô wil ích ir güete und ir gebaerde minnen.

Owê, daz alle, die nu lebent, 167, 22 — 24 b, 65 C,
295 E, Wa (?) m bl. 3ᵛ
  sô wól hânt bevúnden, wie mir ist nâch einem wîbe,
und daz si mir den rât niht gebent,
  daz ich getroestet wurde noch bî lebendem lîbe.
5   Joch klage ich niht mîn ungemach,
    wan daz den ungetriuwen ie baz danne mir geschach,
      die nie gewunnen leit von seneder swaere.
        wolte gót, erkanden guotiu wîp
      ir sumelîcher werben, wie deme waere!

64] 72 C. — 1 *alse* A. 2 *Alse* A. *glôbe* A. *So sie gebaret ich gelaubs nimmer* E. 3 *Si enlat* A, *Sie neme* E. *irs* E. 4 *Wenne* E. *endeclich* A. *genade* CE. *beite* A, *bitte* C. 5 *mag* A. 6 *gnŏge* A, *genŏge* CE. *frŏnt* A, *frŭnt* E. *sos* A. 7 *Vñ enkan* A, *Da enkan* CE. *an ir* A. 8 *E ich doch on ir minne si* E. 9 *Ich wil ir* AE.

65] 73 C. — 1 *leben* Em. 2 *So rehte haben* C. *Wol hant erfundē* Em. *eynen* m. 3 *daz* fehlt E. *sŏ* b. *niht den rat engeben* E. *Vñ myr den rad noch ny en gheben* m. 4 *trostet* m. *werde* E, *worde* m. *noch* fehlt m. *lebendē* bC. *lebēden* m, *minem* E. 5 *Io* C. *So en clag* Em. *niht*] *al* Em. 6 *Vñ* E. *denne* E, *den* m. 7 *leit*] *not* Em. *senendˢ* C, *sender* m. 8 *Got wol erkande* E, *God wolte ir kenten* m. *gŏte* C, *gŭte* E, *gute* m. 9 *sŭmelichez* E, *somelighe* m. *woruē* m. *dem* CEm.

3, 4 *endeclîchen* K(HV). *genâden* K(HV). *beite ich* K(HV). 6 *genuoge* K(HV). ¶ *vröunt* K(HV). *sost* K(HV). 7 *Und kan ich* K(HV). *an ir* K(HV). 9 *Ich wil ir* K(HV). *gebaerden* K.

4, 2 *Wol hânt erfunden* K(HV). 3 *Und si mir niht den rât engebent* K(HV). 5 *Jô* K. 7 *sender* K. 8 *Got wolde* K(HV). 9 *dem* K(HV).

5　Ein rede der liute tuot mir wê,　　　　　　　　　*167, 13 — 66 C, 42*
　　da enkán ich niht gedulteclîchen zuo gebâren.　*296 E, Wa (?) m bl.*
　　nu tuont siz alle deste mê:　　　　　　　　　　　*(vv. 1—2)*
　　　si vrâgent mich ze vil von mîner vrowen jâren
5　　　Und sprechent, welcher tage si sî,
　　　　dur daz ich ir sô lange bin　gewesen mit triuwen bî.
　　　si sprechent, daz es möhte mich verdriezen.
　　　　nu lâ daz aller beste wîp
　　　　ir zuhtelôser vrâge mich geniezen.

6　Mac si mich doch lâzen sehen,　　　　　　　　　*167, 4 — 67 C, 41 A*
　　ob ich ir waere liep, wie sî mich haben wolde.　*23 b, 292 E*
　　sît mir niht anders mac geschehen,
　　　sô tuo gelîche deme, als ez doch wesen solde,
5　　　Und lege mich ir wol nâhen bî
　　　　und biete ez eine wîlè,　als ez von herzen sî.
　　　gevalle ez danne uns beiden, sô sî staete;
　　　　verliese aber ich ir hulde dâ,
　　　　sô sî verborgen, als obe siz nie getaete.

1, 8 *unmaeren* gleichgültig werden.
2, 4 f Wenn ich bisher schon geneigt war, das zu glauben — jetzt, meine ich, muß ich
　　glauben (vgl. K, RU I, 30). 6 *buoz* Abhilfe.
3, 2 ... wie sie vor mir tut. 4 *endelîchen* schließlich.
4, 9 *ir sumelîcher werben* das Werben mancher von ihnen.

---

5 66] 74 C. — 2 *Dar* m. *gedulteclich zuo* E, *duldichliken to* m (Ende des 3. Blattes
　gebarn E. 3 *Dor v̊mme entůn sis deste me* E. 4 *Si sprechen gar zevil* E. *iarn* ̷
　5 *Vñ fragent* E. 6 *so lange* fehlt E. *mit trůwen bin gewesen* E. 7 *So sprechen sie d*
　sůln mich noch verdriezzē E. 8 *lazze mich daz beste* E. 9 *Ir mīnēclichen gůte do*
　geniezzen E. — A bietet die Str. mit folgendem verderbten Text: *Redi d̄s lv̊te m*
　mir we / *Dc si zwiveln min̄s frowen vñ vragnn welcher tage si si.* / *Dvr dc ich ir s*
　lange bin gewest mit trvwen bi. / *Och iehent si solt ich ez niem̄s geniezen.* / *Wan a*
　ich von ir sw̄sre habe. / *Ez mohte mich vō schvldē wol erdriezen.*
6 67] 75 C. — 1 *Môhte si mich das lassen gesehen* b. 2 *Węre (Wer* E) *ich ir liep b*
　Obe A. *wie*] *obe* A. *wōlde* E. 3 *Vñ mv́ge es anders niht geschen* b. 4 *tv̊ si doch a*
　ob es wesen solte b, *tů doch eine wile reht als ob ez wesen sôlde* E. *tv gelich* ̷
　5 *Und*] *So* b. *wol* fehlt AE. *nahe* Ab. 6 *biet* A, *biete mirs ain* b. *bietez eine wile m*
　als ob ez E. 7 *Gevallez* E. *stęt* b. 8 *Verlv́re* b. *hvde* A. *do* E. 9 *verborn* b, *verlor*
　E. *also* A. *ob* bE. *si ez* Ab. *gętęt* b.

6, 5 *mich ir nâhe bî* K(HV). 6 ¶ *bietez eine wîle mir* *als* K(HV). 8 *ab* K(HV). 9 *ve*
　born K(HV).

XVI   Si jehent, der sumer der sî hie

: 2, 3; bC: 1, 2

1 'Si jehent, der sumer der sî hie,   167, 31 — 25 b, 68 C
  diu wunne diu sî komen,
  und daz ich mich wol gehabe als ê.
nu râtent unde sprechent wie.
5   der tôt hât mir benomen,
  daz ich niemer überwinde mê.
    Waz bedarf ich wunneclîcher zît,
    sît aller vröiden hêrre Liutpolt in der erde lît,   168, 1
      den ich nie tac getrûren sach?
10   ez hât diu welt an ime verlorn,
  *daz ir an einem manne nie
      sô jâmerlîcher schade geschach.

2 Mir armen wîbe was ze wol,   168, 6 — 44 a,
26 b, 69 C
  swenne ich gedâhte an in,
    wie mîn heil an sîme lîbe lac.
sît ich des nû niht haben sol,
5   sô gât mit jâmer hin,
    swaz ich iemer nû geleben mac.
    Der spiegel mîner vröuden ist verlorn.
    den ich ûz al der welte mir ze trôste hâte erkorn,
      dés múoz ich âne sîn.
10   dô man mir seite, er waere tôt,
      dô wiel mir daz bluot
    *von deme herzen ûf die sêle mîn.

XVI. 1 68] 76 C. — 1 *Sú* b. 3 *ie* C. 6 *vberwinde* C. 8 *liupolt* C. 10 *im* C. 12 *iemer-
lich*ˢ C.

2 69] 77 C. — 1 *Ir* (Initiale fehlt) a. 2 *Do ich* bC. *in*] *iu* a. 3 *Vñ wie min tail an
sinē* bC. 4 *Das ich* bC. 5 *Des gat mit sorgen* bC. 6 *nu*] *me* bC. 7 *Miner wunnen
spiegel der ist* bC. 8 *Der (Dē* C*) ich mir hette ze* svmˢlichˢ *ǒgen waide erkorn* bC.
9 *múz* a. *ich leider ęnig* bC. 11 *Do viel* a, *Ze hant viel* bC. *dz blút* a, *dˢ mǔt* bC.
12 *dem* C.

XVI H faßt 1 als Rede des Dichters, 2 und 3 als Rede der Frau Welt; alle Strr. als
Totenklage der Gemahlin Leopolds V.: K (Bu 212 f, V). — 1, 11 ¶ *einem* streichen
alle Hgg.

2, 2 *Dô ich* K(HV). *in* K(HV). 4 *Daz ich* K(HV). 5—6 K(HV) nach bC. 7 K(HV)
nach bC, aber *derst.* 8 K(HV) nach C. 9 K(HV) nach bC. 11 *Zehant wiel* K(HV).
12 *deme* tilgt K(HV).

3 *D*ie vröide mir verboten hât   168, 18 — *45 a*
      mîns lieben hêrren tôt
         alsô, daz ich ir mêr e*n*bern sol.
   sît des nu niht mac werden rât,
5   in ringe mit der nôt,
         daz mir mîn klagedez herze ist jâmers vol,
            Diu in iemer weinet, daz bin ich;
            wan er vil saelic man, jô trôste er wol ze leben*ne* mich,
               der ist nu hin; waz tohte ich hie?
10   wis ime gnaedic, hêrre got!
               wan tugenthafter gast
            kam in dîn gesinde nie.'

2, 11 *wiel* von *wallen*, vgl. auch Anm.
3, 4—7 Da nun dafür keine Abhilfe geschaffen werden kann, daß ich mit der No▌
ringe, von der mein klagendes Herz voll Jammer ist, bin ich es, der ihn stets be▌
weint.

XVII   Ich was vrô

bCE: 1—3; m: 4

1 Ich was vrô und bin daz unz an mînen tôt,   168, 30 — *27 b,*
      mich enwénde es got aleine.   70 C, 257 E
   mich enbeswaere ein rehte herzeclîche nôt,
      mîn sorge ist anders kleine.
5   Sô daz danne an mir zergât,
         sô kumet aber hôher muot, der mich niht trûren lât.

3, 1 *Ie* (Initiale fehlt). 3 erb^s*n*. 7 *Dv*. 8 *lebende*. 9 *dohte*.
XVII. 1 70] 78 C. — 2 *enwendes* E. 3 ¶ *Mich beswert* E. *rehte* fehlt E. *h^szeclichú* C▌
6 *kvmt* C. *aber ein ander not dú m. n. trurn l.* E.

3, 3 H] *deich* K (Ba, V). *enberen* K(HV). 6 *mir* tilgt K (Ba, V). *klagendez* K(V). 8 *já*▌
K(HV). *lebenne* K(HV). 10 *genaedic* K(HV). 12 *ingesinde* K(HV).
XVII. 1—3 ein Lied, 4 in Anm. HV; 1—2 und 3—4 je ein Lied Bu 213; 1—4 ein▌
Lied K (Becker 171 f), Mau 137. — Mau 139 f] Folge 1, 2, 4, 3 K (Nordmeyer ▌
637); unecht K, RU I, 70 und Nordmeyer ¹ 637, zustimmend de Boor ZfdPh. 58,▌
2 Anm.; dagegen Vogt AfdA. 40, 122 und Mau 137 ff. — 1, 2 und 3 *Michn* K(HV)
3 *Mich beswaert* Mau 140. 6 *kumt* K(HV).

2 Só sínge ich zwâre durch mich selben niht,   168, 36 — 28 b,
71 C, 258 E
    wan durch der liute vrâge,
    die dâ jehent, des mir – ob got wil – niht geschiht,
    daz vröiden mich betrâge.
5   Si ist mir liep und wert alse ê,   169, 1
    ob ez ir etlîchem taete in den ougen wê.

3 Ich wil aller der enbern, die mîn enbernt   169, 3 — 259 E,
29 b, 72 C
    und daz tuont âne schulde.
    vinde ich, die es mit triuwen an mich gernt,
    den diene ich umbe ir hulde.
5   Ich hân iemer einen sin:
    érn wírt mir niemer liep, dem ich unmaere bin.

4 Ich wil vrô ze liebe mînen vriunden sîn   169, 2ª
Wa m bl. 3ᵛ
    und allen den ze leide,
    die mir âne schulde tuont ir nîden schîn
    *und waenent balde, wie ich scheide
5   Den muot von vröuden umbe ir haz.
    sterben sî von leide, sô enwart mir ê nie baz.

2, 4 *betrâgen*   verdrießen, langweilen.
3, 2 *âne schulde*   ohne Ursache.

Str. 4 im diplomatischen Abdruck:

Ik
wille vro tzo lebe mynē vriunden fyn. vñ allen den to leyde. de myr ane
fchulde tůnt yr nyden fchyn. vñ wenet balde we ik fcheyde. den můt von
vrouden. vmme yren hatz. fterben fe von leyde. fo en wart myr e ny batz.

---

2 71] 79 C. — 1 *Jon* E. *mich eine* E. 2 *Wenne* E. 3 *des*] *daz* E. 5 *vnde* E. *als* CE.
6 *ez auch* E. *eteslichē* C, *etelichem* E.

3 72] 80 C. — 1 *al* C. *empern* ... *enpern* E. *enberent* b. 2 *tůn* E. 3 *ich iender die des
an mich gerent* (*gernt* C) bC. *gern* E. 4 *vmb* C. 6 *Er* bC. *deme* b.

2, 1 *Sône* Bu 213, ¶ *Jône* K(HV). 4 H] *fröide* K(V). 5 *Sist* K(HV). 6 *Obez ir etelìchem*
K(HV).

3, 3 *Vinde ich iender dies* K(HV). 6 *Erne* K(HV).

4, 4 *waenent* K(HV). *wie* tilgt K(HV). 5 *ir* K(HV). 6 ¶ *stürben* K(HV). *leide* K]
nîde H (Anm. 298), Bartsch Germania 3, 481, Mau 139 f.

XVIII   Mir ist ein nôt

A: 1, 3; bC: 1—4; E: 1, 3, 2, 4, 5

1 Mir ist ein nôt vor allem mîme leide,   169, 9 — 247 E, 30 b,
      doch durch disen winter niht.   73 C, Niune 44 A
   waz dar umbe, valwet grüene heide?
      solcher dinge vil geschiht,
5   Der ich aller muoz gedagen.
   ich hân mêr ze tuonne denne bluomen klagen.

2 Swie vil ich gesage guoter maere,   169, 15 — 31 b, 74 C,
      sô ist niemen, der mir sage,   249 E
   wenne ein ende werde mîner swaere,
      dar zuo maniger grôzen klage,
5   Diu mir an daz herze gât.
   wol bedörfte ich wîser liute an mînen rât.

3 Niender vinde ich triuwe, daz ist ein ende,   169, 21 — 32 b, 75 C,
      dâ ich si doch gedienet hân.   248 E, Niune 45 A
   guoten liuten leit ich mîne hende;
      wolten si ûf mir selben gân,
5   Des waere ich vil willic in.
   ôwê, daz mir niemen ist, als ich im bin!

                              *   *

XVIII. 1 73] 81 C. — 1 *mineme* auf Rasur A, *minē* bC. 2 *dvr* A, fehlt b, *gegē* C.
disem C. 3 *valwent* A. *grṻnṽ* b. 4 *sůlcher* E, *selcher* A. 6 *mere* A, *me* bC. *ze*
tṽnne b. *zetvnne danne ich blṽmen clage* A.

2 74] 82 C. — 1 *Swie dicke ich gefrege* E. 2 *mir*] *sie* E. 4 *Da zṽ* C. 6 *bedorfte* C,
bedůrfte E.

3 75] 83 C. — Strophe ohne Initiale E. — 1 *Niht envinde ich trůwen* E. *dest* AE,
dast C. *an ende* A. 2 *Dar* A, *Ds* E. *ich doch* A, *ich so vil* E. 3 *leide ich gerne m. h.*
A, *valde ich m. h.* E. 4 *Wold ins* A, *Vn woltēs* E. *sṽ* b. *selbem* A, *selber* E. *Wolten*
si dar vffe gan C. 5 *wer* ACE. 6 *alse ich in bin* A.

XVIII. 1—4 ein Lied, 5 Einzelstr. H; Bu 213 f lehnt Zugehörigkeit von 3 ab und
bezweifelt die von 4. 1—3 ein Lied, 4 und 5 Einzelstrr. V, K. Mau 141 f druckt
1—5 zusammen, aber im Text Zweifel an Zugehörigkeit von 5. Vgl. Anm. — Un-
echtheit behauptet nur K; dagegen Vogt AfdA. 40, 122 und Mau 141; Nordmeyer [1]
666 f erklärt Teile des Liedes für unecht. — 1, 1 *Mirst* K(HV). 6 *mê* K(HV).

2,1 HV] *Swie dick ich gefrâge g. m.* K (P 543). 4 *manger* K.

3,1 *dêst* K(HV). 2 *Dar ich doch* K(HV). 4 *Woldens* K(HV).

Wol den ougen, diu sô we*l*en kunden,   169, 27 — *33 b,* 76 C,
 und dem herzen, daz mir riet   250 E
an ein wîp; diu hât sich underwunden
 guoter dinge und anders niet.
5 Swaz ich durch si lîden sol,
  daz ist kumber, den ich harte gerne dol.

    *   *

Daz ein man, der ie mit boesem muote   169, 33 — *251 E*
 sîne zît gelebet hât,
nimmer ſwil *gedenken*ſ mîn ze guote,
 des wirt mîn vil schône rât.
5 Swenne ich in erliegen sol,
  sô gedenke ich, "ôwê, wie getuon ich wol!"

3 *valwen* fahl werden.
1 *daz ist ein ende* das ist ausgemacht, ohne Zweifel. 2 *dienen* hier: leisten, durch
Dienst ein Anrecht erwerben. 3 *leit (< leite)* hier konj.: würde ich..., vgl. auch
Anm.
6 *doln* dulden, ertragen.
4 *rât* hier: Abhilfe. 5 *erliegen* hier wohl: durch Lügen gewinnen (vgl. BMZ
I, 1026).

XIX Ich wil allez gâhen

A: 3, 2; bC: 1—5; E: 3—5, 1, 2

Ich wil allez gâhen   170, 1 — *34 b,* 77 C,
 zuo der liebe, die ich hân.   246 E
sô ist ez niender nâhen,
 daz sich ende noch mîn wân.
5 Doch versúoche ich ez álle tage
  und gedíene ir só, daz si âne ir danc
  mit vröiden muoz erwenden kumber, den ich trage.

76] 84 C. — 1 *die* bCE. *sô*] *daz* E. *welen*] *wellen* bE, *spehen* C. *kŭnnen* E. 3 *die
sich hat* E. 4 *niht* E. 5 *si*] *die* E. 6 *Dast ein k.* C, *Daz ist ein k. d. ich dol* E.
5, 3 *Nimmer gelachen wil.*
XIX. 1 E s. S. 331. — 77] 85 C. — 5 *ichs* C. 6 *an ir* C.

4, 6 *Dast ein k.* K(HV).
5, 3 K] *wil geruochen* HV. 5 HV] ¶ *ichz widerwegen sol* K (vgl. V Anm. 420).
XIX. 1—5 ein Lied HV. 4 und 5 unecht K (Nordmeyer JEGPh. 28, 203 ff), Br, dage-
gen Birkhan Beitr. 93 (T), 205, vgl. auch Anm. — 1, 5 *ichz* K(HV). 6 *Und diene
ir sô dazs* K(HV).

2 Mich betwanc ein maere,
    daz ich von ir hôrte sagen,
  wie sî ein vrouwe waere,
    diu sich schône kunde tragen.
5   Daz versuoche ich und ist wâr.
      ir kunde nie kein wîp geschaden –
  daz ist wol kléinè – sô grôz als umb ein hâr.

170, 8 — 78 C, 70 A
35 b, 245 E

3 Swaz in allen landen
    mir ze liebe mac beschehen,
  daz stât in ir handen:
    anders nieman wil ichs verjehen.
5   Si ist mîn ôsterlîcher tac,
      und hân si in mînem herzen liep:
  daz weiz er wól, dém ich niht geliegen mac.

170, 15 — 79 C, 69 A
36 b, 242 E

4 Si hât leider selten
    mîne klagende rede vernomen.
  des muoz ich engelten.
    nie kunde ich ir nâher komen.
5   Maniger zuo den vrouwen gât
      und swîget allen einen tac
  und anders niemen sînen willen reden lât.

170, 22 — 37 b, 80 C
243 E

---

2 AE s. S. 331. — 78] 86 C. — 5 : 7 *ware : hare* b. 6 *dehain wip* b. 7 *alse vmbe* b.
3 79] 87 C. — 2 *zeheile* E. *geschehen* AbE. 3 *stet* AE. *in handen* b, *an ir* E. 4 *ich e.
iehen* A, *ich sin iehen* b, *Nimms wil ich anders niht geiehen* E. 5 *So ist* b. 6 *han*
AE. *mime* E. 7 *er*] *der* E. ¶ *deme nieman niht* A, *dem man niht* b. *geligen* A, *den
nieman niht verbergen* E.
4 80] 88 C. — *leider* fehlt E. 3 *Ich konde ir nie so nahen kummen* E. 6 *Vnde* E.
7 *Der* E.

2, 3 *Wies* K(V). 5 ¶ *versuochte* K(HV). 7 *sô*] *alsô* K(HV).
3, 2 *geschehen* K(HV). 4 *jehen* K(HV). 6 *hans* K(HV). 7 *dem nieman n.* K(HV).
4, 5 *Manger* K.

5 Niemen im ez vervienge   170, 29 — *81 C,* 38 b,
zeiner grôzen missetât,   244 E
ob er dannen gienge,
dâ er niht ze tuonne hât;
5   Spraeche als ein gewizzen man
"gebietet ir an mîne stat!'",
daz waere ein zuht und stüende im lobelîchen an.

1, 3 *sô*   hier: während doch, gleichwohl. *niender*   keineswegs.
2, 5 *versuochen*   zu erfahren suchen.
3, 4 *verjehen*   zubilligen.
5, 1 f Niemand würde es ihm als große M. auslegen. **5** *gewizzen*   besonnen.

Strophe 1 und 2 im diplomatischen Abdruck nach E:

1   Ich will allez gahen.
durch die liebe die ich han. ez ift ni
endert nahen. daz ich vᵉenden fůlle
minen wan. doch gefprich ich nim
mer niht. ich erkenne an dir die fin
ne. wol bin ich getrůwe daz fie mirz
in den augen fiht. her reymar

2   Mich be
twanc ein mere. daz ich von ir hôre
fagen. wie fie ein frauwe were vn̄
fich fchone konde tragen. min rede
konde ir niht gefchaden. daz ift an
mime dienfte fchin. do von bin ich
v̊ber laden.

Strophe 2 im diplomatischen Abdruck nach A:

Mich betwanc ein mere dc ich vō ir horte
fagen. wie fie ein vrowe were. div fich fchone kan getragen mit ir
gv̊te zaller zit. ir tv̊gent div zieret wol ein lant. da vō div gv̊te nahe
an minem herzen lit.

---

5 81] 89 C. — **1** *ime* b. *N. immer verweste* E. **2** *Ze ainer* bE. *grôzen* fehlt E. **3** *dan-
nan* E. **4** *ze tv̊nne* b, *zeschaften* E. **5.** *Vn̄ spreche* E. **7** *wer* E. *ime* E. *lôbelichen* E.

5, 1 *imez* K(HV). **6** *ir* HV] ¶ *mir* K (Nordmeyer JEGPh. 28, 212 Anm.).

XX Niemen seneder suoche

1 Niemen seneder suoche an mich deheinen rât: 170, 36 — *39 b*, 82 C
  ich mac mîn selbes leit erwenden niht.
  nu waene ich, iemen groezer ungelücke hât,
  und man mich doch sô vrô dar under siht.
5 Dâ merkent doch ein wunder an. 171, 1
   ich solte i*u* klagen die meisten nôt,
   niuwen daz ich von wîben niht übel reden kan.

2 Spraeche ich nû, des ich si selten hân gewent, 171, 4 — *40 b*, 83 C
   dar an begienge ich grôze unstaetekeit.
  ich hân lange wîle unsanfte mich gesent
  und bin doch in der selben arebeit.
5 Bezzer ist ein herzesê*r*,
   danne ich von wîbe misserede.
   ich tuon sîn niht, si sint von allem rehte hê*r*.

3 In ist liep, daz man si staeteclîche bite, 171, 11 — *84 C*, 41 b
   und tuot in doch so wol, daz sî versagent.
  hei, wie manigen muot und wunderlîche site
  si tougenlîche in ir herzen tragent!
5 Swer ir hulde welle hân,
   der wese in bî und spreche in wol.
   daz tet ich ie: nu kan ez mich leider niht vervân.

XX. 1 82] 90 C. — 1 *sender* C. 3 *Nvn wene iemā grosser* C. 5 *merkē* C. 6 *v́ch* b.
7 *nvwen* b.
2 83] 91 C. — 5 : 7. *herze sere : here* bC.
3 84] 92 C. — 1 *sv́ stęteclichen* b. 2 *sv́* b. 3 *mv̇te* b. 4 *sv́* b. *herze* b. 6 *spręche* b.

XX. 1 Folge 1—3, 5, 4 Bu 214 f, dagegen K, RU I, 65 u. V Anm. 421. — 3 *Nun waen
iemen gr.* K(HV). 6 *iu* K(HV). 7 *übel niht* K(HV).
2, 5 : 7 *herzesêr : hêr* K(HV).
3, 1 *staeteclîchen* K(HV). 3 *mangen* K. 7 *kan michz l.* K(HV).

4 Dâ ist doch mîn schulde entriuwen niht sô grôz,   171, 18 — *42 b*, 85 C
    alse rêhte unsaelic ich ze lône bin.
ich stân aller vröiden † reht alse ein hant † blôz
und gât mîn dienest wunderlîche hin.
5   Daz geschach nie manne mê.
      volende ich eine senede nôt,
    si getúot mir niemer, mac ichz behüeten, wol noch wê.

5 Ich bin tump, daz ich sô grôzen kumber klage   171, 25 — *43 b*, 86 C
    und ir des wil deheine schulde geben.
sît ich si âne ir danc in mînem herzen trage,
    waz mac si des, wil ich unsanfte leben?
5   Daz wirt ir iedoch lîhte leit.
      nu muoz ichz doch alsô lâzen sîn.
    mir machet niemen schaden wan mîn staetekeit.

1, 3 *iemen* hier: niemand.
2, 1 *wenen* vgl. Anm.
3, 7 *vervân* nützen.
4, 2 *ze lône* im Hinblick auf Lohn. 3 vgl. Anm. 7 *behüeten* verhindern.
5, 3 *âne ir danc* gegen ihren Willen.

XXI Lâze ich mînen dienest sô

1 Lâze ich mînen dienest sô,   171, 32 — *44 b*, 87 C
    deme ich nu lange her gevolget hân,
sô wírde ich niemer vrô.
    si muoz gewaltes mê an mir begân,
5   Danne an manne ie wîp begie,
    ê daz ích mich sîn geloube. ich kunde doch gesagen wie.

---

4 85] 93 C. — 2 *Als reht* C. 3 *als* C. 4 *dienste* b, *dienst* C. 6 *senende* C.
5 86] 94 C. — 5 *ir doch vil lihte* C.
XXI. 1 87] 95 C. — 1 *dienste* b. 2 *Dē* C. 4 *an mir* fehlt C.

4, 2 *Als* K(HV). 3 *rehte hendeblôz* K(HV). 6 *einest* K, *mîne* HV. *sende* K. 7 *Sin tuot mir mê, mag ichz* K(HV).
5, 3 *ichs âne* K(HV). 5 H] *ir doch lîhte* K(V). 6 *doch sô l.* K(HV).
XXI. **1, 2, 3** und **4, 5** je ein Lied HV; **1—5** e i n Lied K, RU I, 26 f, Br, Ashcroft GLL. 28, 198, Anm. 6; ¶ e i n Lied in der Folge **4, 1, 2, 3, 5** K (V Anm. 421). — **1, 3** *Sône* K(HV). 6 *deich* K(HV).

2 Ûzer hûse und wider dar în   171, 38 — *45 b*, 88 C
   bin ich beroubet alles, des ich hân:
vröiden und aller der sinne mîn.   172, 1
   daz hât mir ander niemen wan sî getân.
5   Daz berede ich, alse ich sol.
   wil sis lougen, sô getriuwe ich mînem rehte wol.

3 'Ich bin sô harte niht verzaget,   172, 5 — *46 b*, 89 C
   daz er mir sô harte solte dröun.
ich wart noch nie von im gejaget,
   ér môhte si's ze mâze vröun.
5   Niemer wirde ich âne wer.
   bestât er mích, in bedúnket mîn eínes lîbes ein ganzez her.'

4 Ich hân ir vil manic jâr   172, 11 — *47 b*, 90 C
   gelebet und sî mir selden einen tac.
dâ von gewinne ich noch daz hâr,
   daz man in wîzer varwe sehen mac.
5   Ir gewaltes wirde ich grâ.
   si mohte sich sîn gelouben unde zurnde anderswâ.

5 Waenet si daz, daz ich den muot   172, 17 — *48 b*, 91 C
   von ir gescheide umbe alse lîhten zorn?
obe si mir ein leit getuot,
   sô bin ich doch ûf anders niht geborn,
5   Wan daz ich des trôstes lebe,
   wie ich ir gediene und sî mir swaere ein ende gebe.

1, 6 *sich gelouben*   c. gs. verzichten auf.
2, 5 *bereden*   vor Gericht aussagen.
3, 3 *gejaget*   (vom Kläger) verfolgt. 4 *si's* = *sichs. ze mâze*   hier: wenig, gar nicht.
   6 *bestân*   angreifen (im gerichtlichen Zweikampf).

2 88] 96 C. — 1 *Vs ir huse* C. *drin* C. 3 *Frôide vñ al der* C. 4 *anders* C.
3 89] 97 C. — 2 *harte*] ¶ *sere* C. *drŏn* b, *drŏn* C. 4 *môhte sichs* C. *vrŏn* b, *frŏn* C.
4 90] 98 C. — 2 *Gelebt* C. *selten* C. 6 *môhte* C. *anderswar* C.
5 91] 99 C. — 1 ¶ *ein daz* fehlt C. 2 *vmb also* C. 3 *Ob* C.

2, 3 K(HV) nach C. 4 *mir niemán wan si* K(V).
3, 2 *harte*] *sêre* K(HV). 4 Bu 215] *Er enmôhte si's* K(HV). 6 *in dünkt mîn einer lîp*
   K(HV).
4, 2 *Gelebt* K(HV). 6 *môhte sichs* g. K(HV).
5, 1 K(HV) nach C. 3 *Ob* K.

XXII Als ich mich versinnen kan

Als ich mich versinnen kan,   172, 23 — *49 b*, 92 C
  sô gestúont diu wélt níe sô trûric mê.
ich waene, iender lebe ein man,
  des dinc nâch sîn selbes willen gê.
    Wan daz ist und was ouch ie,
    anders sô gestuont ez nie,
    wan daz beidiu liep und leit zergie.

Swer dienet, dâ man sîn niht verstât,   172, 30 — *50 b*, 93 C
  der verliuset al sîn arebeit,
wan ez ime anders niht ergât.
  dâ von wahset niuwan herzeleit.
    Alsô hât ez mir getân:
    der ich vil wol getriuwet hân,
    diu hât mich gar ân vrőidè gelân.

Staete hilfet, dâ si mac.   172, 37 — *94 C*, 51 b
  daz ist mir ein spil: si gehalf mich nie.
mit guoten triuwen ich ir pflac   173, 1
  sît der zît, daz ich ir künde gevie.
    Ich wáene, ich mich sín gelouben wil.
    *nein, sô verlür ich ze vil.
    ist daz alsô, seht, welch ein kindes spil!

, 3 *iender*   hier: nirgendwo.
, 2 etwa: das bedeutet mir nichts. 5 *sich gelouben*   c. gs. verzichten auf.

XXII. 1 92] 100 C.
93] 101 C. — 2 *erebeit* C. 3 *im* C. 4 *nvwan* b, *niwā* C. 5 *het* C. *es* übergeschrieben
b. 6 *getruwet* C. 7 *Dú wil* C. *gelân*]*lan* C.
94] 102 C. — 4 Vor *gevie* ist *alrest* untergeschrieben b. 5 Zweites *ich* fehlt b.
6 *verlur* C.

XXII Echt K, RU I, 16; unecht K (Nordmeyer [2] 381 Anm., Haupt 21). — 1, 2 P 529,
536] *Sô stuont nie diu werlt sô* K(HV).
2, 1 *mans* K(HV). 7 *âne fröide lân* K(HV).
3, 2 *spil*] *spel* K(HV). *sin half* K(HV). 5 *waene michs* K(Ba), *waen mich sîn* HV.
6 *ze*]*alze* K(HV).

XXIII   Ich spriche iemer, swenne ich mac und ouch getar

1   Ich spriche iemer, swenne ich mac und ouch getar: 173, 6 — 52 b, 95 C
    "vrouwe, wis genaedic mir."
    si nimet mîner swachen bet vil kleine war.
      doch sô wil ich dienen ir
5   Mit den triuwen und ich meine daz
        und alse ich ir nie vergaz,
        sô gestân diu ougen mîn und niemer baz.

2   Swenne ich sî mit mîner valschen rede betrüge,   173, 13 — 96 C, 53 b
      sô het ich sî unreht erkant.
    und gevâhe sî mich iemer an deheiner lüge,
      sâ sô schupfe mich zehant
5   Und geloube niemer mîner klage,
        dar zuo nîht, dés ich sage.
        dâ vor müeze mich got behüeten alle tage.

3   Wart ie guotes und getriuwes mannes rât,   173, 20 — 97 C, 54 b
      sô kum ich mit vröiden hin.
    sî weiz wol, swie lange sî mich bîten lât,
      daz ichz doch der bitende bin.
5   Ich hân ir gelobt ze dienen vil,
        dar zuo, daz ichz gerne hil,
        und ir niemer umb ein wort geliegen wil.

XXIII. 1 95] 103 C. — 3 *nimt* C. *swacher* C. 6 *als* C.
2 96] 104 C. — 1 *betrvge* bC. 2 *vnrehte* b. 3 *dehainen* b. *lvge* bC. 6 *sege* b. 7 *D*
von b.
3 97] 105 C. — 4 *ich es* b. 5 *gelobet ze dienende* b. 6 *ich es* b. 7 *vmbe* b.

XXIII **3** vor **2** K (Nordmeyer[1] 661 Anm.); Bu 216 nimmt Auswechselstrophe an, da
gegen V Anm. 421. — 1, 3 *nimt m. s. bete* K(HV).
2,2 *ichs* K(HV). 3 *Vâhe si* K(HV). 6 *ich ir s.* K(HV). 7 *hüeten* K(HV).

4 Wart ie manne ein wîp sô liep, als sî mir ist,   173, 27 — 55 b, 98 C
   sô müeze ich verteilet sîn.
maniger sprichet: "si ist mir lieber". daz ist ein list.
    got weiz wol den willen mîn,
5   Wie hôhe ez mir umbe ir hulde stât
   und wie nâhe ez mir ze herzen gât,
   ir lop, daz sî umbe alle die welt verdienet hât.

5 Swie mîn lôn und ouch mîn ende an ir gestê,   173, 34 — 56 b, 99 C
   daz ist mîn alremeistiu nôt:
ze allen zîten vürhte ich, daz si mich vergê.
   sô waere ich an vröiden tôt.
5   Daz sol sî bedenken allez ê.
   tuot si mir ze lange wê,   174, 1
   sô gedinge ich ûf die sêle niemermê.

1, 4—7 Gleichwohl will ich ihr mit derselben Aufrichtigkeit dienen, mit der ich meine
Bitte um Gnade (= daz v. 5) meine, und in derselben Weise, wie ich stets an sie
dachte, mögen meine Augen ausdauern und nicht schlechter (K, RU I, 16; vgl. aber
Bu 215 u. V Anm. 421).
2, 4 *schupfen* verstoßen (vgl. Berger, ZfdPh. 19, 467).
4, 2 *verteilen* verurteilen, verfluchen.
5, 3 *vergên* meiden.

XXIV   Ich hân varender vröiden vil

1 Ich hân varender vröiden vil   174, 3 — 57 b,
   und der rehten eine niht, diu dâ lange wer.   100 C, 218 E
iemer als ich lachen wil,
   sô seit mir daz herze mîn, daz ichs enber.
5   Mîn muot stuont mir eteswenne alsô,
   daz ich was mit den anderen vrô.
   des enist nû niht, daz was allez dô.

---

4 98] 106 C. — 4 *wol* fehlt C. 5 *vmb* C. 6 *ze herzen* fehlt C. 7 *vmb al* C.
5 99] 107 C. — 2 *al meistû* C. 3 *Zallen* C. 4 *wer* C. 7 *So gediene ich* C.
XXIV. 1 100] 108 C. — 1 *varnder frôide* C, *frauden* E. 2 *die* bCE. *were* E. 3 *Immer
so ich* E. 4 *saget* E. *is* b. 5 *Min ding* C. *stûnde etswenne* E. 6 *andern* CE.

4, 3 *Manger* K. *sist* K(HV). *dast* K(HV). 6 *nâhen* K(HV). *ze herzen* tilgt K(HV).
7 *dazs* K. *umb al die* K(HV).
5, 1 P 543] *Wie* K(HV). 2 *Dast* K(HV). 3 *Zallen* K(HV). 7 HV, K, RU III, 32] *Sô
geswinget ûf mîn sêle* K.
XXIV. 1, 1 *varnder* K(V). 2 *dâ* tilgt K(V). 6 *Deich* K(V). *andern* K(HV). 7 *Désn*
K(HV).

2 Lîde ich nôt und arebeit,   174, 10 — *58 b,*
    die hân ich mir selben âne alle schult genomen.   101 C, 219 E
  dicke hât si mir geseit,
    daz ich ez lieze, ich enmöhte es niemer ze ende komen,
5   Und tuot noch hiute, swanne sî mich siht,
    und mir leit dâ von geschiht:
    daz sî mîn und gebe des niemen niht.

3 Daz ich ir gediente ie tac,   174, 17 — *220 E,*
    des wil sîe mìr gelouben niht, owê.   59 b, 102 C
  und swaz ich ir gesagen mac,
    des engiht sie niht, daz sie des iht bestê.
5   Daz ist mir ein jaemerlîch gewin.
    alsus gêt mir mîn leben hin.
    seht, wie saelic ich ze lône bin.

4 Nie wart groezer ungemach,   174, 24 — *60 b,*
    danne ez ist, der mit gedanken umbe gât.   103 C, 221 E
  sît daz sî mîn óuge ane sách,
    diu mich vil unstaeten man betwungen hât,
5   Der mac ich vergezzen niemer mê.
    daz tuot mir nû vil lîhte wê.
    wê, wan haete ichs dô verlâzen ê!

---

2 101] 109 C. — 2 *mir* fehlt E. *selbe* CE. *an* CE. *schulde* C. *gewunnen* E. 3 *sie mir vˢseit* E. 4 *ichs* CE. *ine mohtes* C, *ichn kondes nie* E. *zende* C, *zע̊ ende* E. 5 *hût̄ so sie* E. 6 f *Daz leit ist min vñ anders niemmannes niht* E.

3 102] 110 C. — 1 *ir* fehlt C. *gedienete* b. 2 *mir* fehlt bC. 3 *ich gesingen* bC. 4 *Da engihet* bC. *si daz* bC. 5 *iamerlich* b. 6 *Sus so* b, *Svs* C. *gat* bC.

4 103] 111 C. — 1 *grosser* bE. 2 *gedenken* b, von hier andere Hand, die bis *bas 5,* (reicht. 3 *sie* E. *an* C, fehlt E. 4 *Die* E. *vnstetan* b. 5 *Ich konde ir nie vergezzen =* ganze Zeile E. 6 *mir* fehlt C. *mir vil lange* E. 7 *hatte* b, *hat* C. *Ich het ez baz ge lazzen e* E.

2, 2 *selbe ân* K(HV). 4 *ichz* K(HV). *in möhtes* K(HV). *zende* K(HV). 5 *hiute noch s(* si K.

3, 2 *Des enwil* K(HV). 3 *ir gesagen*] *gesingen* K(HV). 4 *des*] *daz* K(HV). 6 *Sus gâ* K(HV).

4, 3 *ane* tilgt K(HV). 6 *mir vil lange* K(HV). 7 *haete* K(HV).

Ich hân iemer teil an ir;   174, 31 — *61 b,*
104 C, 222 E
    den gíb ich níemen, swie vrǿmed er mir iemer sî.
ówê, wan wurde er mir,
    daz ich einen tac belibe von sorgen vrî!
5   Got weiz wol, daz ich ir nie vergaz
       und daz wîp mir geviel nie baz.
       wirt mir sîn anders níht, doch sô hán ich daz.

, 1 *varende* flüchtig, vergänglich.
, 2 *âne alle schult* ohne jeden Grund.
, 4 *mich bestêt* mich geht an.
, 7 *wan* daß doch.

XXV   Ich gehabe mich wol

, 1—3, 5; C: 1—3, 5 ‖ 4; E: 1—6

Ich gehabe mich wol und enruochte iedoch,   175, 1 — *105 C,*
62 b, 223 E
    ob mir ein vil lützel waere baz.
ich bin allez in den sorgen noch.
    wirt mir sanfter iht, ich rede ouch daz.
5   Zuo den sorgen, die ich hân,
       ist mîn klage, ine habe der tage die vollen niht,
       daz mîn swaere iht muge ze herzen gân.

104] 112 C. — 2 *Des engan ich* E. *frǿmde* C. *fremde ez mir si* E. 3 *We wenne sol geschehen mir* E. 4 *tac vor minen sorgen werde fri* E. 6 *Noch mir wip geviel* E. 7 *sîn* fehlt CE.

XXV. 1 105] 113 C. — 2 *Obe* b. 3 *allez*]*leider* E. *sorgen*]*trûwen* E. 4 *So mir nu samfter wirt so rede ich daz* E. 5 *Zô der sorge* E. 6 *ich enhabe d. t. die volle* b. *So ist min sorge. ich habe der tage niht envollen* E. 7 *mîn*]*mir* b. *Mac die clage iht wol ze h. g.* E.

, 2 *iemer* tilgt K(HV). 3 *wanne* K(HV). 6 *Noch mir wîp geviel* K(V). 7 *sîn* und *doch* tilgt K(HV).

XXV Ein Lied wie oben K, RU I, 38 f; in der Folge 1—4, 6, 5 K nach einem Vor-schlag von Nordmeyer (JEGPh. 29, 19 ff); drei Lieder 1—3, 5; 4; 6 HV. — 1, 1 *wol. in ruochte* HV. *und ruohte* K. 6 *in habe d. t. den vollen* K(HV). 6 f Bu 217 ver-tauscht *swaere* und *klage*.

2 Ez erbarmet mich, daz si alle jehe*n*,
   daz ich anders niht wan kunne klagen.
   mugent ir michel wunder an mir sehen?
   waz solte ich nu singen oder sagen?
5   Solte ich swern, ich enwisse waz.
      gesaehe ich wider âbent einen kleinen boten,
      sô gesanc nie man von vröiden baz.

175, 8 — *63 b*,
106 C, 224 E

3 Ich bin aller dinge ein saelic man,
   wan des einen, dâ man lônen sol.
   obe ich dise unsaelde erwenden kan,
   sô vert ez nâch ungenâden wol.
5   Mir ist ungelîche deme,
      der sich eteswenne wider dem morgene vröit.
      alsô taete ouch ich, wiste ich mit weme.

175, 15 — *64 b*,
107 C, 225 E

4 Die ich mir ze vrowen hâte erkorn,
   dâ vánt ich niht wan ungemach.
   waz ich guoter rede hân verlorn!
   jâ, die besten, die ie man gesprach.
5   Sî was endelîchen guot.
      nieman konde sî von lüge gesprochen hân,
      érn héte als ich getriuwen muot.

175, 29 — *245 C*,
226 E

---

2 106] 114 C. — 1 *sv́* b. *iehent* bE. 2 *niht kunne wan* C, *Ichn ęŋkônne et nit wann clagē* E. 3 *Mvgt* C. *Owe daz siez wunder niht ensehē* E. 4 *solt* C. *Waz mac ich gesingen oder gesagē* E. 5 *Solt* E. *ine wisse* C. *so enwest ich waz* E. 7 *Sone* C. *v‹ frowen* CE.

3 107] 115 C. — 2 *Wenne der einen der* E. 3 *Ob* C, fehlt E. *vˢwenden* C. 4 *noch vngnaden* E. 5 *vngelich* C. *dē morgen e frôt* b, *den morgē f.* C, *etwenne gein dem morgen* E. 7 *tet ich gerne west ich* E. *weste* C.

4 245] 254 C. — 1 *zv́ frauden hete* E. 2 *Da vinde* E. *wenne* E. 5 *Sie* E. 6 *moht sie* E.

2,1 *dazs* K(HV). 2 ¶ *künne niht wan* K(HV). 4 *solt* K(HV). 5 *in wisse* K(HV). 6 *Saehe* K(V).
3,6 *den morgen* K(HV).
4,1 *ze fröiden hete* K(HV). 2 *envant* K(HV). 7 *Erne* K(HV).

5 Treit mir iemen tougenlîchen haz,
    waz der sîner vröide an mir nu siht!
  wê, war umbe taete aber iemen daz?
  wan gót weiz wól, ich entúon doch niemen niht.
5   Wan sol mir genaedic sîn.
    mich beginnet noch nâch mînem tôde klagen
    maniger, der nu lîhte enbaere mîn.

175, 22 — 65 b,
108 C, 227 E

6 Ich wil immer gerner umbe sehen.
    ich was mîner vröide ein teil ze vrî.
  mir ist von einer kleinen rede geschehen,
    daz ich wil wizzen, wer bî mir sî.
5   Ungevüeger liute ist vil.
    sprech ich wider âbent lîhte ein schoene wort,
    waz mac i's, der mirz verkêren wil?

175, 36 — 228 E

176, 1

1, 1 *sich gehaben* sich befinden u n d sich benehmen. *ruochen* besorgt sein, sich kümmern um. 6 f . . . daß die Tage nicht ausreichen, daß mein Liebesschmerz [der sich im Lied offenbart] der Geliebten und der Welt ans Herz greift.
4, 5 *endelîchen* durchaus.
5, 5 *wan* Nf. für *man*.
6, 4 *wer bî mir sî* wer zu mir hält. 5 *ungevüege* unfreundlich. 7 *der* wenn einer.

---

5 108] 116 C. — 4 *Wan* fehlt E. *ine tůn* C, *ich tet*, aber *tůn* übergeschrieben E. *doch* fehlt E. *nie manne* E. 5 *Man* E. 6 *noch*]*doch* C, fehlt E. *mime tode maniger clage* E. 7 *Maniger* fehlt E. *nu wol empere* E.
6, 6 *schôn.* 7 *verkern.*

5, 3 *ab* K(HV). 4 *Wan* tilgt K(HV). *in tuon* K(HV). 5 *Man* K(V). 7 *Manger* K.
6, 3 *Mirst* K(HV). 4 *ich wizzen wil* K(HV). 6 *Spriche* K(HV). *schoene* K(HV). 7 *verkêren* K(HV).

XXVI Aller saelde ein saelic wîp

A: 1; bC: 1—4

1 Aller saelde ein saelic wîp,
    tuo mir sô,
      daz mîn herze hôhe gestê.
  obe ich ie durch dînen lîp
5   wurde vrô,
     daz des iht an mir zergê.
     Ich was ie der dienest dîn,
     nû bíst dû ez diu vröide mîn.
      sol ich iemer lieben tac
10   oder naht gesehen,
      daz lâ, vrouwe, an mir geschehen.

176, 5 — 66 b, 109 C,
Reimar der Videler 8 A

2 Vrouwe, ich hân durch dich erliten,
    daz nie man
      durch sîn liep sô vil erleit.
  ich getar dich niht gebiten
5   noch enkan.
     tuoz durch dîne saelikeit.
     Ich bin dîn: dû solt mich nern
     und gewaltes in allen wern.
      ich hân iemer eine bet,
10   daz du wol gevarst
      und dich baz an mir bewarst.

176, 16 — 67 b, 110 C

XXVI. 1 109] 117 C. — 1 *selden selic* A. 2 *tv* A. 3 *ste* A, *fro beste* C. 4 *Ob* C. 6 *ar*
dir A. 8 *dvz* A, *ez* fehlt C. 10 *Od*s *die n.* A. 11 *laz* A. *Dc m*v*s (m*v*s* übergeschrie-
ben und *la* gestrichen) C. *mir*] *dir* A, *dir* aus *mir* gebessert C.
2 110] 118 C. — 8 *in* getilgt, *vor* übergeschrieben C.

XXVI Unecht zuerst K, RU I, 73; II, 63, ferner Haupt 20 ff; dagegen Nordmeyer
368, Br, Mau 143 f. — HV] ¶ Folge **1, 4, 3, 2** K (Singer Beitr. 44, 450 f), vgl. auch
Mau 143 f. — **1,** 3 *stê* K(HV). 8 *Sô bistuz* K(HV). *vröide* HV] *vrouwe* K (Jellinek
Beitr. 43, 12 ff), Br, Mau 145. 11 *lâ* VK] *muoz* H. *mir*] *dir* K(HV).
2, 8 *in* tilgt K(HV). 9 *bete* K(HV).

3 Vrouwe, ich hân *niht* mê getân,
    dunket mich,
      danne diu liebe mir gebôt.
  ine kunde nie verlân,
5   hôrt ich dich
      nennen, ine wurde rôt.
      Swer dô nâhe bî mir stuont,
      sô die mérkàere tuont,
        der sach herzeliebe wol
10   an der varwe mîn.
        sol ich dâ von schuldic sîn?

176, 27 — *111 C,* 68 b

4 Ich verdiente den kumber nie,
    den ich hân,
      wan sô vil, ob daz geschach,
  daz ich underwîlent gie
5   vür dich stân
      und ich dich vil gerne sach.
      Liez ich dô daz ouge mîn
      tougenlîchen an daz dîn,
        daz brâhte ich unsanfte dan
10   unde lîhte dar.
        vrouwe, nam des ieman war?

176, 38 — *112 C,* 69 b

177, 1

1, 7 *dienest* hier: Diener.
2, 7 *nern* retten.
3, 4 (Aber) ich konnte es nie verhindern.
4, 8 *tougenlîchen* heimlich.

---

3 111] 119 C. — 1 *niht*] *noch* bC. *mê*] *nie* b. 4 *Ich enkvnd es nie* b. 5 *horte* b. 6 *ine*]
ich b.
4 112] 120 C. — 1 *verdient* b. 8 *Tŏgenlich* b.

3, 1 *niht* K, *noch mê* Schmid ZfdPh. 66, 147, Br liest nach b. 3 *Dan* K(HV). *Daz diu
liebe* (=Verliebtheit) Schmid ebd. 4 *Ich enkunde ez n.* K(HV).

XXVII　Sage, daz ich dirs iemer lône

1　'Sage, daz ich dirs iemer lône,　　　　　　　177, 10 — *113 C*, 70 b
　　　hâst du den vil lieben man gesehen?　　　　M bl. 60ᵛ
　　ist ez wâr und lebt er schône,
　　　als si sagent und ich dich hoere jehen?'
5　　　"Vrowe, ich sach in: er ist vrô;
　　　sîn herze stât, ob irz gebietent, iemer hô."

2　'Ich verbiute ime vröide niemer;　　　　　　177, 16 — *71 b*, 114 C
　　　lâze eht eine rede, sô tuot er wol.
　　des bite ich in hiut und iemer:
　　　deme ist alsô, daz manz versagen sol.'
5　　　"Vrowe, nû verredent iuch niht.
　　　er sprichet: allez daz geschehen sol, daz geschiht."

3　'Hât aber er gelobt, geselle,　　　　　　　177, 22 — *72 b*, 115 C
　　　daz er niemer mê gesinge liet,
　　ez ensî ob ich ins biten welle?'
　　　"vrowe, ez waz sîn múot, dô ich vón ime schiet.
5　　　Ouch mugent irz wol hân vernomen."
　　　'owê, gebiute ichz nû, daz mac ze schaden komen.

4　Ist aber, daz ichs niene gebiute,　　　　　177, 28 — *73 b*, 116 C
　　　sô verliuse ich mîne saelde an ime
　　und vervluochent mich die liute,
　　　daz ich al der welte ir vröide nime.
5　　　Alrêst gât mir sorge zuo.
　　　owê, nu enweiz ich, obe ichz lâze oder ób ichz tuo.

XXVII. **1** 113] 121 C. — 1 *daz*] *als* b. 3 *Ist iz war lebet er so schone* M. *lebet* b.
4 *Alse sú* b. *hore* M. 6 *obe* b. *ir gebietet* M.
2 114] 122 C. — 1 *im* C. 3 *húte* C. 4 *Dem* C. 5 : 6 *niet : geschiet* C.
3 115] 123 C. — 4 *im* C. 5 *mvgt* C.
4 116] 124 C. — 1 *niene*] *niht* C. 6 *nvn weis ich ob* C.

XXVII. **2**,1 *im* K(HV). 4 *Demst* K(HV).
3,1 H] *ab* K (Ba, V). 3 *Ezn sî* K(HV). H] *ob i'ns* K(V). 4 *im* K(HV). 5 H] *mugt*
K (Ba, V).
4,1 *ab* K(HV). 6 *nunweiz* K(HV). *od* K(HV).

Daz wir wîp niht mugen gewinnen
   vriunt mit réde, si enwéllen dannoch mê,
daz müet mich. ich enwil niht minnen.
   staeten wîben tuot unstaete wê.
5   Waer ich, des ich niene bin,
     unstaete, liez er danne mich, sô liez ich in.'

177, 34 — 74 b, 117 C

2, 5 *sich verreden* falsch, ungerecht reden.

XXVIII Lieber bote, nu wirp alsô

b: 1, 5, 3; C: 1, 5, 3, 4; E: 1, 2, 4, 5, 6; m: 1, 2, 4, 6, 5

1 'Lieber bote, nu wirp alsô,
   sich in schiere und sage ime daz:
vert er wol und ist er vrô,
   ich lebe iemer deste baz.
5   Sage ime durch den willen mîn,
     daz er iemer solhes iht getuo,
     dâ von wir gescheiden sîn.

178, 1 — 75 b, 118 C,
229 E, van Nyphen
m bl. 3ʳ

2 Vrâge er, wie ich mich gehabe,
   gich, daz ich mit vröuden lebe.
swâ du mügest, dâ leit in abe,
   daz er mich der rede *be*gebe.
5   Ich bin im von herzen holt
     und saehe in gerner denne den liehten tac:
     daz aber dû verswîgen solt.

van Nyphen m bl. 3ʳˑᵛ
178, 8 — 230 E,

---

5 117] 125 C. — 2 *sú enwellent* b, *sinᵉ wellent me* C. 3 *ine wil* C. 6 beide Male
liesse C.
XXVIII. 1 118] 126 C. — 1 *wirbe* bCE, *werf* m. 2 *Sihe* bC, *Gesprich* E, *Sprech en
schir* m. *im* Cm. 3 *Ferᵉt* E. *vñ lebt er woḷ schone* E. *ist fro* C. 4 *Ich var* E.
iemer]ym m. 5 *Bit in* E, *Vñ bite en* m. *im* C. 6 *solhes* fehlt E. *nymber des icht
tů* m.
2, 1 *Vraghet her dich we ik mich ir habe* m. 2 *Gihe* E, *So gich* m. 3 *War du* (oder *en?*)
mochst dar leyde en m. 4 *vergebe* E, *vorhebe* m. 6 *gherner den dene tach* m.

5, 2 H] *sinwellen* K(V). 3 *in wil* K(HV).
XXVIII Ein Lied in obiger Folge alle Hgg.; dazu kritisch Bu 218 ff. — v. 6 fünfhebig
H, Ba, V, Br] vierhebig K, RU I, 39 f, Heu § 754. — 1, 2 und 5 *im* K(HV).
2, 4 *begebe* K(HV). 6 H, Br] *liehten* streicht K (Ba, V). 7 *ab* K(HV).

3 Ê daz du iemer ime verjehest,   178, 15 — 77 *b*, 120 C
    daz ich ime holdez herze trage,
  sô sich, daz dû alrêst besehest,
  und vernim, waz ich dir sage:
5   Mein er wol mit triuwen mich,
      swaz ime danne muge zer vröiden komen,
    daz mîn êre sî, daz sprich.

4 Spreche er, daz er welle her,   178, 22 — *121 C*, 231 E,
    – daz ichs iemer lône dir –   van Nyphen m bl. 3ᵛ
  sô bit in, daz ers verber
  die rede, dier jungest sprach zuo mir,
5   Ê daz ich in an gesehe.
      wê, wes wil er dâ mit beswaeren mich,
    daz niemer doch an mir geschehe?

5 Des er gert, daz ist der tôt   178, 29 — 76 *b*, 119 C,
    und verderbet manigen lîp;   232 E, van Nyphen
  bleich und eteswenne rôt,   m bl. 3ᵛ
    alse verwet ez diu wîp.
5   Minne heizent ez die man
      únde mohte baz unminne sîn.
    wê ime, ders alrêst began.

---

3 120] 128 C. — 1 *und* 2 *im* C. 3 *sihe* b. 4 *vernime* b. 5 *trúwe* C. 6 *im* C. 7 *daz mîn*
êre sî fehlt C. *das prich* C.

4 121] 129 C. — 1 *Sprech* E. *Spricht her her wille komen here* m. 2 *Des ik* m. *iz* E.
3 *bitte* C. *bidde en dat her vor bere* m. *verbere* E. 4 *Die fehlt* Em. *dc her* m. 5 *So*
mac (mach m*) ich in angesehen* Em. 6 *Wê*]*Wes* C. *Waz wil er da mite beswert er*
mich E. *Dorch wat wil her besweren mich* m. 7 *Daz (Des* m*) doch nimmer mac*
(mach m*) geschehen* Em.

5 119] 127 C. — 1 *taot (tac mit t über zu o ergänztem c)* E. 2 *Vñ hat vˢderbet* E.
3 *etswēne* E, *ichtes wanne* m. 4 *Also* CEm. *er* E. *diu*]*dc* m. 5 *Mīnen heizzet er* E.
die]*dc* m. 6 *Vñ* bC, *Ez* E, *Itz* m. *môhte* CE. *sîn*]*heytzen* m. 7 *So we* E. *im* CEm.

3,1 *dazd iemer* K(HV). *im* K. 2 *Deich im* K(HV). 3 *dazd a.* K(HV). 6 *im danne* HV,
danne im K.

4,3 *er* K(HV). 4 *Die fehlt* K(HV). 5 K(HV) *nach* Em. 6 *Wê fehlt* K(HV). *dâ mite*
HV, *des* K. 7 K(HV) *nach* E.

5,2 *mangen* K. 4 *Alsô* K(HV). 6 HV] *Und* K. 7 *im* K(HV).

Daz ich alsô vil dâ von
gerédetè, daz ist mir leit,
wande ich was vil ungewon
sô getâner árbéit,

5   Als ich tougenlîchen trage –
dûn sólt im niemer niht verjehen
alles, des ich dir gesage.'

178, 36 — *233 E*,
van Nyphen m bl. 3ᵛ

179, 1

1, 6 . . . daß er nie so etwas tue.
2, 4 *begeben* c. gs. ap. jdm. etw. erlassen, jdn. mit etwas verschonen.
4, 3 ff . . . so bitte ihn, daß er, ehe ich ihn sehen kann, die Worte zurücknimmt.

XXIX   Als ich werbe unde mir mîn herze stê

b: 1—6; E: 1 (vv. 6—9), 2—4, 7; p: 1, 4, 3; s: 4

1   Als ich wérbe unde mír mîn herze stê,
alsô müeze mir an vröiden noch beschehen.
mir ist vil unsanfter nu dan ê:
mîner ougen wunne lât mich nieman sehen,

5   Diu *ist* mir verboten gar.
nu verbieten alsô dar
und hüeten,
daz sie sich erwüeten!
wê, wes nement sie war?

179, 3 — *78 b*, p bl. 235ᵛ,
213 (vv. 6—9) E

6, 1 *Dat her dar zo kan saghen von* m. 2 *Gerede* E. *Dat tut myr we vñ ist myr leyt* m.
3 *Wenne* E, *Went* m. *was des vil* m. 4 *So senētliker* m. *arebeyt* m. 5 *ik nv toghēt-
liken* m. 6 *Du en* m. *iht* m. 7 *Al* m. *dir hir nv saghe* m.
XXIX. 1, 1 *Alse* p. *stê* fehlt p. 2 *an der frowē min* p. *noch* fehlt p. 3 *Mir ist húre
vnsáfter vil dan ê* p. 4 *Min o. wúnne* p. 5 *Die sind* b. 6 *vˢbietent* p. Mit *also dar*
beginnt E. Vorher fehlen 7 Blätter. *dar* fehlt p. 7 *hútent* p. 8 *Ob sú sich vˢwúte* p.
sú b. *sich*] *noch* E. 9 *nemen* E. *sú* bp. *dēne war* p.

6, 2 *Hân geredet* K(HV). 3 *Wande* K(HV). 4 *arebeit* K(HV). 6 *Dune* K(HV).
XXIX Strophenfolge wie HV, 5 als Schlußstrophe K (Nordmeyer ² 360 ff). —
1, 1 *und* K(HV). 2 *geschehen* K(HV). 5 *ist* K(HV).

2 Mich genîdet niemer saelic man   179, 12 — 79 b, 214 E
    umbe die liebe, die si an mir erzöuget hât.
  vröid noch trôst ich nie von ir gewan
    wan sô vil, daz mir der muot des hôhe stât,
5   Daz ich sis ie getorste biten,
      ein wîp mit alsô reinen siten.
       mir waere
       lîp und guot unmaere,
      het ich sî vermiten.

3 Ich waene ieman lebe, er habe ein leit,   179, 21 — 215 E,
    daz im vor allem leide in sîn herze gât.   80 b, p bl. 235ᵛ
  wes verküre ich denne ein arbeit,
    diu mir liebet und doch lobelîche stât?
5   Die versprich ich niemer tac.
      ich muoz leben, als ich pflac.
       dar under
       hât noch got ein wunder,
      daz si mír wol werden mac.

2, 2 *Durch* E. *erzôget* b, *erzeiget* E. 3 *Fraude ich selten ie von* E. 4 *Wenne so vil ob des min hˢtze hohe* E. 5 *sis*] *ir* E. 6 fehlt E. 9 *het iz v.* E.

3, 1 *wene daz nieman* p. *ern* p. *hab* b. 2 *Daz ime vor alleme l. zů herzen gat* p. *Das vor a. l. im an sin* b. 3 *verkůse* E. *Owe warvmbe versprach ich tvmber arebait* b, *War vmbe verspreche ich dâne arbeit* p. 4 *lobelichen* b. *vñ mir hôfelich an stat* p. 6 *pflac*] *mag* bp. 7 *Was darvmbe* b, *Doch dar vnder* p. 8 ¶ *Tůt got liht ain w.* b, *Het got ein w.* p. 9 *si* fehlt p. *wol*] *noch* p, fehlt b.

2, 2 *Durch* K(HV). *die si*] *dies* K(HV). *erzeiget* K(HV). 3 P 544] *Trôst noch vröide* K(HV). 5 *Daz ichs ie* K(HV).

3, 1 *ern* K(HV). 2 K(HV) nach b. 3 *Wê war umbe verspraece ich arebeit* K(HV). 4 *lobelîchen* K(HV). 8 f K(HV) nach b.

Mir ist lieber, daz si mich verber,
   und alsô daz sî mir doch genaedic sî,
danne si mich und jenen und disen gewer;
   seht, sô wurde ich niemer mê vor leide vrî.
5   Nieman sol des gerende sîn,
      daz er spreche "mîn und dîn
         gemeine".
      ich wil ez haben eine.
     schade und vrome sî mîn.

179, 30 — *81 b*, 216 E,
p bl. 235ᵛ, s bl. 20ᵛ

5 Ich was mînes muotes ie sô hêr,
    daz ich in gedanken dicke schône lac.
  daz wart mir, und wart ouch mir niht mêr.
    swer daz âne rede niht gelâzen mac,
5   Der tuot übel und sündet sich.
     nîdet er mich, waz ruoch ich?
       er guote,
       sô lebe *er* in hôhen muote!
     swer nu wérbe, der mínne als ích.

180, 1 — *82 b*

6 Ich bin als ein wilder valk erzogen,
    der durch sînen wilden muot als hôhe gert.
  der ist alsô hôh über mich gevlogen
    unde muotet, des er kûme wirt gewert,
5   Und vliuget alsô von mir hin
     und dienet ûf ungewin.
      ich tumber,
      lîde ich senden kumber,
     des ich gar schuldic bin?

180, 10 — *83 b*

4, 1 *ist vil lieuˢ* s. *daz ich ir enper (empᵉre* s) Es, *daz sú min enber* p. 2 *Vnd zi doch mich g. zi* s. *doch* fehlt E. 3 *Dan* s. *Ob sú mich gen vñ disen vñ den* g. p. *und disen* fehlt Es. *gewere* s. 4 *So wúrde ich von sorgen nimmˢ fri* E, *So en wurde ich niemˢ tag võ sorgen fri* p, *Sone word ich nēmer sorgē vry* s. 5 *darf des gernde si* E. *gernde* p. 8 *wilz aller seine* E, *wil sú* h. *alleine* p, *wil alleyne* s. 9 *frumme* Ep. *der si* Es.

5, 7 *In.* 8 *ich in* h.

4, 3 *Dan* K(HV). 8 *wilz* K(HV).

5, 7—9 *Er guote | lebe in hôhem muote, | swer nu werbe (minne* HV) *als ich.* K(HV).

6, 3 *alsô]als* K(V). 6 Wisniewski, Festschr. Horacek 1974, 359] *Unde erdienet* K, *Unde dient ûf* HV. 8 *ich* streicht K(HV). 9 *bin.* K(HV).

7 Jô engienc ir nie, daz ich gesprach   *180, 19 — 217 E*
      sô nâhen, daz ez waere ihtes wert.
   sol mich daz verjagen, daz ich si sach
      und ich ouch ihtes dar under hân gegert,
5   Daz ich solte hân verswigen?
      ôwê, wie ist daz gedigen
      unschône!
      nâch sô kleime lône
      hân ich sélten noch genigen.

1, 1 *werben* sich benehmen. 8 *sich erwüeten* zornig werden.
2, 2 *erzöugen* = *erzeigen.* 8 *unmaere* verhaßt.
3, 3 *verkiesen* aufgeben, verzichten auf. 5 *versprechen* hier: zurückweisen, ablehnen
   9 *wol* hier: vielleicht.
4, 1 *verbern* (ver)meiden. 2 und zwar so, daß ... 3 *gewern* erhören, gewähren.
   9 *vrome* Nutzen, Vorteil.
5, 6 ... was kümmert es mich?
6, 4 *muoten* begehren, verlangen.
7, 6 *gedîhen* gedeihen, geraten. 9 *nîgen nâch* hier: bedanken für.

XXX Durch daz ich vröide hie bevor ie gerne pflac

1 Durch daz ich vröide hie bevor ie gerne pflac,   *180, 28 — 122 C*
      sô wundert die liute allz mîns trûrens sêre.
   dem ist nu sô, daz ich baz niene mac.
   kaeme aber iemer mir ein lebender tac,
5   ich kan noch, daz ich ie kunde oder mêre.
      des geswîgte ich durch die gotes êre,
      der mir saelden hât gegeben sô vil,
      ich gouch, als ich des niht erkennen wil!

XXX. 1 122] 130 C. — 2 *als.*

7, 2 *Alsô* K(HV). 4 *ouch dar under ihtes* K(HV). 9 *Hân ich nie genigen* K(HV).
XXX Unecht Bu 220, Becker 184, K, RU I, 74; Lied Rugges Scherer ZfdA. 17, 574,
   Schmidt 55 f; echt Lehfeld Beitr. 2, 376, Plenio 90 f, P 493, V Anm. 423 f, Colle-
   ville, Les Chansons allemands des Croisade en moyen haut-Allemand 1936, 57 ff,
   Mau 50 ff. — v. 3 sechshebig K (HV, He § 792), fünfhebig P 544 (auch v. 1),
   Mau 51. — 1, 2 *Sô* tilgt K(HV). *allez* Colleville ebd. 56, *al mînes* K(HV). 3 *sô*
   P, Mau] *alsô* K(HV). 6 *geswîge* K(HV).

Hiure ist vröide manigem man harte unwert: 180, 36 — *123 C*
   daz ist iedoch entriuwen âne schulde.
wir solten hiure sîn vrôr danne vert.
jô mac ein man erwerben, des er gert,
5   lop und êre und dóch dar zuo gótes hulde.   181, 1
   got helfe im, swer daz mit sorgen dulde.
     jâ enwirt ein dienest niemer guot,
     den man sô rehte trûreclîche tuot.

Meniger swǘerè wol, der nu hie bestât,   181, 5 — *124 C*
   er hete állen sînen willen mit den wîben.
gelóube er mir, dáz ez sô lîhte niht ergât,
wil er die, diu sinne und êre hât,
5   von den beiden alsô lîhte vertrîben.
   ir dekeiner darf ûf den trôst belîben.
     weiz got, guotes wîbes vingerlîn
     daz sol niht sanfte nû zerwerbenne sîn.

1, 2 *allz* < *allez* immer.
2, 1 *hiure* in diesem Jahr, jetzt. 2 *entriuwen* wahrlich. 3 *vert* früher, im letzten Jahr.
3, 1 *bestân* bleiben. 6 *ûf den trôst* auf diese Hoffnung, Zuversicht hin. 7 *vingerlîn* Ring.

2 123] 131 C. — 8 *dem*.
3 124] 132 C. — 1 *sw^ere*. 3 *zergat*. 8 *senfte*.

2, 1 *mangem* K. *manne* K(HV). 3 P] *hiur sîn frôer* Mau 51, *hiure wesen frôer* K(HV). 5 *doch* tilgt K(HV). 8 *den* K(HV).
3, 1 *Manger* K. *swüere des wol* K(HV). 2 *al* K(HV). 3 *ergât* K(HV). 6 *dekein* K(HV). 8 *zerwerben* K(HV).

XXXI   Des tages dô ich daz kriuze nam

1   Des tages dô ich daz kriuze nam,   181, 13 — *125 C*
　　dô huote ich der gedank*e* mîn,
　　als ez dem zeichen wol gezam
　　und als ein rehter bilgerîn.
5　　　Dô wânde ich sie ze gote alsô bestaeten,
　　　daz si íemer vuoz ûz sîme dienste mêr getraeten.
　　　　nu wellent si aber ir willen hân
　　　　und ledeclîche varn als ê.
　　　　　diu sorge diu ist mîn eines niet,
10　　　　si tuot ouch mêre liuten wê.

2   Noch vüere ich aller dinge wol,   181, 23 — *126 C*
　　wan daz gedanke wellent toben.
　　dem gote dem ich dâ dienen sol,
　　den enhélfent sî mir niht sô loben,
5　　　Als ichs bedörfte und ez mîn saelde waere.
　　　si wellent noch allez wider an diu alten maere
　　　　und waen*ent*, daz ich noch vröide pflege,
　　　　als ich ir eteswenne pflac.
　　　　　daz wende, muoter unde maget,
10　　　　sît ichs in niht verbieten mac!

XXXI. 1 125] 133 C. — 2 *gedankē*.
2 126] 134 C. — 3 *Dē gote dē*. 7 *Vñ wen*.

XXXI Unecht (= Rugge) Schmidt 57 f, K, RU I, 75; zweifelhaft Schneider 73; ech*
H, Bu, Plenio 90, V, K, MFU 382 ff, Br, Mau 54; mit ausführlicher Interpretation
Dittrich, Festschr. Wolff 1962, 241—264. — 1—4 ein Lied K, Br, Mau 54 f; 4 ab-
zutrennen H (vgl. V Anm.). — 1, 2 *gedanke* K(HV). 6 *Dazs* K(HV). 7 *wellent*s
K(HV). 9 *diust* K(HV). HV] *niht* K.
2, 6 *noch* tilgt K(HV). 7 *wellent deich* K(HV).

Gedanken nu wil ich niemer gar   181, 33 — *127 C*
  verbieten – dês ir eigen lant –,
in erlóube in eteswenne dar
  und aber wider sâ zehant.
5   Sô si únser beider vriunde dort gegrüezen,
      sô kêren dan und helfen mir die sünde büezen,
        und sî in allez daz vergeben,
          swaz sî mir haben her getân.   182, 1
            doch vürhte ich ir betrogenheit,
10   daz sî mich dicke noch bestân.

Sô wol dir, vröide, und wol im sî,   182, 4 — *128 C*
  der dîn ein teil gewinnen mac.
swie gar ich dîn sî worden vrî,
  doch sach ich eteswenne den tac,
5   Daz dû über naht in mîner pflege waere.
      des hân ich aber vergezzen nû mit maniger swaere.
        die stîge sint mir abe getreten,
          die mich dâ leiten hin an dich.
            mirn hulfe niemen wider ze wege,
10   *ern hete mînen dienest und ouch mich.

, 5 *bestaeten ze* beständig richten auf. 8 *ledeclîche* frei.
, 1 f Es ginge mir in allem gut, außer daß ... 2 *toben* herumschweifen.
, 2 *dês=daz ist.* 10 *bestân* überfallen.
, 7 die Wege sind für mich nicht mehr gangbar.

XXXII   Hôh alsam diu sunne stêt daz herze mîn

Hôh alsam diu sunne stêt daz herze mîn.   182, 14 — *129 C*
  daz kumt von einer vrowen, diu kan staete sîn.
    ir genâde, swâ si sî,
    si machet mich vor allem leide vrî.

127] 135 C.
128] 136 C.
XXXII. 1 129] 137 C.

, 1 *nu* tilgt K(HV). 5 *Sôs* K(HV).
, 5 *Dazd* K(HV). 6 *manger* K. 10 *mîn* d. K(HV).
XXXII Echt H, Ba, P 510 f, Regel Germania 19, 172 f, Mau 57 ff; unecht (= Rugge)
  Schmidt 58 f, Bu 220 f, Becker 199, Plenio 90, K, Nordmeyer [1] 681.

2 Ich hân ir niht ze gebenne wan mîn selbes lîp;   182, 18 — *130 C*
    derst ir eigen. dicke mir diu schoene gît
       vröide und einen hôhen muot,
       swanne ich daran gedenke, wie si mir tuot.

3 Wol mich des, daz ich si ie sô staete vant!   182, 22 — *131 C*
    swâ si wonet, diu eine liebet mir daz lant.
       vüer si über den wilden sê,
       dar vüer ich hin: mir ist nâch ir sô wê.

4 Het ich tûsent manne sin, daz waere wol,   182, 26 — *132 C*
    daz ich sî behielte, der ich dienen sol.
       schône und wol si daz bewar,
       daz mir von ir niht leides widervar.

5 Ich enwart nie rehte saelic wan von ir.   182, 30 — *133 C*
    swes ich ir gewünschen kan, des gan si mir.
       saeleclîch ez mir ergie,
       dô diu schóene mich in ir genâde vie.

3, 3 *sê* Meer.

---

2 130] 138 C. — 2 *schone.*
3 131] 139 C.
4 132] 140 C.
5 133] 141 C. — 4 *schone.*

2, 4 *wies* K(HV).
3, 3 *füeres* K(HV).
5, 4 *Dô mich diu schoene* K(HV).

XXXIII   West ich, wâ man vröide enpflaege

: 1, 3, 4, 5, 6, 2; E: 1 (vv. 1—4) +2 (vv. 5, 6), 2 (vv. 1—4) +1 (vv. 5, 6);
ˣ: 1 (vv. 1—4) +2 (vv. 5, 6), 2 (vv. 1—4) +1 (vv. 5, 6), 3, Strophenfragment

West ich, wâ man vröide enpflaege,
   dar wolte ich – ine mac niht sus geleben –,
daz mir trûren gar gelaege:
   dem wolt ich vil schiere ein ende geben.
5   Sol mîn vröide alsô zergân,
   sone gébe ich niht dar umbe, swaz ich her gelebet hân.

182, 34 — 134 C,
269 (vv. 1—4) u.
270 (vv. 5, 6) E,
18 (vv. 1—4) u.
19 (vv. 5, 6) Gˣ

Wil aber ieman guoter lachen,
   der sô wunneclîchen sî gemuot,
der uns kunde vrô gemachen,
   dem vergultez got und waere guot.
5   Ê daz ich die lenge alsô
   mit sorgen lebt, ich sturbe gerner, danne ich waere unvrô.

183, 3 — 139 C,
270 (vv. 1—4) u.
269 (vv. 5, 6) E,
19 (vv. 1—4) u.
18 (vv. 5, 6) Gˣ

183, 1

       *   *

Nieman vrâge mir ze leide,
   wes mîn tumbez herze vröuwe sich.
wil er, daz ichz ime bescheide
   schône und minneclîche, daz tuon ich.
5   Mir ist liebes niht geschên.
   ich dinge aber, ob ich ez verdiene, ez müge mir wol ergên.

183, 9 — 135 C,
20 Gˣ

XXXIII. 1 134] 142 C. — 1 *Vest* C. *frauden pflege* EGˣ. 2 *Dar fůr ich* E, *Da fver
ich hin* Gˣ. *ichn mac sus niht* E, *ich mach hie nicht* Gˣ. *gelebn* Gˣ. 3 *min trurn do* E,
mein travrē da Gˣ. 4 *wôlte* E. *vil schiere* fehlt E. *schier* Gˣ. *gebn* Gˣ. 5 f Die Ab-
gesangsvv. dieser und der folgenden Str. (139 C, 270 E, 19 Gˣ) sind in E und Gˣ
gegenüber C vertauscht. 5 *vreud* Gˣ. *alsô*] *nu* E. 6 *Son gib (geb* Gˣ) EGˣ. *niht*
fehlt E. *vmb* Gˣ. *gelebt* Gˣ.

139] 147 C. — 1 *iem* Gˣ. 2 *wůnneclich* E, *wunēchleich* Gˣ. *sei* Gˣ. 3 *uns*] *mich* E.
kônde E. 4 *vergultz* E. 5 f s. Str. 1. 5 *leng* Gˣ. 6 *lebte* EGˣ. *stůrbe e denne* E, *stvrbe
e gerner dan* Gˣ. *wer* Gˣ.

135] 143 C. — 1 *vrâge*] *spreche* Gˣ. 2 *mein* Gˣ. *hertz* Gˣ. *vrewe* Gˣ. 3 *ich in* Gˣ.
4 *Schon* Gˣ. *wnnenchleichen* d. *tven* Gˣ. 5 *liebe* n. ¶ *getan* Gˣ. 6 *So gedench aber ich
ob ichz gediene. ez mvg mir wol* ¶ *ergan* Gˣ.

XXXIII Zur Einheit des Tones und zur Strophenfolge vgl. Anm. — 1, 1 *fröiden
pflaege* K(HV). 2 ¶ *Da füer ich (in mac sus niht geleben)* K(HV). 3 ¶ *mîn trûren
dâ* K(HV). 5 f ¶ K(HV) bringen hier wie EGˣ den Abgesang der folgenden Strophe
2, die obigen Verse dagegen dort. 6 *Son gibe* K(HV).

, 1 *ab* K(HV). 5 f s. Str. 1. 6 HV] *st. ê gerner* K.

, 3 *im* K. 5 *liebe* n. *getân* K. 6 *So gedinge ich* K. *ab* HV. *ergân* K.

4 Ich was ie vil ringes muotes,   183, 15 — *136 C*
    unz ich eines wîbes rede vernam.
  sî gehiez mir vil des guotes,
    daz ich valschen dingen waere gram.
5   Nu waenet sî mich hân betrogen.
    nu lône ir got: ich bin von ir genâden wol gezogen.

5 Die ich sô herzeclîchen meine,   183, 21 — *137 C*
    diu ist an güete ein ûzerwelter lîp.
  sî ist ez, diu süeze reine,
    diu mich troesten mac vür elliu wîp.
5   Wâ vunde ich, diu mir sô wol
    geviele an allen dingen? niemer ich si vinden sol.

6 Wir suln alle vrouwen êren   183, 27 — *138 C*
    umb ir güete und iemer sprechen wol
  und ir vröide ger*ne* mêren:
    nieman êrte sî ze rehte ie vol.
5   Elliu vröide uns von in kumt,
    und al der werlte hort uns ân ir trôst ze nihte frumt.

1, 3 *geligen* aufhören, zum Erliegen kommen.
6, 6 *hort* Schatz, Reichtum.

In G^x findet sich nach **3** der Anfang der folgenden Strophe, mit der das Blatt
endet:

    Sold ich niht nâch êren ringen?   183, 32^a — *21 G^x*
      ungevüeger man gewinnet heil.
    mir mach noch vil wol gelingen,
      daz ich saelde ⟨...⟩.

---

4 136] 144 C.
5 137] 145 C.
6 138] 146 C. — 3 ger (Zeilenende) *meren.*

5, 1 *Diech* K(HV). 2 *Diust* K(HV).
6, 3 *gerne* K(HV).
Strophenfragment: 2 *Ein gevüeger* K.

XXXIV a   Ich sach vil wunneclîchen stân

A: 1, 4, 3; C: 2, 1, 3, 4, 5

Ich sach vil wunneclîchen stân
  die heide mit den bluomen rôt.
der vîol der ist wol getân:
  des hât diu nahtegal ir nôt
5   Wol überwunden, diu si twanc.
  zergangen ist der winter lanc.
  ich hôrte ir sanc.

Dô ich daz grüene loup ersach,
  dô liez ich vil der swaere mîn.
von einem wîbe mir geschach,
  daz ich muoz iemer mêre sîn
5   Vil wunneclîchen wol gemuot.
  ez sol mich allez dunken guot,
  swaz sî mir tuot.

Si schiet von sorgen mînen lîp,
  daz ich dekeine swaere hân.
wan âne sî, vier tûsent wîp
  dien hetens alle niht getân.
5   Ir güete wendet mîniu leit.
  ich hân si mir ze vriunde bereit,
  swaz ieman seit.

(margin notes:)
183, 33 — *141 C,*
Niune 58 A

184, 1

184, 3 — *140 C*

184, 10 — *142 C,*
Niune 60 A

XXXIV a. 1 141] 149 C. A s. S. 358.

2 140] 148 C.

3 142] 150 C. A s. S. 359.

XXXIV a Echt H, P 503, Ba, Plenio 90, V, Mau 146; unecht Schmidt 59 f, Bu 221, K,
  Nordmeyer [1] 681 f, Halbach ZfdA. 65, 174.

3, 6 H] *ze friunt* K(V).

4 Mir enmac niht leides widerstân: 184, 17 — *143 C,*
       des wil ich gar ân angest sîn.   Niune 59 A
       ergât ez, als ich willen hân,
       ich lege si an den árm mín.
  5   Daz mir der schoenen wurde ein teil,
           daz dûhte mich ein michel heil,
           und waere ouch geil.

5 Daz ich ir sô holdez herze trage,   184, 24 — *144 C*
       daz ist in sumelîchen leit.
       dar umbe ich niemer sô verzage,
       si verliesent alle ir arbeit.
  5   Waz hilfet sî ir arger list?
           sine wízzen, wíe ez ergángen ist
           in kurzer vrist.

4, 1 Ich überwinde jedes Leid. 7 *geil* fröhlich.
5, 2 *in sumelîchen* manchen von ihnen. 5 *arger list* böse Machenschaften.

XXXIV b

1 Ich sach vil wunneclîche stân   183, 33 — *Niune*
       die heide und al die bluomen rôt.   *58 A,* 141 C
       der viôl was sô wol getân:
       des hât diu nahtegal ir nôt.
  5   Wol überwunden, d*iu* si twanc.
           zergangen ist der winter lanc.   184, 1
           ich hôrt ir sanc.

---

4 143] 151 C. A s. S. 359 — 4 *arn* C. 5 *schonē* C.
5 144] 152 C.
XXXIV b. 1 C s. S. 357. — 5 *vb^swunden dc* A.

4, 1 *Mirn mac* K(HV). 3 *Ergienge ez* K(HV). 4 *Sô laeges an dem arme mîn* (= A
K(HV).
5, 1 *Deich* K(HV). 4 *Si vliesent alle ir arebeit* K(HV). 6 *Sin wizzen wiez* K(HV).

Mir enmac niht missegân:
  des wil ich gar ân angest sîn.
kaeme ez, als ich willen hân,
  sô laege ez an dem arme mîn.
5   Sô erwurb ich sô der schoenen teil;
    daz waere mir ein michel heil,
    und wurd ich geil.

184, 17 — *Niune*
59 A, 143 C

† Ich bin staeter vröiden rîche;
  von ir schulden ich daz hân.
niemer wil ich ir geswîchen,
  ine welle ir wesen undertân. †
5   Diu guote wéndèt mîn leit.
    ich hân si mir ze vriunt bereit,
    sô sî mir seit.

184, 10 — *Niune*
60 A, 142 C

3, 3 f Niemals will ich sie verlassen, so daß (indem) ich ihr nicht (mehr) untertan sein
will. 7 wie sie mir beteuert.
2, 4 *ez = wîp.*

XXXV Ich hân hundert tûsent herze erlôst

C: 1, 2, 4, 5, 3; G^x: 4, 5, 2, 3 (vv. 1—3)

1 Ich hân hundert tûsent herze erlôst
  von sorgen, alse vrô was ich.
wê, jâ was ich al der werlte trôst;
  wie zaeme ir daz, sin trôste ouch mich?
5   Sî ensol mich niht engelten lân,
    daz ich sô lange von ir was,
    dar zuo daz ichs engolten hân.

184, 31 — *145 C*

---

2 C s. S. 358. — 3 *Kame* A. 5 *schonen* A.
3 C s. S. 357.
XXXV. 1 145] 153 C. — 6 *vor.*

XXXV Echt H, Ba, P 503 f, Plenio 91, V, Mau 64 ff; zweifelnd Bu 221; unecht
(= Rugge) Schmidt 60 f, K, Nordmeyer [1] 654 ff. — 1—5 ein Lied K, Mau 64 f; ein
Lied 1, 2, 4, 5 sowie 3 als Sonderstr. HV. — 1, 6 *von* K(HV).

2 Ich wil bî den wolgemuoten sîn,   184, 38 — *146 C,*
    wan ist unvrô, da ich ê dâ was,   11 G^x
  dâ entroestent kleiniu vogellîn,   185, 1
    da entróestent bluomen unde gras;
5   Dá sínt als jaemerlîchiu jâr,
      daz ich mich under den ougen rampf
    und sprach: "nu gênt ûz, grâwe hâr."

3 Áls réhte *u*nvrô enwart ich nie.   185, 20 — *149 C,*
    daz solt eht sîn; nu ist ez geschehen.   12 (vv. 1—3) G^x
  mich bekennent noch die liute hie,
    die mich anders hânt gesehen.
5   Alse vröidenrîche was ich dô,
      daz ich mich vröite und vröide gap.
    wie tuot man wider mich nu sô?

4 Kume ich wider an mîne vröide als ê,   185, 6 — *147 C,* 9 G^x
    daz ist den senden allen guot.
  nieman ist von sorgen alse wê,
    wil er, ich mache in wolgemuot.
5   Ist aber er an vröiden sô verzaget,
      daz er enkeiner buoze gert,
    sô enrúoche ich, ob er iemer klaget.

---

2 146] 154 C. — 1 *mit d. hohgemveten sein* G^x. 2 *Man . . . e was* G^x. 3 *entrostent*
chlaine vogelein G^x. 4 *en trosten blvemen. loup. vñ ouch daz g.* G^x. 5 *Also iaemer-*
leich sint da di iar G^x. 7 *get* G^x.
3 149] 157 C. — 1 *vnrehte vro* C, *vnlange vro wart* G^x. 2 *sold geschehn* G^x. *ez ge-*
schehn G^x. 3 *bechennē doch* (Ende des Blattes) G^x.
4 147] 155 C. — 1 *Chvm* G^x. *mein* G^x. 3 *also* G^x. 4 *mach* G^x. 5 *ab* G^x. *verzagt* G^x.
6 *dihainer bvez* G^x. 7 *Ian rvech ich . . . chlagt* G^x.

2, 1 HV] *hôhgemuoten* K. 2 H] *Man* K(V). 5 *alse* K(HV). 6 *undern o.* K(HV). 7 H]
gât K(V).
3, 1 *Alse* K(HV). *rehte unvrô* HV] *lange unvrô* K. 2 *nust ez* K(HV).
4, 5 *ab* K(HV).

Hoeret, waz ich zuo der buoze tuo,   185, 13 — *148* C, 10 Gˣ
daz ich mit zouber niht envar.
minneclîchiu wort stôze ich dar zuo,
den besten willen strîche ich dar.
5   Tanzen unde singen muoz ich haben;
daz vünfte ist wunneclîcher trôst:
sus kan ich senden siechen laben.

2, 6 . . ., daß ich mein Gesicht in Falten legte.
4, 6 *buoze* Abhilfe. 7 *ruochen* sich kümmern um.
5, 2 *mit zouber varn* Zauberei treiben. 3 *stôzen* hier: (wie bei einer Arznei) als
Zutat daruntermischen. 4 *strîchen* hier: (eine Salbe) streichend auftragen, hinzu-
fügen. 7 *senden siechen* einen vor Liebessehnsucht Kranken.

XXXVI a   Ez ist lanc, daz mir diu ougen mîn

A: 3, 4, 1 (vv. 1—4) +5 (vv. 5, 6), 2;   C: 1—5;   M: 3;   x: 3, 4, 1, 2, 5

1   Ez ist lanc, daz mir diu ougen mîn   186, 1 — *150* C,
ze vröiden nie gestuonden wol.   Gedrut 27 A (vv. 1—4),
swanne ich mîne klage nu lâze sîn   x bl. 56ᵛ
und ich mich des an ir erhol,
5   Des ich mich her gesûmet hân,
sô bin ich alt und hât ein wîp vil übel an mir getân.

2   Sô si nû vil gerne erwenden wil   186, 7 — *151* C,
ein leit, daz mir von ir geschiht,   Gedrut 28 A, x bl. 56ᵛ
sôst mir wîp unmaer und anderz spil,
wan ich entouc vor alter niht.
5   Owê, waz wil si danne mîn?
jâ möhte ich ir gedienen, lieze eht sis ein ende sîn.

---

5 148] 156 C. — 1 *Horet* Gˣ. 3 *minnenchleichev* Gˣ. *stôze*] *sprich* Gˣ. 4 *streich* Gˣ.
5 *Lachen* Gˣ. 5 : 7 *habn* : *labn* Gˣ. 6 *Daz fvmft . . . minnĕchleicher* Gˣ. 7 *So* Gˣ.
XXXVI a. 1 150] 158 C. A s. S. 363. — 1 *Hes ist* x. 2 *nie*]*ye* x. 3 *Zen ich nv mijn*
truren lazen zijn x. 4 *mir rechte des yrhol* x. 5 *Das ich mir nv verzůmet* x. 6 *an*
fehlt x.
2 151] 159 C. A s. S. 363. — 1 *Zen si dan* x. 2 *Das leyt wels* x. 3 *Zo ist* x. *anders* C.
4 *Zo ne doech ich van alder n.* x. 6 *Nv můht* x. *dienen lietz zijs* x.

XXXVI a Für Echtheit Bu 221 f, V, Plenio 91, Mau 149; dagegen Schmidt 61 f (Ver-
fasser sei Rugge), K, Haupt 68; teilweise unecht Nordmeyer [1] 664 ff (dazu K,
Walther-Untersuchungen 1935, 290 ff). — ¶ Anordnung nach (A)x K(LV). —
1, 3 V] *Swenne ab ich mîn klagen* (= A) K(L).
2,1 *siz . . . wenden* (= A) K(LV). 2 *Diz* (= A) K(LV). 3 *ander* (= Ax) K(LV). 4 *So*
entoug ich ir (= A) K(LV). 6 *Nu* (= Ax) K(LV).

3 Solt aber ich mit sorgen iemer leben,   185, 27 — *152 C*, Gedrut
　　swanne ander liute waeren vrô?   25 A, M bl. 67ʳ, x bl. 56ʳ
　　guoten trôst wil ich mir selben geben
　　und mîn gemüete tragen hô,
5　　Als von rehte ein saelic man.
　　si sagent mir, als ich trûre, ez stê mir jaemerlîchen an.

4 Sît si jehent, wie wol mir vröide zeme,   185, 33 — *153 C*, Gedrut
　　sô volge ich in, sô ich beste mac,   26 A, x bl. 56ʳ/ᵛ
　　und waene nieman lebe, der mir beneme
　　ein trûren, daz nu menigen tac
5　　Mir in dem herzen lît begraben.
　　gewinne ich iemer des ein ende, ich wil mich wol gehaben.

*　　*

5 É sî der werlte erzeige an mir,   186, 13 — *154 C*, Gedrut
　　wie staete si ist, sô enlebe ich niht.   27 A (vv. 5, 6), x bl. 56ᵛ
　　ouch geschiht ein wunder lîhte an ir,
　　daz man sî danne ungerne siht.
5　　Sô mac sî von schulden klagen,
　　daz si éime sô getriuwen man ie mohte ir hulde versagen.

1, 4 *erholn*   nachholen.

3 152] 160 C. A s. S. 363. — 1 *Solde* M, *Sulde* x. *auer* M. *iemer* fehlt x. 2 *Zwan alle*
die lude x. 3 *selbeme* M. *geben* fehlt x. 4 *Unde mine* x. 5 *Also* M. *Alzo recht* x
6 *S. s. m. alle trûren stâ mir* M, *Zi ghent mir alle truren ste* x.

4 153] 161 C. A s. S. 363. — 1 *Zint zi ghent* x. *vreude en tsenne* x. 2 *in*]*yr* x. *best*
nach x. 3 *Ich wane* x. *der*]*die* x. 4 *Ein* fehlt x. 5 *An mijn hertz* x. 6 *ich zil mir tzi*
bas behauen x.

5 154] 162 C. A s. S. 363. — 1 *werelt nv* x. 2 *zo ne leue* x. 3 *Ouch ghescwût* x.
4 *danne* fehlt x. 5 *Zo moys si vyl dicke daghen* x. 6 *eynē zo gûeten man kûnde ye*
yr lijf vûrzaghen x.

3, 1 *Solde ab* K(LV). 2 *Swenn* K(LV). 6 *mir alle, trûren stê* (= Ax) K(LV).
4, 2 *Sô wil ich tuon sô* (= A) K(V). 3 *Ich waen iemen* (= A) K(LV). 5 *In mînem*
herzen lît (= A) K(LV).
5, 1 *É daz si* K(LV). 5 *Sô muoz si vil dicke klagen* (= Ax) K(LV). 6 *Dazs eime alsô*
gevüegen man ir lîp moht ie versagen (A) K(LV).

XXXVI b   Sold aber ich mit sorgen iemer leben

A: 1—4; C: 3 (vv. 1—4) [+XXXVI a. 5 (vv. 5+6)], 4, 1, 2; M: 1; x: 1—4

1   Sold aber ich mit sorgen iemer leben
    swenne ander liute waeren vrô?
  guoten trôst wil ich mir selbem geben
  und mîn gemuote tragen hô,
5   Alse von rehte ein saelic [ ] man.
    si sagent mir alle, trûren stê mir jaemerlîchen an.

185, 27 — Gedrut
25 A, 152 C, M bl. 67ʳ,
x bl. 56ʳ

2   Sît si jehent, wie wol mir vreude zeme
    sô wil ich túon, sô ich béste mac.
  ich waene, iemen lebe, der mir beneme
  ein trûren, daz nu menegen tac
5   In mînem herzen lît begraben.
    gewinne ich iemer des ein ende, ich wil mich wol gehaben.

185, 33 — Gedrut 26 A,
153 C, x bl. 56ʳ/ᵛ

3   Ez ist nu lanc, daz mir diu ougen mîn
    ze vrouweden nie gestuonden wol.
  swenn aber ich mîn klagen nu lâze sîn
  unde ich mich des an ir erhol,
5   Sô muoz sî vil dicke klagen,
    daz si éime alsô gevuogen man ir lîp moht ie versagen.

186, 1 — Gedrut 27 A,
150 (vv. 1—4) u.
154 (vv. 5, 6) C,
x bl. 56ᵛ

4   Sô siz nû vil gerne wenden wil,
    diz leit, daz mir von ir geschiht,
  sô ist mir lîp unmaere und ander spil;
  sô entouge ich ir vor alter niht.
5   Owê, wáz wil sî aber dánne mîn?
    nu moht ich ir gedienen wól, lieze eht sîz ein ende sîn.

186, 7 — Gedrut 28 A,
151 C, x bl. 56ᵛ

3, 2 *vrouwede* = Nf. zu *vröide.*

XXXVI b. 1 CMx s. S. 362. — 5 *selic wip man* A.

2 Cx s. S. 362. — 1 *zem* A.

3 Cx s. S. 361 u. 362. — 2 *gestvnden* A. 3 *Swen* A.

4 Cx s. S. 361.

XXXVII   Ungenâde und swaz ie danne sorge was

C: 1, 3, 2, 4, 5

1   'Ungenâde und swaz ie danne sorge was,   186, 19 — *155 C*
    der ist nu mêre an mir,
      danne ez got verhengen solde.
  rât ein wîp, diu ê von senender nôt genas,
5   mîn leit, und waer ez ir,
      waz si danne sprechen wolde.
        Der mir ist von herzen holt,
          den verspriche ich sêre,
            niht durch ungevüegen haz,
10   wan durch mînes lîbes êre.

2   In bin niht an disen tac sô her bekomen,   186, 29 — *157 C*
    mir ensî gewesen bî
      underwîlent hôchgemüete.
  guotes mannes rede habe ich vil vernomen;
5   der werke bin ich vrî,
      sô mich iemer got behüete.
        Dô ich im die rede verbôt,
          dône bat er niht mêre.
            disen lieben guoten man,
10   enweiz ich, wie ich von mir bekêre.

3   Als ich eteswenne in mîme zorne sprach,   187, 1 — *156 C*
    daz er die rede vermite
      iemer dur sîn selbes güete,
  sô hât er, daz ichz an manne nie gesach,
5   sô jaemerlîche site,
      daz ez mích zwâre müete,
        Und iedoch sô sêre niet,
          daz ers iht genieze.
    mir ist lieber, daz er bite,
10   danne ob er sîn sprechen lieze.

XXXVII. 1 155] 163 C.
2 in der Hs. nach 3, aber diese Ordnung ist dort durch *a*, *b*, *c* berichtigt. 157] 164 C.
— 3 *hohgemůte.*
3 156] 164 C.

XXXVII. 2, 2 *Mirn sî* K(HV). 8 HV] *Dón* K. 10 *wiech* K(HV).
3, 6 *zewâre* K(HV). 7 HV] ¶ *niht* K.

4 Mir ist beide liep und herzeclîchen leit,   187, 11 — *158 C*
    daz er mich ie gesach
      oder ich in sô wol erkenne,
  sît daz er verliesen muoz sîn arebeit,
5   sô wol als er mir sprach.
      daz müet mich doch eteswenne,
     Und iedoch dar umbe niht,
      daz ich welle minnen.
        minne ist ein sô swaerez spil,
10   daz ichs niemer tar beginnen.

5 *A*lle, die ich ie vernam und hân gesehen,   187, 21 — *159 C*
    der keiner sprach sô wol
      noch von wîben nie sô nâhen.
  waz wil ich des lobes? got lâze im wol geschehen.
5   sîn spaehe rede in sol
      lützel wider mich vervâhen.
      Ich muoz hoeren, swaz er saget.
        wê, waz schât daz ieman,
        sît er ni*h*t erwerben kan
10   weder mich noch anders nieman?‘

1, 5 wenn sie mein Leid hätte. 8 *versprechen*   eine Absage erteilen.
2, 1 *bekomen* gekommen. 10 . . . wie ich (ihn) dazu bringe, von mir abzulassen.
3, 2 *vermîden* unterlassen.
5, 5 *spaehe* klug, kunstvoll. 6 *vervâhen* nützen.

---

4 158] 165 C.

5 159] 166 C. — 1 Initiale fehlt. Dies und schwärzere Tinte lassen spätere Eintragung
vermuten. 9 *nit.*

5, 8 : 10 ¶ *iemen : niemen* K(HV). 9 *niht* K(HV).

XXXVIII   Nu muoz ich ie mîn alten nôt

A: 1—4; C: 1—3

1 Nu muoz ich i e mîn alten nôt   187, 31 — *174* C, 52 A
     mit sange n i u w e n unde klagen,
        wan sî mir alse nâhen lît,
           daz ich ír vergezzen nien enmac.
5 ir gruoz mich v i e , diu mir gebôt
     vil langen n i u w e n kumber tragen.
        erkande sî der valschen nît,
           baz vuogete sî mir heiles tac.
              Sol mir an ir guot ende ergân,
10   die wîle ich muot von herzen hân,   188, 1
                 sô mac uns beiden liep geschehen.
                    swaz sî es lenget, daz ist schade,
                    wil sî mich iemer vrô gesehen.

2 Ich enmác es in állen niht gesagen,   188, 18 — *175* C, 53 A
     d i e m i c h d â vrâgent zaller zît,
        war umbe ich alsô trûric lebe
           und âne wunneclîchen muot.
5 die selben hulfen mir ez klagen,
     d i e s i c h d â setzent in den strît;
        enpfâhent die nu leides gebe,
           daz envrúmet noch endunket guot.
              Ez sol in unerzeiget sîn,
10   daz râtet mir daz herze mîn.
                 ich bin, der siz verswîgen sol.
                    swer wîbes êre hüeten wil,
                    der bedárf vil schoener zühte wol.

XXXVIII. 1 174] 182 C. — 3 *also nahe* A. 4 *ich* fehlt A. *nine mach* A. 5 *vie*] *wie* A.
6 ¶ *lange* A. 7 *Ir kante si den val den gehe git* A. 10 *Die wil* A. 12 *gelenget* A.
2 175] 183 C. — 1 *enmac in alles* A. 8 *enfrúmet* A. 9 *vnderzeiget* AC. 11 *siez* A.
13 *schoner* AC.

XXXVIII Zur Zusammengehörigkeit und Strophenfolge vgl. Anm.; Innenreime K (Re-
gel Germ. 19, 175; P 516 Anm., jedoch nur für 1; V). — 1, 4 *Daz i'r v. niene mac*
K(LV). 6 L] *lange* K (Bu 226, V). 8 *fuogte* K(LV). 12 *sis* K. *gelenget* K(LV).
2, 1 *Ichn mages* K(LV). 8 *Dazn frumet* K(LV). 9 KV] *underzeiget* L. 10 *raetet* K(LV).

188, 5 — *176 C*, 54 A

  Von herzeliebes schulden hât
  mîn lîp vil kumberlîche nôt,
    daz si níemer kunde groezer sîn;
    des helfent al die sinne jehen.
5 den ez niht ze herzen gât
  noch in diu minne nie gebôt,
    die sprechent von der swaere mîn,
      waz mir sô grôzes sî geschehen,
      Daz ich sô trûreclîchen klage.
10   und trüegen sî, daz ich dâ trage,
      mîn schade tet in alse wê,
          daz er si muote und mir dar nâch
      vil wol geloubten iemer mê.

188, 31 — *55 A*

  Mir sol ein sumer noch sîn zît
  ze herzen niemer nâhe gân,
    s î t i c h sô grôzer leide pflige,
    daz minne riuwe heizen mac.
5 waz hulfe danne mich ein strît,
  den ir mit triuwen hân getân,
    s î t i c h in selhen banden lige?
      wê, wanne kumet mir heiles tac?
      Jô enmác mir niht der bluomen schîn

189, 1

10   gehelfen vür die sorge mîn,
      únde ouch der vogel sanc.
    ez muoz mir staete winter sîn:
      sô rehte swaer ist mîn gedanc.

1, 12 *lengen* verlängern, aufschieben.
2, 6 *sich in den strît setzen* etwa: bestreiten.
3, 10 *und* hier: wenn. 12 daß er (der *schade*) sie quälte und sie mir darnach...
4, 6 *ich* ist zu ergänzen. 12 *staete* beständig.

---

3 176] 184 C. — 1 *hᵉzeleides* A, *hᵉzeliebes* aus *hᵉzeleides* gebessert C. 2 *kvmberliches*
A. 3 *grozer kvnde* A. 4 *alle* A. 5 *niht nahe gat* A. 6 *nie*] *niht* A. 7 *Si* A. 8 *groz es*
A. 9 *so rivweclichen clage* A. 10 *trůgent* A.
4, 4 *rŏwe hᵉzen mach.* 6 *trvwen.* 8 *leiles.*

3, 1 *herzeleides* K(LV). 5 *niht nâ ze h.* K(LV). 9 *riuweclîchen* K(LV).
4, 4 *riuwe heizen mac* K(LV), *herzen riuwen mac* Brinkmann 507, *daz mîn herze niht
geruowen mac* oder *daz ich g. niht enmac* (oder: *daz niemer ich g. mac*) Jungbluth [1]
200 f. 6 *Den er mit riuwen* (*triuwen* Brinkmann) *habe getân* K (LV), Brinkmann
ebd. 8 *kumt* K. *heiles* K(LV). 11 *Und ... vogellîne* K(LV).

XXXIX   Spraeche ich nu, daz mir wol gelungen waere

A: 1—3; C: 1—4; e: 1

1 Spraeche ich nu, daz mir wol gelungen waere,   189, 5 — *59 A*, 177 C,
   sô verlüre ich beide sprechen unde singen.   353 e
   waz touc mir ein alsô verlogenz maere,
   daz ich rúomdè mich alsô vremeder dinge?
5   Daz wil ich den hôchgemuoten lân,
       den dâ wol geschiht; die nemen sich des an.
       ich klage iemer mînen alten kumber,
          der mir iedoch sô niuwer ist,
       den sî mir gap, dô sî mir vröide nan. wê, ich vil tumber!

2 Wil diu vil guote, daz ich iemer singe   189, 14 — *60 A*, 178 C
   wol nâch vrőidèn, mac sî mich danne lêren
   alsô, daz sî mir mîne nôt geringe.
   ân ir helfe triuwe ich niemer sî verkêren.
5   Mac si sprechen eht mit triuwen jâ,
       als ê sprách néin, sô wirt mîn wille dâ,
       daz ich singe vrô mit hôhem muote.
          dâ bî sô ist diu sorge mîn,
       daz man ze lange béitèt. daz kumet niht wol ze guote.

XXXIX. 1 177] 185 C. — 1 *Sprech* e. 2 *verlŭr* e. 3 *douch* A, *tog* C, *tŭt* e. *gelogenez* e.
4 *rŭnde* AC, *rŭme* e. *alse frŏmder dīgen* C, *von so getanen dingen* e. 6 *Dien* C.
7 *kalge* A. 9 *nam* Ce.
2 178] 186 C. — 3 *gerinde* A. 4 *truwe* C. 5 *eht*] *es ist* C. 7 *hohē* C. 9 *kumt* C.

XXXIX Ein Lied wie oben L, K, RU I, 61; II, 47; in der Folge **1, 3, 2, 4** K(V),
1, 2, 4, 3 Br. — **1**, 4 *von alsô fremeden dingen* K(L). 9 *nam* K(LV).
2, 2 *fröiden, wan mac* K(LV). 6 *Als si ê spr.* K(LV). *dâ*]*sâ* K(LV). 9 *Des* K(LV).
enkumt K.

Ich bin niht tump mit alsô wîsem willen,

189, 23 — 61 A,
179 C

   dáz ích sô reine noch sô staete minne;

wan daz si sint vil lîhtè ze stillen,

   den dâ liep âne leit geschiht, als ich es sinne.

5   Sô verlius ich niemer vröiden vil,

   sît diu guote mich niht sanfte stillen wil.

      sol mîn dienest alsô sîn verswunden,

        sô sîn doch gêret elliu wîp,

      sît daz mich einiu mit gedanken vreut an manegen stunden.

Ez bringet mich in zwîvel eteswenne,

189, 32 — 180 C

   daz ich lônes bîte in alsô langer mâze.

an der ich aber triuwe und êre erkenne,

   waene ich des, daz mir diu ungelônet lâze,

5   Sô geschaehe an mir, daz nie geschach.

   guot gedinge ûz lônes rehte nie gebrach.

      des habe ich hin zir hulden ie gedinget.

        ouch ist ez wol genâden wert,

190, 1

      swâ man nâch liebe in alsô lûterlîcher staete ringet.

3, 2 daß ich eine so vortreffliche Dame immer noch ... 3 *stillen* zufrieden stellen.
4 *sinne* glaube. 7 *verswinden* zunichte werden.
4, 2 ... während so langer Zeit.

3 179] 187 C. — 1 *alse wisen* C. 4 *Dien* AC. 5 *vˢluz* A, *vˢlúse* C. 6 *dv* A. *sampƒte* A.
7 *dienst* C. *vˢswnden* A. 8 *geeret* C.
4 180] 188 C.

3, 2 P 545] ¶ *sî sô reinen* K. 3 *lîhte dâ ze* K(LV). 4 *dâ* tilgt K(LV). *Dien leit âne
liep* g. Bu 227. 5 P 545] *ich mîner fr.* K (L, Bu 227, V). 9 *mangen* K.
4, 7 *hin* tilgt K (V, Anm.).

XL   Wie tuot diu vil reine guote sô

A: 1—3; C: 1—3; e: 1, *4

1   Wie tuot diu vil reine guote sô?   190, 3 — *181 C*,
      sî lât mich verderben alsus gar.   62 A, 351 e
    ich bin aller ir werdekeite vrô,
      sô nimt si es ein teil ze kleine war.
5   Nû wânde ich geniezen aller mîner tage;
        dar umbe ich ir lop und êre sage.
          si ist vil guot – daz ich [ ] iemer sprechen sol –,
          tuo sî eht éinez: si lóne ir lieben und ir vriunden wol.

2   Lieber wân ist âne troesten dâ   190, 11 — *182 C*,
      unde twinget mir daz herze mîn.   63 A
    wán wáer er von mir anderswâ!
      dâ müeste iedoch trôst bî wâne sîn.
5   Sol man ez alse lîden, sô bin ich verdâht.
        ez ist vil ze guotem ende brâht.
          wer mac ouch wizzen vor, wiez dinc ergât?
          sî hât tugent und êre: dâ von mac es werden rât.

3   Waz bedarf ich danne vröiden mê,   190, 19 — *183 C*,
      ob mir ir genâde wonet bî?   64 A
    dáz, dáz bî mîner zît ergê
      und ich dar nâch lange in vröiden sî!
5   Ist aber, daz mich ir genâde alsô vergât
        und si mich [ ] alsus verderben lât,
          sô mac ich vil klagen, ich tumber man,
          daz ich mîner tage níht wíder gewinnen kan.

XL. 1 181] 189 C. — 1 *die reine súzze also* e. 2 *also vˢderben alsvs* A. *alsus*] *ḅạ*
e. 3 *alle* C. *aller ir werdecheit* A, *allˢ werdekeit* e. 4 *Des nimet sie ein teil ze kleiner*
e. *nimet si ez en teil* A. 5 *Nú*] *Jo* e. *wand* A. 6 *Dar inne* e. *vñ ir ere* e. 7 *ich i*
iemer C, *iz immer* e. 8 *Tữt* A. *sv lone* A. *Tữt sie einem frúnde mit ir lone wol* e.

2 182] 190 C. — 2 *twingent* C. 3 *were* A. 4 *mữz* A. 5 *alse*] *allez* A. 6 *zegữm* A. 8 *Si*
hat tữgende A.

3 183] 191 C. — 2 *Obe* A. *gnade wonent* A. 4 *in frôiden lange, aber durch Zeicher*
umgestellt C. 5 *mir ir gnade* A. 6 *mich helfelosen svz (alsus* C) AC. 8 *ich* fehlt A.

XL. 1, 3 *al ir* K(LV). 4 *sis* K. 7 *deich iemer* K, *deichz iemer* LV. 8 *Tuos eht* K(LV)
einez: lône K, *einz, si lône* LV.

2, 2 *twinget* K(LV). 3 *Wê̂ wan waere* K. 5 *manz alsô* K(LV).

3, 3 *Daz et daz* K(LV). 5 *ab* K(LV). 6 *mich alsus* K(V). 7 *ich klagen vil* K(LV). 8 V]
tage wider gewinnen niht enkan K.

Ich kume des willen nimmer abe,   190, 26ᵃ — 352 e

   ichn sî doch ir eigen gar und ouch mit dienste bî.

swie vil ich anders vröuden habe,

   mich müet doch dar under, daz si ist vor mir sô vrî

5   Und ich sô rehte gar ir eigen bin.

   ir schedelîchez vremden, daz sî hin,

      und ob si wil, ich lâze ouch mînen zorn.

      wie hân ich mîne wîle alsô und ouch mîn langez dienst verlorn.

---

4 ... sie dagegen ... 6 ... das werde ich immer sagen.
3 *wan* wenn doch. 5 *verdâht sîn* (in Gedanken) verloren sein, von Sinnen sein.
8 *rât* Hilfe, Abhilfe.
5 *vergân* c. ap. vorübergehen an, nicht zuteil werden.

XLI   Vrowe, tuo, des ich dich bite

Vrowe, tuo, des ich dich bite,   190, 27 — Reimar der
Videler 9 A, 184 C

   daz ich iemer sî

      dînes heiles vrô.

   dû solt lâzen einen site,

5   dâ lît wandel bî.

      wê, wie tuost du sô,

         Daz du als ungnaedic bist?

            jâ erkennest dû vil wol, daz dir

            nieman holder ist.

XLI. 1 184] 193 C. — 7 *ungenedeg* C.

Vgl. Anm. — 1 *Ich enkume* K(HV). 2 *Ich ensî doch ir mit dienste bî* K(HV).
3 *ich et anders* K(HV). 4 *dar under* tilgt K(HV). 5 *Unde ich alsô* K(HV). 8 *alsô*
tilgt HV, *sus* K. *langez* tilgt K.
XLI Echt HV, P 495, Plenio 90, Mau 152; unecht K; Rugge zugehörig Schmidt 67.
Versanordnung wie oben HV, Mau 152; vv. 2—3, 5—6, 8—9 zusammengefaßt
K (Plenio 90, vgl. auch He § 806). — 1, 7 *Dazd als ungenaedic* K(HV).

2 Vröwe mit rede daz herze mîn,
    troeste mir den lîp;
      jâ verdien ich ez wol.
  muge ez vor liebe niht gesîn,
  5 sô soltu, saelic wîp,
      dur ein wunder doln.
      Ê ich dîn ábe gestê,
        jâ enist in der welte sô guotes niht,
      ich enversprechez ê.

190, 36 — *Reimar de*
Videler 10 A, 185 C

191, 1

1, 5 *wandel* hier: Makel, Tadel.
2, 9 *versprechen* zurückweisen, verschmähen.

XLII Ich welte ûf guoter liute sage

1 Ich welte ûf guoter liute sage
    und ouch durch mînes herzen rât
  ein wîp, von der ich dicke trage
  vil manige nôt, diu nâhe gât.
  5 Die swaere ich zallen zîten klage,
    wand ez mir kumberlîche stât.
      ich tet ir s c h î n den dienest m î n.
      wie möhte ein groezer wunder sîn,
      daz sî mich des engelten lât?

191, 7 — 207 C

2 185] 194 C. — 1 *Frowe* A, *Frôi* C. 3 *verdiene ichs w:n* (nach *w* ein unleserliche
Buchstabe) C. 5 *solt du* C. 6 *dol* C. 8 *Ian ist* C. 9 *vˢrspreche es* C. — Die in C
folgenden Strr. 186—206 s. oben unter Rugge (vgl. auch Tabelle Bd. 2, S. 94).
XLII. **1** 207] 216 C. — 8 *grozer*. 9 *sumich* (?).

2, 1 HV] *Fröu* K. 3 *ichz* K(HV). 4 *Mügez* K(HV). 5 *Soltuz* K(V). 6 V] *dol* K(H)
7 *Ê daz ich* K(HV). 8 *Jân ist i. d. werlt* K(V). 9 *Ichn verspreche ez ê* K(HV).
XLII Echt HV Ba, Plenio 90, Mau 68 f; Zweifel bei Bu 228, P 515; unecht K; Rugge
zugehörig Schmidt 68. — Ein Lied in der Folge 1, 3, 2 K, Mau 68 f; zwei Liede
(1, 3 und 2) HV. — 1, 4 *mange* K. 8 V] *wunder groezer* K(H).

Ze vröiden nâhet alle tage
    der welte ein wunneclîchiu zît.
ze senfte maniges herzen klage,
    die nû der swaere winter gît.
5 Von sorge ich dicke sô verzage,
    swenne alsô jaemerlîche lît
      diu heide b r e i t. daz ist mir l e i t.
      diu nahtegal uns schiere seit,
    daz sich gescheiden hât der strît.

191, 25 — 208 C

Ze rehter mâze sol ein man
    beide daz herze und al den sin
ze staete wenden, ob er kan.
    daz wirt ime lîhte ein guot gewin.
5 Swem dâ von ie kein leit bekan,
    der weiz wol, wie ich gebunden bin.
      ich geloube ime w o l, als er mir s o l,
      von schulden ich den kumber dol;
    ich brâhte selbe mich dar in.

191, 16 — 209 C

1, 1 *sage* Aussage, Rede. 7 *schîn tuon* zu erkennen geben.
3, 5 *bekan (=bekam)* widerfuhr, zustieß.

XLIII Dem gelîch entuon ich niht

A: 4; C: 1—4

1 Dem gelîch entuon ich niht,
    als ich durch swachen nît verzage.
swenne iht leides mir geschiht,
    mit vuoge ichz tougenlîchen trage
5   Und gedenke "es wirdet rât".
    alsô habe ich gelebet her,
    daz mir mîn dinc noch schône stât.

191, 34 — 210 C

192, 1

2 208] 217 C.
3 209] 218 C. — 7 *mir er,* aber durch Zeichen umgestellt.
XLIII. 1 210] 219 C.

2, 3 *manges* K.
3, 4 *im* K(HV). 5 HV, Mau] *Swer . . . . . gewan* K. 6 *wiech* K(HV). 7 *gloube im*
K(HV).
XLIII Echt HV, P 504 u. 525, Plenio 90 u. 475, Mau 154; unecht K; Rugge zugehörig
Schmidt 69.

2 Mînem leide ist dicke sô,　　　　　　　　　192, 4 — *211 C*
　　dazz nieman wol volenden kan,
　　und gestên doch lîhter vrô
　　danne in der welte ein ander man.
5　　　Dest unstaeter bin ich niht,
　　　　wan daz ein sinnic herze sich
　　　beklagen sol des im beschiht.

3 Mich beswaerent alle die,　　　　　　　　　192, 11 — *212 C*
　　der herze niht sô sinnic sîn,
　　daz si lébent, sîne wizzen wie,
　　und spottent doch dar under mîn.
5　　　Die sint übel und bin ich guot,
　　　　wand ich niemer rehten man
　　　gehazzen wil, sô er rehte tuot.

4 Staeten lop er nie gewan,　　　　　　　　192, 18 — *213 C*, Reimar
　　swer al der werlte willen tuot.　　　　　　　der Videler 7 A
　　mêr umbe êre sol ein man
　　sorgen denne umb ander guot
5　　　Und des besten vlîzen sich.
　　　　vrâge in ieman, wer im daz
　　　gerâten habe, sô nenne er mich.

2, 5 [Deshalb] bin ich nicht unbeständiger (vgl. Schröbler, Syntax § 266 a) Anm. 1)
6 *sinnic* verständig. 6 f *sich beklagen* sich selbst beklagen (vgl. V Anm.).

---

2 211] 220 C.
3 212] 221 C.
4 213] 222 C. — 1 *Stetiz* A. 2 *Dˢ* A. 4 *Gesorgen danne vmbe* A. 6 *Vragin* A. *ime* A
Danach Lücke für eine Str.

2, 2 *Dazz* K(HV). 7 *geschiht* K(HV).
3, 3 *sin wizzen* K(HV).
4, 4 *Gesorgen* K(HV).

XLIV   Dêst ein nôt

1 'Dêst ein nôt, daz mich ein man   192, 25 — *214 C*
        vor al der werlte twinget, swes er wil.
    sol ich, des ich niht enkan,
        beginnen, daz ist mir ein swaerez spil.
5   Ich hât ie vil staeten muot.
             nu muoz ich leben als ein wîp,
        *diu minnet und daz angestlîchen tuot.

2 Der mîn huote, des waere zît,   192, 32 — *215 C*
        ê daz ich iht getaete wider in.
    wolt er lâzen nû den strît!
        wes gert er mére, wan dáz ich im hólder bin
5   Danne in al der werlte ein wîp?
             nu wil er – daz ist mir ein nôt –,
        daz ich durch in die êre wâge und ouch den lîp.

3 Des er mich nu niht erlât,   193, 1 — *216 C*
        daz tuon ich unde tete sîn gerne vil,
    wand ez mir umb in sô stât,
        daz ich sîn niht ze vriunde enbérn wíl.
5   Ein alsô schône redender man,
             wie möhte ein wîp dem iht versagen,
        der ouch sô tugentlîche lebt, als er wol kan?

XLIV. **1** 214] 223 C.
2 215] 224 C. — 4 *hôlder.*
3 216] 225 C. — 7 *lebtę.*

XLIV Echt H (mit Zweifeln), P 493, 520, Plenio 91, V Anm. u. AfdA. 40, 122, Fischer,
    Die Frauenmonologe der deutschen höfischen Lyrik 1934, 52, Mau 71 ff; unecht
    Schmidt 69 f, K, Jellinek Beitr. 45, 72 ff (der viele von K gerügte Mängel erklärt). —
    1, 5 *het* K(HV). 7 *daz aber angestlîchen* K(HV).
2, 1 *des* Mau 72] *es* K(HV). 4 *mêr wan deich* K(HV).
3, 2 *taete es* K(HV). 4 *enberen* K(HV). 5 H] *als* K (Becker 185, V).

4 Schône kan er im die stat   *193, 8 — 217 C*
   gevüegen, daz er sprichet wider mich.
zeinen zîten er mich bat,
   daz ich sínen dienest naeme; daz tet ich.
5   Dô wânde ich des, ich taete wol.
      dône wíste ich niht, daz sich dâ huop
      ein swaere, diu lange an mînem lîbe wesen sol.

5 Mînes tôdes wânde ich baz,   *193, 15 — 218 C*
   danne dáz er gewáltic iemer wurde mîn.
wê, war umbe spriche ich daz?
   jâ zürne ich âne nôt; ez solte eht sîn.
5   Dicke hât ich im versaget,
      dô tet er als ein saelic man,
      der sînen kumber alles ûf genâde klaget.'

1, 2 mehr als die ganze Welt. **3** wovon ich nichts verstehe.
2, 1 Es wäre an der Zeit, daß mich jemand in seine *huote* nähme. **2** *wider*   gegenüber
(auch im freundlichen Sinne, vgl. 4, 2).
4, 1 *im* sich. *stat(e)* hier: Gelegenheit.
5, 1 f Ich wäre eher gestorben, als daß . . .

XLV   Ich tuon mit disen dingen niht

1 Ich tuon mit disen dingen niht: *193, 22 — 219 C,*
      ich trûre ein teil ze sêre.   *234 E*
   der mich sô vil gesorgen siht,
      ich vürhte, er mirz verkêre
5   Übel und anders danne wol.
      nun weiz ich, waz ich sprechen sol,
      wan ich enkan niht mêre.

---

4 217] 226 C.
5 218] 227 C.
XLV. 1 219] 228 C. — **2** *trur* E. **5** *Ze ôbel* E. **6** *Nieman mirz v^{s}keren sol* E. **7** *Ich
kā* E.

4, 4 *Deich* K(HV). **6** *Don* K(HV). *dâ]dô* K(HV). **7** *Ein sêr daz* K(HV).
5, 2 *Dann er gewaltic i. würde* K(HV). **5** *hâte* HV, *hete* K (Jellinek Beitr. 45, 72
Anm.).
XLV Echt H, Ehrismann ZfdPh. 36, 404, Plenio 90, Mau 74 f, sehr entschieden auch
   P 521 f und Bu 229; Bedenken gegen Echtheit Vogt AfdA. 40, 122 f; unecht Schmidt
   70, K, Jellinek Beitr. 45, 74 ff. — Unser Text ist weitgehend gleichlautend mit HV,
   da auch sie C folgen. — **1, 2** *Ichn* K (Jellinek ebd.). **5—6** vertauscht K und erg. in
   5 *Wan.* **7** *Wan* tilgt K.

2 Wîlent dô man vröun mich sach, 193, 29 — 220 C, 235 E
 dô was mir wol ze muote.
man hôrte wol, daz ich dô sprach
 vil manige rede guote.
5 Hei, waz mannes was ich dô!
 nu wurde ich aber lîhte vrô,
 der mîn schône huote.

3 Verliesent mich, die vröiden gernt, 193, 36 — 221 C, 236 E
 sô hât diu rede ein ende.
die nû vil lîhte mîn enbernt,
 die windent danne ir hende.
5 Wê, dáz si als úbel gedenkent mîn, 194, 1
 die doch sô guot dâ wellent sîn!
 daz sint ir missewende.

4 Ich habe in anders niht getân, 194, 4 — 222 C, 237 E
 wan daz ich sêre sinne
dar, dâ ich ie geminnet hân
 und noch hiute minne.
5 Owê, daz ich des ie began!
 des vürhte ich vil unsaelic man
 grôzen schaden gewinne.

---

2 220] 229 C. — 1—2 ¶ *Do ich frauden mich v^ssach. | Vñ mir was wol* E. 5 *We* E.
6 *Ich wûrde aber l. also* E.
3 221] 230 C. — 1 *Verliesen ... fraude gern* E. 3 *Die min lihte hût empern* E.
4 *winden noch* E. 5 *Daz sie also gedenken* E. 6 *vil gût wôllen* E. 7 *Daz ist m.* E.
4 222] 231 C. — 1 *Ich han* E. 2—4 *Als ich mich v^ssinne. | Wêne daz ich h^s geminnet
han. | Ein wip die ich hût minne.* E. 5 *daz is ie b.* E. 6 *selic* E.

2, 1—2 K (Jellinek ebd.) nach E. 4 *mange* K. 5 *Wê* K (Jellinek ebd.). 6 *vrô*] *alsô*
K (Jellinek ebd.).
3, 4 *danne*] *noch* K (Jellinek ebd.). 5—7 *Daz sie alsô gedenkent mîn, | die doch vil
guot dâ wellent sîn, | daz ist missewende* K (Jellinek ebd.).

5 Wê, ich bin sô gar verzaget!   194, 11 — *223 C,*
    dêswâr, ich solt erwinden.   238 E
 ich hân sô vil dâ her geklaget,
 daz ez versmâht den kinden.
5   Nu mac ich dienen anderswâ! –
    nein, ich enwil. mîn vröide ist dâ.
 dâ sol ich si vinden.

1, 7 denn ich kann nicht anders (vgl. V Anm. 430 u. Mau 75).
3, 7 *missewende* Fehler.
5, 2 *erwinden* ablassen. 4 *versmâhen* jdn. verächtlich dünken. 5 etwa: Nun, ich kann
ja auch anderswo dienen!

XLVI   Mîn ougen wurden liebes alse vol

1 Mîn ougen wurden liebes alse vol,   194, 18 — *225 C*
    dô ich die minneclîchen êrst gesach,
 daz ez mir hiute und iemer mê tuot wol.
 ein minneclîchez wunder dâ geschach:
5   Si gie mir alse sanfte dur mîn ougen,
    daz sî sich in der enge niene stiez.
 in mînem herzen sî sich nider liez,
 dâ trage ich noch die werden inne tougen.

---

5 223] 232 C. — 1 *Wie bin aber ich alsus gar* E. 3 *vil*] *lange* E. 4 *Daz ich versmahe*
E. 5 *Wenne* E. 6 *Ichn w.* E.
XLVI. 1 225] 234 C.

5, 1 ¶ *Wie bin ab ich sus gar* K (Jellinek ebd.). 4 K (Jellinek ebd.) nach E. 5 ¶ *Wan
mag* K (Jellinek ebd.).
XLVI Echt HV Ba, Bu 45 u. 229, Plenio 91, Mau 78; Bedenken P 515 u. 527; unecht
Schmidt 70, K. — 1, 4 *dâ*] ¶ *dô* K(HV).

2 Lâ stên, lâ stân! waz tuost du, saelic wîp,   194, 26 — 226 C
    daz dû mich heimesuochest an der stat,
dar sô gewalteclîch wîbes lîp
    mit starker heimesuoche nie getrat?
5   Genâde, vrouwe! ich mac dir niht gestrîten.
       mîn herze ist dir baz veile danne mir.
       ez solde sîn bî mir, nu ist ez bî dir.
       des muoz ich ûf genâde lônes bîten.

1, 8 *tougen* heimlich, verborgen.
2, 1 *lâ stên* halte ein! 5 *gestrîten* jdm. standhalten, gewachsen sein. 6 mein Herz steht dir weit mehr zur Verfügung als mir. 8 *ûf genâde* im Vertrauen auf Gewährung. *bîten* c. g. warten auf.

XLVII   Der mir gaebe sînen rât

Der mir gaebe sînen rât!   194, 34 — 227 C
    konde ich deheinen, der ist mir benomen.
sît mich mîn sprechen niht vervât
    noch mîn swîgen, wie sol ich daz überkomen?
5   Nein und niht, daz vinde ich dâ.
       sô suoche aber ich, daz sî dâ hât verborgen: 195, 1
       daz vil süeze wort geheizen jâ.

3 *vervân* helfen, nützen. 4 *überkomen* überstehen.

---

2 226] 235 C. — 6 *veilre*. Danach Lücke für mehrere Strr.
XLVII 227] 236 C.

2, 1 *Lâ stân* K(HV). 6 *veile* K(HV). 7 *nust* K(HV).
XLVII Vgl. 2. App. zu XLVIII. — 1, 2 *ich ie deheinen* K(HV). 6 *ab* K(HV).

XLVIII Swem von guoten wîben liep geschiht

1 Swem von guoten wîben liep geschiht,
    der hât aller saelde wol den besten teil.
  wâ gesach ie man sô guotes iht?
  an in lît der werlte wunne und ouch ir heil.
5   Wol im, er ist ein saelic man,
  der wol an in erwirbet pfliht
    der vröiden, der ir güete wunder geben kan.

195, 3 — 228 C[1],
Sev 13 C[2]

2 Trûren muoz ich sunder mînen danc,
  in der werlde waere nieman gerner vrô.
  swaz ich ie nâch hôhem muote ranc,
  daz hât mir mîn ungelinge erwendet sô,
5   Daz ich–waene–des engalt,
  daz mich wan einer liebe twanc
  ald daz ich ûf guot gelinge was ze balt.

195, 9ª — Sev 14 C

1, 6 *pfliht* hier: Anteil, Anrecht. **7** *wunder* hier: außergewöhnlich große Menge.
2, 1 *sunder mînen danc* gegen meinen Willen. **4** *ungelinge* Mißgeschick. **5** *einer liebe*
die Liebe zu einer einzigen *vrouwe*. **7** *balt ûf* ungestüm im Hinblick auf.

XLVIII. **1** 228] 237 C. — **2** *selden* C². **3** *gesach* aus *geschach* gebessert C². **4** *An in sô*
lit C². **5** *erst* C². **6—7** *pfliht. | Fröide* C². Nach 228 hat C größere Lücke (etwa für
2 Strr.): es folgt Ton LXIV.

XLVIII H bringt Str. **1** auf das Maß des Tones XLVII und verbindet sie mit ihm
(während er in den Anm. zu Sev die Strr. 1 u. 2 in der Fassung von C² abdruckt);
XLVIII eigener Ton K (Bu 229, V). — Echt Bu 229, V, Plenio 91, Mau 156; teil-
weise echt Nordmeyer[1] 668 ff u. Nordmeyer[2] 361 ff; unecht K. — **1, 2** *saelden*
K(V). **5** *erst* K(HV). **6—7** H] *Der wol erwirbet fröiden pfliht | an in, der ir* K, V
nach C².

XLIX Mir ist vil wê, swaz ich gesage

C: 1—3; E: 3, 1, 2

1 Mir ist vil wê, swaz ich gesage,
  daz sich diu guote niht bedenket noch,
 daz ich sô langen kumber trage
  nâch ir. ich weiz wol, daz ich lîde doch
5   Allez, daz ich umb ir hulde lîden sol. ich diene ir,
   swie sô sî gebiutet mir.
    waer ich sô saelic, sô si sagent,
    ich geschánt an ir, die mich dâ jagent
    ûz lieb in léit únd mîn nôt mit valschen maeren klagent.

195, 10 — 233 C,
341 E

2 Des ich nu lange hân gegert,
  wirt daz volendet, so ist mir vröide brâht
 vil manigen tac. diuht ich sis wert,
  si hete lônes wider mich gedâht.
5   Nieman weiz, ob sî mich wert oder wiez ergât. nein oder jâ,
   ich enweiz enwederz dâ.
    war umbe rede ich solichen nît?
    si endâht an mich ze keiner zît,
    wan als ein wîp gedenket, an der triuwe und êre lît.

195, 19 — 234 C,
399 E

XLIX. 1 233] 242 C. — 1 *was* C. *daz ich sol sage* E. 2 *versinnet* E. *noch* fehlt E.
3 *Vñ daz* E. 4 *Nâch ir* fehlt E. *Sie weiz wol daz ich dulde schaden* E. 5 *ich*] *auch*
E. 6 *sô* und *mir* fehlen E. 8 *Den geschehe an mir* E. 9 *Uz leide in liep* E. *mine* E.

2 234] 243 C. — 1 *han gedaht* E. 2 *Wirt mir daz verendet* E. 3 *Vil nahen wer aber
ich des wert* E. 4 *het* E. 5 *Ichn enweiz ob sie mich gewert oder wie ez ergat. nein
sie ia* E. 6 *Ichn weiz noch dewederz da* E. 7 *spriche ich sûlchen* E. 8 *Sie gedahte
a. m. dekeine zit* E. 9 *wenne* E. *gedenket* fehlt E.

XLIX. 1,1 *swaz* K(HV). 4 ¶ *si weiz* K(HV). 5 *ouch diene ich ir* K(HV). 9 *mîne*
K(HV).

2,3 *mangen* K. 5 *od wiez* K(HV). 7 *solhen* K(HV).

3 Spraeche ein wîp: 'lâ sende nôt',   195, 28 — 235 C,
    sô sunge ich als ein man, der vröide hât.   340 E
  sus muoz ich trûren an den tôt,
    sît ir mîn langez leit niht nâhe gât.
5   Dô ich gesanc, daz ich gesunge niemer liet in mînen tagen,
    – ôwê sô langez klagen! –,
      ich waene, ez ouch alsô stê.
      mir tuot diu sorge niht sô wê
      als mîn ungevelle. dêst der schade; in weiz niht mê.

1, 8 *(ge)schenden* beschimpfen, in Schande bringen.
2, 4 sie hätte daran gedacht, mir Lohn zu gewähren. **5** *wern* gewähren. **6** *enwederz*
keines von beiden. **9** *wan* anders als.
3, 9 *ungevelle* Unglück.

L   War kan iuwer schoener lîp

1 War kan iuwer schoener lîp?   195, 37 — 236 C
  wer hat *iu*, saelic vrouwe, den benomen?
  ir wâret ein wunneclîchez wîp,   196, 1
    nu sint ir gar von iuwer varwe komen.
5   Dâst mir leit und müet mich sêre.
    swer des schuldic sî, den velle got und nem im al sîn êre.

---

3 235] 244 C. — 1 *senede* E. *sůnge* E. *ein selic man* E. 3 *trurn* E. 4 *ir*] *mir* E.
niht] *so* E. 5 *gesůnge n. l. mine tage* E. 6 *langer clage* E. 7 *Die wene ich noch also
geste* E. *Ich wenne* C. 8 *niht zewe* E. 9 *Deñe der vngelaube daz ist der schade noch
weiz is me* E. *dêst der*] *dester* C.
L. 1 236] 245 C. — 1 *schon*ˢ. 2 *ůch.*

3, 6 *Owê alsô* K(HV). 7 *ez noch alsô gestê* K(HV). 9 *dêst der schade. noch weiz i's
mê* K(HV).
L Echt H, Ba, Mau 79; unecht Schmidt 72, Bu 229, Becker 187, K; P 520 f und Plenio
91 neigen zur Echtheit. — 1, 1 *kam* K(HV). 2 *iu* K(HV). 3 *wârt* K(HV). 4 H] *sît*
K(BaV).

'Wâ von solt ich schoene sîn   196, 5 — *237 C*
  und hôhes muotes als ein ander wîp?
ích hán des willen mîn
  niht mêre wan sô vil, ob ich den lîp
5   Mac behüeten vor ir nîde,
    die mich zîhent unde machent, daz ich einen ritter mîde.

Solhe nôt und ander leit   196, 11 — *238 C*
  hât mir der varwe ein michel teil benomen.
doch vröuwet mich sîn sicherheit,
  daz er lobte, er wolte schiere komen.
5   Weste ich, ob ez alsô waere,
    sô engehôrte ich nie vor maniger wîle mir ein lieber maere.

Ich gelache in iemer an,   196, 17 — *239 C*
  kumt mir der tac, daz in mîn ouge ersiht.
wand ichs niht verlâzen kan
  vor liebe, daz mir alsô wol geschiht.
5   Ê ich danne von im scheide,
    *sô mac ich sprechen 'gên wir brechen bluomen ûf der heide.'

Sol mir disiu sumerzît   196, 23 — *240 C*
  mit manigem liehten tage alsô zergân,
daz er mir niht nâhen lît,
  dur den ich alle ritter hân gelân,
5   Ôwê danne schoenes wîbes!
    sôn kam ich nie vor léidè in groezer angest mînes lîbes.

---

2 237] 246 C. — 1 *schone.*
3 238] 247 C. — 1 *Solke.* 3 vor *sicherheit: werder lib wᵉdekeit,* aber gestrichen. 6 *ein
sọ liebes.*
4 239] 248 C. — 1 *ṇiemer.*
5 240] 249 C. — 5 *schones.* 6 *grosser.*

2, 3 *Ich enhân* K(HV).
3, 6 HV] *Sô 'ngehôrte* K. *manger* K. *lieber* K(HV).
4,6 *ich wol sprechen* K(HV).
5, 2 *mangem* K. 6 *Sône* K(HV).

6 Mîne vriunde mir dicke sagent –   *196, 29 — 241 C*
und liegent –, daz mîn niemer werde rât.
wol in, daz si mich sô klagent!
wie nâhen in mîn leit ze herzen gât!
5   Swenne er mich getroestet eine,
sô gesiht man wol, daz ich vil selten iemer iht geweine.'

1, 1 *kan* = *kam.*
3, 3 *sicherheit* Zusage, Versprechen. 4 *loben* geloben. *schiere* bald.
4, 4 *liebe* Freude.
6, 2 *rât* Hilfe.

LI a   Herzeclîcher vröide wart mir nie sô nôt

1 Herzeclîcher vröide wart mir nie sô nôt,   *196, 35 — 242 C,*
mir entaeten sorgen tougenlîchen wê.   *252 E*
die müezen sîn an mir vil unverwandelôt,
in gelébe, daz sî genâde an mir begê:
5   Sô müest ich iemer mêr trûren lân   *197, 1*
und lieze manige rede, als ich niht hôrte, vür diu ôren gân.

2 Waz unmâze ist daz, ob ich des hân gesworn,   *197, 3 — 243 C, 253 E,*
daz sî mir lieber sí dánne elliu wîp?   *Wa m bl. 3ᵛ*
an dem éidè wirt niemer hâr verlorn:
darumbe setze ich ir ze pfande mînen lîp.
5   Swie sô sí gebiutet, alsô wil ich leben.
sin gesách mîn ouge nie, diu baz ein hôhgemüete könde geben.

---

6 241] 250 C.
LI a. 1 242] 251 C. E s. S. 385. — 3 *mv̊ssē* C.
2 243] 252 C. Em s. S. 385.

6, 1 *friunt* K(HV). 2 *Und jehent* K(HV).
LI a Die vv. 2 u. 4 wie in E fünfhebig K(HV). — 1, 2 *Mirn taeten sorge* H. K (V
Bu 230) nach E. 3 u. 5 H] K (V, Bu 230) nach E. 6 *mange* K.
2, 2 *dan* K(HV). 3 *wirdet* K(HV). 4 *Des* K(HV). 5 *Swie si* K(HV).

Ungevüeger schimpf bestêt mich alle tage: 197, 9 — *244 C,*
　　si jehent des, daz ich ze vil gerede von ir,   255 E
und diu liebe sî ein luge, die ich von ir gesage.
　　ôwê, wan lâzent sî den schaden mir?
5　　　Si möhten tuon, als ich dâ hân getân,
　　　unde heten wert ir liep und liezen mîne vrouwen gân.

, 1 f Ein solches Bedürfnis nach von Herzen kommender Freude wäre mir nie gekom-
men, wenn nicht ... weh getan hätten. 3 *unverwandelôt* unverändert. 5 Dann
könnte ich ...
, 3 Von diesem Eid werde ich niemals um Haaresbreite abgehen.
, 4 *wan* warum nicht.

LI b

Herzeclîcher vröide wart mir nie sô nôt;   196, 35 — *252 E,*
　　mir tuot ein sorge tougenlîchen wê.   242 C
daz muoz sîn an mir vil unverwandelôt,
　　ichn gelébe, daz sî genâde an mir begê:
5　　　Sô müest ich iemer mér trúren lân   197, 1
　　　und lieze manige réde, als ich ír niht *en*hŕte, vür diu ôren gân.

? Waz unmâze ist daz, ob ich hân gesworn,   197, 2 — *253 E,* 243 C,
　　daz sî mir lieber sî denne elle wîp?   Wa m bl. 3ᵛ
an dem éidè wirt niemer hâr verlorn:
　　des setze ich ir ze pfande mînen lîp.
5　　　Swie si mir gebiutet, sô wíl ich leben.
　　　sie gesách mîn ouge nie, die mir sô wól müge ein hŕhgemüete geben.

---

3 244] 253 C. E s. S. 386.
LI b. 1 C s. S. 384. — 3 *an mir vil* nachgetragen E. *trurn* E. 6 *ein horte* E.
2 C s. S. 384. — 1 *dat. han ik dat ghesworen* m. 2 *leber ist den alle w.* m. 3 *deme*
m. *mȳber har vor loren* m. 4 *to pande mynes sulues lip* m. 5 *We se myr ghe betet
also* m. 6 *Myne oghen han ny wip gheseen. die küne so hohe mûte gheben* m.

3, 2 *Si jehent daz ich* K(HV). 3 *lüge diech von ir sage* K(HV).
LI b Die Strr. **1, 2, 4** (= C-Strr.) gelten allgemein als echt; **3 u. 5** (= E-Strr.) erklä-
ren alle Hgg. für unecht, außer P 523, Nordmeyer [1] 639 ff (mit Ausnahme der
vv. 3, 3 u. 5, 5—6) und Wilmanns, Walther von der Vogelweide [4]1924 (zu 121,2 f)
und neuerdings Wapnewski, Fs. Norman 1965, 77 ff.

3 Ichn gesprach nie, daz si an mir taete wol,   197, 8ª — *254 E,*
     wan gen*ae*declîchen, des bat ich.   Wa m bl. 3ᵛ
   íchn wéiz, vür wáz ích daz haben sol:
   si swîget allez und lât reden mich.
5   Dâ ist volleclîches trôstes noch niht bî.
   nu müeze mir geschehe*n*, als ich ir günne und mîn geloube sî.

4 Ungevüeger schimpf bestêt mich alle tage: 197, 9 — *255 E,* 244 *(*
     si jehent, daz ich ze vil gerede von ir
   *und diu liebe diu sî ein lüge, die ich von ir sage.
   ôwê, wan lâ͘nt síe den schaden mir?
5   Möhte étlî͘cher tuon als ich
   und hete wert sîn liep und lieze loben mîne vrouwen mich.

5 Waz ich boeser handelunge ∫ erliten hân ⌐,   197, 14ª — *256 E*
     von den i's wol erlâzen mohte sîn,
   die *mich* vrâgent, wie mîn kumber sî getân
   und wie mîn vrouwe noch gedenke mîn.
5   Boesen haz erzeigent sie mir alsô,
   die ich gesihe noch jaemerlîche lebe*n*, unde bin ich vrô.

LII   Kaem ich nû von dirre nôt

1 Kaem ich nû von dirre nôt,   197, 15 — *246 C*
     ich enbegunde es ⟨. . .⟩ niemer mê.
   volge ichs lange, ez ist mîn tôt;
   jâ waen ich michs gelouben wil: ez tuot ze wê.
5   Ôwê, leider ich enmac.
       swenne ich mich von ir scheiden muoz,
   dâst an mînen vröiden mir ein angeslîcher tac.

3, 1 *Ik sprach ny vrowe tut an myr wol* m. 2 *Men weset my gnedich des* m. *wenn*
   gedeclichen E. 3 *Inne weyt* m. 4 *allent vñ let* m. 5 *Dar ist nicht ganses trostes by* m
   6 *Nů mûte myr an ir gheschen. als ik ir truwe vñ ok myn ghelobe sy* m. *geschehe* E
4 C s. S. 385. — 3 *die* E. 4 *wanne lat* E.
5, 1 *han erliden.* 3 *mich*] *niht.* 6 *lebe.*
LII. 1 *246*] *255* C. — 2 ohne Lücke.

3, 1 *Ich ensprach* n. K(HV). 2 *Wan genaedeclîchen* K(HV). 3 *Ich enweiz* K(HV). *da*
   nu haben s. K(HV). 6 *geschehen* K(HV).
5, 1 umgestellt K(HV). 3 *mich* K (P 523, V). 5 *mir sô* K(HV). 6 *leben* K(HV).
LII. 1, 2 *enbegundes* K(HV). Lücke wie K(HV). 7 *Daz ist* K(HV). *tac*] ¶ *slac* K(HV)

Mich wundert sêre, wie dem sî,   197, 22 — 247 C
    der vrouwen dienet und daz endet an der zît.
dâ ist vil guot gelücke bî.
    owê, daz mir der saelden nieman eine gît!
5   War zuo sol ein unstaeter man?
           daz was ich ê: nu bin ichz niht;
        ouch enwart ichz niemer mê, sît ich dienen ir began.

Vröide und aller saelikeit   197, 29 — 248 C
    het ich genuoc, der mich si niht wan lieze sehen.
mir enmac ein herzeleit
    noch grôze liebe niemer âne sî beschehen.
5   Sust und sô, swie ich danne mac,
           sô lebe ich als ein ander man,
        daz ich die zît vertrîbe und etlîchen swaeren tac.

Ich weiz manigen guoten man,   197, 36 — 249 C
    an dem ich nîde, daz ⟨si⟩ in sô gerne siht,
durch daz er wol sprechen kan.
    doch troeste ich mich des einen: sî engehoeret niht
5   Und engetet diz lange jâr.   198, 1
           wil sî aber eines rede vernemen,
        sô liegent si alle unde hân ich ⟨. . .⟩ wâr.

, 4 *sich gelouben* c. gs. abstehen von, ablassen von.
, 5 *soln* hier: nützen.
, 2 *der* hier: wenn jemand.

---

2 247] 256 C.
248] 257 C. — 1 *alle*. 7 *dú zit vˢtˢbe*.
249] 258 C. — 2 *dē. si]man*, aber durchstrichen ohne Ersatz. 7 ohne Lücke.

2, 5 H] *Waz sol* K (Becker 178, V). 7 *Ouchn wart i.n. mêre* K(HV).
3, 1 *aller* K(HV). 4 *geschehen* K(HV). 5 *swiech* K(HV). 7 *vertrîbe . . . etelîchen* K(HV).
4, 1 *mangen* K. 2 *si* erg. K(HV). 4 HV] *si 'ngehoeret* K. 5 H] *Unde entet* K (Becker 178, V). 6 *Wils* K(HV). 7 *si et alle u. h. ich eine wâr* K(HV).

LIII   Er hât ze lange mich gemiten

1 'Er hât ze lange mich gemiten,   *198, 4 — 250 C*
   den ich mit triuwen nie gemeit.
   von sîner schulde ich hân erliten,
   daz ich nie groezer nôt erleit.
5   Sô lebt mîn lîp   nâch sînem lîbe.
     ich bin ein wîp,   daz im von wîbe
       nie liebes *mê* geschach,   swie mir von im geschaehe,
       mîn ouge in gerner nie gesach,   danne ich in hiute saehe.'

2 Mir ist vil liebe nû geschehen,   *198, 16 — 251 C*
   daz mir sô liebe nie geschach.
   sô gerne hân ich sî gesehen,
   daz ich si gerner nie gesach.
5   Ich scheide ir muot   von swachem muote.
     si ist sô guot,   ich wil mit guote
       ir lônen, ob ich kan,   als ich doch gerne kunde.
       vil mêre vröiden ich ir gan,   danne ich mir selben gunde.

LIV   Wol im, der nu vert verdarp

1 Wol im, der nu vert verdarp!   *198, 28 — 252 C*
   der hât hiure sîn leit verklagt.
   der ie gerne umbe êre warp
   und daran ist unverzagt,
5   Dém túot vil menigez wê,
       des sich íemèr getroestet der,
       dér íst verdorben ê.

LIII. 1 250] 259 C. — 4 *grosser.* 7 *mê*] *nie.*
2 251] 260 C. — 1 *geschen.* 8 *gvnne.* Danach Lücke für eine Str.
LIV. 1 252] 261 C. — 1 *verdra^rpt.*

LIII Echt HBaV, Plenio 90, Mau 81 f; unecht (u. a. wegen des Reimspiels) Schmidt 7.
   K, RU I, 84, Bu 230. — 1, 7 HV] *Sô liebe nie geschach,   als im von mir g.* K.
2, 1 *geschehen* K(HV). 8 *gunde* K(HV).
LIV Echt HV, Schmidt 74, P 520 f, Mau 84 f; unecht Bu 230, K, RU I, 84. — v.
   sechshebig K(H), Mau 84. — 1, 2 *sîn* tilgt K(HV). 5 *Deme* K(HV). 6 f *Des sic*
   jener getroestet . . . (mit Lücke!) / *derder (derdir* H) *ist* K(HV).

Man sol sorgen: sorge ist guot;
âne sorge ist nieman wert.
wol mich iemer, daz mîn muot
des sô strîteclîchen gert,
5   Daz mich noch gemachet vrô.
     sol aber ich verderben, sôn verdarp
    nie lobelîcher mán denne alsô.

                                 198, 35 — 253 C

                                 199, 1

Sorge und angest stât mir wol,
sît ich *un*verdorben bin.
swaz ich noch gesorgen sol,
des kum ich mit vröiden hin.
5   Wer hât liep âne arebeit?
     wê, wáz sprich ich? jôn toht zer werlte niht
    díenst âne saelikeit.

                                 199, 4 — 254 C

Wie mac leit an *im* gewern,
dem von liebe liep geschiht?
ich muoz leider vröiden enbern;
liebes des enhân ich niht
5   Wan ein liep, daz mîn niht wil.
     wenne sól ich lieben tac an dem geleben?
    jô getriuwe ich gar ze vil.

                               199, 11 — 255 C

Mîn gloube ist, sol ich leben,
ich wirde endelîchen alt;
diu mir vröide hât gegeben
unde sorge manicvalt,
5   Der diene ich die selben tage.
     mîne jár diu müezen mit ir ende nemen,
    sô mit vröiden, sô mit klage.

                               199, 18 — 256 C

---

2 253] 262 C. — 5 *Des.*
3 254] 263 C. — 2 *verdorben.* 6 *nit.*
4 255] 264 C. — 1 *im*]*mir.*
5 256] 265 C. — 6 *mv̊zē.*

2, 5 *Daz* K(HV). 6 *ab* K(HV). 6 f *verdarp nie man* | *lobelîcher denne alsô* K(HV).
3, 2 *unverdorben* K(HV). 6 *jône touc z. w. niht* K(HV). 7 *Dienest* K(HV).
4, 1 *im* K(HV). 3 *fröide* K(HV). 7 *getriuwe*] *getrûre* K(HV).
5, 1 *geloube* K(HV). 2 HV] *Wirde ich* K.

1, 1 f Wohl dem, der schon im vorigen Jahr gestorben ist! Er braucht in diesem Jah
kein Leid mehr zu beklagen.
2, 4 *strîteclîchen* eifrig. 7 *lobelîcher* auf ehrenvollere Weise.
3, 6 *tugen* hier: angemessen sein.
4, 1 *gewern* andauern. 6 *geleben* erleben. 7 Fürwahr, in meiner Zuversicht erwar
ich zu viel.

LV   Âne swaere

1 'Âne swaere   199, 25 — *257* C, 273 E
   ein vrouwe ich waere,
      wan daz eine, daz sich sent
         mîn gemüete
5   nâch sîner güete,
      der er mich wol hât gewent.
            Sol ich lîden
         von im langez mîden,
            daz müet mich wol sêre,
10   ich spriche im niht mêre,
         wan daz er mich siht, daz sint sîn êre.

2 Mîn geselle,   199, 36 — *258* C, 274 E
   swaz er welle,
      daz muoz im an mir geschehen.
         man sô guoten,
5   baz gemuoten,   200, 1
      hân ich selten mê gesehen,
         Im gelîchen,
            doch sô gemellîchen,
            bî dem vür die swaere.
10   bezzer vröide waere.
         iemer hôrt ich gerne sîniu maere.

LV. 1 257] 266 C. — 3 *Wan*] *An* CE. 4 f *Mîn gemüete nâch sîner* fehlt E. 6 *wol* über
geschrieben E. *gewent* aus *gewant* gebessert C. 8 *ime langer* E. 10 *ime* E. *nit* C
11 *Wenne* E.
2 258] 267 C. — 3 *mûzze ime* E. 7 *Ime* E. 10 fehlt E. 11 *hôrt* E. *sine* E.

LV Echt H, P 520 f, Mau 87; unecht Schmidt 74 f, Bu 78, 230, Giske ZfdPh. 18, 23
(Anm.), Plenio 443 ff, V Anm. 433, K, Sievers Beitr. 56, 191. — H] vv. 1—2, 4—5
7—8 zu jeweils einem Vers mit Zäsur zusammengefaßt KV (Regel Germania 19
176, jedoch nicht die vv. 7—8!); zur Strophenform weiter Plenio ebd. und Archi
136, 18 f, He § 662, K, Mau 87. — 1, 3 *Wan* K(HV). 5 *Nâch sîner* H] *Ûf sîn*
K(V).
2, 8 *Doch*] *Noch* K(HV).

200, 8 — *275 E*, 259 C

3 Mîn gedinge
   der ist geringe,
     die wîle ich in lebendic hân.
      swer in êret
5   und im mêret
     vröude, daz ist mir getân.
      Swaz er wolte,
      daz ich lâzen solte,
       daz konde ich vermîden.
10   boeser liute nîden
       wil ich im ze dienste gerne lîden.

200, 19 — *276 E*, 260 C

4 Wol de*m* lîb*e*,
   der de*m* wîb*e*
     solhe vröude machen kan.
      mîme heile
5   ich gar verteile,
     mîdet mich der beste man.
      Swes er pflaege,
      swenne er bî mir laege,
       mit sô vremeden sachen
10   könder wol gemachen,
       daz ich sîner schimpfe müeste lachen.

---

3 259] 268 C. — 3 bei *han* n übergeschrieben C. 7 : 8 *wôlte : sôlte* E. 10 *niden* aus *miden* gebessert (?) C. 11 *gerne* fehlt C.
4 260] 269 C. — 1 f *den liben | Der (die* E) *den wiben* CE. 3 *Selche* C, *Sůlche* E. 8 *wenne* E. *lege* E, *were* C. 9 *frômden* C. 10 *kvnder* C. 11 *mvse* C.

3, 2 *Derst* K(HV). 9 *könd* K(HV).
4, 1 f *dem lîbe, | der dem wîbe* K(HV). 3 *Selhe* K(HV). 9 *frömden* K(HV). 11 *müese* K(HV).

5 Ich waer staete,   200, 30 — *261 C,* 277 E
   swaz er taete,
     ob er doch gedaehte mîn.
     er schiet hinnen
5   mit den minnen,
     daz ich niht vergizze sîn.
       Wîp mit güeten
       sol ir êre hüeten
        schône zallen zîten,
10   wider ir vriunt niht strîten.
        alsô wil ich sîn mit êren bîten.

6 Zuo dem scheiden,   201, 1 — *278 E,* 262 C
   daz uns beiden
     manige vröude hât erwert,
      gotes güete
5   mir in behüete,
     swar er in der werlde vert.
       Alsô schône
       man nâch wîbes lône
        noch geranc nie mêre.
10   daz ich sîner êre
        weiz sô vil, daz ist mîn herzesêre.'

1, 6 *gewenen* c. gs. gewöhnen an.
2, 8 *doch* auch. *gemellîch* lustig, ausgelassen.
3, 1 *gedinge* Hoffnung, Zuversicht, Bitte. 2 *geringe* leicht und klein, aber auch
schnell, behende.
4, 4 f Ich verfluche mein unglückliches Geschick ... 9 *vremede* ungewohnt, unbekannt.
11 *schimpf* Scherz.
5, 5 *mit den minnen* hier: mit solcher liebenden Gesinnung.
6, 1 *zuo* im Hinblick auf.

5 261] 270 C. — 2 *Waz* E. 6 *nit* C. 8 *ere* aus *here* gebessert C, *eren* E. 9 *Schon ze*
allē E. 10 *frůnde* E. *nit* C.
6 262] 271 C. — 11 *Was* C.

6, 3 *Mange* K. 5 *mirn* K(HV).

LVI   Ich solt beliben sîn

Ích sólt beliben sî*n*,   201, 12 — *239 E*
  dâ man mi's tougenlîchen bat.
nû hât mich der wille mîn
  verleitet an ein ander stat,
5   Dâ ich ⟨. . .⟩ herzeswaere trage,
  mêre denne ich ieman sage.
  ich hân aber leider nieman, dem i'z klage.

2 Wes versûm ich tumber man   201, 19 — *240 E*
  mit grôzer liebe schoene zît,
dâ ich niht belîben kan,
  sît mir got daz leben gît,
5   Daz ich als unsanfte swaere do*l*?
  mir was eteswenne wo*l*.
  ich waene, daz ⟨. . . . .⟩ ieman reden sol.

3 Wê, daz sie sô maniger siht,   201, 26 — *241 E*
  der sînen willen reden wil,
ze allen zîten und ich niht!
  daz ist mir ein swaere spil.
5   Sol ein ander von ir lôn enpfâ*n*,
  und ich dâ nît erworben hân,
  sô gediene ich niemer wîbe mêr ûf lieben wân.

2, 1—5 Warum versäume ich Tor dort mit großer Freude schöne Jahre, wo ich nicht
  bleiben kann, da mir doch Gott ein solches Leben gibt, daß ich so grausamen Kum-
  mer leide? (so K, RU I, 86).
3, 6 *nît* hier: Abneigung.

LVI. 1, 1 *si*. 5 ohne Kennzeichnung einer Lücke.
2, 1 *versûm*. 3 *Daz*. 5 *vnsamfte*. 5 : 6 : 7 *dole : wole : sol*. 7 ohne Kennzeichnung einer
  Lücke.
3, 5 *empfahen*. 6 E liest *nit*!

LVI Echt Regel Germ. 19, 181, Schmidt 75 f, P 521, Bu 230, Becker 178 f, V, Mau
  90 f; zweifelhaft H; unecht K, Nordmeyer [1] 655. — 1, 1 *solte dâ b. sîn* K(HV).
  5 Lücke wie K(HV).
2, 3 *Dâ* K(HV). 5 *unsenfte* K(HV). 5 : 6 *dol : wol* K(HV). 7 Lücke durch Punkte
  bezeichnet K(HV).
3, 1 *manger* K. 3 HV] *Zallen* K. 5 *enphân* K(HV). 6 *nît*] *niht* K(HV).

LVII   Ich bin von mînen jâren

1 Ích bín von mînen jâren   201, 33 — 260 E
        niht sô wîse, daz ich ⟨wol⟩
        künne wider sie gebâren,
        áls ích von rehte sol.
5   Ich bin tump, daz ist mir leit:
        waer ich wîse, sô genüzze ich mîner árbeít.

2 Waz ich dulde an mîme lîbe,   202, 1 — 261 E,
        daz mich niht gehelfen mac!   Wa m bl. 3ᵛ
        des enwil ich niemer wîbe
        mêr getrûwen einen tac.
5   Waz rede ich? jâ sint sie guot.
        ich hôre sagen, daz sie niht alle haben einen muot.

3 West ich rehte, wie ez waere,   202, 7 — 262 E,
        daz tet ich – nu enweiz ichs niht –,   Wa m bl. 3ᵛ
        âne daz ich sie verbaere.
        swaz dar umbe mir geschiht,
5   Ich verlobe sie niemer tac.
        ich weiz wol, daz mich âne sie niemán wol getróesten mac.

LVII. 1, 1 : 3 *iarn : gebarn.*

2, 1 *mynen* m. 2 *Dat myr doch nicht helpen mach* m. 4 *lengk me truwen* m. 5 *io* E, *ia* m.

3, 1 ¶ *Weste ik watz ir wille were* m. 2 *tete* m. *nu ein weiz ichs* E, *en weyt itz* m. 4 *Watz* m. *beschiht* m. 5 *Yne vor lone se nüber tach* m. 6 *ghetrosten* m.

LVII Einheit des Liedes bezweifelt nur Bu 230, der 1 als selbständig und 4 als spätere Zudichtung ansieht; dagegen V Anm. 434, K, RU I, 18. — Unecht Nordmeyer ² 373, zustimmend Haupt 21 und K in MFU 408, nachdem das Lied in RU noch als echt galt. Mau behandelt es nicht. HV] v. 6 Langzeile mit Zäsur nach bzw. im 4. Takt K (de Boor ZfdPh. 58, 23). — 1, 1 *enbin* K(HV). 2 *wol* ergänzt K(HV). 4 *Alsô* K(HV). 6 *arebeit* K(HV).

3, 1 K(HV) nach m. 2 *nu 'nweiz* K. 6 *nieman getroesten* K(HV).

4 Ez ist allez an ir eine*n*, 202, 13 — *263 E*
  swaz ich vröuden haben sol
daz wil ouch ich iemer meine*n*
  getriuwelîchen unde wol,
5   Niuwa*n* al die wîl ich lebe.
  si sehe, daz 'ich hin ze ir dâ muote, daz si mir daz gebe.

5 *I*ch gesach nie wîp sô staete, 202, 19 — *264 E,*
Wa m bl. 3ᵛ
  — des ich ir doch niht engan —
diu sô harte missetaete,
  sô si tuot an einem man.
5   Mîn rede diu ist noch gar ein wint.
  nu wil si mich zuo allen zîten triegen als ein [ ] kint.

3, 3 *verbern* c. ap. jdn. aufgeben, jdm. entsagen. **5** *verloben* aufgeben. **6** *âne* hier: außer.
4, 3 *meinen* bedenken. **6** Sie möge das wahrnehmen, was ich . . . (zur Konstruktion vgl. Schröbler, Syntax § 345 a).
5, 2 *gunnen* c. dp. gern an jdm. sehen.

LVIII Mir ist der werlde unstaete

1 Mir ist der werlde unstaete 202, 25 — *346 e*
  von genuogen dingen leit.
swie gerne ich rehte taete
  — wande ez waere ein saelikeit —,
5   Sô enlât mich manic man,
  der umbe érè noch vrőudè dekeinen muot gewan.

4, 1 : 3 *eine : meine.* **5** *Nůwanne.*
5, 1 Initiale fehlt E. *en sach* m. **4** *eynen* m. **5** *rede ist* m. **6** *Des* m. *als ein tummez kint* E, *sam eyn jůghes kynt* m.
LVIII. 1, 4 *wēne.*

4, 1 : 3 *einen : meinen* K(HV). **3** *ich ouch* K(HV). **5** *Niuwan* K(HV). **6** *daz*] *des* K(HV). *zir* K(HV).
5, 1 *ensach* K(HV). **5** *diust* K(HV). **6** *zallen* K(HV). *ein kint* K(HV).
LVIII Unecht zuerst K, RU I, 86, Sievers schließt sich an (Beitr. 56, 191); dagegen Mau 92 f. — **1,** 4 *Wande* K(HV). **6** *noch um fröide nie d.* K(HV).

2 Wîser, denne ich waere,   202, 31 — *347 e*
   bin ich vérre maniger dinge wol.
mir ist vil liute unmaere,
   die ich von rehte hazzen sol,
5   Und êre gerne guote wîp,
      durch die einen, diu von sorgen scheiden sol den mînen lîp.

3 Sol ich des engelten,   202, 37 — *348 e*
   daz ie hôhe stuont mîn muot,
unde hazze in selten,
   der daz beste gerne tuot,   203, 1
5   Sô vürht ich, ⟨*daz ich*⟩ verzage.
      niemer niht! waz möhte mir gewerren boeser liute klage?

4 Und ergienge ez iemer,   203, 4 — *349 e*
   daz noch réhte wol geschehen mac,
mich gesaehe niemer
   man getrûren einen tac.
5   Noch hoffe ich, ez werde wâr;
      wande ich hân mich vrôiden versûmet lenger denne ein ganzez jâr.

3, 6 *gewerren*   stören, schaden.

LIX   Zuo niuwen vröuden

1 'Zuo niuwen vröuden stât mîn muot   203, 10 — *360 e,*
   vil schône', sprach ein schoenez wîp.   M bl. 59ʳᵛ
'ein ritter mînen willen tuot:
   der hât geliebet mir den lîp.
5   Ich wil im iemer holder sîn
      denne keinem mâge mîn.
      ich getúon ime wîbes triuwe schîn.

4, 4 *getrurn.* 6 *Wenne.*
LIX. 1, 2 ¶ *Hohe sprach* M. *schonez* e, *schône* M. 5 *hôlder* e. 6 *deheinem* M. 7 *Ih erzeige* M.

2, 2 *verre* tilgt K(HV). 3 *Mirst* K(HV). 4 *Diech* K(HV).
3 Frauenstr. K, RU I, 86. — 5 *daz ich* erg. K(HV).
4, 2 *rehte* streicht K(HV). 4 *getrûren* K(HV). 6 *Wande . . . frôide* K(HV).
LIX Unechtheit allgemein angenommen; selbst Mau 94 hat (wegen **2**) Bedenken. —
1, 2 *Vil hôhe* K(HV). *schoene* K(HV). 6 *Danne deheinem* K(HV). 7 *Ich tuon im* K(HV).

2 Diu wîle schône mir zergât,
     swenne er an mîme arme lît
  und ér mich zuo íme gevángen hât.
     daz ist ein wunnenclîche zît.
5   Sô ist mîn trûren gar zergân
     und bin ál die wochen wol getân.
     ei, waz ich denne vröuden hân!'

203, 17 — *361 e*

1, 6 *kein* hier: irgendein.

LX Wol mich lieber maere

1 Wol mich lieber maere!
     daz ich hân vernomen,
  daz ist, der winter swaere
     wolle ze ende komen.
5   Vil kûm ich des erbeiten mac,
     sît ich vröude niht enpflac,
     sît der kalte rîfe lac.

203, 24 — *368 e*

2 Míchn házzet nieman,
     ob ich bin gemeit.
  weiz got, tuot ez ieman,
     daz ist unsaelikeit,
5 Wande ich schaden niht enkan.
     swes ot sí mír wol gan,
     waz wil des ein ander man?

203, 31 — *369 e*

2, 5 *trurn.* **6** *wûchen.*
LX. 1, 7 *rifte.*
2, 5 *Wenne.*

2, 3 *zim* K. **5** *trûren* K(HV). **6** *al* tilgt K(HV).
LX Unecht Schmidt 77, Bu 230, Sievers Beitr. 56, 191, V K; echtes Lied Ba, Spanke
    ZfrPh. 49, 231; unentschieden Mau 95; Lied Walthers Plenio 90 u. 418. — **1, 1** f
    HV] *maere,* | *diu ich* K(Ba). **3** *ist* tilgt K(HV). **4** *zende* K. **5** *Vil* tilgt K(HV).
    6 HV] *Want* Ba, ¶ *Wan* K. **7** *rîfe* K(HV).
2, 1 *Mich enhazzet* ¶ *niemen* (: *iemen*) K(HV). **4** *Deist* K(HV). **6** *wole* K(HV).

3 Solte ich mîne liebe   *204, 1 — 370 e*
   bergen unde heln,
   sô müeste ich ze diebe
   werden unde steln.
5   Sinneclîch ich daz bewar.
   mîn gewerbe ist anderswar,
   ich gê dannân oder dar.

4 Sô si mit dem balle   *204, 8 — 371 e*
   trîbet kindes spot,
   daz sî iht sêre valle,
   daz verbiete got.
5   Megde, lât iuwer dringen sîn,
   stôzet ir mîn vrouwelîn,
   sô ist der schade halber mîn.

1, 5 *erbeiten* abwarten, erwarten. 6 *sît* hier: weil.
2, 2 *gemeit* fröhlich, tüchtig. 6 *ot* = *eht* (verstärkendes adv.).
3, 2 *heln* geheimhalten. 6 *gewerbe* Fähigkeit, Aufgabe.
4, 2 *spot* hier: Spiel. 4 *verbieten* verhüten.

Pseudo-Reinmar

Die folgenden Lieder werden allgemein Reinmar abgesprochen. Sie stehen bei
LV in den Anmerkungen.

LXI   Ein lieplîch triuten

Ein lieplîch tr*iute*n und ein vriuntlîch umbevâhen   H Anm. 303, V Anm.
   solt mir daz von ir geschehen,   423, K 283 — *84 b*
ein küssen und dâ mite niht gâhen,
   lieplîch in ir ougen sehen,
5   süeze minne wolte ich brîsen,
      kaem ir lîp mir alse nâhe,
         allz mîn trûren waer gelegen.

1 *triuten* liebkosen, umarmen. 3 *gâhen* eilen. 5 *brîsen* einschnüren, einfassen.

3, 1 Ohne Initiale, aber nach Reimpunkt klein weitergeschrieben.
LXI, 1 *trvren.* 5 *Sôsse.* 7 *Als.*

4, 3 *Dazs* K(HV). 5 *iur* K(HV). 7 *Sost* K(HV).
LXI Gilt allgemein als unecht, vgl. Mau 97. — 1 K(HV) tilgen die Attribute. 2 *Solte mirz von* K(HV). 5 *Süezer* K(HV). *brîsen*] ¶ *pflegen* K(HV). 6 *nâhen* K(HV). 7 *Al m. tr. waere* K(HV).

LXII   Der ie kam an liebe stat

Der ie kam an liebe stat,
  der hüete sich.
mîner vröude was vil nâch mat,
  wan daz got mich
5   Brâhte ûz grôzer nôt.
    sô sol ein wîp
    gedenken, waz si mir gebôt,
    dô in grôzen sorgen stuont mîn lîp.

H Anm. 304, V Anm.
425, K 283 — 271 E

Ich gedínge ûf der vil guoten rât,
  als der tuot,
der sich nieman ledigen lât
  ûf al sîn guot,
5   Und hân ʃ selber dar
    mich ⸗ gegeben.
    ⟨. . . . .⟩ nû getar.
    ich leider muoten nihtes. sus ist mîn leben.

H Anm. 304, V Anm.
425, K 283 f — 272 E

, 3 . . . war fast "matt gesetzt".
, 2 ff "wie der (Dienstmann) es (bei seinem Herren) tut, der sich von niemand aus dem Dienstverhältnis befreien läßt auf all sein Gut hin" (so V Anm. 425). 8 *muoten* verlangen.

LXIII   Blate und krône

Blate und krône wellent muotwillic sîn:
  sô waenent topfknaben wîslîchen tuon:
sô jaget unbilde mit hasen eberswîn:
  sô ervliuget einen valken ein unmehtic huon:
5   wirt danne der wagen vür diu rinder gênde,
    treit danne der sac den esel zuo der müln,
    wirt danne ein eltiu gurre zeinem vüln,
    sô siht manz in der werlte twerhes stênde.

H Anm. 308, V Anm.
430, K 284 — 224 C

1 *blate* hier: Klerus (wörtl.: die Tonsur der Geistlichen). 2 *topfknabe* mit dem Kreisel spielender Knabe. 3 *unbilde* Verkehrtheit, die über alles Maß hinausgeht. 4 *ervliegen* im Flug einholen. *unmehtic* kraftlos, schwach. 7 *gurre* schlechtes Pferd, Mähre. 8 *twerhes* quer, verkehrt.

LXII. 1, 4 *Wenne.*
2, 5 f *han mich selber dar gegeben.* 7 ohne Bezeichnung einer Lücke.
LXIII 224] 233 C.

LXII Unecht K(HV), unentschieden P 524, Mau 98. — 1, 3 *fröude waere mat* K(HV).
2, 1 *Ich dinge* K(HV). 1 f *dinge ûf der g. r. / als der vil tuot* Mau 98. 5—7 nach K(HV). 8 *sost* K(HV).
LXIII Gilt allgemein als unecht, vgl. Mau 99. — 7 *altiu* K.

LXIV   Went ir hoeren

1 Went ir hoeren, einen gemellîchen strît
 hât ein alter man mit sînem wîbe.
vil dicke greif er nider unde zuht ein schît.
si sprach: 'trutz, diu rede von iu belîbe.
5 Ir hânt mir leides dicke vil gesprochen:
 ich sach iuch ein âbenttückelîn begân;
ein tumber gouch, daz ist noch ungerochen.

H Anm. 308 f, V Anm.
431, K 284 — 229 C

2 Mîn alter man der zürnet und ist ime leit,
 ob ich einen jungen gerne minne.
doch dar umbe lâze ich niht, in sî gemeit.
ich hân an in bewendet mîne sinne,
5 Daz ich dur sîn grînen nien enlâze.
 stôze eht ich in vor mir ûz, waz wirret daz,
lît ein alter griuzinc an der strâze?

H Anm. 309, V Anm.
431, K 284 — 230 C

3 Got der sende an mînen leiden man den tôt,
 daz ich von dem ülven werde enbunden!
selker vlüeche waer mir zallen zîten nôt.
solde ein wîp vor leide sîn verswunden,
5 Daz waer ich vor einem halben jâre.
 ich beswenke in lîhte, daz ers niene weiz.
enruoche eht er, wie tûze ich mich gebâre.'

H Anm. 309, V Anm.
431, K 284 f — 231 C

4 Got gebiete mîner vrouwen, daz si sî
 senftes muotes und ân argen willen!
zwâre, ê ich ir laege lasterlîchen bî,
ê liez ich mich schérn únde villen.
5 In gesach nie wîp mit senfter güete.
 sî sol dur mich lâzen, daz ir laster sî:
ich enkan ir anders niht gehüeten.

H Anm. 309, V Anm.
431, K 285 — 232 C

1, 1 *gemellîch* lustig. 4 *trutz* Trotz (sei dir geboten)! 6 *âbenttückelîn* kleiner Betrug am Abend.
2, 3 *in* (= *ich en*) . . . es sei denn. 5 *grînen* (winselnd, knurrend) den Mund verziehen. 6 *wirren* stören, etwas ausmachen. 7 *alter griuzinc* altes Weizenbier (hier als Schimpfwort, 'abgestandenes Bier', vgl. V Anm. S. 431 f).
3, 1 *leit* widerwärtig, verhaßt. 2 *ülve* alberner, tölpischer Mensch. 4 *verswinden* umkommen, sterben. 6 *beswenken* berücken, überlisten. 7 *tûze* still, sanft.
4, 4 *schern* (zum Mönch) scheren. *villen* geißeln, schinden. 7 *(ge)hüeten* achtgeben.

LXIV. 1 229] 238 C. — Vorher freier Platz für etwa 3 Strr.
2 230] 239 C. — 7 *grússing.*
3 231] 240 C. — 2 *vō dē.* 7 *swie tusse.*
4 232] 241 C. — 6 *ir*] *er.*

LXIV Gilt allgemein als unecht, so etwa Mau 100, vgl. aber Birkhan Beitr. 93 (T), 201, Anm.; 1—3 ein Lied, 4 Einzelstr. H; 1—4 ein Lied K(V). — 1, 2 HV] *Den hâte* K. 7 *Ein* tilgt K(HV).
2, 5 *niene lâze* K(HV). 7 *griuslinc* K(HV).
3, 2 HV] *von den ülven* K (Druckfehler?). 7 *wie* K(HV).
4, 4 *scheren* K(HV). 6 *ir* K(HV).

LXV   Ichn weiz, waz ich singen sol

H Anm. 312, V Anm.
434, K 285 — *350 e*

Ichn weiz, waz ich singen sol.
   klage ich mînen alten kumber, daz tuot den valschen wol.
die sorge wil ich an ⟨si⟩ senden:
   die sagen ir, herze, daz si helfe dise nôt verenden.
5   Ich hân ein liep bî maniger árbéit.
   ei, minne saelikeit,
   wan wilduz an *vröuden wenden*?

LXVI   Êren unde minneclîcher schoene

H Anm. 312 f, V Anm.
435, K 285 — *362 e*

1 Êren unde minneclîcher schoene
   ist mîn vrouwe ⟨. . . . .⟩ rîche gar.
guotes wîbes lop mac sie wol kroene,
   die besten nement ir mit triuwen war.
5   Die valschen süln sie erkennen niht,
   sie enrúochet ouch, waz arges den geschiht.
   sî hât sich gescheiden gar von in:
   sô wol mich, daz ich ir dienest bin!

H Anm. 313, V Anm.
435, K 286 — *363 e*

2 ʃ Ich getar von ir hôhem werden lône ʅ
   mînen willen niht gesprechen gar:
ich muoz unser beider êren schônen
   und ir kiuschen wîphèit bewar,
5   Daz die boesen kleffaere *iht*
   ervarn unser vríuntlîchen *pfliht.*
   ist iht liebers denne eigen lîp?
   noch lieber ist mir daz schoene wîp!

1, 8 *dienest* Diener, Dienstmann.
2, 5 *kleffaere* Schwätzer, Verräter. 6 *pfliht* Verbindung, Gemeinschaft.

LXV, 4 *helfen.* 7 *Wenne wilduz an den vˢendē.*
LXVI. 1, 2 ohne Lücke. 3 *wol* am Rande nachgetragen. *crônen,* aber *n* punktiert.
   4 *truwē.*
2, 1 *Von ir hohem werden lonē. getar ich.* 5 *iht*]*ist.* 6 *pfliht*]*mere.* 7 *lieber.*

LXV Gilt allgemein als unecht, vgl. zuletzt (auch zur Strophenform) Mau 158 f. —
   3 *si* erg. K(HV). 4 ohne Komma nach *ir* K(HV). *helfe* K(HV). 5 *arebeit* K(HV).
   7 nach K(HV).
LXVI Gilt allgemein als unecht, vgl. Mau 102; zu Liedeinheit und Ton vgl. Anm. —
   1, 1 : 3*schône* : *crône* K. 2 *alsô* nach *vrouwe* erg. K(HV). 5 *sülns* K. 6 *Si 'nruochet*
   K. *arges* tilgt K.
2, 1 *In tar von ir hôhem werden lône* K. 3 *schône* K. 4 *wîpheit wol bewar* K. 5 *cleffer*
   iht K. 6 *Ervaren unser friuntlich pfliht* K. 7 *liebers* K. *lîp,* K. 8 *Lieber noch* K.

LXVII   Herre, wer hât sie begozzen

1   Herre, wer hât sie begozzen mit der milche und mit dem bluote?
ichn kan sie nimmer angesehen, mir enwerde wol ze muote.
Diu vil lôse guote,
ir loeselîchez mündelîn
5   benimet mir die sinne mîn,
daz ich nâch ir wuote.

H Anm. 313, V Anm.
435, K 286 — 372 e

2   In gesach mit mînen ougen nie kein mündelîn sô hêre.
sie hât mich betwúngen, swar ich landes var, daz ich muoz wider kêre.
Innenclîchen sêre
beiz si mich in mînen munt,
5   dô ich si kuste zuo einer stunt.
sie reizet alle unêre.

H Anm. 313, V Anm.
435, K 286 — 373 e

*3   Weiz got, ich het ir daz bîzen nâch vergolten in der ôsterwochen.
sicherlîch, ich grîfe ir in daz ouge, sô hân ich mich gerochen.
Waz hân ich gesprochen?
wirt sie des an mir gewar,
5   daz ich alsus mit zorne var,
sie kumet dâ her gekrochen.

H Anm. 313, V Anm.
436, K 286 f — 374 e

*4   'Wê mir sîn, daz er mir alsô sêre dröuwet, ez werde mir ze leide.
er mac lîhte waenen, daz ich sîn erbeite an einer heide,
Dâ wir úns béide
versuochen aller unser maht,
5   ich bringe in lîhte sigehaft,
ê denne uns ieman scheide.

H Anm. 314, V Anm.
436, K 287 — 375 e

5   Ich hete ime alle wîle vor gestân, ob mich diu huote lieze.
mîne vriunt die vörhtent, daz ich werde wunt mit sîme scharpfen spieze.
Daz er mich erschieze,
des ich gar ân angest bin.
5   schiuzet er, sô stiche ich in,
sô sehe, waz ers genieze.'

H Anm. 314, V Anm.
436, K 287 — 376 e,
U bl. 1ʳ

1, 3 f *lôs, lôselîch*   freundlich, anmutig.
2, 6 *reizen*   zuwege bringen.

LXVII. 1, 6 *wûte.*

3, 1 *osterwûchen.* 2 *sô*] *doch.*

5, 1 *Het* Anfang des Bruchstücks U. *uor alle w.* U. *die gute* U. 2 *vûrhtent* U. *von s.*
starpfen sp. U. 5 *Wan schuzet* U. *stich* U. 6 *So se* U.

LXVII Gilt allgemein als unecht, vgl. Mau 103. — 1, 4 HV] *roeselîhtez* K.

2, 2 Mau] *landes* streicht K(HV). 5 *zeiner* K(HV).

3, 1 *hete irz* K. 2 Mau 104] *doch hân ich m. g.* (aber im App.: *und wil mich hân?*) H,
Sicherlîche inz ouge grîfe ich ir, sô hân K. 6 *Si kumt* K.

4, 1 *sêre* streicht K(HV). *dröut* K(HV). 3 *Dâ suln* K(HV). 4 ¶ *kraft* K(HV). 5 ¶ *un-*
sigehaft K(HV).

5, 2 H] *von sîme* K(V), Mau 104. *scharpfen* streicht K(HV). 5 *Wan sch.* K(V).

LXVIII   Swel wîp wil, daz man si niht enzîhe

Swel wîp wíl, daz man si niht enzîhe
und sî dem zîhenne gar gelîch tuot,
daz ir lop dâ bî wahse und vol gedîhe,
des hân ich keine wîse keinen muot.
5   Si mac entriuwen sô gebâren,
       daz sî vil lîhte ein wort bejaget,
       daz si krenket in ir jâren.
          in ruoche, werz dem keiser saget.

H Anm. 314, V Anm.
436, K 287 — Der von
zweter r bl. 106ʳ

Sô hie, sô dâ, sô dort, sô allenthalben
  nimt ⟨al diu welt⟩ an guoten dingen abe.
in dem plân und ûf den hôhen alben,
ich waene, diu welt enkeinen winkel habe,
5   Ez sî dâ wîlent baz gestanden,
       den ez bî disen zîten stê;
       und minret vröude in allen landen,
          und ist doch sünden mê den ê.

H Anm. 314, V Anm.
436 f, K 287 f — Der
von zweter r bl. 106ʳ,
namenlos n bl. 95ᵛ/96ʳ

2 und doch etwas tut, das dem zîhen entspricht.

XVIII. 1, 1 nith. 2 dē. 4 Dez. 8 In enruoche.
2, 1 sô dâ fehlt n. allenthalmen r. 2 Nemēt alliv dink r, Gett der werilde n. an allen n.
3 Beide in der plain n. blan r. der holler alven n. 4 wene dat die werelt n. winkil in
haue n. 5 Is in si da bewilen n. wilont r. 6 Dan it b. d. ziden n. 7 Sich m. n,
minrt r. landen] haluen n. 8 sunden nr. dan n.

XVIII Echt Wackernagel, Altdeutsche Blätter 2, 122, H, sonst allgemein für unecht
gehalten, vgl. Mau 164. — 1, 2 zîhen K(HV). gelîche K(HV). 3 wol K(HV). 8 In
ruoche K(HV).
2, 2 Nach Wackernagel ebd., K. 3 Beid in d. plâne K. 4 waen K(HV). 5 Ezn K(HV).
6 u. 8 dan K(HV).

XXII. Hartmann von Aue

I Sît ich den sumer truoc

B: 1, 2; C: 1, 2, 3, 5 ‖ 4

1 Sît ich den sumer truoc riuwe unde klagen,   205, 1 — *1* CB
    sô ist ze vröiden mîn trôst niht sô guot.
    mîn sanc süle des winters wâpen tragen,
    daz selbe tuot ouch mîn senender muot.
5   Wie lützel mir mîn staete liebes tuot!
    wan ich vil gar an ir versûmet hân
    die zît, den dienst, dar zuo den langen wân.
    ich wil ir anders ungevluochet lân
    wan alsô, si hât niht wol ze mir getân.

2 Wolte ich den hazzen, der mir leide tuot,   205, 10 — *2* BC
    sô moht ich wol mîn selbes vîent sîn.
    vil wandels hât mîn lîp unde ouch der muot,
    daz ist án mîm ungelücke worden schîn.
5   Mîn vrowe gert mîn niht: diu schulde ist mîn.
    sît sinne machent *saelde*haften man,
    und unsin staete saelde nie gewan,
    ob ich mit sinnen niht gedienen kan,
    dâ bin ich alterseine schuldic an.

I. 1, 1 *clage* B. 3 *svle* B. 4 *Des selbe* B. *sends* B.
2, 1 *leide*] *liebe* C. 2 *môht* C. 3 *mîn*] *der* C. 4 *minē* BC. 6 *schadehaften* BC.

I Hs. Folge auch Sch 75 und Brackert in: Interpretationen mhd. Lyrik, hg. v. G. Jung
bluth 1969, 177—82. 1, 2, 4, 5 ein Lied, 3 Zusatzstr. HVK; 1, 4, 2, 5 ein Lied, 3 Zu
satzstr. Saran ² 15 ff; drei Lieder (1; 2, 4, 5; 3) Bu 100; ein Lied in der Folg
1, 2, 4, 5, 3 Blattmann 122 ff. — 1, 2 *guot*, K(HV). 3 *ensül* K (Sievers ² 60 f), *ensül*
HV. 4 *vil sender* K. 7 HV, de Boor 1515, Brackert ebd. 170 Anm. 7] *dienest, da*
zuo langen w. K (Schröder br.). 9 *Wan sô* K(HV).
2, 4 *Deist* HV. *mînem* und Tilgung von *worden* K (Saran ² 59). 6 *saeldehaften* K(HV)

206, 10 — *3 C*

• Ich hân des reht, daz mîn lîp trûric sî,
    wan mich twinget ein vil sendiu nôt.
swaz vröiden mir von kinde wonte bî,
    die sint verzinset, als ez got gebôt.
5 Mich hât beswaeret mînes herren tôt.
    dar zuo sô trüebet mich ein varende leit:
    mir hât ein wîp genâde widerseit,
    der ich gedienet hân mit staetekeit,
    *sît der stunde, daz ich ûf mîme stabe ⟨reit⟩.

205, 19 — *11 C*

• Dô ir mîn dienest niht ze herzen gie,
    dô dûhte mich an ir bescheidenlîch,
daz sî ir werden lîbes mich erlie.
    dar an bedâhte sî vil rehte sich.
5 Zürne ich, daz ist ir spot und altet mich.
    grôz was mîn wandel; dô si den entsaz,
    dô meit si mich, vil wol geloube ich daz,
    mêre dúr ir êre danne ûf mînen haz.
    si waenet des, ir lop stê deste baz.

206, 1 — *4 C*

5 Sî hât mich nâch wâne unrehte erkant,
    dô si mich von êrste dienen liez.
dur daz si mich sô wandelbaeren vant,
    mîn wandel und ir wîsheit mich verstiez.
5 Sî hât geleistet, swaz si mir gehiez;
    swaz sî mir solde, des bin ich gewert:
    er ist ein tump man, der iht anders gert.
    si lônde mir, als ich si dûhte wert.
    michn sleht niht anders wan mîn selbes swert.

---

4 Die Str. ist durch ein Zeichen an diese Stelle verwiesen. 9 *wênnet.*
5, 9 *Min.*

---

3 Unecht Machule ZfdPh. 35, 398; spätere Umarbeitung eines Liebesliedes auf Tod
  des Herrn K, MFU 449 f. — 6 *varnde* K (Sievers [2] 60 f). 9 Saran [1] 5] *stunt deich*
  K(HV). *reit* erg. schon Bodmer (Samml. von Minnesingern aus dem schwäbischen
  Zeitpuncte 1758).
4, 8 *Mê* K(HV).
5, 1 *hâte* K(HV). 2 *mich ir von* K(HV). 9 *Michn* K(HV).

1, 1 *sît*   da. 2 mein Vertrauen, Freude zu erlangen. 3 Mein Lied muß das Zeichen de
Winters tragen, d. h. ohne Freude sein. 6 *versûmen*   nutzlos hinbringen. 8 f Sons
will ich sie nicht schelten außer im Hinblick darauf, daß . . .
2, 3 *wandel*   schwankendes Verhalten. 9 *alterseine*   ganz allein.
3, 9 . . . mein Steckenpferd ritt.
4, 2 *bescheidenlîch*   klug, angemessen. 3 daß sie, die teure Frau, sich mir entzog. 6 ent
sitzen   fürchten. 8 mehr um ihrer Ehre willen als aus Abneigung gegen mich.
5, 1 Sie hat mich auf bloße Vermutung hin falsch beurteilt. 6 *soln*   schulden.

II   Swes vröide an guoten wîben stât

AC: 1, 2, 3; B: 3, 2, 1

1   Swes vröide an guoten wîben stât,   206, 19 — *14 C,*
    der sol in sprechen wol   4 A, 12 B
      und wesen undertân.
  daz ist mîn site und ouch mîn rât,
5   als ez mit triuwen sol.
    daz kan mich niht vervân
      An einer stat,
        dar ich noch ie genâden bat.
        dâ habe ich mich vil gar ergeben
10   und wil dar iemer leben.

II. **1, 3** *Vñ iems w.* A, *Vñ wesen in v.* B. 4 *vñ ist min r.* A. 5 *Alse* A. ez] *er* B. *trvwer*
A. 6 *Das mich doch niht vervat* B. 7 *aine* B. 8 *Dar ich gnaden b.* A, *Da ich doch g*
B. 9—10 ¶ *Swaz si mir tût ich han mir (mich* B) *ir gegeben / Vn wil ir ein*
(iems B) *leben* AB.

II Folge **2, 3, 1** Saran[2] 14 f, Panzer ZfdPh. 31, 541; Folge **3, 2, 1** (= B) Kauffmann
Über Hartmanns Lyrik 1884, 38. — **1, 4** nach A K(HV). 9—10 ¶ K(V) nach B, so
auch H, aber: *ergeben.*

2 Moht ich der schoenen mînen muot

nâch mînem willen sagen,

sô liez ich mînen sanc.

nu ist mîn saelde niht sô guot,

5   dâ von muoz ich ir klagen

mit sange, daz mich twanc.

Swie verre ich sî [],

sô sende ich ir den boten bî,

den sî wol hoeret und eine siht:

10   der enméldet mîn dâ niht.

206, 29 — 5 A,
11 B, 15 C

3 Ez ist ein klage und niht ein sanc,

daz ich der guoten mite

erniuwe mîniu leit.

die swaeren tage sint alze lanc,

5   die ich sî gnâden bite

und sî mir doch verseit.

Swer selhen strît,

der kumber âne vröide gît,

verlâzen kunde, des ich niene kan,

10   der waere ein saelic man.

207, 1 — 6 A,
10 B, 16 C

1, 1 *stân an* abhängen von. 6 *vervân* nützen. 9 *sich ergeben* sich in die Gewalt geben.
2, 4 *saelde* Geschick. 10 der verrät nichts von mir *(mîn g. abh. von niht)*.
3, 1 Es ist ein Klagelied und kein Lied, das der Freude entspringt. 2 *daz* ist kausal o. explikativ aufzufassen. *mite* damit. 9 *des* abh. von *niene*: was ich nicht kann.

2, 1 *Mohte* B, *Môhte* C. *schonen* ABC. 2 *minen* A, *minē* BC. *gesagen* B. 3 *liesse* C. 5 *Dvrch das* BC. 6 *daz*] *dv́* BC. 7 nach diesem v. wiederholt A: *swie vśre ir ich. ich ir si* B. 8 *Doch tůn* C. 9 *horet* A. *vn̄ siht* B, *vn̄ niht siht* C. 10 *Der meldet mich* BC.
3, 1 *Dis ist* BC. 2 ¶ *Da* BC. *schonen* B, *lieben* C. 4 *tag* B. 5 *Das ich si genaden bitte* BC. 6 fehlt B. 7 *Der sôlhen* B, *solhen* C. 9 *kônde* C. *nieni* A, *niht enkan* B, *niht kan* C.

2, 6 *daz* Br, de Boor 1514, Blattmann 95] *diu* K(HV). 9 Br] ¶ *unde niene siht* K(HV). 10 *Dern m.* K(HV).
3, 2 *Dâ* K(HV). 5 *Diech ich si genâden* K (Saran [1] 9).

III   Ich sprach, ich wolte ir iemer leben

A: 1, 4, 5, 6; B: 3, 1, 2, 4 ‖ 5; C: 3, 1, 2, 6, 4, 5

1   Ich sprach, ich wolte ir iemer leben,   207, 11 — 4 B,
    daz liez ich wîte maere komen.   7 A, 6 C
    mîn herze hete ich ir gegeben,
    daz hân ich nû von ir genomen.
5   Swer tumben antheiz trage,
      der lâze in ê der tage,
        ê in der strît
          beroube sîner jâre gar.
        alsô hân ich getân.
10   der kriec sî ir verlân,
        vür dise zît
        wil ich dienen anderswar.

2   *Ich was ungetriuwen ie gehaz: 207, 35 — 7 C, 5 B
    nu wolte ich ungetriuwe sîn.
    mir taete untriuwe verre baz,
    danne daz mich diu triuwe mîn
5   Von ir niht scheiden liez,
      diu mich ir dienen hiez.   208, 1
        nu tuot mir wê,
          si wil mir ungelônet lân.
          ich spriche ir niuwan guot.
10   ê ich beswaere ir muot,
      sô wil ich ê
      die schulde zuo dem schaden hân.

III. 1, 1 *iemer*] ¶ *ein*ˢ A. 2 *Vn̄ lie dc* A. 4 *Vn̄ han dc nv* A. 5 *anthaisse* B. 6 fehlt C. *laz in der t.* A. 7 *der iare* A. 9 *Alse si mich hat g.* A. 10 *Ir si der criek v.* A. 11 *Vō dirre z.* A. 12 *So wil ich* A.

2, 1 ¶ *vntrv́wen* B. 2 *Vn̄* B. 4 *Das denne* (*denne* rot über leerem Raum) *das* B. 5 *liesṣẹ* C, *liesse* B. 6 *hiesse* B. 9 *sprich* B. 10 *beswer ir den m.* B. 11 *ê* fehlt B.

III Strophenfolge wie K nach P 172, der jedoch ebenso wie H, Bu 53 Str. 6 als eigenständiges Lied abtrennt, Str. 1—6 e i n Lied Vogt ZfdPh. 24, 241. — 1, 12 *Sô wil ich* K(HV).

2, 1 *untriuwen* K(HV). 2 Br, Blattmann 112] *Und* K(HV). *sîn.* Blattmann 112, *sin!* Br, *sîn,* K(HV). 4 Bech, Saran ¹ 10, Br] *Dan daz daz* K.

208, 8 — 5 C, 3 B

3 Waz solte ich arges von ir sagen,
    der ich ie wol gesprochen hân?
    ich mac wol mînen kumber klagen
    und si darunder ungevlêhet lân.
5   Si nimt von mir vür wâr
      *mînen dienst manic jâr.
      ich hân gegert
        ir minne und vinde ir haz.
        daz mir dâ nie gelanc,
10   des habe ich selbe undanc.
      dûhte ích si sîn wért,
        si hete mir gelônet baz.

207, 23 — 8 A,
6 B, 9 C

4 Sît ich ir lônes muoz enbern,
    der ich manic jâr gedienet hân,
    sô müeze mich doch got gewern,
    daz ez der lieben müeze ergân
5   Nâch êren unde wol.
      sît ich mich rechen sol,
        dêswâr daz sî,
        und doch niht anders wan alsô,
        daz ich ir heiles gan
10   baz danne ein ander man,
      und bin dâ bî
        ir leide gram, ir liebes vrô.

3, 1 *von ir* B. 4 ¶ *vngevalschet* B. 5 *nimet* B. *ware* B. 6 *iare* B.
4, 2 *ich doch vil gedienet* h. B. 3 *mv̊ze* A. *So gerv̊che mich got aines wern* BC. 4 *lieben*]
schv̊nen B, *schonē* C. *mv̊ze* A, *mv̊s* B. 9 *ir wol heiles* C, *ir gv̊tes* B. 10 *Vñ baz* C.
11 *bin*] *bi* B. 12 *laides* BC. *gran* A.

3, 4 *Und si drumb ungevelschet* l. K(HV). 6 *Mîn dienest* K(HV). 11 *Dûht ich sis w.*
K(HV).
4, 2 *manc* K. 3 K (Saran [1] 10) nach BC, ebenso HV aber: *Sô ruoche.* 4 K(HV) nach
BC. 12 *Br*] K(HV) nach BC.

5 Mir sint diu jâr vil unverlorn,   208, 20 — *9 B,*
    diu ich an sî gewendet hân.   *9 A,* 10 C
hât mich ir minne lôn verborn,
    doch troestet mich ein lieber wân.
5   Ich gerte nihtes mê,
      wan müese ich ir als ê
      ze vrowen jehen.
        *manic man nimet sîn ende alsô,
        daz im níemer guot geschiht,
10   wan daz er sich versiht,
      daz ez súle geschehen,
      und tuot in der gedinge vrô.

6 Der ich dâ her gedienet hân,   208, 32 — *10 A,* 8 C
    dur die wil ich mit vröiden sîn.
doch ez mich wênic hât vervân.
    ich weiz wol, daz diu vrowe mîn
5   Nách éren lebet.
      swer von der sîner strebet,
      der habe ime daz.
      in betrâget sîner jâre vil.
      swer alsô minnen kan,   209, 1
10   der ist ein valscher man.
    mîn muot stêt baz:
      von ir ich niemer komen wil.

1, 2 Und ließ das weithin bekannt werden (vgl. Bech Germania 30, 275). 5 *antheiz*
Gelübde. 6 *ê der tage* beizeiten. 10 *verlân* verlassen.
2, 2 Jetzt wünschte ich selbst . . .
3, 4 *dar under* gleichwohl, dabei. 10 muß ich mir selbst zum Vorwurfe machen. 11 *sîn*
d. h. *des lônes.*
4, 7 f fürwahr, so soll es sein, jedoch in der Weise, daß ich . . .
5, 3 *verbern* unberücksichtigt lassen. 7 als meine Herrin erklären. 10 *versehen* rech-
nen, hoffen auf. 12 und diese Hoffnung stimmt ihn froh.
6, 1 *dâ her* bis jetzt. 3 *ez vervât mich* es nützt mir. 7 der behalte es für sich. 8 *be-*
trâgen verdrießen.

5, 3 *minnen* AC. 4 *trostet* A. 5 *Ich engerte* A. 6 *mvͦz* A. *als ê*] *alse* A. 8 *dͩ nimpt* A,
nimt C. 9 *ime niemͩ liep* g. A. 11 *Deiz* A. *svle* AC.
6, 6 *strebt* A. 7 *im* C.

5, 5 *Ichn* K(HV). 8 *Manc man der* n. K(HV). 9 *guot*] *liep* K(HV). 11 *Deiz* K(HV).
sül K (Sievers ² 61 f).
6 H, P 172, Bu 53 trennen diese Str. als selbständiges Lied von III. — 5 ¶ *Niwan*
nâch ê. K(HV). 5 f *lebt : strebt* K (Sievers ² 61 f). 7 *im* K(HV). 11 *stât* K(V).

IV Mîn dienst der ist alze lanc

209, 5 — 7 B, 12 C

1   Mîn dienst der ist alze lanc
   bî ungewisseme wâne.
  nâch der ie mîn herze ranc,
   diu lât mich trôstes âne.
5   Ich mohte ir klagen
   und undersagen
     von maniger swaeren zît,
    sît ich erkande ir strît.
     sît ist mir gewesen vür wâr
10   ein stunde ein tac, ein tac ein woche, eine woche ein ganzez jâr.

209, 15 — 8 B, 13 C

2   Owê, waz taete si einem man,
   dem sî doch vîent waere,
  sît sî sô wol verderben kan
   ir vriunt mit maniger swaere?
5   Mir taete baz
   des rîches haz:
     joch mohte ich eteswar
    entwîchen sîner schar.
     diz leit wont mir alles bî
10   und nimt von mînen vröiden zins, alse ich sîn eigen sî.

1, 6 *undersagen* mitteilen. 8 *strît* hier: feindselige Haltung.
2, 8 *schar* (auferlegte) Strafe. 9 *alles* immerfort. 10 *alse* als ob.

IV. 1, 5 *môhte* C. *ir*] *in* (übergeschrieben C) BC. 7 *swaeren* fehlt C. 8 *ich*] *ir* C.
2, 1 *Ove* B, *We* C. 7 *Io môhte* C. 10 *als* C.

IV vv. 5—6 zusammengefaßt K (Saran² 61). — 1, 1 *dienest* K(HV). 2 *ungewissem*
 K(HV). 3 Saran¹ 14] *Wan nâch* K(HV). 5 *ir* K(V). 6 *wunder sagen* K(HV).
 7 *manger* K. Br] *zît.* K(HV).
2, 1 *taetes* K(HV). 4 *manger* K.

V   Dem kriuze zimet wol reiner muot

B: 1—4; C: 1—4 ‖ 5—6

1   Dem kriuze zimet wol reiner muot   209, 25 — *13 B,* 17 C
       und kiusche site,
     sô mac man saelde und allez guot
       erwerben dâ mite.
5   ouch ist ez niht ein kleiner haft
             dem tumben man,
           der sînem lîbe meisterschaft
             niht halten kan.
                 Ez wil niht, daz man sî
10   der werke dar under vrî.
                   waz touget ez ûf der wât,
                     der sîn an dem hérzen niene hât?

2   Nu zinsent, ritter, iuwer leben   209, 37 — *14 B,* 18 C
       und ouch den muot
     durch in, der iu dâ hât gegeben   210, 1
       beidiu lîp und guot.
5   swes schilt ie was zer welte bereit
             ûf hôhen prîs,
           ob er den gote nû verseit,
             der ist niht wîs.
                 Wan swem daz ist beschert,
10   daz er dâ wol gevert,
                   daz giltet beidiu teil,
                     der welte lop, der sêle heil.

V. 1, 1 *zimt* C. 7 *sime* C. 11 *tŏgt* C.
2, 3 *ǔch* B. 4 *Beide* C.

V Ein Lied Naumann Beitr. 44, 293 u. 295, Jellinek Beitr. 45, 69, Neumann 43, Schnei-
   der 75, Blattmann 150 ff. Zwei Lieder 1—4 u. 5—6 HV, Kienast ³ 11, Ingebrand
   155. Zwei Strophenkreise 1, 3, 5 u. 2, 4, 6 Saran ² 19 ff. 5—6 späterer Zusatz K,
   ähnlich Salmon MLR. 66, 822; unecht Sparnaay, Hartmann v. A. I, 1933, 3. —
   1, 1 *zimt* K(HV). 4 *Erwerben mite* K(HV). 7 *sîme* K(HV). 10 *drunder* K(HV).
   11 *touc* K(HV). 12 *Ders an* K(HV).
2, 4 *Lîp unde g.* K(HV). 5 *werlt* K (Wackernagel 511).

3   ∫Diu werlt lachet mich triegende an   210, 11 — *19 C*, 15 B
       und winket mir.
   nu hân ich als ein tumber man
       gevolget ir.
5   der hacchen hân ich manigen tac
       geloufen nâch,
    dâ niemen staete vinden mac
      dar was mir gâch.∖
        Nu hilf mir, herre Krist,
10   der mîn dâ vârende ist,
        daz ich mich dem entsage
        mit dînem zeichen, daz ich hie trage.

4   Sît mich der tôt beroubet hât   210, 23 — *20 C*, 16 B
      des herren mîn,
   swie nû diu werlt nâch im gestât,
      daz lâze ich sîn.
5   der vröide mîn den besten teil
       hât er dâ hin,
    schüefe ich nû der sêle heil,
       daz waer ein sin.
        Mac ich íme ze helfe komen,
10   mîn vart, die ich hân genomen,
        ich wíl ime ir hálber jehen.
        vor gote müeze ich in gesehen.

3, 1—4 stehen hinter 5—8 BC. 5 *Her hacchen* B. 8 *mir vnderwilēt* g. B. 11 *deme* B.
4, 3 *ime* B. 5—8 fehlen B. 12 *mv́s* B.

---

3 Umstellung von v. 1—4 u. 5—8 nach HVK. 1 *mich lachet triegend an* K (Wacker-
nagel 512, HV). 5 *mangen* K. 12 *deich* K(HV).
4, 7 Saran [1] 18] *Und schüefe* K (Wackernagel 512, HV). 9 *ich* tilgt K(HV). *im* K (Sie-
vers [2] 60 f). 10 *diech* K(HV). 11 *wil irm* K(HV).

5 Mîn vröide wart nie sorgelôs   210, 35 — *33 C*
    unz an die tage,
  daz ich mir Kristes bluomen kôs,
    die ich hie trage.
5   die kündent eine sumerzît,
      diu alsô gar   211, 1
    in süezer ougenweide lît.
    got helfe uns dar
      . Hin in den zehenden kôr,
10   dar ûz ein hellemôr
        sîn valsch verstôzen hât
        und noch den guoten offen stât.

6 Mich hât diu welt alsô gewent,   211, 8 — *34 C*
    daz mir der muot
  sich zeiner mâze nâch ir sent
  – dêst mir nu guot,
5   got hât vil wol ze mir getân,
      als ez nu stât,
    daz ich der sorgen bin erlân –,
    diu menigen hât
      Gebunden an den vuoz,
10   daz er belîben muoz,
        swanne ich in Kristes schar
        mit vröiden wunneclîche var.

1, 3 ewige Seligkeit und alles, was die Kreuzfahrt an Vorteilen auf Erden bringt.
   5 *haft* Fessel. 7 f *meisterschaft halten* in der Gewalt haben. 12 *der ... wenn*
   einer ...
2, 1 *zinsen* das Leben als Preis hingeben. 10 wohl: daß er seine Kreuzfahrt gut durch-
   führt. 11 *gelten* gewinnen.
3, 5 *hacche* Dirne (vgl. aber Anm.). 8 dorthin strebte ich mit Eifer. 10 vorgezogener
   Relativsatz mit Bezug auf *dem* in 11. *vâren* nachstellen.
4, 4 das kümmert mich nicht. 7 sorgte ich nun für das Heil der Seele. 11 *ime ir halber
   jehen* ihm die Hälfte (der Fahrt) zusprechen.
5, 3 *Kristes bluomen* vgl. Anm. 9 hin zum zehnten Engelchor.
6, 1 *wenen* übel mitspielen (Rooth, Festschr. Wolff, 1962, 137 f), zutraulich machen
   (iron. vgl. Jellinek Beitr. 45, 68 f). 3 *zeiner mâze* nur mäßig, wenig.

5, 10 *ein* Saran [1] 19, Kienast [3] 22] *en* K (L Anm. HV).
6 Interpunktion nach Kienast [3] 22. — 3 *sent:* K(HV). 4 *guot.* K(HV). 7 *erlân,* K(HV).
   8 HV, Kienast [3] 22] *Die manger* K. 11 *Swenn* K(HV). 12 *wünneclîchen* K(HV).

VI   Swelch vrowe sendet ir lieben man

Swelch vrowe sendet ir lieben man   211, 20 — *17 B,* 21 C
  mit rehtem muote ûf dise vart,
diu koufet halben lôn dar an,
  obe sî sich heime alsô bewart,
5   Daz sî verdienet kiuschiu wort.
      sî bete vür siu beidiu hie,
    sô vert er vür siu beidiu dort.

VII   Der mit gelücke trûric ist

                             211, 27 — *23 B,* 27 C
Der mit gelücke trûric ist,
  der wirt mit ungelücke selten gemellîchen vrô.
vür trûren hân ich einen list,
  swaz mir geschiht ze leide, sô gedenke ich iemer sô:
5   "Nu lâ varn, ez solte dir geschehen.
      schiere kumet,
      daz dir vrumet."
  sus sol ein man des besten sich versehen.

                             211, 35 — *24 B,* 28 C
2 Swer anders giht, der misseseit,
  wan daz man staetiu wîp mit staetekeit erwerben muoz.
des hât mir mîn unstaetekeit
  ein staetez wîp verlorn. diu bôt mir alse schoenen gruoz,
5   Daz sî mir óugète lieben wân.   212, 1
      dô sî erkôs
      mit staetelôs,
  dô muose ouch diu genâde ein ende hân.

VI, 4 *Ob si mich h.* C. 6 u. 7 *si beidú* C.
VII. **1, 2** *gemelliche* C. 4 *geschihet* C. 6 : 7 *kvmt : gefrumt* C.
2, 4 *also schonē* C. 5 *ŏgte* C.

VI Die Lit. zum Echtheitsproblem Blattmann 136 f. — 1 Bech, Schönbach, H. v. A.
  1894, 165; Saran² 61] *sendet lieben m.* K(HV). 4 *Ob* K(HV).
VII vv. 6—7 zusammengefaßt K (Saran² 61 f.). — 1, 6 : 7 *kumt : gefrumt* K.
2, 5 *erougte* K(HV).

3 Ez ist mir iemer mêre guot,   212, 5 — 25 B, 29 C
     dáz mîn únstáete an vrowen mich versûmet hât.
    nu kêre ich mich an staeten muot,
     und muoz mit heile mînes ungelückes werden rât.
5   Ich bin einer staeten undertân.
        an der wirt schîn
         diu staete mîn,
     und daz ich an staete meister nie gewan.

1, 2 *gemellîch*   lustig, ausgelassen. **8** *sich versehen*   c. g. hoffen auf.
2, 5 *ougen*   anzeigen.
3, 2 *einen versûmen an*   einen um etwas bringen. **4** *rât*   Abhilfe, Erlösung.

VIII   Rîcher got, in welher mâze

1 Rîcher got, in welher mâze wirt ir gruoz,   212, 13 — 26 B, 30 C
     swenne ich si sihe, die ich dâ mîde manigen tac?
   *sît der dâ heime wankes vürhten muoz,
     der doch sîn liep ze rehter zît gegrüezen mac.
5   Dâ wil ich geniezen ir bescheidenheit
     und daz si vil wol wisse, war umbe ich si meit.
      sô tuot si wol, und lît mîn trôst vil gar dar an,
    *daz staete herze an vriunde wenken niene kan.

2 Niemen lebet, der sînen vriunt sô dicke siht,   212, 21 — 27 B, 31 C
     er müez an in gedenken sunder sînen danc.
   daz erzeiget herzeclîcher liebe niht.
     sô ist unser sumelîcher beiten alze lanc,
5   Daz ein wîp ir staete an uns erzeigen mac.
     gedenke ein vrowe, daz unstaete sî ein slac.
      gewinne ich nâch der langen vrömede schoenen gruoz,
      wie sêre ich mit dienste daz iemer mê besorgen muoz.

3, 2 *an frôiden* C. **5** *steter* C.
VIII. 2, 1 *lebt* C. **2** *mv́sse* C. **4** *betten* B. **7** *frômde schonen* g. C. **8** *ich ich dc m. dienste iemˢ* C.

3, 2 *vrowen* auch Jellinek Beitr. 45, 61, *an staeten fröiden* K(HV). **5** HV] *st. dienestman* K (L Anm.). **8** *deich* K(HV).
VIII Ton gleichversig, d. h. 6v statt 8s in v. 8 H, Saran² 62; Spanke ZfrPh. 49, 231. — **1, 2** *mangen* K. **3** *Sît daz der* K(HV). **6** Jellinek Beitr. 45, 59] *wesse* K(HV). **8** ¶ *an staetem vr.* K (Bech, V).
2, 1 *lebt* K (Sievers² 61). **2** H] *Ern* K(V). **4** H] *alse* K(V). **7** *vremde* K (Sievers² 61). **8** *ich daz m. d. iemer* K(V).

3 Ist ez wâre, als ich genuoge hoere jehen, 212, 29 — 28 B, 32 C
    daz lôsen hin ze den wîben sî der beste rât,
    wê, waz heiles mac danne einem man geschehen,
    der daz und allen valsch durch sîne triuwe lât?
5   Dâ sî eht er vil staete an sînem reinen site,
    sô erwirbet er ein staetez heil dâ mite,
    sô des vil gâhe lôsen gaehez heil zergât,
    daz er an der vil gâhe lôsen gaehes vunden hât.

1, 1 Mächtiger Gott, wie wird ihr Gruß ausfallen. 3 *sît* während doch schon. *wanc*
Unstetigkeit. 5 *bescheidenheit* Einsicht, Vernunft. 8 *wenken* unstet werden.
2, 2 *sunder s. danc* wider s. Willen. 4 *sô* dagegen. *beiten* warten. 8 *besorgen* be-
dacht sein auf.
3, 2 *lôsen* (falsch) schmeicheln. 5 da sei er nur. 7 *sô* dagegen. *gâhe lôs* schnell mit
dem Schmeicheln zur Hand. 8 *gaehes* schnell (vgl. K, MFU 464 f).

IX   Ob man mit lügen die sêle nert

1 'Ob man mit lügen die sêle nert, 212, 37 — 35 C
    sô weiz ich den, der heilic ist,
    der mir dicke meine swert. 213, 1
    mich überwant sîn karger list,
5   Daz ich in zeime vriunde erkôs.
    dâ wânde ich staete vünde.
    mîn selber sin mich dâ verlos,
    als ich der werlte künde:
    sîn lîp ist alse valschelôs
10   sam daz mer der ünde.

, 1 *war* C. *gehen* B. 5 *Dc si vñ er v. st. sin an reinē s.* C. 6 *Ia* C. *heile* B. 7 *So dˢ vil
gahelosen* BC. 8 *gahelosen gẹhis* (*gehes* C) BC.

, 1 *wâr* K(HV). 2 ¶ *zen* K. 6 *Ja* K(HV). 7 *des* K(HV).
X   Unecht K (Bu 78, V), weitere vgl. K, MFU 465; echt Kienast [3] 24—30 (kritisch
dazu Wolff AfdA. 76, 50 u. Jungbluth DLZ. 85, 650), Blattmann 104.

2 War umbe suocht ich vrömden rât,   213, 9 — *36 C*
    sît mich mîn selber herze trouc,
daz mich an den verleitet hât,
    der mir noch nieman guoter touc?
5   Ez ist ein swacher mannes prîs,
        den er begêt an wîben.
      süezer worte ist er sô wîs,
        daz man si möhte schrîben.
      den volget ich unz ûf daz îs:
10   der schade muoz mir belîben.

3 Begunde ich vêhen alle man,   213, 19 — *37 C*
    daz taete ich durch sîn eines haz.
wie schuldic waeren sî dar an?
    jâ lônet meniger sîner baz.
5   Diu hât sich durch ir schoenen sin
        gesellet saeleclîche,
      diu lachet, swanne ich trûric bin,
        wir alten ungelîche.
      nâch leide huop sich mîn begin,
10   daz senfte got der rîche.'

1, 1 *nern* retten. 3 *meine swern* falsch schwören. 4 *karc* schlau, hinterlistig. 7 *ver*
liesen zugrunde richten. 9 f Er ist ohne Falsch wie das Meer ohne Wellen.
2, 1 Warum sollte ich ... 4 der weder mir noch sonst einer guten Frau nützt *(guote*
g. pl. abh. v. *nieman)*. 7 *wîs, wîse* geschickt, erfahren in.
3, 1 *vêhen* hassen. 9 *nâch leide* leidvoll.

2, 4 *dŏg.*

2, 4 *touc* K(HV). 6 *begât* K(V).
3, 4 *manger* K.

X   Ez ist mir ein ringiu klage

Ez ist mir ein ringiu klage,   213, 29 — *38 C*
   daz ich sî sô selten sihe,
der ich alle mîne tage
   guotes jach und iemer gihe.
5   Mir ist niender anderswâ
     wirs danne dâ.
     mîme lîbe gêt ze nâ,
      ich enmöhte erwerben daz,
       daz si alsô saehe,
10   daz si mîn ze vriunde verjaehe.
      mir tuot ir vrömeden anders baz.

Guoter wîbe saelekeit   214, 1 — *39 C*
   vröite noch daz herze mîn.
nieman ist in baz gereit,
   daz sol lange staete sîn.
5   Ich wil ir liep mit liebe tragen
     ze mînen tagen
     und ir leit mit leide klagen.
     nieman sol ir lobes gedagen.
      swaz wir rehtes werben,
10   und daz wir man noch nien verderben,
      des suln wir in genâde sagen.

---

1 *ringe* leicht, klein. 8 f wenn ich nicht erreichen könnte, daß ich sie ... 10 *verjehen* nennen, erklären.

2 hat noch immer ... 3 *gereit* ergeben. 4 das wird (soll) noch lange so bleiben. 8 *gedagen* verschweigen. 9 *werben* tun. 11 *genâde sagen* danken.

K E i n Lied K, MFU 467 (gegen Saran[1] 16); vv. 5—6 faßt K (Saran[2] 63) zusammen. — 1, 7 *gât* K(V). 9 ¶ *Deich sî* K(HV). 10 *friund* K. 11 *fremden* K.

8 *lobs* K (Sievers[2] 61).

XI   Nieman ist ein saelic man

1 Nieman ist ein saelic man   214, 12 — *40 C*
    ze dirre werlte wan der eine,
  der nie liebes teil gewan
    und ouch dar nâch gedenket kleine.
5   Des herze ist vrî von sender nôt,
    diu manigen bringet ûf den tôt,
      der schône heil gedienet hât
        und sich des âne muoz begân.
      dem lîbe niht sô nâhe gât,
10   als ich mich leides wol entstân,
      wand ich den selben kumber hân.

2 Ez ist ein ungelückes gruoz,   214, 23 — *41 C*
    der gêt vür aller hande swaere,
  daz ich von vriunden scheiden muoz,
    bî den ich iemer gerne waere.
5   Diu nôt von mînen triuwen kumt.
    ich enwéiz, ob sî der sêle iht vrumt:
      sine gít dem lîbe lônes mê
        wan trûren den vil langen tac.
      mir tuot mîn staete dicke wê,
10   wand ich mich niht getroesten mac
      der guoten, diu mîn schône pflac.

1, 7 *gedienen* durch Dienst erwerben. 8 Und nun ohne es sein Leben verbringen muß
   9 *niht* nichts (subj.). 10 *sich entstân* c. gs. erkennen.
2, 3 gemeint ist gewiß die Geliebte (vgl. 10 f).

XI. 2, 7 *dē*. 11 *mich schône*.

XI. 1, 6 *mangen* K. 10 Kienast ³ 32] *leider* K(HV).
2, 2 *gât* K(V). 6 *Ichn weiz* K(HV). 7 *Sin* K(HV). 11 *mîn schône* K(HV).

XII　Dir hât enboten, vrowe guot

: 1, 2, 3;　C: 1, 2, 3 ‖ Wa 4;　E: Wa 1, 2, 3, 5 ‖ 4;　s: Wa 5

Dir hât enboten, vrowe guot,
　　sînen dienst, der dirs wol gan,
ein ritter der vil gerne tuot
　　daz beste, daz sîn herze kan.
5　　　Der wil dur dînen willen disen sumer sîn
　　　vil hôhes muotes verre ûf die genâde dîn.
　　　　daz solt dû minneclîch enpfân,
　　　　　daz ich mit guoten maeren var.
　　　　sô bin ich willekomen dar.

'Du solt ime mînen dienest sagen.
　　swaz im ze liebe muge geschehen,
daz möhte nieman baz behagen,
　　der in sô selten habe gesehen.
5　　　Und bite in, daz er wende sînen stolzen lîp,
　　　dâ man im lône, ich bin ein vil vrömdez wîp
　　　　zenphâhen sus getâne rede.
　　　　　swés ér ouch anders gert,
　　　　daz tuon ich, wan des ist er wert.'

214, 34 — *42 C*, 1 A,
Wa 121 E

215, 1

215, 5 — *43 C*, 2 A,
Wa 122 E

XII. 1, 1 *Mir hatten botten* A. 2 *dienest* A, *Sin dienest* E. *dir ez wol* A, *dirs vil wol* E.
6 *gnade* AE. 7 *Den* E. *minneclichen* E. 8 *Swenne ich mit sůlchen m.* E.
, 1 *ime botten m.* dienst *s.* A, *im bote m.* dienest *s.* E. 2 *ime* A. *mǒge* A. *Vñ swaz
ime heiles mag g.* E. 3 *mohte* A. *Daz enkůnne* E. *beiagen* E. 4 *selden* A. 5 *Vñ rate
im daz er da bewenden sinen l.* E. 6 *Do* E. *ime* AE. *vremedez* A. *bin ime ein fremde
w.* E. 7 *Zenphahenne* AE. *sus]so* E. 8 *Swer er vch* A. *Swes er denne nach eren g.* E.
9 *wanne er ist es w.* E.

XII H nahm nur Strr. 1—2 als Eigentum Ha's auf, Strr. 1—5 ein Lied Wa's P 173 ff,
gereiht von K, bestätigt von Schneider ZfdA. 73, 168—172; vv. 7—8 zusammen-
gefaßt K (Walther von der Vogelweide hg. v. Wackernagel-Rieger 1862, 193). —
1, 2 *Sîn dienest der dir ez wol g.* K(HV).
, 1 H (aber: *im*), Kienast [3] 36 f] *im, bot, mîn dienest* (≈ AE) K (Sievers [2] 61 f); nach
AE auch V Br. 2 *müg* K (Sievers [2] 61 f). 4 *Dan der* Kienast [3] 39. *hab* K (Sievers [2]
61 f). 6 Kienast [3] 39] *bin im ein vil vremdez w.* K (HV, aber *vremedez*). 8 *anders
danne gert* K(HV), *anders zuo mir gert* Kienast [3] 39).

3 Mîn êrste rede, die sî ie vernan,   Wa 217, 1 — *44 C,*
3 A, Wa 123 E

      die enphíe si, daz mich dûhte guot,

  biz sî mich nâhen zir gewan,

      zehant bestuont si ein ander muot.

5   Swie gerne ich wolte, in mac von ir niht komen.

      diu grôze liebe hât sô vaste zuo genomen,

        daz si mich nien lâzet vrî.

          ich muoz ir eigen iemer sîn.

          nu enrúoch, êst ouch der wille mîn.

4 Sît daz ich eigenlîchen sol,   Wa 120, 16 —
Wa 129 E, 426 C

      die wîle ich lebe, ir sîn undertân,

  und sî mir mac ſgebüezen wolʟ

      den kumber, den ich durch sie hân

5   Geliten nu lange und immer alsô lîden muoz,

      daz mich'n mac getroesten nieman, sî entuoz,

        sô sol si nemen den dienst mîn

          únd bewar dar under mich,

          daz [ ] án mir ſníht ouch versûme síchʟ.

3, 1 *Do ich der rede alrerst began* E. *v*ˢ*nam* A. 2 *enphienc si des* A. *Do enpfieng sie daz michz* E. 3 *Vñ mich rehte zů ir* g. E. 4 *muot*]*wan* E. 5 *in*]*ich* A. *Nu môhte ic niht swie gerne ich wôlte von ir kummen* E. 6 *Die minnecliche liebe hat so z genûmē* E. 7 *niht enlazet* A, *niht lezzet* E. 8 *Des m. ich immer ir eigin si* Ẹ 9 *enrůche* A. *ouch*]*doch* A. *Inrůche ez ist der* E.

4 426] 449 C. — 2 *wil* E. 3 *wol gebůzzen* CE. 5 *nu lange* fehlt C. 6 *mich enmag* Ç 7 *si nieman den dienest* C. 8 *micht* C. 9 *das si sich an mir ôch versvme sich niht* C *(auch an mir* E, *aber durch Zeichen umgestellt).*

3, 1 *dies* K(HV). 2 *Die 'npfienc* K. ¶ *deiz* K(HV). *guot;* K(HV). 3 *Unz* K(HV 4 *bestuonts* K(HV). 5 *ich enmac* K(HV). 7 *niht enlâzet* K(HV). 9 *ouch*] *doch* K(V

4, 1 L] *deich ir* K (Walther v. d. Vogelweide, hg. v. H. Paul 1882, 30). 2 *lebe, s* K (Paul ebd.). 3 Umstellung nach K(L). 6 *mich enmac* K(L). 7 *dienest* K(L). 8 ʟ Paul ebd.] *Und ouch bewarn* K (Wackernagel). 9 L] *Dazs an mir niht v. sich* K.

Swer giht, daz minne sünde sî,

    der sol sich ê bedenken wol,

ir wont vil manige êre bî,

    der man durch reht geniezen sol,

5   Und volget michel staete und dar zuo saelikeit.

    daz immer ieman missetuot, daz ist mir leit.

      die valschen minne mein ich niht,

        diu möhte unminne heizen baz,

      der wil ich immer sîn gehaz.

Wa 217, 10 —
Wa 124 E, s bl. 14e

, 1 *enbieten* übermitteln lassen. 6 *verre ûf* . . . ganz im Vertrauen auf deine Huld.
, 4 *der* bezieht sich auf *nieman* (= Sprecherin). 6 f Ich bin eine Frau, die nicht gewohnt ist, solche *rede* zu hören.
, 3 etwa: bis sie mich näher kennenlernte. 4 sofort wurde sie anderen Sinnes. 9 *nu enruoch* (Formel) laß dich's nicht kümmern.
, 1 *eigenlîchen* wie ein Leibeigener. 3 *gebüezen* vergelten. 8 *dar under* gleichwohl.
9 *sich versûmen an* Pflichten, die man jemanden gegenüber übernommen hat, nicht nachkommen.

XIII   Ich muoz von rehte den tac iemer minnen

1 Ich muoz von rêhte den tac iemer minnen,

    dô ich die werden von êrst erkande

in süezer zühte mit wîplîchen sinnen.

    wol mich, daz ich den muot ie dar bewande!

5   Daz schat ir niht und ist mir iemer mêre guot,

    wand ich ze gote und ze der welte den muot

      deste baz dur ir willen kêre.

      sus dinge ich, daz sich mîn vröide noch gemêre.

215, 14 — 45 C

5, 1 *Wer saget* s. 2 *sich vˢsinnē* s. 4 *genesē* s. 5 *Dˢ volgʒ michel triuve vnd stedicheit* s.
6 *Daz ymāt s. mir]* ¶ *ir* s. 7 *Der valschē mīne dye in meyn nicht* s. 8 *mucht* s.

5, 3 *manic* K(L). 6 *ir leit* K(L).
XIII Strophenfolge nach Kienast [3] 43, Blattmann 299, Salmon MLR. 66, 819 f; Folge
1, 3, 2 K (L Anm. HV). — 1, 2 *êrest* K(BaV). 5 *mêre* tilgt K(HV). 6 *zer werlte*
K(HV). 7 H] *Al deste* K (V Anm.). *bekêre* K(HV). 8 *mêre* K(HV).

2 Sich mac mîn lîp von der guoten wol scheiden,   215, 30 — *46 C*
   mîn herze, mîn wille muoz bî ir belîben.
   sî mac mir leben und vröide wol leiden,
      dâ bî alle mîne swaere vertrîben:
5   An ir lît beide mîn liep und mîn leit.
   swaz si mîn wil, daz ist ir iemer bereit.
      wart ich ie vrô, daz schuof niht wan ir güete.
      got sî der ir lîp und êre behüete.

3 Ich schiet von ir, daz ich ir niht enkunde   215, 22 — *47 C*
   bescheiden, wie ich si meinde in dem muote.
   sît vuogte mir ein vil saelige stunde,
      daz ich si vant mir ze heile âne huote.
5   Dô ich die werden mit vuoge gesach
   und ich ir mî*n*s willen gar verjach,
      daz enpfie si mir, daz irs got iemer lône.
      si was von kinde un*d* muoz iemer sîn mîn krône.

1, 2 . . . zuerst kennenlernte. 8 *dingen*   hoffen.
2, 3 *leiden*   vergällen. 6 was sie von mir will, . . . 7 *niht wan*   nur.
3, 2 *bescheiden*   sagen. *meinen*   lieben. 3 *vüegen*   Gelegenheit geben zu. 6 *verjeher*
c. gs. und dp. einem etw. kundtun.

XIV   Swes vröide hin ze den bluomen stât

1 'Swes vröide hin ze den bluomen stât,   216, 1 — *48 C*
   der muoz vil schiere trûren gegen der swaeren zît.
   iedoch wirt eines wîbes rât,
      diu die langen naht bî liebem manne lît.
5   Sus wil ouch ich den winter lanc
   mir kürzen âne vogelsanc.
      sol ich des enbern, dêst âne mînen danc.

3, 6 *mis.* 8 *vnde.*
XIV. 1, 4 *liebē.*

2, 3 *unde* K(V). 4 HV] *Und dâ bî al m.* K(Ba). 6 *deist* K(HV).
3, 2 HV] *wie sêre ich* K. 6 *Unde ich ir gar m. w. verjach* K(HV). 7 *Daznpfie sî mir
sô* K(H). 8 *und muoz mê sîn* K(HV).
XIV Unecht Jellinek Beitr. 45, 63—66. — 1, 1 *zen* K.

2   Die vriunde habent mir ein spil
     geteilet vor, dêst beidenthálbèn verlorn:
     – doch ich ir einez nemen wil
     âne gúot wál, sô waere ez baz verborn –
5   Si jehent, welle ich minne pflegen,
     sô müeze ich mich ir bewegen.
     doch sô râtet mir der [ ] muot ze beiden wegen.

3   Waer ez mîner vriunde rât,
     jâ herre, wes solt er mir danne wizzen danc?
     sît erz wol gedienet hât,
     dâ von sô dunket mich sîn bîten alze lanc.
5   Wand ich wâgen wil durch in
     den lîp, die êre und al den sin,
     sô muoz mir gelingen, ob ich saelic bin.

4   Er ist alles des wol wert,
     – ób ich mín tríuwe an im behalten wil –
     des ein man ze wîbe gert.
     dêswâr dekeiner êren ist im niht ze vil.
5   Er ist ein sô bescheiden man
     – ob ichs an im behalten kan –
     minne ich in, dâ missegêt mir niemer an.'

1, 2 *trûren gegen*   trauern über. **3** *rât* Hilfe, Befreiung. **7** *âne mînen danc*   gegen meinen Willen.
2, 1 f *einem ein spil teilen*   jem. die Wahl zwischen zwei Dingen lassen. **3 f** Obgleich ich eines wählen werde ohne eine gute Wahl(möglichkeit zu haben), wäre dieses *spil* besser unterblieben. **6** *sich bewegen* c. g. verzichten auf.
3, 1 Würden meine Verwandten mir zuraten. **6** *sin* hier: Vernunft. **7** ... wenn mir das Geschick hold ist.
4, 5 *bescheiden* verständig. **6** *si = triuwe* (v. 2).

2, 2 *beidenthalb.* **7** *mir der* doppelt.
4, 7 Danach Raum für 7 Zeilen.

2, 1 HV, Kienast [3] 45] *Die friunt die* K. **2** *beidenthalp niht wan v.* K(HV), *dêst lîhte beidenthalp* Kienast [3] 45. **3—4** keine Parenthese, sondern Komma nach *wil,* jedoch keines nach *wal* K(HV), Ausrufezeichen nach v. 3, nach v. 4 Doppelpunkt Kienast [3] 79. **3** HV, Kienast [3] 79] *Ob* K. **4** *guote* K(HV).
3, 4 *sîn* HV, Kienast [3] 45 f] *mîn* K.
4, 2 *mîne* K(HV).

XV   Maniger grüezet mich alsô

1 Maniger grüezet mich alsô   216, 29 — 52 C
   – der gruoz tuot mich ze mâze vrô –:
   "Hartman, gên wir schouwen
   ritterlîche vrouwen."
5   mac er mich mit gemache lân
       und île er zuo den vrowen gân!
       bî vrowen triuwe ich niht vervân,
       wan daz ich müede vor in stân.

2 Ze vrowen habe ich einen sin: 216, 37 — 53 C
   als sî mir sint, als bin ich in;
   wand ich mac baz vertrîben
   die zît mit armen wîben.   217, 1
5   swar ich kum, dâ ist ir vil,
       dâ vinde ich die, diu mich dâ wil;
       diu ist ouch mînes herzen spil.
       waz touc mir ein ze hôhez zil?

3 In mîner tôrheit mir beschach,   217, 6 — 54 C
   daz ich zuo zeiner vrowen gesprach:
   "vrowe, ích hân mîne sinne
   gewant an iuwer minne."
5   dô wart ich twerhes an gesehen.
       des wil ich, des sî iu bejehen,
       mir wîp in solher mâze spehen,
       diu mir des niht enlânt beschehen.

1, 3 *schouwen* hier: aufsuchen. 5 soll er mich in Ruhe lassen. 6 *îlen* sich beeilen.
7 *triuwen* sich getrauen. *vervân* zuwege bringen.
3, 5 *twerhes* von der Seite, schief. 7 *mâze* Art, Beschaffenheit. *spehen* auswählen.
8 *beschehen* widerfahren.

XV. 1, 3 : 4 *schowen : frowen.* 7 *truwe.*
2, 4 *Dv̇.*

XV. 1, 1 *Manger* K (Sievers [2] 61).
3, 1 *geschach* K(HV). 2 *sprach* K(HV). 8 *geschehen* K(HV).

XVI Diz waeren wunneclîche tage

1 'Diz waeren wunneclîche tage,   217, 14 — 55 C
    der sî mit vröiden möhte leben.
  nu hât mir got ein swaere klage
  ze dirre schoenen zît gegeben,
5   Der mir leider niemer wirdet buoz:
      ich hân verlórn éinen man,
    daz ich vür wâr wol sprechen muoz,
    daz wîp nie liebern vriunt gewan.
          dô ich sîn pflac, dô vröit er mich:
10   nu pflege sîn got, der pfliget sîn baz danne ich.

2 Mîn schade waer niemanne reht erkant,   217, 24 — 56 C
    ern diuhte in grôzer klage wert.
  an dem ich triuwe und êre ie vant
  und swes ein wîp an manne gert,
5   Der ist alze gaehes mir benomen.
      des mac mir unz an mînen tôt
    niemer niht ze staten komen,
    ine müeze lîden sende nôt.
          der nû iht liebers sî beschehen,
10   diu lâze ouch daz an ir gebaerden sehen.

3 Got hât vil wol zuo zir getân,   217, 34 — 57 C
    sît liep sô leidez ende gît,
  diu sich ir beider hât erlân:
  der gêt mit vröiden hin diu zît.
5   Ich hân klage só manigen liehten tac,
      und ir gemüete stêt alsô,
                                                    218, 1
    daz sî mir niht gelouben mac.
      ich bin von liebe worden vrô:
          sol ich der jâre werden alt,
10   daz giltet sich mit leide tûsentvalt.'

XVI. 2, 4 swas.
3, 5 si.

XVI Zum Problem der Echtheit und der Deutung vgl. Anm. — 1, 6 verloren K(HV).
    9 mich] sich Kienast³ 54. 10 pfligt (pfliget V) sîn baz dan ich K(HV).

2, 1 niemen rehte K(HV). 4 swes K(HV). 5 gâhes K(HV). 8 In K(HV). 9 geschehen
    K(HV).

3, 4 gât K(V). 5 sô K(HV). mangen K. 6 stât K(V).

1, 2 *der* wenn einer. **5** *buoz werden* c. gs. Abhilfe schaffen für, frei werden von.
2, 1—2 Niemand, der meinen Verlust richtig erkennt, hält ihn nicht für höchst beklagenswert. **5** *gaehes* jäh. **6 ff** In Hinblick darauf kann mir bis zu meinem Tod niemals etwas dagegen helfen, daß ich sehnsuchtsvollen Schmerz erleiden muß.
3, 3 *sich erlân* sich enthalten. **6** *und* hier: während.

XVII   Ich var mit iuweren hulden

1 Ich var mit iuweren hulden, herren unde mâge.   218, 5 — *58 C*
    liut unde lant die müezen saelic sîn!
ez ist unnôt, daz ieman mîner verte vrâge,
    ich sage wol vür wâr die reise ⟨mîn⟩.
5   Mich vienc diu minne und lie mich varn ûf mîne sicherheit.
      nu hât si mir enboten bî ir liebe, daz ich var.
      ez ist unwendic, ich muoz endelîchen dar.
    wie kûme ich braeche mîne triuwe und mînen eit!

2 Sich rüemet maniger, waz er dur die minne taete.   218, 13 — *59 C*
    wâ sint diu werc? die rede hoere ich wol.
doch saehe ich gern, daz sî ir eteslîchen baete,
    daz er ir diente, als ich ir dienen sol.
5   Ez ist geminnet, der sich durch die minne ellenden muoz.
      nu séht, wie sî mich ûz mîner zungen ziuhet über mer.
      und lebte mîn her Salatîn und al sîn her
    dien braehten mich von Vranken niemer einen vuoz.

XVII. **1, 3** *minr.*

XVII Von Eis Euph. 46, 276—79 Bligger von Steinach zugeschrieben. — **1, 1** *iuwern*
K(HV). **5** HVBr, Kienast³ 63 f] *lie mich vrî* K.
2, 1 *manger* K. **3** *gerne dazs ir* K(HV). **6** *wies mich* K(HV). **7** HV] *Und lebt mîn*
herre, S. K (Paul Beitr. 1, 477 und 536), Konjekturen der letzten Jahre: *Und letztes*
mich, *her* S. Jungbluth Euph. 49, 148, *Unt sebte mîn her* S. Gutenbrunner ZfdPh.
78, 241, *Und lieze si* (die Minne) *mich*, *her* S. Kuhn, Festschr. Ziegler 1968, 9 (vgl.
auch Anm.).

3 Ir minnesinger, iu muoz ofte misselingen,
    daz iu den schaden tuot, daz ist der wân.

218, 21 — 60 C

ich wil mich rüemen, ich mac wol von minnen singen,
    sît mich diu minne hât und ich si hân.
5   Daz ich dâ wil, seht, daz wil alse gerne haben mich.
    sô müest aber ir verliesen underwîlent wânes vil:
    ir ringent umbe liep, daz iuwer niht enwil.
    wan müget ir armen minnen solhe minne als ich?

1, 1 *mit iuweren hulden* mit eurer Erlaubnis. *mâc* Verwandter, Freund. **5** *ûf mîne sicherheit* auf die Versicherung meiner Dienstwilligkeit hin. **8** Es ist unmöglich, daß ich . . . breche.
2, 3 *ir eteslîchen* den einen oder anderen von ihnen. **6** *ûz mîner zunge* aus meinem Land. **7** Und lebte Herr Saladin, er und sein ganzes Heer.
3, 6 *sô* dagegen, aber.

XVIII Wê, war umbe trûren wir

BC: 1—5; E: Rei 1, 3, 4, 2; m: Wa 3, 4, 2

1 Wê, war umbe trûren wir?
    jô gezimt ez niemen wol.

H Anm. 318, V Anm. 448,
K 308 — 22 C, 18 B,
Rei 265 E

solher swaere ich gerne enbir,
    der ich niht geniezen sol.
5   Wartâ, wie diu heide stât
    schône in grüener waete, als sî
    die lieben sumerzît enpfangen hât.

2 Reht ist, daz ein saelic man
    sanft erwerbe, swaz er wil,

H Anm. 319, V Anm. 449,
K 308 — 23 C, 19 B,
Rei 268 E, Wa m bl. 3ᵛ

wan er lop gedienen kan,
    als ich gerne taete vil.
5   Er hât wunneclîchen gruoz
    von den besten, die nu lebent.
    ez ist ein nôt, swer lange bîten muoz.

XVIII. **1, 1** *Owe* B. *trurn* E. **2** *Ioch gezimet* B, *Io enzimet* E. **3** *Sůlch⁵ swer* E. **5** *haidv́* B, *die h.* E. **6** *In grůner varwe* E. *alse si* B, *als sie* E. **7** *Den liehten summer* E.
2, 1 *Seht* B. **2** *Samfte erwerben* E, *Sanfte ir werne watz* m. **3** *Der doch l. verdienen* (*lof vor denen* m) Em. **4** *tete gerne* E. **5** *Der hat minnenclichen* (*mȳnichlikē* m) *gr.* Em. **6** *lebē* E. **7** *swer*] *der* E. *wer altzo langhe vor beyden mût* m.

3, 3 *minne* K(HV). **6** *ab* K(HV). *under wîlen* K(HV). **8** *mügt* K.
XVIII Gilt allgemein als unecht, echt neuerdings Blattmann 85—89. — **1, 2** *Jôn* K(HV).

3 Daz ein wîp getriuwe sî,
   des bedarf ich harte wol,
   wan ich bin ir selten bî:
   des ich niht engelten sol,
5   Wan ich sî durch *guot* verbir;
     lieze ichz umbe ir êre niht,
     sô kaeme ich niemer einen vuoz von ir.

H Anm. 319, V Anm. 449,
K 309 — *24 C*, 20 B,
Rei 266 E, Wa m bl. 3ᵛ

4 Sî enwil mich niht gewern,
   daz ich ir gelige bî,
   und enwil mîn niht enbern
   ze einem vriunde, als gihet sî.
5   Joch ist sî mir niht gehaz:
     dâ *en*stüende genâde bî,
     sô taete mir ein senfter vîent baz.

H Anm. 319, V Anm. 449,
K 308 — *21 B*, 25 C,
Rei 267 E, Wa m bl. 3ᵛ

5 Sî wil mir gelônet hân.
   nu wil ich, alse sî dâ wil.
   daz muoz ich vür guot enpfân.
   anders dûhte sîs ze vil,
5   Daz si mich ir dienen lât.
     seht, des taete ein heiden niht.
     joch ist es vil, ob sîs niht sünde hât.

H Anm. 319, V Anm. 449,
K 309 — *22 B*, 26 C

1, 4 von der ich keinen Nutzen haben werde.
2, 7 *bîten*   warten.
3, 4 *engelten*   einen Nachteil haben. 5 da ich sie in guter Absicht meide.
4, 4 so beteuert sie. 5 *joch*   fürwahr.
5, 7 . . . wenn sie dadurch sich nicht versündigt.

3, 2 *rehte w.* E, *rechten w.* m. 3 *Ich bin ir leider s. b.* E, *Byn ik yr leyder selden (vry getilgt?) by* m. 4 *doch nicht* m. *sol* fehlt B. 5 *Wenne daz ich* E. *Went* m. *sî* fehlt B. *dvrch got* BC. *vor bere* m. 6 *ich es* B. *Vñ enliezze ez durch* E, *Leytz ich itz* m. 7 *kôme* B. *Ichn kumme* E, *Ik neqeme* m. *einen* fehlt Em.

4, 1 *Sine* C, *Die enwil* E, *Doch wil se mich nicht gheweren* m. 2 *gelege* E, *lieghe nahen by* m. 3 *Vñ min doch niht* E. 4 *Zeinem* C. *frùnde sprichet si* E. *giht* C. 3—4 in m: *Vñ tzo vrùde nicht enperen | We mach ik witzen we deme sy.* 5 *Io* C. *Sie enist mir so gar gehaz* E. *So* m. *och nicht* m. 6 *stvnde* B, *stvnde* C. *Do enste ie doch* g. E, *Dar en ste noch andere* g. m. 7 *Sie sol wizzen daz mir tete ein rehte vintschaft michels baz* E, *Mir tete myn vyant lichte batz* m.

5, 2 *als* C. 6 *tet* C. 7 *Io ist ze v.* C.

3, 5 *guot* K(HV).
4, 1 *Sîne* K(HV). 4 *Zeinem* K(HV). 5 *Jône* K, *Jôn* HV. *gehaz*, H. 6 *enstê* K(HV). *bi:* H. 7 HV] ¶ *ein vîent sanfter baz* K (Bech).
5, 2 *als* K(HV). 7 Bech] *Jâ* K(HV).

XXIII. Gottfried von Straßburg

I   Liute unde lant

1   Liute unde lant die mohten mit genâden sîn,
wan zwei vil kleiniu wortelîn 'mîn' unde 'dîn',
diu briuwent michel wunder ûf der erde.
wie gânt si vrüetende unde wüetende über al
5   und trîbent al die wélt úmbe als einen bal.
ich waene, ir krieges iemer ende werde.
Diu vertâne gîte
diu wahset allez umbe sich dâher sît Êven zîte
und irret elliu herze und elliu rîche.
10   deweder hant noch zunge
die méinènt noch minnent niht wan valsch und anderunge.
lêre und volge liegent offenlîche.

K S. 128 — *Ulrich von Lichtenstein 307 C*

2   Gelücke daz gêt wunderlîchen an und abe:
wan vindet ez vil lîhter danne manz behabe;
ez wenket, dâ man ez niht wol besorget.
swen ez beswaeren wil, dem gît ez ê der zît

K S. 128 — *U. v. L.* 308 C

I. 1, 3 *Die.*
2, 4 *Swēne.*

I v. 5 zwei dreihebige vv. Heinzel 58, ein v. Plenio Beitr. 41, 63 Anm., K. — 1, 1 und 3 *diu* K. 4 *und* K. 5 *werelt* K (Plenio ebd.). 10 *Weder* K (Ranke, G. v. Str. Tristan und Isold 1930, 246), *Dweder* Heinzel 58. 11 *Dien m. noch enminnent* K (Ranke ebd.).
2, 1 Heinzel 59] *gât* K (Ranke ebd.). 2 und 9 *Man* K (Heinzel 59). 4 *Swen* K (Heinzel 59).

5   und nimt ouch ê der zít wíder, swaz ez gegît.
        ez tumbet den, swem ez ze vil geborget.
            Vröide gît den smerzen;
            ê daz wir âne swaere sîn des lîbes und des herzen,
            wán víndet ê daz glesîn glücke,
10   daz hât kranke veste.
                swanne ez uns under diu ougen spilt und schînet aller beste,
            sô brichet ez vil lîhte in klein stücke.

1, 1 *mit genâden sîn*   etwa: in Frieden leben. 3 *briuwen*   hier: verursachen. 4 *vrüeten*
klug machen. 7 *vertân* verflucht. *gîte*   Habgier, Geiz. 10 ff vgl. Anm.
2, 2 *wan = man.* 4 *ê der zît*   zur Unzeit. 7 *den*   gemeint ist der vorher genannte
Personenkreis.

II   Diu zît ist wunneclich

A: 1—5; C: 1—6

1   Diu zît ist wunneclich.   K S. 129 — *1* AC
        swenne aberelle gegen dem meien
            alsô wunneclîchen strebt,
        sô hât ze vröiden sich
5   erde únde luft; dar zuo sich zweien,
            swaz gêt, vliuget oder swebt.
                Muoz ich iemer eine sîn?
                selbe ánder wurde ich niemer âne sî,
                diu mir an dem herzen *mîn,*
10   süeze in dem munde   zaller stunde   wont mir nâhe bî.

2, 10 *krake.*
II. 1, 1 sint C. 3 *Alse wünekliche strebet* C. 4 ¶ *hebt* C, 6 ¶ *flûset* C. swebet C.
8 *wunde* A, *wirde* C. 9 *mîn*] lit AC. 10 *Svz* A. wonet *m. nahen* C.

2, 5 *zîte* K (Plenio ebd.). 9 *glesîne gelücke* K (Ranke ebd.), Lücke zwischen *ê* und *daz*
Heinzel 59, *ê den tôt daz* . . . Götze Beitr. 61, 186 f. 11 *Swenn ez uns under ougen*
K (Ranke ebd.), *uns* tilgt Heinzel 59.
II. 1, 2 *Swan a. gen* K. 3 *Alse* K. 4 Heinzel 52] *hebt* K (Wolff, Der G. v. Str. zuge-
schriebene Marienpreis 1924, 14) 7 *sîn,* K. 8 *wurde* K (Heinzel 53, Wolff ebd. 15).
9 *mîn* K (Heinzel 53, Wolff ebd.). 10 Wolff ebd.] *Sô* Heinzel 53, Und K. *wonet*
nâhe(n) bî K (Heinzel 53, Wolff ebd.).

2 Wîplîche werdekeit,
    got hât vor aller crêatiure
      dich gemachet alse wert.
  swes muot ze minnen steit,
5   dem ist dîn name alsô gehiure.
      daz er bezzers nien engert.
        Wart iht liebers danne wîp,
          des habe ich ungesamnet mînen muot.
      wîbes name und wîbes lîp
10   sint beide reine, swie doch eine mir unsanfte tuot.

3 Ich unverdâhter man,
    war tuon ich wort, war tuon ich sinne,
      swanne ich bî der schoenen bin,
  daz ich niht reden kan?
5   sô gar verstummet mich ir minne,
      daz ich bin gar âne sin.
        Swanne ich sprechen sol ze nôt,
          sô kan ich harte kleine, des mich vrume;
        sô wird ich blûc, von schamen rôt.
10   dar nâch besunder kan ich wunder, swanne ich von ir kume.

2, 1 *Wiplichv* A. 2 *alle* A. 2 : 5 *creatvre : gehvre* A. 4 *Swez m. vf minne treit* A.
5 *Deme* A. 6 *der b. nine engen* (?) A. 7 *ie iht* A. 8 *ich* fehlt A. 10 *reine doch ir eine* A.
3, 3 *schonen* AC. 5 *mich*] *mir* A. 7 *swen* A. 8 *dc mir frume* A. 9 *blût (blûc?)* A (K und Heinzel vermerken diese Variante nicht). *vor schame* A.

2, 4 Heinzel 53 liest nach A. 10 Wolff ebd.] K und Heinzel 53 nach A.
3, 9 Wolff ebd.] *vor schame* K (Heinzel 53).

4 Waz sol mîn umbesagen?   K S. 129/130 — 4 AC
       mit einem worte sîz besliuzet,
          wan si sprichet, 'ine wil'.
       sold ich dar umbe verzagen?
5   nein, ich enwil, swen lîhte verdriuzet,
             der bejagete niht ze vil.
                Ich wil si noch versuochen baz
                   unde mich ze dienste ir iemer sparn.
                und obe si mir gebiutet daz,
10   ze Babilône   nâch ir lône   wolde ich gerne varn.

5 Der sumer sî sô guot,   K S. 130 — 5 AC
          daz er die schoene in sîner wunne
          lâze wunneclîche leben.
       swaz wol den ougen tuot
5   und sich den liuten lieben kunne,
             daz müez ir diu saelde geben.
                Swaz grüenes ûf von erde gê
                   oder tóuwes obenan nider rîsen muoz,
                loup, gras, bluomen unde klê,
10   der vogele doenen   gebe der schoenen   minneclîchen gruoz.

4, 1 *hilft* C. 3 *si spr. kurzlich i. w.* C. 4 *Sol* C. 5 *lîhte*] *es* C. 6 *beiaget* C. 7 *noch*
fehlt C. 8 *Vñ wil m. in ir dienest* C. 9 *Ir gŭte mir* C. 10 *wolt* C.
5, 6 *mŭz* A, *mŭsse* C. 7 *grŭnes* A. 9 *blŭmˢ* A. 10 *vogel dŏnē geb. d. sch. wuñeklichē*
g. C.

4, 3 Heinzel 53] K (Wolff ebd. 16) liest nach C. 4 *um* K. 5 Heinzel 53] *swen es v.* K,
swens lîht v. Wolff ebd. 6 Heinzel 53, Wolff ebd.] *bejaget* K. 7 Heinzel 53] *noch*
tilgt K (Wolff ebd.). 8 *Und wil m. in ir d. niemer sp.* K, *Und wil m. ir z. d.*
(*dienest* Wolff) *iemer sp.* Heinzel 53, Wolff ebd. 9 *ob* K.
5, 6 *müez* K. 8 *Ald* K (Wolff ebd.). 10 *vogel* K. *geb* K.

5   Ir rôse varwer munt
     und ir wol stênden liehten ougen,
      dâ bî ein wol geschaffen lîp,
   daz machet manger stunt,
5   daz mir daz herze trûret tougen.
      daz bedenke, ein schoenez wîp!
       Dû senfte mir daz swaere leben
        und biut mir vil schiere dîne hant,
    ald ich muoz in den sorgen sweben.
10   dar an gedenke, niht entwenke, entstricke mir daz bant.

1, 2 *aberelle* April.
2, 5 *gehiure* angenehm. 8 *ungesamnet* nicht beisammen.
3, 9 *blûc* verlegen.
4, 1 *umbesagen* hin und her reden. 6 der dürfte nicht zu viel erreichen. 7 *versuochen*
   auf die Probe stellen.
5, 5 *lieben* hier: angenehm machen. 8 *rîsen* niederfallen.
6, 2 und ihre so klaren, strahlenden Augen. 10 *entstricken* losbinden.

6, 6 *schones.*

6, 8 *biute* K.

XXIV. Wolfram von Eschenbach

I Den morgenblic

1 *D*en morgenblic bî wahtaeres sange erkôs
    ein vrouwe, dâ si tougen
      an ir werden vriundes árm lác.
  dâ von si der vreuden vil verlôs.
5   des muosen liehtiu ougen
      aver nazzen. sî sprach: 'ôwê tac!
        Wilde und zam daz vrewet sich dîn
          und siht dich gérn, wán ich eine. wie sol iz mir ergên!
          nu enmac niht langer hie bî mir bestên
10   mîn vriunt. den jaget von mir dîn schîn.'

(right margin: 3, 1 — 1 G (ohne Namen))

2 Der tac mit kraft al durch diu venster dranc.
    vil slôze sî besluzzen.
      daz half niht; des wart in sorge kunt.
  diu vríundîn den vriunt vast an sich dwanc.
5   ir ougen diu beguzzen
      ir beider wangel. sus sprach zim ir munt:
        'Zwei herze und ein lîp hân wir.
          gar ungescheiden unser triuwe mit ein ander vert.
          der grôzen liebe der bín ich vil gár verhert,
10   wan sô du kumest und ich zuo dir.'

(right margin: 3, 12 — 2 G)

I. 1, 1 *Den*] *.en* (vorgesehene Initiale nicht ausgeführt). 4 *der* in der Hs. einwandfrei
lesbar (Heinzle ZfdA. 101, 144). *fravden.* 6 *ówe.* 7 *frawet.* 8 *wi.*
2, 3 *in* undeutlich. 7 *Z* . . . (unlesbar). 9 *g°zzen.*

I Versaufteilung wie Le und W. L teilt v. 8 in zwei vv. (Versgrenze vor der 3. He-
bung); ebenso (Versgrenze aber vor der 5. Hebung) Plenio Beitr. 41, 90, K Hat.
Br liest v. 9 sechshebig (Zäsur vor der 4. Hebung). — 1, 1 *Den* alle. *wahters* LLeK,
wahtaers W. 3 *arme* LLeKW. 4 *der* W] Lücke LLe, *hôher* K. 7 *vreut* LeKW.
8 *gerne* LLeKW. *ein* L.
2, 3 *in*] *uil* Piper, Dt. National-Litt. 162, 366. 7 LLeKW] *Ein* Piper ebd. *einen l.*
LLeKW. 8 Punkt vor *unser* L. 9 *grôzen* alle. L] *liebe ich bin vil gar* Le (L im
App.), *l. der bin ich gar* KW, *l. bin ich gar* BrHat.

3 Der trûric man nam urloup balde alsus:

ir liehten vel, diu slehten,

kômen nâher, s*wie* der tac erschein.

weindiu ougen – süezer vrouwen kus!

5 sus kunden sî dô vlehten

ir munde, ir bruste, ir arm*e*, *ir* blankiu bein.

Swelch schiltaer entwurfe daz,

geselleclîche al*s* si lâgen, des waere ouch dem genuoc.

ir beider liebe doch vil sorgen truoc,

10 si pflâgen minne ân allen haz.

1, 1 *morgenblic* Morgenlicht.
2, 8 . . . begleitet die Treue des einen den andern. 9 *verhert* beraubt.
3, 2 *vel* Haut. 3 *swie* obwohl. 7 *schiltaer* Maler. 8 . . . das wäre sein Meisterwerk.
9 f ihr Glück war dennoch voller Gefahr, aber . . .

II Sîne klâwen

1 "*Sî*ne klâwen

durch die wolken sint geslagen,

er stîget ûf mit grôzer kraft;

ich sich in grâwen

5 tegelîch, als er wil tagen:

den tac, der im geselle*sch*aft

Erwenden wil, dem werden man,

den ich mit sorgen în [] verliez.

ich bringe in hinnen, ob ich kan.

10 sîn vil mánigiu tugent mich daz leisten hiez."

3, 3 svi· oder sw· (L liest *sus*, Piper *ſvſ*). 4 *sỏzzir*. 6 *arm . . . r* (Loch im Pergament).
8 *alsi*.
II. 1, 1 *Sîne*] ·*in* (vorgesehene Initiale nicht ausgeführt). 2 *di*. 6 *gesellaft*. 8 *in bi naht*.

3, 3 Punkt nach *nâher* alle außer Docen, Nellmann (s. Anm.). *swie* Docen, Nell-
mann, *sus* die andern. Kein Satzzeichen nach *erschein* LBrHat. 4 *weinendiu* LeBr.
6 LeKBrHat] *arm* LW. *ir* alle. 8 *geselleclîchen* K. *als si* alle. *lâgn* L. 9 *Ir*] *Swie*
Kück Beitr. 22, 111. Punkt nach *truoc* LLeK.
II Versaufteilung wie LW; vv. 1—2 u. 4—5 je eine Zeile mit Binnenreim BaLeKBrHat;
v. 8 fünfhebig LeBr; v. 10 sechshebig Br, W (nur Str. 1—3). — 1, 1 *Sîne* LLeKW.
6 *geselleschaft* alle. 8 *mit sorgen* tilgt W. LBaKHat] *în bî naht* LeBr, Mohr Festschr.
Kluckhohn/Schneider 1948, 157, *bî naht în* W. 10 *vil* tilgt Ba. *michz* LK.

2 'Wahtaer, du singest,   4, 18 — 5 G
    daz mir manige vreude nimt
    unde mêret mîn klage.
  maer du bringest,
5   der mich leider niht gezimt,
      immer morgens gegen dem tage.
      Diu solt du mir verswîgen gar.
      daz gebiut ich den triuwen dîn.
      des lôn ich dir, als ich getar,
10   sô belíbet híe dér geselle mîn.'

3 "Er muoz et hinnen   4, 28 — 6 G
    balde und ân sûmen sich.
    nu gip im urloup, süezez wîp.
  lâze in minnen
5   her nâch sô verholn dich,
      *daz er behalte êre unde den lîp.
      Er gap sich mîner triuwen alsô,
      daz ich in braehte ouch wider dan.
      ez ist nu tac. naht was ez, dô
10   mit drúcken an [ ] brúst dîn kus mir in an gewan."

2, 2 *fravde.* 3 *vnd mert.*
3, 3 *sv̊zzez.* 10 *truchen an die bruste (e* unsicher).

2, 3 *Unde mêret mîne* LLeKBrHatW. 8 *biut* L, *gebiute* LeKBr. 10 BrW] *selle* LKHat,
   trûtgeselle Ba.
3, 2 *âne alle.* 5 *verholne* LLeKW. 6 *êr* LK. *und* LLeKW. 7 W] *triwe* L, *triuwe* LeK.
   8 *in ouch braehte* LeBr. 10 Tilgung wie LLeKHat. *druck(ę)* LLe, *drucke* BaKHat.
   an die brust Br, *an die brüste* W. *mirn* LK, *dirn* (!) Br.

4 'Swaz dir gevalle,
  wahtaer, sinc und lâ den hie,
   der minne brâ*ht* und minne enpfienc.
 von dînem schalle
5 ist er und ich erschrocken *ie,*
   sô nínder der mórgenstern ûf gienc
    Ûf in, der her nâch minne ist komen,
   noch ninder lûht*e* tages lieht.
  du hâst in dicke mir benomen
10   von blanken armen, und ûz herzen niht.'

5 Von den blicken,
  die der tac tet durch diu glas,
   und dô wahtaere warnen sanc,
 si muose erschricken
5 durch den, der dâ bî ir was.
   ir brüstlîn an brust si dwanc.
    Der rîter ellens niht vergaz;
    des wold in wenden wahtaers dôn:
   urloup nâh und nâher baz
10   mit kusse und anders gap in minne lôn.

1, 5 *tegelîch* nach Art des Tages. 8 *în verlâzen* hereinlassen.
2, 5 *gezimt* gefällt.
3, 10 *an gewinnen* abgewinnen.
4, 6 *sô* wenn. 7 *ûf in* über ihm.

4, 3 *brach.* 5 *hie.* 8 *lûhtet.*
5, 4 *erschrischen.* 6 *brustlin.*

---

4 3 LW] *brâhte* LeK. 5 *ie* alle. BaHat] nach *ie* Doppelp. LLeKBr, Punkt W. 6 *de*
Boor 1673] *der* tilgen LLeKBrHatW. 8 LBaKHatW] *lûhtẹ et* Le, *lûhte des* Br. Nach
lieht Komma LLeKBr, Doppelp. BaW. 10 *und doch ûz dem* Br.
5 Unecht nach Thomas ZfdA. 87, 52—54. 3 W] *der wahtaer (wahter* Le) LLeK.
4 *erschricken* alle. 6 *brüstelîn* LLeK. 8 *wahters* LK, *wahtaeres* LeBr. 10 *anders vil*
Br. *im* Br (nach Vorschlag L's).

III   Ein wîp mac wol

1   Ein wîp mac wol erlouben mir,   5, 16 — *1 BC*
    daz ich ir neme mit triuwe war.
    ich ger – mir wart ouch nie diu gir
    verhabet –, mîn ougen swingen dar.
5   Wie bin ich sus iuwelenslaht?
    si siht mîn herze in vinster naht.

2   Si treit den helfelîchen gruoz,   5, 22 — *2 BC*
    der mich an vröiden rîchen mac.
    dar ûf ich iemer dienen muoz.
    vil lîhte erschînet noch der tac,
5   Daz man mir muoz vröiden jehen.
    noch groezer wunder ist geschehen.

3   Nu seht, waz ein storch saeten schade: 5, 28 — *3 BC*
    noch minre scháden habent mín diu wîp.
    ir haz ich ungerne ûf mich lade.
    diu nû den schuldehaften lîp
5   Gegen mir treit, daz lâze ich sîn.
    ich wil nu pflegen der zühte mîn.

1, 3 f *die gir verhaben* sagt man vom Falken, dessen Jagdlust durch eine übergezo-
gene Kappe zurückgehalten wird. 4 ... daß meine Augen zu ihr hinüberschwingen
(vgl. Anm.). 5 *iuwelenslaht* eulenartig.

III. **1**, 2 *trúwē* C. 4 *őge* C. 5 *ẘulen slaht* C.
2, 1 *helflichē* C. 4 *der* aus *den* B. 6 *grosser* C.
3, 1 *storche* C.

III. **1**, 2 *triuwen* alle. 3 f W] *Ich ger* (...) *m. o. swingen* L, *ich ger* (...): *m. o. swin-
gent* K (Vorschlag Pauls Beitr. 1, 202 f), *ich ger,* (...), *m. o. swüngen* Paul ebd.,
LeBr. 5 *iuwelnslaht* LLeK.
3 Selbständiges Lied Stosch ZfdA. 27, 329 und Plenio Beitr. 41, 124. — 1 *Nu* tilgt L.
den saeten L. 2 *hânt* LLeKW. 3 *ungern* LK.

IV   Der helden minne

1 Der helden minne ir klage   5, 34 — *4 BC*
du sunge ie gên dem tage,
Daz sûre nâch dem süezen.
swer minne und wîplîch grüezen
5   alsô enpfienc,
daz si sich muo*sen* scheiden, –
swaz dû dô riete in beiden,
dô ûf gie*nc*
Der morgensterne, wahtaere, swîc,
10   dâ von niht ⟨. . . . .⟩ sinc.

2 Swer pflíget oder íe gepflac,   6, 1 — *5 BC*
daz er bî líeben wîben lac,
Den merkaeren unverborgen,
der darf niht durch den morgen
5   dannen streben.
er mac des tages erbeiten.
man darf in niht ûz leiten
ûf sîn leben.
Ein offeniu süeze wirtes wîp
10   kan sölhe minne geben.

1, 1 *helden* = part. präs. von *heln.*
2, 6 *erbeiten*   erwarten. 8 vgl. Anm.   9 *wirtes wîp*   Ehefrau.

IV. 1 In B auf dem Rande von neuerer Hand ⟨*T*⟩*agwiß.* 2 *gegen* C. 3 *dē* C. 6 *siu* B.
mv̊ssent B, *mv̊zent* C. 8 *gie* BC. 10 *niht sing* B, *n. sing gerne* C.
2, 2 ¶ *wibe* C. 3 *merkern* C. 9 *sv̊zú* C. 10 *solhe* C.

IV Zum Strophenbau vgl. Anm.; v. 1 W vierhebig (parallel zu v. 9); vv. 5—6 u. 7—8
je eine Zeile mit Zäsur Bartsch Germ. 2, 269, LeBr. vv. 9—10 eine Zeile LLeBr
(Br mit Zäsur nach der 4. Hebung). — 1, 1 *helnden* W. 2 *gegen* L. 3 Komma nach
süezen Paul Beitr. 1, 203, K. 6 prät. alle. Doppelpunkt nach *scheiden* Paul ebd., K.
8 *gienc* alle. 9 W] *wahtaer* LK, *wahter* Le. 10 ¶ *langer* erg. KW, *gerne* LLeBrHat,
mêre Paul ebd. *sienc* LK.
2, 1 *odr* LK. 2 *bî lieben wîbe* LeBr, *bî liebe* LKHatW, *lieb bî wibe* Plenio Beitr. 41,
109. 3 *merkern* LLeKW. 9 W] *offen* LLeK. *süeziu* W.

V   Von der zinnen

1   "Von der zinnen   6, 10 — 6 BC
    wil ich gên, in tagewîse
    sanc verbern.
  die sich minnen
5   tougenlîche, und obe si prîse
    ir minne wern,
      Sô gedenken sêre
      an sîne lêre,
      dem lîp und êre
10   ergeben sîn.
        der mich des baete,
        deswâr ich taete
        ime guote raete
      und helfe schîn.
15   ritter, wache, hüete dîn!

2   Niht verkrenken   6, 25 — 7 CB
    wil ich aller wahter triuwe
    an werden man.
  niht gedenken
5   solt du, vrowe, an scheidens riuwe
    ûf kunfte wân.
      Ez waere unwaege,
      swer minne pflaege,
      daz ûf im laege
10   meldes last.

V. 1, 5 *ob* C. 7 *gedenke* BC. 9 *Dē* C.
2, 2 *wahtęre* B. 4 f *Dv́ ensolt denken / An sch. ţrv́we* B. 6 *kvnste* (!) B. 7 *wc ie weg*
    C. 9 *ime* B. 10 *Melden* B.

V. Versaufteilung wie L und W, vgl. auch Anm. — 1, 7 *gedenken* alle. 13 *Im* LLeK
    15 *Rîter* W.
2, 2 *wahtaer* LW. 3 *werdem* K. 7 *waere unwaege* alle. 10 ¶ *Meldens* BrW, *Meldennes*
    BaLe.

ein sumer bringet,
daz mîn munt singet:
durch wo*l*ken dringet
tagender glast.

15   hüete dîn, wache, süezer gast!"

3 Er muos eht dannen,   6, 40 — *8 BC*
der si klagen ungerne hôrte.
dô sprach sîn munt:
"allen mannen
5   trûren nie sô gar zerstôrte
ir vröiden vunt."
Swie balde ez tagete,
der unverzagete
an ir bejagete,
10   daz sorge in vlôch.
unvrömedez ruc*k*en,
gar heinlîch smuc*k*en,
ir brüstel druc*k*en
und mê dannoch
15   urloup gap, des prîs was hôch.

1, 2 f . . . mit einer Tagesmelodie den Gesang einstellen (vgl. W 127). 5 f vgl. Anm.
2, 1 *verkrenken* in Verruf bringen (W). 6 wegen der Hoffnung auf sein Wiederkommen. 7 *unwaege* unangemessen, unvorteilhaft. 10 *meldes* g. des Gerundiums zu *melden* verraten, ankündigen (vgl. Anm.).

2, 12 *Swas* B. 13 *wokē* C. 14 Ain B. 15 *Wache vñ hůte dich lieber* g. B.
3, 1 *eht*] *vō* C. 2 *klagēde* C. 5 *Trûren* fehlt C. 6 *Ir* fehlt C. 7 : 8 : 9 *tagte : -zagte : beiagte* C. 11 *Vnvᵁˢmeldes* C. 11 : 12 : 13 *rvchen : smvchen : drvchen* B. 13 *brvstel* C. 15 *Vrlub* C.

2, 11 LLeKBrHatW] *ein summern* Kartschoke Euph. 66, 89, *dîn sûmen* L. Hanemann, Die Lieder W's von E. Diss. Hamburg 1949, *in hinnen* Borck, Wolframs Lieder. Habil.-Schrift Münster 1960 (zitiert nach W). 12 *Swaz* Kartschoke ebd. 13 *wolken* alle. 14 Br] *Ein t.* LLeKHatW. 15 *Hüet* LK.
3 Unecht Thomas ZfdA. 87, 52—54. — 1 *muose* KW, *muoste* Le. Ba] *et* LLeKW. 2 *klagende* Br. 3 *Ez* BaKHat. 7 : 8 : 9 Le] *tagte : -zagte : bejagte* LKW. 14 W] *mêr* LLeK.

VI   Ursprinc bluomen

1 Ursprinc bluomen, loub ûzdringen   7, 11 — 9 C
   und der luft des meigen urbort vogel ir alten dôn.
   eteswenne ich kan niuwez singen,
      sô der rîfe liget, guot wîp, noch allez ân dîn lôn.
5   Die waltsinger und ir sanc
      nâch halbem sumers teile in niemannes ôre enklanc.

2 Der bliclîchen bluomen glesten –   7, 17 — 10 C
      sô des touwes anehanc – erliuternt, swâ si sint,
   vogel die hellen und die besten:
      al des meigen zît si wegent mit gesange ir kint.
5   Dô slief niht diu nahtegal.
      nu wáche aber ích und singe ûf berge und in dem tal.

3 Mîn sanc wil genâde suochen   7, 23 — 11 C
      an dich, güetlîch wîp: nu hilf, sît helfe ist worden nôt.
   dîn lôn dienstes sol geruochen,
      daz ich iemer bitte und biute unz an mînen tôt.
5   Lâze mich von dir nemen den trôst,
      daz ich ûz mînem langen klagen werde erlôst.

4 Guot wîp, mac mîn dienst ervinden,   7, 29 — 12 C
      ob dîn hélflîch gebot mich vröiden welle wern,
   daz mîn trûren müeze swinden
      und ein liebez ende an dir bejagen mîn langez gern?
5   Dîn güetlîch gelâz mich twanc,
      daz ích dir béide guot sínge al kurz oder wiltu lanc.

VI. 1, 4 *alles.* 6 *halbē. ein klanc.*
2, 3 *helle.* 4 *weget.*
3, 3 *Min.* 6 *minē.*
4, 4 *betagen* liest Hanemann, Die Lieder W's 1949. 6 *kurch.*

VI vv. 2 u. 4 mit Zäsur nach der 4. Hebung, v. 6 mit Zäsur nach der 3. Hebung Br. —
1, 1 *loup* alle. *ûz dringen* LLeK. 3 *Etswenn* LK, *Etswenne* LeW. 4 *ligt* LK. 6 *hal
ben* alle. *niemens* LLeKW. *enklanc* alle.
2, 2 *Sol . . . erliutern* alle außer Sayce. Neuer Hauptsatz nach *sint* alle. 3 *hellen* alle
4 *wegent* alle. 6 *abr* LK.
3, 3 LLeKBrW] *Mîn* Sayce. 4 BrW] ¶ *biute und biute* LBaLeK. 5 *Lâz* LLeK. 6 W
mînen LLeKBr.
4, 2 *helfelîch* LLeKW. 6 Sayce] ¶ *guot* tilgen LBaLeKW, *beide dir guot* Br. *kurz* alle
od LK.

Werdez wîp, dîn süeze güete
und dîn minneclîcher zorn hât mir vil vröide erwert.
maht du troesten mîn gemüete?
wan ein hélflîchez wort von dir mich sanfte ernert.
5   Mache [] wendic mir mîn klagen,
sô daz ich werde grôz gemuot bî mînen tagen.

, 1 *ursprinc* (n. sg.) Hervorbrechen. *loub* g. pl. **2** *urborn* hier: hervorbringen. *vogel*
g. pl. (vgl. Anm.).
, 1 *bliclîch* leuchtend. **2** *sô* vgl. Anm. *erliutern* klar und rein machen.
3, 3 *geruochen* acht haben auf. **4** s. Anm.
, 5 *gelâz* Gestalt, Verhalten.

VII   Ez ist nu tac

1 "Ez ist nu t a c. daz ich wol m a c mit wârheit jehen.
ich wil niht langer sîn."
'diu vinster n a h t hât uns nu b r â h t ze leide mir
dén mórgenschîn.

5   Sol er von mir scheiden nuo,
mîn vriunt, diu sorge ist mir ze vruo.
ich weiz vil wol, daz ist ouch ime,
den ich in mînen ougen gerne burge,
möht ich in alsô behalten.
10   mîn kumber wil sich *b*reiten:
ôwê des, wie kumt ers hin?
der hôhste vride müeze in noch an mînen arn geleiten.'

5, 5 *Mach ein.*
VII. 1, 1 *wol*] *niht* korr. in *wol* C. **2** *wil*] *wil iehen ich wil* A. **4** *Dem morgenlichen*
schin A, *Dē morgē schin* C. **5** *nv* A. **7** *dc ich vch* A. **9** *Mohte* A. **10** *bereiten* AC.
12 *mᵛze* A. *noch widˢ* A.

5, 1 *süeziu* LLeBr. **4** *helfelîchez* LLeKW. **7** *Mache w.* alle.
VII Versaufteilung wie L und Le. Br zerlegt vv. 1 u. 3 in je eine binnengereimte
Zeile u. schlägt den Rest als Anvers zu den vv. 2 u. 4; W zerlegt v. 1 u. 3 in zwei
Zeilen mit Endreim; den Schlußteil von v. 1 u. 3 schlägt er zu v. 2 u. 4; v. 11 f
liest W als achthebige Langzeile (Zäsur nach der 4. Hebung) + dreihebige Kurzzeile;
v. 12 lesen als zwei Kurzzeilen Plenio Beitr. 41, 89, KHat, als Langzeile (mit Zäsur)
Br. — **1, 2** *Er* (!) KHat. **4** ¶ *morgenlîchen schîn* alle. **9** *Möhte* LLeKW. **10** *breiten*
alle. **12** *müez* L. *noch wider* LLeBrHat. ¶ *arm* alle.

2   Daz guote w î p ir vriundes l î p vaste umbevie: 8, 9 — *15* C, 2 A
     der was entslâfen dô.
        dô daz ge s c h a c h , daz er er s a c h den grâwen tac,
     dô muost er sîn unvrô.
5   An sîne bruste ∫ dructe er sie ⌐
       und sprách: "jô*n* erkande ich nie
         kein trûric scheiden alsô snel,
          und ist diu naht von hinnen alze balde.
           wer hât sî sô kurz gemezzen?
10   der tac wil niht erwinden.
          hât mínne an saelden teil,
          diu helfe mir, daz ich dich noch mit vröiden müeze vinden."

3   Si beide l u s t e , daz er k u s t e sî genuoc.   8, 21 — *16* C, 3 A
     gevluochet wart dem tage.
        urloup er n a m , daz dâ wol z a m , nu merket wie:
     dâ ergíe ein schimpf bî klage.
5   Si hâten beide sich bewegen,
        ez enwárt sô nâhen nie gelegen,
         des noch diu minne hât den prîs.
          ob der sunnen drî mit blicke waeren,
          sine môhte*n* zwischen sî geliuhten.
10   er sprach: "nu wil ich rîten.
         dîn wîplîch güete neme mîn war
         und sî mî schílt híute hin und her noch zallen zîten."

2, 1 *vast* A. *vmbe vienc* A. 2 *ein slafen* A. 4 *mv̂ze* A. 5 *brvst* A. *er si drv̂hte* AC. 6 *io* AC. *nie* fehlt A. 12 *mv̂ze* A.

3, 1 *kv́ste* A. *gnv̂c* A. 4 *Dc* A. 5 *hetten* A. 6 *nahe* A. *nien* C. 8 *Obe* A. *drî*] *diz* A. *waren* A. 9 *Si mohten* A, *sine môhte* C. *entzwischen* A. *gelvhten* A. 10 *ritten* A. 11 *wiplichv́ gv̂te nm̄ mîn* A. 12 *hv́ta* A. *noch*] *vñ* A.

2, 1 *vast* LK. *umbevienc* LLeKBrHatW. 4 *muose* LKW. 5 *dructe (druhte* Br*) er sie* LLeKBrHatW. 6 *sprach zir* K, *sprach* . . . Hat. *jâne erk.* LKBrHatW, *jâ e̦nerkande̦* Le. 7 Punkt nach *snel* LLeKBrHatW. Nach *balde* Komma Br, Doppelpunkt HatW. 11 ¶ *Hât diu* LLeKBrHatW, *hât iender* Plenio Beitr. 41, 88.

3 Str. 4 vor 3 Mohr Festschr. Kluckhohn/Schneider 1948, 162, Br. — 3 ¶ *dô* alle außer Sayce. Punkt nach *zam*, kein Satzzeichen nach *wie* W. 4 *ergienc* LLeKBrHatW. 5 *heten* LLeKW. 6 *Ezn wart* LK. *nâhe nie* alle. 8 *Obe* LKW. *blicken* Br. 9 *Sin möhten* LKHat, *Si e̦nmöhten* LeBrW. 12 *hiute hin*] *hiut (hiute̦* LeBr*) hin und her* LLeBr, *hiut hinnen noch* W (mit Borck), *noch hiute hin* de Boor 1675, *her unde hin* KHat. *u. h. noch*] *und her nâch* LLeBr, *und her zuo* de Boor ebd., *noch hiute und* KHat. *allen* de Boor ebd.

Ir ougen n a z dô wurden b a z. ouch twanc in klage:　　8, 33 — 17 C, 4 A

　　er múostè von ir.

　　　　si sprach hin z i m e : 'urloup ich n i m e ze den vröiden mîn:

　　diu wil gar von mir.

5　　　　Sît ích ⌠ vermîden muoz ⌡

　　　　dînen munt, der manigen gruoz

　　　　　mir bôt, únde ouch dîn kus,

　　　　　　alse ín dîn ûzerwelte güete lêrte

　　　　　　und dîn geséllè, dîn triuwe: –

10　　　　　　[] weme wiltu mich lâzen?　　　9, 1

　　　　　　　*nu kum schiere wider ûf rehten trôst!

　　　　　　owê dur dáz mác ich strenge sorge niht gelâzen.'

1, 11 wie wird er von mir fortkommen?
2, 5 *bruste* a. pl. 6 *jôn* negierte Kurzform von *joch* fürwahr. 10 *erwinden* ablassen.
3, 5 *sich bewegen* sich entschließen. 12 *hin* von hinnen.
4, 1 *baz* noch mehr.

VIII　　Guot wîp, ich bitte dich minne

1　Guot wîp, ich bitte dich minne,　　　　9, 4 — 18 C

　　ein teil dur daz,

　　　sît ich dir niht gebieten mac.

　　du gip mir die gewinne,

5　　daz ich baz

　　　an dir gelebe noch lieben tac.

　　　　Snel vür mich – wilder danne ein tier –

　　　　mac mir dîn helfe entwenken.

　　　　wilt an triuwe gedenken,

10　　　　　saelic wîp,

　　　　sô gîst ein liebez ende mir.

4, 1 *dô*] *div* A. 2 *mv̊ze* A. 3 *Er spc̆h hin zir* A. 4 ¶ *wil nv* A. 5 *mv̊z vˢmiden* AC. 7 *vñ* C, *vnd* A. 8 *Als* A. *gv̊te* A. 9 *trvwe* A̧. 10 *Si spch* AC. *wilt dv* A. 11 *kvme* A.
VIII. 1, 7 *fur* mit *a* über *u*.

4, 2 *muose (muoste* Br) *dan* LKBrHatW, *muoste et* Le. 3 *zen* LLeKHat. 4 *de Boor* 1675] *wil nu* alle. Komma nach *mir* alle außer W. 5 ¶ *Sît daz ich vermîden muoz* alle. 6 *mangen* LK. 7 ¶ *und* alle. *dîn süezen* LLeKBrHat, ¶ *dînen* W. 8 *Als* LLeKW. *ûz erweltiu* LLeKBrHat. 9 *diu geselle dîn, diu* LLeKHat, *din geselle, diniu* BrW. Punkt nach *triuwe* alle außer W. 10 Tilgung von *si sprach* alle außer Sayce. *wilt du* LKW. 11 *schier* LLeKW. 12 *enmac* alle. *strenge*] *strenge / und* Plenio Beitr. 41, 89, *doch / mich* KHat, *noch / strenge* W. ¶ *gemâzen* alle.
VIII Über Unechtheit und Versaufteilung s. Anm. — 1, 11 *mier* LK.

2 Du treist sô vestez herze   9, 15 — *19 C*
       ûf mîn verlust.
          wie sol der site an dir zergân?
       eim mûzervalken, eim terzen,
5   den mac brust
          niht baz danne dir diu dîne stân.
             Dîn munt ist ûf den kus gestalt,
             dîn lachelîchez grüezen
             mac mir wol gesüezen
10   sûre nôt.
          sus hât dîn minne mîn gewalt.

3 Möht ich die saelde reichen,   9, 26 — *20 C*
       diu sô hôch
          ob mîner vröide stêt gezilt!
       got muoz ir herze erweichen,
5   sît ez noch
          der mîner swaere niht bevilt.
             Man siht mich alze selten geil.
             ein vlins von donrestrâlen
             möht ich zallen mâlen
10   hân erbeten,
          daz im der herte entwiche ein teil.

4 Ir wengel wol gestellet   9, 37 — *21 C*
       sint gevar
          alsam ein touwic rôse rôt.
       diu schoene mir wol gevellet,
5   sist valsches bar.

2, 4 *mv́zer valke.* 5 *Dē mach.*
3, 8 *donrē stralē.*

2, 2 *mîne vlust* LLeKW. 3 : 6 *zergên : stên* LLeKW. 4 ¶ *ein mûzervalke, ein terze*
LLeKW. 5 K] *Dem* LLeW. 6 *dan* LLeK. *die dîne* L (Vorschlag im App.).
3, 4 ¶ *müez* L, *müeze* LeK. 8 LKW] *donerstrâlen* Le.
4, 4 *schoen* LK.

ir ougen bringent mich in nôt.
Si dringent in mîns herzen grunt:
sô enzündet mich ir minne,
daz ich vón ir liebe enbrinne.
10   an der stat
bin ich von der süezen wunt.

5 Ir schoene vröide machet.   10, 1 — 22 C
    durliuhtec rôt
      ist ir munt als ein rubîn.
swem sî von herzen lachet,
5   des sorge ist tôt.
      sist mîn spilnder ougen schîn.
      Ir vrömde krenket daz herze mîn.
        ich stirbe, mir werde ir minne.
10   Vênus diu götinne,
        lebt si noch,
      si müeste bî ir verblichen sîn.

6 Ich wil des mînen ougen   10, 12 — 23 C
    sagen danc,
      daz sî si vunden alsô guot.
die ich dâ minne tougen
5   sunder wanc,
      diu hât gehoehet mir den muot.
      Daz schaffet mir ir rôter munt:
        ir minneclîchez lachen
        kan mir wol gemachen
10   hôhen muot,
      dâ von mir wirt ein vröide kunt.

5, 4 *Swē*.
6, 9 *kā* korr. aus *la*.

4, 9 *von ir brinne* LLeK.
5, 7 *krenketz* LLeK. 8 *stirb* LK. 11 *müest* LK.
6, 10 Punkt nach *muot* LLeKW.

1, 7 Schnell an mir vorbei, scheuer als ein Reh (vgl. Anm.).
2, 4 *mûzervalke* Falke, der sich gemausert hat (d. h. ein wertvoller Falke). *terze* eine Falkenart.
3, 7 *geil* froh. 8 einen Stein aus (Donner und) Blitzen (vgl. Anm.).

IX   Maniger klaget

1 Maniger klaget die schoenen zît

L S. XII, 1 — *24 C¹*,
Gedrut 30 A, Rubin
von Rúdegêr 3 C²

    und die liehten tage,

      sô klage ich, daz mir ein wîp getuot,

diu mir leit zuo sorgen gît.

5   ôwê dirre klage!

      waz ist mir vür sendez trûren guot?

        Aller vogel singen, aller bluomen schîn,

          elliu wîp und wîbes kint,

        swaz der lebende sint,

10   troestent mich niht wan sô daz sol sîn.

2 Mich hât leit in trûren brâht

L S. XII, 11 — *25 C*

    und ein sende klage,

      diu mich niht wan trûren lêren wil.

mir hât lônes ungedâht,

5   der ich mîne tage

      habe gedienet ûz der mâze zil.

        Wer sol mir nu lônen, und gelît si tôt?

        geschiht des niht und stirbe aber ich,

        vrouwe mîn, nu sprich,

10   ûf wen erbe ich danne dise nôt?

IX. **1,** 1 *schone* A, *schonen* C¹C². 3 *klag* A. 4 *ze* C². 5 *dirre*] ¶ *senedv́* A. *senendv́* C², 6 ¶ *vur dich zevroiden gŏt* AC². 7 *vogele* A, *vogelin* C². 8 *und wîbes*] *eller wibe* A, 9 *Daz* A. *der leben vñ lebendic sint* C². 10 *sô*] *div* A, fehlt C².

IX Echt Behaghel Germ. 34, 488 f, sonst allg. unecht (abgedruckt nur bei LK, HMS I, 287 b). — **1,** 1 *Maneger* L, *Manger* K. 4 *ze* LK. 5 *dirre*] *senediu* L, *sendiu* K. 6 LK nach AC². 7 *vogele* LK.
2, 1 *leit* L] *liep* K. 2 *ein* L] *in* K. 7 *lônen*] *dienen* L. 8 *ab* LK.

3 Hilf, hilf, guot wîp, lâ besehen,
 ob du brechen maht
  sorgen bant; mîn vröide hinket dran.
mir mac liep von dir beschehen:
5 dar zuo hâst duz brâht.
  dîne güete bite ich unde man.
   Manlîch dienst, wîplîch lôn gelîch ie wac,
    wan an dir, vil saelic wîp;
   kumber treit mîn lîp
10   die vernanten zît naht unde tac.

2, 4 *ungedenken* c. gs. nicht denken an. **7** *und* hier: wenn.
3, 10 *vernennen* nennen (vgl. Anm.).

3, 4 *geschehen* K. **7** *dienest* LK. **10** L] ¶ *verswanten* K.

Verzeichnis von Siglen und abgekürzt zitierter Literatur

I. Siglen

In Apparaten, Anmerkungen und in der Literatur zu den Handschriften sind die Dichter aus MF in abgekürzter Form, wie folgt, zitiert:

Ad	Engelhart von Adelnburg
Die	Dietmar von Eist
Fe	Rudolf von Fenis
Go	Gottfried von Straßburg
Gut	Ulrich von Gutenburg
Ha	Hartmann von Aue
Hau	Friedrich von Hausen
Hei	Kaiser Heinrich
Her	Herger
Hor	Bernger von Horheim
Joh	Albrecht von Johansdorf
Kür	Der von Kürenberg
Mor	Heinrich von Morungen
Reg	Der Burggraf von Regensburg
Rei	Reinmar
Riet	Der Burggraf von Rietenburg
Rug	Heinrich von Rugge
Rut	Hartwig von Rute
Sev	Meinloh von Sevelingen
Sper	Spervogel
Stei	Bligger von Steinach
Veld	Heinrich von Veldeke
Wo	Wolfram von Eschenbach
Wa	Walther von der Vogelweide (nicht in dieser Ausgabe)

II. Abgekürzt zitierte Literatur

AARBURG	= Ursula AARBURG, Melodien zum frühen deutschen Minnesang. Eine kritische Bestandsaufnahme. ZfdA. 87 (1956/57) 24—45. — In wesentlich neu gestalteter Fassung auch in: Der deutsche Minnesang. Aufsätze zu seiner Erforschung, hg. von Hans FROMM (Wege der Forschung 15). Darmstadt 1961, ⁵1972, 378—421.
AARBURG, Singweisen	= Ursula AARBURG, Singweisen zur Liebeslyrik der deutschen Frühe. Düsseldorf 1956 [Beiheft zu Br].
Ba	= Karl BARTSCH, Deutsche Liederdichter des zwölften bis vierzehnten Jahrhunderts. Eine Auswahl. Leipzig 1864. — 2. vermehrte und verbesserte Aufl. Stuttgart 1879. — 3. Aufl. besorgt von Wolfgang GOLTHER. 1893. — 4. Aufl. besorgt von Wolfgang GOLTHER. Berlin 1901. — Weitere unveränderte Nachdrucke der 4. Aufl., zuletzt Darmstadt 1966. — Bei Fenis bezieht sich Ba auf SMS.

BECH = Fedor BECH, Hartmann von Aue. 2. Theil: Lieder. Erstes Büchlein. Zweites Büchlein. Grêgorjus. Der arme Heinrich (Dt. Classiker d. Mittelalters 5, 2). Leipzig 1867. Weitere Aufl. bis ⁴1934.

BECKER = Reinhold BECKER, Der altheimische Minnesang. Halle 1882.

BEHAGHEL, Syntax = Otto BEHAGHEL, Deutsche Syntax. Eine geschichtliche Darstellung. Bd. 1, 2: Die Wortklassen und Wortformen. Heidelberg 1923, 1924. Bd. 3: Die Satzgebilde. Heidelberg 1928. Bd. 4: Wortstellung, Periodenbau. Heidelberg 1932.

BERGMANN = Robert BERGMANN, Untersuchungen zu den Liedern Albrechts von Johannsdorf. Diss. Freiburg 1963.

BLATTMANN = Ekkehard BLATTMANN, Die Lieder Hartmanns von Aue (Philol. Studien u. Quellen 44). Berlin 1968.

de BOOR = Helmut de BOOR, Mittelalter. Texte und Zeugnisse (Die deutsche Literatur. Texte und Zeugnisse Bd. 1, 1 u. 1, 2). München 1965.

BMZ = Mittelhochdeutsches Wörterbuch. Mit Benutzung des Nachlasses von Georg BENECKE ausgearbeitet von Wilhelm MÜLLER und Friedrich ZARNCKE. Leipzig 1854 bis 1866. 3 Bde. Nachdruck Hildesheim 1963.

Br = Hennig BRINKMANN, Liebeslyrik der deutschen Frühe in zeitlicher Folge. Düsseldorf 1952.

BRINKMANN = Hennig BRINKMANN, Rugge und die Anfänge Reimars. In: Festschr. Kluckhohn/Schneider. Tübingen 1948, 498 bis 527.

Bu = Konrad BURDACH, Reinmar der Alte und Walther von der Vogelweide. Leipzig 1880. 2. berichtigte Aufl. mit ergänzenden Aufsätzen über die altdeutsche Lyrik. Halle 1928.

BUCHHOLZ = Ernst BUCHHOLZ, Die Lieder des Minnesingers Bernger von Horheim nach Sprache, Versbau, Heimat und Zeit. Progr. Emden 1889.

C. B. = Carmina Burana. Mit Benutzung der Vorarbeiten Wilhelm MEYERS kritisch hg. v. Alfons HILKA u. Otto SCHUMANN. Bd. 1: Text. Teil 1: Die moralisch-satirischen Dichtungen. Heidelberg 1930. Teil 2: Die Liebeslieder. Heidelberg 1941. Teil 3: Die Trink- und Spielerlieder. Die geistlichen Dramen. Nachträge. Besorgt von Bernhard BISCHOFF. Heidelberg 1970. Bd. 2: Kommentar. Teil 1: Einleitung (Die Hs. der Carmina Burana). Die moralisch-satirischen Dichtungen. Heidelberg 1930.

DWB = Deutsches Wörterbuch, hg. v. Jacob u. Wilhelm GRIMM. 16 Bde. (ab Bd. 4 von verschiedenen Hgg.) Leipzig 1854—1954.

FORTMANN = Dieter FORTMANN, Studien zur Gestaltung der Lieder Heinrichs von Morungen. Diss. Tübingen 1966.

FRANK = István FRANK, Trouvères et Minnesänger. Recueil de textes pour servir à l'étude des rapports entre la poésie lyrique romane et le Minnesang au XIIᵉ siècle. Saarbrücken 1952.

FRINGS/LEA = Theodor FRINGS u. Elisabeth LEA, Das Lied vom Spiegel und von Narziss. Morungen 145,1. KRAUS

7. Minnelied, Kanzone, Hymnus, Beobachtungen zur Sprache der Minne. Deutsch, Provenzalisch, Französisch, Lateinisch. Beitr. 87 (Halle 1965) 40—200.

GOTTSCHAU   = Emil GOTTSCHAU, Über Heinrich von Morungen. Beitr. 7 (1880) 335—408.

GRIMMINGER   = Rolf GRIMMINGER, Poetik des frühen Minnesangs (MTU 27). München 1969.

H   = Karl LACHMANN und Moriz HAUPT, Des Minnesangs Frühling. Leipzig 1857.

H Anm.   = Anmerkung von M. HAUPT in H.

Hat   = A. T. HATTO, Mediaeval German. In: Eos. An Enquiry into the Theme of Lovers' Meeting and Parting at Dawn in Poetry. London/The Hague/Paris 1965, 428 bis 472, darin die Ausgabe der Lieder I—V Wolframs von Eschenbach.

HAUPT   = Marlene HAUPT, Reimar der Alte und Walther von der Vogelweide (Gießener Beitr. z. dt. Philologie 58). Gießen 1938.

He   = Andreas HEUSLER, Deutsche Versgeschichte. Mit Einschluß des altenglischen und altnordischen Stabreimverses. 3 Bde. Berlin 1925—1929. 2., unveränderte Aufl. Berlin 1956.

HEINZEL   = Richard HEINZEL, Kleine Schriften. Hg. v. Max HERMANN u. Carl v. KRAUS. Heidelberg 1907.

HMS   = Friedrich Heinrich von der HAGEN, Minnesinger. Deutsche Liederdichter des zwölften, dreizehnten und vierzehnten Jahrhunderts, aus allen bekannten Handschriften und früheren Drucken gesammelt und berichtigt, mit den Lesarten derselben, Geschichte des Lebens der Dichter und ihrer Werke, Sangweisen der Lieder, Reimverzeichnis der Anfänge, und Abbildungen sämmtlicher Handschriften. 5 Teile in 4 Bänden und ein Atlas. Teil 1—4 Leipzig 1838. Teil 5 und Atlas Berlin 1856. — Unveränderter Nachdruck Aalen 1963.

INGEBRAND   = H. INGEBRAND, Interpretationen zur Kreuzzugslyrik Friedrichs von Hausen, Albrechts von Johansdorf, Heinrichs von Rugge, Hartmanns von Aue und Walthers von der Vogelweide. Diss. Frankfurt 1966.

IPSEN   = Ingeborg IPSEN, Strophe und Lied im frühen Minnesang. Beitr. 57 (1933) 301—413.

ITTENBACH   = Max ITTENBACH, Der frühe deutsche Minnesang. Strophenfügung und Dichtersprache (DtVjs. Buchr. 24). Halle 1939.

JAMMERS   = Ewald JAMMERS, Ausgewählte Melodien des Minnesangs. Einführung, Erläuterungen und Übertragung (Altdt. Textbibliothek Erg.-Reihe 1). Tübingen 1963.

JELLINEK (br. an K) = Max H. JELLINEK brieflich an Carl v. KRAUS. Die Hinweise finden sich an den entsprechenden Stellen in K, MFU.

JUNGBLUTH [1]   = Günther JUNGBLUTH, Neue Forschungen zur mittelhochdeutschen Lyrik. Euph. 51 (1957) 192—221.

JUNGBLUTH [2]   = Günther JUNGBLUTH, Vorzugsweise Textkritisches zu Heinrich von Morungen. In: Festschr. Quint. Bonn 1964, 141—147.

JUNGBLUTH [3]   = Günther JUNGBLUTH, Die Lieder Kaiser Heinrichs. Beitr. 85 (Tüb. 1963) 65—82.

K   = Des Minnesangs Frühling. Nach Karl LACHMANN, Moriz HAUPT und Friedrich VOGT neu bearbeitet von Carl von KRAUS. Leipzig 1940. Seitdem unveränderte Neudrucke in Leipzig, Zürich und Stuttgart. — Bei den Liedern Wolframs und Gottfrieds bezieht sich K auf KLD.

K Anm.   = Anmerkung zu C. v. KRAUS in K.

KIBELKA   = Johannes KIBELKA, Heinrich von Morungen. Lied und Liedfolge als Ausdruck mittelalterlichen Kunstwollens. [Masch.] Diss. Tübingen 1949.

KIENAST [1]   = Richard KIENAST, Die deutschsprachige Lyrik des Mittelalters. In: Dt. Philol. im Aufriß, hg. v. Wolfgang STAMMLER, Bd. 2. Berlin 1954, 775—902. — [2]1960, 1 bis 132.

KIENAST [2]   = Richard KIENAST, Hausens scheltliet (MF 47, 33) und der sumer von triere. Sb. d. dt. Akad. d. Wiss. z. Berlin. Kl. f. Sprachen, Lit. u. Kunst 1961, 3. Berlin 1961.

KIENAST [3]   = Richard KIENAST, Das Hartmann-Liederbuch C[2]. Sb. d. dt. Akad. d. Wiss. zu Berlin. Kl. f. Sprachen, Lit. u. Kunst 1963, Nr. 1. Berlin 1963.

K, MFU   = Carl von KRAUS, Des Minnesangs Frühling. Untersuchung. Leipzig 1939.

KLD   = Carl von KRAUS, Deutsche Liederdichter des 13. Jahrhunderts. Bd. 1: Text. Tübingen 1952. Bd. 2: Kommentar. Besorgt von Hugo KUHN. Tübingen 1958.

K, MU   = Carl von KRAUS, Zu den Liedern Heinrichs von Morungen. Abh. d. kgl. Ges. d. Wiss. zu Göttingen, Philol.-hist. Kl., N.F. Bd. 16, 1. Berlin 1916.

K, RU   = Carl von KRAUS, Die Lieder Reimars des Alten. (I. Die einzelnen Lieder. II. Die Reihenfolge der Lieder. III. Reimar und Walther. Text der Lieder). Abh. d. bayer. Akad. d. Wiss., philos.-philol. u. hist. Kl., Bd. 30, 4., 6. u. 7. Abh. München 1919.

L   = Karl LACHMANN und Moriz HAUPT, Des Minnesangs Frühling. Leipzig 1857. — Bei den Liedern Wolframs bezieht sich L auf: Karl LACHMANN, Wolfram von Eschenbach. 6. Ausg. besorgt von Eduard HARTL. Berlin u. Leipzig 1926. Unveränderter photomech. Nachdruck Berlin 1962.

L Anm.   = Anmerkung von K. LACHMANN in L.

Le   = Albert LEITZMANN, Wolfram von Eschenbach (ATB 12—16). 5. Heft: Willehalm Buch VI—IX, Titurel, Lieder. 5. Aufl. Tübingen 1963.

LEMCKE   = Ernst LEMCKE, Textkritische Untersuchungen zu den Liedern Heinrichs von Morungen. Diss. Jena. Jena/Leipzig 1897.

LEXER   = Matthias LEXER, Mittelhochdeutsches Handwörterbuch. Zugleich als Supplement und alphabetischer Index zum Mittelhochdeutschen Wörterbuche von BENECKE-MÜLLER-ZARNCKE. 3 Bde. Leipzig 1872—1878. Nachdruck Stuttgart 1965.

Mau   = Friedrich MAURER, Die „Pseudoreimare". Fragen der Echtheit, der Chronologie und des „Zyklus" im Liedercorpus Reinmars des Alten. Abh. d. Heidelberger Akad. d. Wiss., Philos.-hist. Kl. Jg. 1966, 1. Abh. Heidelberg 1966.

MAURER = Friedrich MAURER, Über Langzeilen und Langzeilenstrophen in der ältesten deutschen Dichtung. In: Festschr. Ochs. Lahr 1951, 31—52 = F. M., Dichtung und Sprache des Mittelalters. Gesammelte Aufsätze (Bibliotheca Germanica 10). Bern/München 1963, 174—194.

MOSER/MÜLLER-BLATTAU = Hugo MOSER/Joseph MÜLLER-BLATTAU, Deutsche Lieder des Mittelalters. Von Walther von der Vogelweide bis zum Lochamer Liederbuch. Texte und Melodien. Stuttgart 1968.

MOWATT = D. G. MOWATT, Friderich von Hûsen. Introduction, text, commentary and glossary (Anglica Germanica. Ser. 2) Cambridge 1971.

MSD = Karl MUELLENHOFF und Wilhelm SCHERER, Denkmäler deutscher Poesie und Prosa aus dem 8.—12. Jahrhundert. 2 Bde. 3. Aufl. besorgt von Elias STEINMEYER. Berlin 1892.

NEUMANN = Friedrich NEUMANN, Rezension zu Carl v. KRAUS, Des Minnesangs Frühling. Untersuchungen. Leipzig 1939. Carl v. KRAUS, Des Minnesangs Frühling. Leipzig 1940. GGA. 206 (1944) 12—45.

NORDMEYER [1] = Henry W. NORDMEYER, Ein Anti-Reinmar. PMLA. 45 (1930) 629—683.

NORDMEYER [2] = Henry W. NORDMEYER, Der Hohe Mut bei Reinmar von Hagenau. Minnesangs Frühling 179, 3. JEGPh. 31 (1932) 360—394.

P = Hermann PAUL, Kritische Beiträge zu den Minnesingern. Beitr. 2 (1876) 406—560.

PAUS = Franz Josef PAUS, Das Liedercorpus des Heinrich von Rugge. Diss. Freiburg 1965.

PLENIO = Kurt PLENIO, Bausteine zur altdeutschen Strophik. Beitr. 42 (1917) 411—502 u. 43 (1918) 56—99. Seitengetreuer Nachdruck mit einem Geleitwort von Ulrich PRETZEL (Libelli CCXCIV). Darmstadt 1971.

SARAN [1] = Franz SARAN, Hartmann von Aue als Lyriker. Eine literarhistorische Untersuchung. Diss. Halle 1889.

SARAN [2] = Franz SARAN, Über Hartmann von Aue. Beitr. 23 (1898) 1—108.

SAYCE = Olive SAYCE, Poets of the Minnesang. Edited with Introduction, Notes and Glossary. Oxford 1967.

Sch = Anton E. SCHÖNBACH, Beiträge zur Erklärung altdeutscher Dichtwerke. Erstes Stück: Die älteren Minnesänger. Sb. d. kaiserl. Akad. d. Wiss. in Wien, Philos.-hist. Kl. Bd. 141. Wien 1899.

SCHIRMER = Karl-Heinz SCHIRMER, Die höfische Minnetheorie und Meinloh von Sevelingen. In: Festschr. Tschirch. Köln/Wien 1972, 52—73.

SCHMIDT = Erich SCHMIDT, Reinmar von Hagenau und Heinrich von Rugge. Eine litterarhistorische Untersuchung (QF. 4). Straßburg 1874.

SCHNEIDER = Hermann SCHNEIDER, Rezension zu Carl v. KRAUS, Des Minnesangs Frühling. Untersuchungen. Leipzig 1939. Ders., Des Minnesangs Frühling. Nach Karl

LACHMANN, Moriz HAUPT und Friedrich VOGT neu bearbeitet von Carl v. KRAUS. Leipzig 1940. AfdA. 59 (1940) 67—76.

SCHRÖBLER, Syntax = Ingeborg SCHRÖBLER, Syntax. In: Hermann PAUL, Mittelhochdeutsche Grammatik. 20. Aufl. Besorgt von Hugo MOSER u. Ingeborg SCHRÖBLER. Tübingen 1969.

SCHÜTZE = Karl SCHÜTZE, Die Lieder Heinrichs von Morungen auf ihre Echtheit geprüft. Diss. Kiel 1890.

SCHWEIGER = Valentin SCHWEIGER, Textkritische und chronologische Studien zu den Liedern Heinrichs von Morungen. Diss. Freiburg 1970.

SIEVERS 1 = Eduard SIEVERS, Zu Heinrich von Morungen. Beitr. 50 (1927) 331—351.

SIEVERS 2 = Eduard SIEVERS, Zur inneren und äußeren Chronologie der Werke Hartmanns von Aue. In: Festschr. Strauch. Halle 1932, 53—66.

SMS = Die Schweizer Minnesänger, hg. v. Karl BARTSCH (Unveränderter reprograf. Nachdruck der Ausgabe Frauenfeld 1886, Bibliothek älterer Schriftwerke der dt. Schweiz, Bd. 6). Nachdruck Darmstadt 1964.

TAYLOR = Ronald J. TAYLOR, Die Melodien der weltlichen Lieder des Mittelalters. I. Darstellungsband. II. Melodienband (Samml. Metzler 34—35). Stuttgart 1964.

V = Des Minnesangs Frühling. Mit Bezeichnung der Abweichungen von LACHMANN und HAUPT und unter Beifügung ihrer Anmerkungen neu bearbeitet von Friedrich VOGT. 3. Ausg. Leipzig 1920.

V Anm. = Anmerkung von F. VOGT in V.

WACKERNAGEL = Wilhelm WACKERNAGEL, Deutsches Lesebuch. Bd. I. 5. Aufl. Basel 1873.

W = Peter WAPNEWSKI, Die Lyrik Wolframs von Eschenbach. Edition, Kommentar, Interpretation. München 1972.

WAPNEWSKI = Peter WAPNEWSKI, Waz ist minne. Studien zur mittelhochdeutschen Lyrik (Edition Beck). München 1975.

WEINHOLD = Karl WEINHOLD, Mittelhochdeutsche Grammatik. Paderborn 2 1883. Nachdruck: Paderborn 1967.

WEISSENFELS = Richard WEISSENFELS, Der daktylische Rhythmus bei den Minnesängern. Halle 1886.

Hs. J, die Jenaer Liederhandschrift. Universitätsbibliothek Jena. bl. 29r.